2012年以来　折に触れ
「みんなのデータサイト」を
物心両面でご支援くださった皆様に
心より感謝申し上げます。

皆様の応援が
放射能汚染をなかったことにしようとする圧力に抗う
私たちを励まし
本書籍をつくる原動力になりました。

特に「東日本土壌ベクレル測定プロジェクト」において
1地点1地点に足を運び
手を動かし
土壌を採取してくださった皆様に
特段の感謝をお伝えします。

皆様のご協力なしには
この本をつくることはできませんでした。
本当にありがとうございました。

また　ここではお名前を書けない資金サポーターの皆様
様々な働きかけをしてくださっている皆様
陰で地道な作業を手伝ってくださっている皆様に
この場を借りてお礼を申し上げます。

おひとりおひとりのお力
思いがかたちとなったこの書籍が
必要な方に届くことを願ってやみません。

はじめに

この本は、2011年3月11日の東日本大震災による福島原発事故後、日本各地で立ち上がった「市民放射能測定室」のネットワーク、「みんなのデータサイト」による6年間の活動の測定結果を集大成としてまとめ地図化、解説を収録したものです。

福島原発事故後、どこにどれだけの放射能があるのか、食べ物は、水は、土は・・・?と、皆が大きな不安を抱えました。農家さんは「自分の畑の放射能はどの程度か」悩み、「ここで作った作物を食べてもらって大丈夫か」と迷いました。消費者は「これを買っても大丈夫?」と悩み、そして多くの人々が「ここで暮らし続けていいのか」「ここで子どもを遊ばせていいのか」暮らしの1つ1つが、見えない放射能との戦いとなり、不安の連続のただ中に置かれました。

私たち市民測定室は、国の調査と異なり、自分たちが測定したいものを測定し、測定したい精度まで細かく測定できるのが特徴です。人々を放射能から守りたい、汚染がどれくらいあるか事実を知らせたい、原発事故をなかったことにさせない、という思いで6年間活動してきました。

今回の『「図説」17都県放射能測定マップ＋読み解き集』は、活動の1つのまとめとして、市民による市民のためのどこにもない本を目指して、「お母さんから専門家まで」どなたにでも読んでいただけるよう、みんなのデータサイト参加33測定室のメンバーが力を合わせて分析・執筆・編集作業を進めてきました。

現在全国で戦っている原発避難者訴訟の弁護士の方々や原告の皆様の活動の一助となること、また、放射能に汚染されている「東日本」一帯にお住まいの皆さんが改めて「放射能」について知り、考え、分断を乗り越えてつながり合うための、1粒の種となれば幸いです。そしてこの本が、未来の子どもたちへ、2011年に起きた原発事故による放射能汚染の実態がどのようであったか、事実の記録集として保管され伝えられるようにと願っています。

「汚染」ということば

活動を続けて来る中で、いつも悩み、葛藤してきた言葉のひとつが「汚染」という言葉です。「放射能汚染」という言葉を、なんとか使わずに済ませることはできないのか?

実際に測定を行えば、セシウム134、137が何ベクレルある、と結果が出ます。けれど、この土地は「汚染」されていると言えば、そこに住んでいる人びとや、畑や田んぼ、農場、山の幸を受け取る山林で生業を立てる人、そうした人たちを傷つけることになるのではないか? その思いがいつもよぎります。

「もう放射能のことは考えたくない」「ないものとして暮らしていくと決めた」人もいると聞きます。悩んだ末に、本の表紙に「汚染」という言葉を使うことをやめました。それでもなお私たちがこの書籍を出版するのは、「原発事故を、放射能をなかったことにさせない」という思いからです。測定結果は、辛い事実を突きつけると思います。また、安全な場所の指針にもなるかもしれません。この事実が本当に必要な人に届き、役立てていただければと願っています。

測定室であり生産者でもある農家の苦悩

「みんなのデータサイト」に参加する測定室の中には、自分たちが作る野菜や使用する肥料や育苗土など農業資材の放射能汚染を測りたいと測定室を始めた生産者がいます。

環境のことを考え、無農薬・無化学肥料の安全でおいしい農作物を届けたいと、誇りをもって取り組んできた有機・自然農の農家にとって、野菜作りは土づくりそのものであり、五感ではわからない放射能の汚染は、農地だけでなく暮らしそのものを著しく傷つけました。豊かな畑が目の前にありながら汚染状況を把握できず、当時は作付けができない地域もありました。

高すぎる安全基準。早々と出される安全宣言。行政からの情報は少ないために、自費で検査を受ける日々。しかし一般的な測定料金は安くなく、少量多品種栽培している生産者にとっては「測り、表示して販売していく」ということは現実的ではありませんでした。そのような中で、自分たちで測定しようと地域の仲間や個人で市民測定室を立ち上げるようになっていったのです。

しかし自分たちで測定ができるようになったからと言って安心はできませんでした。安全安心を旨としてきた有機農業者でも、放射能測定に対する抵抗感は強く、もし芳しくない検査結果が出てしまって、それが明らかになれば、世間から自分たち生産者はもちろん、地域全体が言われなき疑いをかけられないとも限らないという心配が常に頭をよぎりました。しかし、土壌や作物の正確な汚染値を知り、消費者にも誠実に伝えることが責任のあり方と考え、1つ1つの作物を測定してきました。

当時は生産や出荷を諦めたものがありましたが、現在は、出来る限り放射線測定をした上で農産物を販売しています。野菜に測定データを添付するなど、お客さんに数値を知らせる努力をしています。出荷前に農産物を細かく刻んで測定することは非常に手間のかかることですし、事故前なら泥付きで販売していた野菜も、土壌が汚染されているので、今でもよく洗ってから出荷せざるを得ない状況が続いています。

「みんなのデータサイト」において、農産物を届ける側でもあり、測定を行なう側でもあるという稀有な存在である測定室が複数存在することによって、生産者の色々な苦悩や苦労に寄り添いつつ、正確なデータを伝えられることが、小さな子どもを持ったお母さんたちにとって安心できる材料の一つになると信じて活動を続けています。

撮影：2018年7月22日　撮影場所：福島市庭坂付近 © suzy-j photographs

「廃棄物－フレコンバッグに入ったものは」
写真家・中筋純さん

「廃棄物」って何だろう？
土が入っていたり、がれきが入っていたりするけど、
よーく考えてみると・・・

ある大熊町の人の一時帰還に一緒について行ってきました。
その方の息子さんはお父さんについて米作りをやっているんだけど非常に勉強家で、
哲学から法律からとにかく難しい本を読むことが大好きでした。
その本が農家の納屋の庇（ひさし）の下に積み上げられていて。
「この哲学書も廃棄物というらしい。失礼な話じゃないですか？」
彼は、ぽろっと言いました。
これがフレコンバッグに入るとみんな廃棄物になる。
放射能の雲が通れば全てのものが廃棄物。

また、別のとある女性が、いいました。
「廃棄物、廃棄物と言いますけど、福島の原発事故の前には、
福島県に廃棄物というものは1つもありません。」

だから、言葉というのは非常に重要で。

「廃棄物」と言われると、じゃあ捨ててもいいんじゃないの？と思われるけど、
中に入っているものは、何千年も先祖代々耕された大切な土だったり
庭先のちっちゃい三輪車や子供の遊び道具。
庭の木も「除染作業」だと言ってバカスカ切っちゃうけど。
子どもが生まれると桜や桃など庭に木を植えて成長を祝う風習があったんです。
そういう大切な思い出の木も全部ぶった切って、
フレコンバッグに詰めれば、それも「廃棄物」。

なにより、そこに詰め込まれているのは、
僕らが暮らすために何気なくつかってきた「電力の一部」なのであって。
そのせいで、彼らの宝ものも思い出の品も「廃棄物」になったんだ。
そのことに気づかずに「廃棄物」という言葉を、
我々が使っているってことは、
我々もそれに加担している、、、
積み上げられた黒い袋を見るとそんな気がしますね。

2017年5月　埼玉県飯能市AKAI FACTORYにて
詩人・宮尾節子氏との対談朗読会の一節より抜粋

撮影：2015年3月　撮影場所：福島県浪江町

増補版の発刊にあたり

2018年11月に、クラウドファンディングで資金調達し自費出版をした本書は、その後1年で1万8,000冊を発行するまでに至りました。当時最善の力を尽くして本書を作り上げましたが、その後、全国で本書の「読み解き講座」を100回以上行なった中で、さまざまな方からのアドバイスやご要望をいただきました。それらの声に応えるとともに、新たにこの1年間で状況が変わった出来事や残された課題を加筆した上で、この度、増補版を発行する運びとなりました。

今年は「東京2020オリンピック大会」が開催される予定です。昨年、海外各国から「オリンピックを開催しても安全か？」「各地の放射能汚染はどうなっているのか？」という問い合わせを多数いただきました。それを受ける形で、急遽2019年9月に英語版ダイジェスト『Citizens' Radiation Data Map of Japan – Grassroots Movement Reveals Soil Contamination in Eastern Japan in the Wake of Fukushima!』を発行いたしました。その際に初公開としたのが、「2020年7月の値に換算した東日本17都県放射能測定マップ」です。このマップをぜひ日本語版にも収録したいという思いも、増補版発行のきっかけとなりました。

福島第一原発から南20㎞に位置する「Jヴィレッジ」（福島県双葉郡楢葉町）が、聖火リレーのスタート地点となっています。その「Jヴィレッジ」に隣接する駐車場で、2019年12月に東京電力の測定でセシウム合算103万ベクレル/kgの非常に高い放射能汚染土壌が（測定地点6ヶ所の中で）見つかり、それは、2020年2月おしどりマコさんの取材によって明らかとなりました。福島県は同月に、県内リレールートや観客が応援する沿道の空間放射線量を測定し、飯舘村の毎時0.77マイクロシーベルトが沿道での最大値で、滞在時間が少ないことから問題はないとしています。

このように、高濃度汚染土壌が存在する恐れがある中で科学的な検証が行なわれず、次々に避難指示が解除されていきます。そして、聖火リレーのスタート日に合わせたかのように、避難指示区域だった周辺住人の家は取り壊され、何事もなかったようにオリンピックが行なわれる予定です。しかし、トリチウムなどを含む汚染水の問題、除染土壌の再利用問題、全国の原発被災者・避難者訴訟、避難者へのいじめや経済的困窮など、さまざまな問題は何一つ解決していません。

原発事故からの9年は、もう9年ではなく、まだ9年です。人々は放射能のことを忘れていきますが、放射能は決して私たちを忘れることはなく、無くなりもしません。年を経たことで新たに現れた問題や課題を取り上げた本書「増補版」で、ぜひ日本の現在と未来に思いを巡らせ、より良い未来を選ぶ一助として活用して頂ければ幸いです。

2020年3月

みんなのデータサイト　マップ集編集チーム

目次
Contents

●●●印:執筆担当　★ 増補ページ
土壌マップ:4,000人の市民の皆様の協力によるページ
無印:みんなのデータサイト マップ集編集チーム担当

～知ろう！測ろう！つながろう！～
「東日本土壌ベクレル測定プロジェクト」とは？

2011年3月11日に起きた東京電力福島第一原発事故により、東日本の広大な土地に放射能が降り注ぎました。みんなのデータサイトでは、具体的な汚染状況を把握するために、国の測定対象ともなっている東日本17都県の土壌に含まれる放射性物質をベクレル(Bq/kg)という単位で直接測定する「東日本土壌ベクレル測定プロジェクト」を立ち上げました。

測定結果を地図に表現し、東日本に広がる放射性セシウムの汚染を可視化することを目的として、2014年10月～2017年9月までの3年間に渡り、のべ4,000人の市民の方々の協力のもと、3,400ヶ所以上の採取・測定を行ないました。

期間

2014年10月～2017年9月

(無料測定期間：2017年1月末まで)

※有料(¥2,000/件)となりますが、現在も各測定室で測定を受け付けています。

対象エリア：東日本17都県

青森、岩手※、秋田、宮城、山形、福島、茨城、栃木、群馬、埼玉、千葉、東京、神奈川、山梨、長野、静岡、新潟

※岩手は2012年～2013年に、300ヶ所以上の採取測定を行なうプロジェクトが「土壌調査プロジェクト・いわて」により実施され、この手法を手本にして17都県に展開しました。

プロジェクトはじまりの経緯

政府や研究機関などで、統一の基準で土壌のベクレル値を測定したデータがまったくないわけではありません。しかし、限られた地域で、また数kmごとに1地点といった形での地点決定方法であったり、農地土壌では15 cmの深さまでの土壌採取のため、表層部分の汚染を捉えられていなかったり、あるいは航空機による空間線量率の測定結果を参考にした推計に基づくものであったりと、実際に市民が本当に知りたい場所の知りたいデータではないというのが現状でした。

「子どもたちが安全に遊べる場所はどこか」「自分たちが暮らす身近な場所の汚染の実情を知りたい」、しかしいつまで経っても実際の汚染がわからず、不安な状況が続く中、半減期の短いセシウム134が検出されるうちに、福島第一原発事故由来の汚染を記録しようと「東日本土壌ベクレル測定プロジェクト」実施を決断しました。

お手本となった「土壌調査プロジェクト・いわて」

東日本土壌ベクレル測定プロジェクトのお手本となったのが、2012～2013年に岩手県で展開された「土壌調査プロジェクト・いわて」です。名古屋の「C-ラボ」と岩手の市民グループである「ー放射線被曝から子どもを守る会ーいわて」とが共同企画し、3つの市民測定所、「SAVE CHILD iwate」(岩手県)(＊1)、「かねがさき」(岩手県)、「小さき花」(宮城県)が測定に協力して、プロジェクトを推進しました。

「県内の全市町村で1ヶ所ずつは採取しよう」という目標のもと、県南の公園を含め、お母さんたちが心配で測定をしたい場所を中心に採取地点を決定し、316ヶ所の土壌を測定して、最終的に測定数値が色分けされた「岩手全県土壌放射能汚染マップ」となりました。

＊1:「SAVE CHILD iwate」は、2018年5月にみんなのデータサイトを退会されました。

採取方法の統一が鍵

みんなのデータサイトに参加する個々の測定室では、市民からの持ち込み土壌も多く、たくさんの測定を行なってきていました。しかし、それらは採取深度がまちまちで、詳細も不明瞭なものも多く、それぞれのデータを広く相互に「比較」することが難しい状況でした。

条件を揃えて採取を行なうことで、文部科学省やチェルノブイリ原発事故などの測定データとも比較可能な有益なデータとなるため、以下に定めた統一手法で採取した土壌のみを「プロジェクト検体」として扱うことにしました。

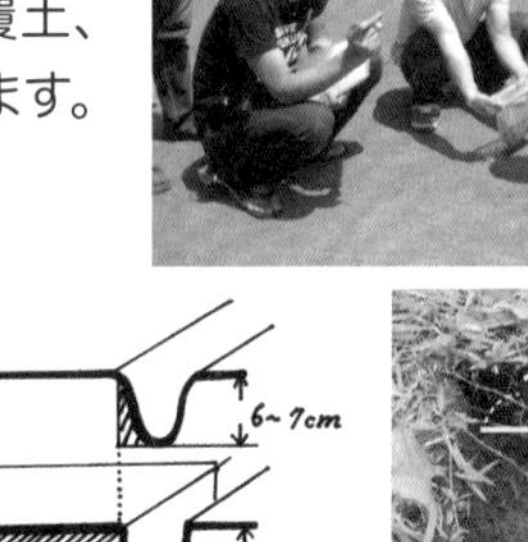

❶ **採取場所の選び方**

空間線量計があれば、付近のおおまかな線量を把握します。極端に線量が高いホットスポット（特異点）を避け、「土の入れ替え、覆土、除染などされていない」とみられる場所を採取ポイントに定めます。

❷ **「野帳」（記録用紙）を必ず記入**

地形や地質、周囲の環境を詳しく記録します。あとで検証する場合の唯一の手がかりとなります。

❸ **空間線量の測定（できるだけ）**

採取ポイントの空間線量を、地上5 cm、地上1 mの2点で測定し、使用した空間線量計の種類も野帳に記録します。

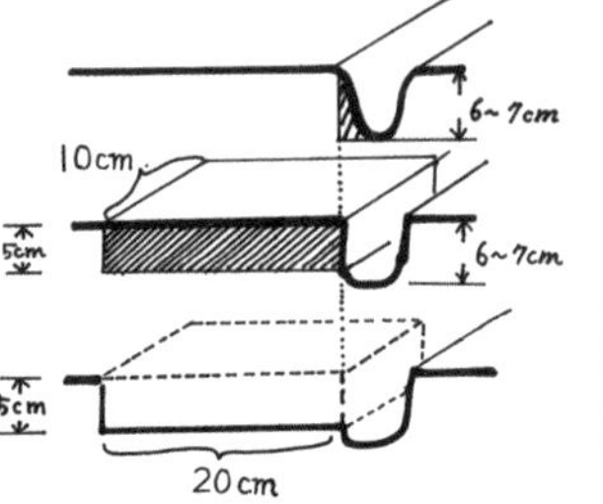

❹ **採取方法は深さ5センチメートルで統一**

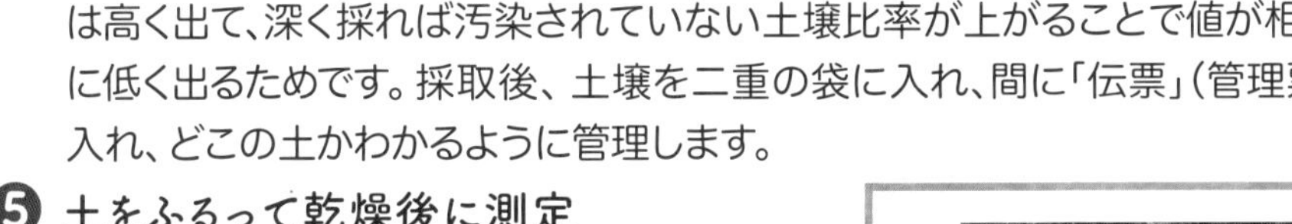

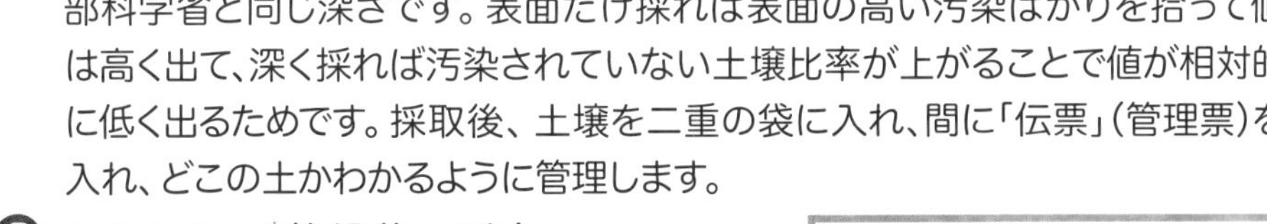

地表からきっちり深さ5 cmで、1 ℓ強の容量を採取します。チェルノブイリや文部科学省と同じ深さです。表面だけ採れば表面の高い汚染ばかりを拾って値は高く出て、深く採れば汚染されていない土壌比率が上がることで値が相対的に低く出るためです。採取後、土壌を二重の袋に入れ、間に「伝票」（管理票）を入れ、どこの土かわかるように管理します。

❺ **土をふるって乾燥後に測定**

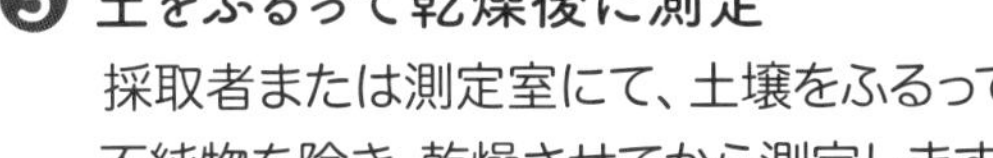

採取者または測定室にて、土壌をふるって不純物を除き、乾燥させてから測定します。

誰でも正確に採取できるために

広く市民に採取を呼びかける際、誰が採取しても同じやり方で適した場所から採取ができるよう、以下のようなツールを準備しました。

- ●写真入りの採取マニュアル製作・公開
- ●コミック版採取マニュアル「虎の巻」の製作・配布
- ●採取方法の動画の製作・公開
- ●採取講習会の開催（のべ100回以上を各地で実施）

土壌測定　精度向上の取り組み

多くの市民測定室の測定器はNaI（ヨウ化ナトリウムシンチレーション式）の測定器です。この種の測定器は機種により、放射性セシウムが少なく天然核種が多く含まれる場合に、測定値の算出に影響が及ぼされる場合があります。このため、土壌プロジェクトの実施においては、測定精度を確保するために土壌測定のための精度管理方法を新たに開発実施しました。

まず、天然核種であるウランやトリウムおよびその娘核種が豊富に含まれる中国地方の非汚染土壌に、福島県の汚染土壌を混合した試験土壌を製作しました。そして、すべての測定器でこの試験土壌を測定しデータを分析、天然核種による測定値妨害の有無とその判定方法、データ補正を行なう場合の判定条件などを1年かけて確立し、より正確な測定結果を公開できるよう努めました。

（右写真）高木仁三郎市民科学基金からの助成を受け「NaIシンチレーターによる土壌放射性セシウム濃度測定の精度向上と検証の↗

ホットスポットをどう扱うか

土壌プロジェクトでは、地域ごとの相対的な汚染度を地図上で比較できるようにするため、ホットスポットは採取対象として除外しました。しかし一方で、各所に点在するホットスポットの存在を無視するわけにはいきません。

そこで、サブプロジェクトとして「環境濃縮ベクレル測定プロジェクト」として、ホットスポットの測定を専門に進める市民グループ “Hotspot Investigators for Truth”（HIT）に協力を依頼し測定を進めました。

その結果を12のホットスポットになりやすい類型パターンに分け「みんなのデータサイト」上で実測値を公開しています(https://minnanods.net/soil#soil-top-hotspot12-head)。本書にも「ホットスポット」の項目にその報告を収録しました。

ための取り組み」として高濃度（低容量）の検体、低濃度の検体について各測定器における検証を行なった。（https://data.minnanods.net/imgPub/share/presentation-murakami-1710.pdf）

この本の見方

●この本は、2011年3月11日の東日本大震災にともなって起きた「東京電力福島第一原発事故」による放射能汚染の様相を、私たち市民放射能測定室がこれまでに積み上げてきた測定結果に基づき、可能な限り調べられる内容の範囲において事実に忠実にまとめたものです。
●この1冊で、測定結果のみならず、放射能の放出に伴って起きた問題を広く網羅できるよう努めています。
●毎月1回開催される土壌委員会の会議を経て企画、都県ごと・テーマごとに担当した測定室が中心になり執筆したものを、編集チームで編集しており、文責は「みんなのデータサイトマップ集編集チーム」にあります。

この本が、皆様がよりよく暮らすための道しるべのひとつになれば幸いです。

第1章：「17都県別土壌マップ」ページについて

異なる測定日・測定の値を、減衰計算で2011年3月の値に揃えています

「東日本土壌ベクレル測定プロジェクト」は、2014年から2017年までの約3年間かけて行ない、合計3,400地点の土を採取し、セシウム134（半減期2年）とセシウム137（半減期30年）を測定しています。地点ごとに測定日は違いますので、両核種の測定値を事故直後の2011年3月時点にまでさかのぼり減衰補正による計算で求め、2011年3月時点の値（推定値）・合算値を色の濃淡を用いて表示してあります。

面ではなく、点の値です

東日本17都県全体で3,400地点からの採取は、各々およそ10 cm×20 cm（深さは5 cm）の面積範囲の土壌を、事故当時から手付かずであろう場所を選定し、ホットスポットやすでに除染されたと思われる場所を除いて採取しました。調査範囲が広範な面積であることに比べ、3,400地点の採取地点データは「点」でしかありませんが、17都県全体を俯瞰して見た時に「面的な広がり」を捉えることができます。

マップの見方

採取地点は、セシウム134＋セシウム137の合算値を、事故直後（2011年3月15日）の値に補正計算し、地図左上のスケールにあわせて色で表示しています。

＊本書発行に合わせた新しいカラースケールを採用。
＊2011年3月当時の値に再計算し、「Bq/kg」で表示。
なお、この地図の作成に当たっては、国土地理院長の承認を得て、同院発行の電子地形図（タイル）を使用しました（承認番号 平30情使、第617号）。
また、海域部については「海上保安庁海洋情報部」の資料を使用して作成しています。人口については「平成22年（2010年）国勢調査人口等基本集計」（総務省統計局）を使用し、人口密度については、みんなのデータサイトが計算を行ないました。

17都県のどの位置かを示しています

各都県の測定地点数や事故当時の人口や地形・土質などを共通の形式でまとめています

推定されるプルームの流れを記載しています

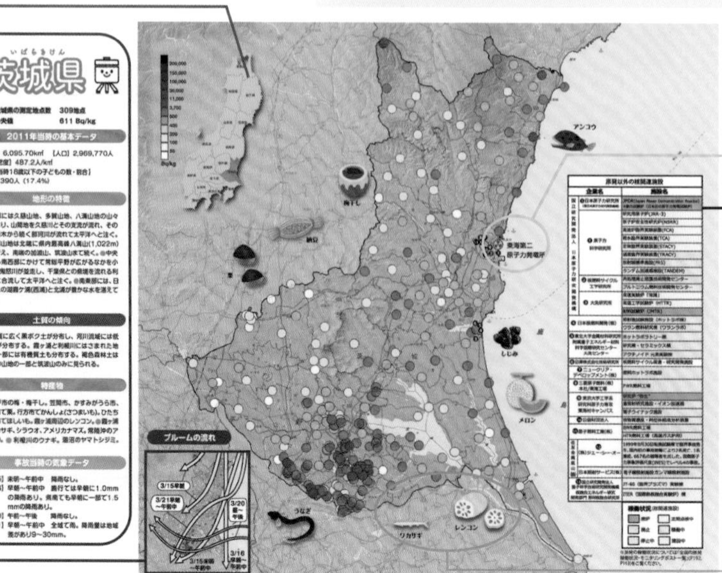

原子力発電所がある場合は、位置と発電所名を記載しています

県内に核関連施設がある場合は、位置と施設についての情報を記載しています（調査範囲内）

県の代表的な特産物をマップの外側に記載しています

「土質の傾向」参考文献：
●各都県の「縮尺20万分の1土地分類図付属資料」（発行：財団法人 日本地図センター）
●「日本の地質2 東北地方」（発行：共立出版株式会社）
●「都道府県別 地形・地盤解説」（ジオテック株式会社）
https://www.jiban.co.jp/tips/kihon/ground/prefecture/index.htm

＊単位などについては、コラム「放射線の基礎を学ぼう！❶・❷P21,45」もご覧ください。

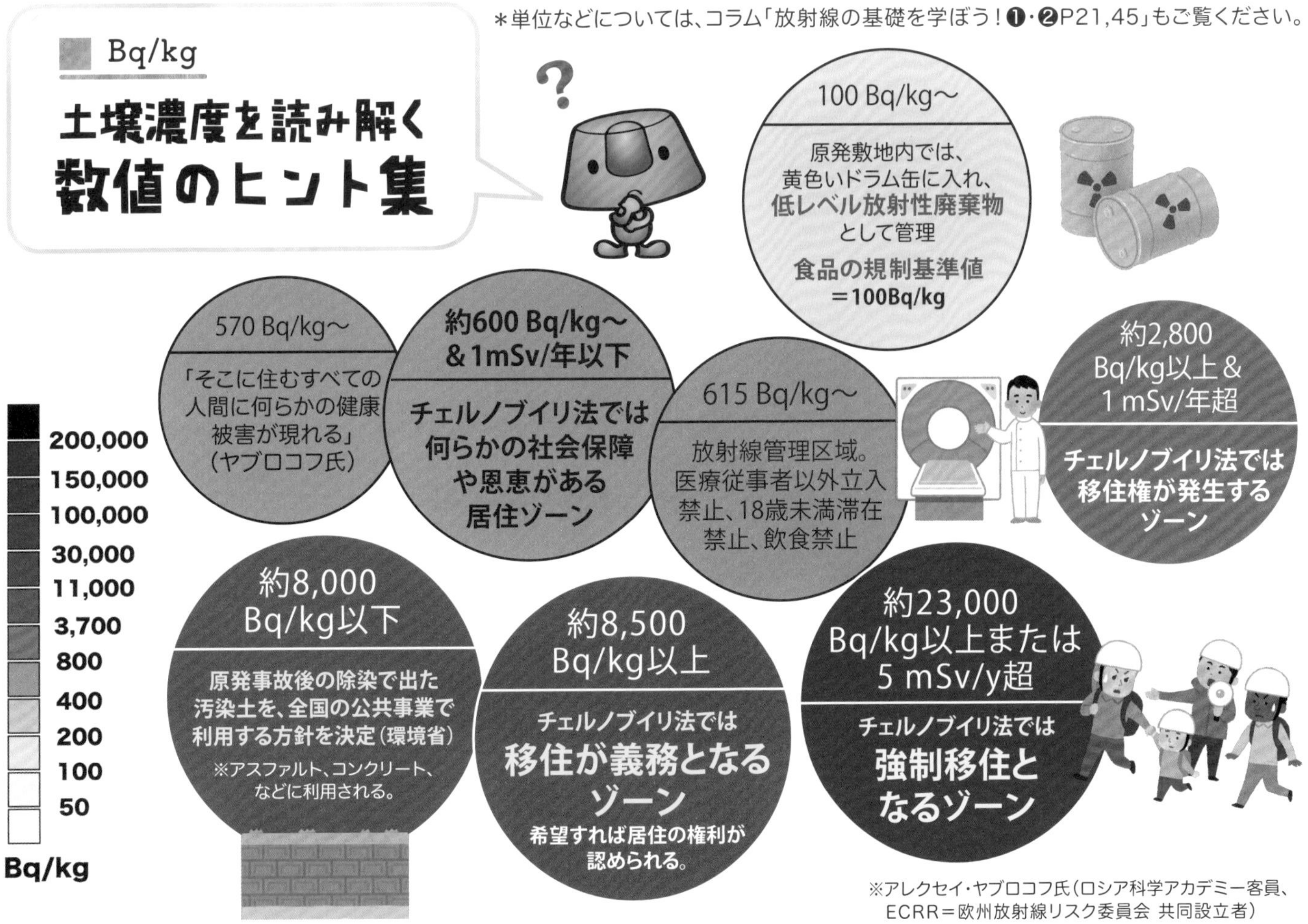

Bq/kg
土壌濃度を読み解く
数値のヒント集
100 Bq/kg～
原発敷地内では、黄色いドラム缶に入れ、低レベル放射性廃棄物として管理
食品の規制基準値＝100Bq/kg
570 Bq/kg～
「そこに住むすべての人間に何らかの健康被害が現れる」（ヤブロコフ氏）
約600 Bq/kg～&1mSv/年以下
チェルノブイリ法では何らかの社会保障や恩恵がある居住ゾーン
615 Bq/kg～
放射線管理区域。医療従事者以外立入禁止、18歳未満滞在禁止、飲食禁止
約2,800 Bq/kg以上&1 mSv/年超
チェルノブイリ法では移住権が発生するゾーン
200,000
150,000
100,000
30,000
11,000
3,700
800
400
200
100
50
Bq/kg
約8,000 Bq/kg以下
原発事故後の除染で出た汚染土を、全国の公共事業で利用する方針を決定（環境省）
※アスファルト、コンクリート、などに利用される。
約8,500 Bq/kg以上
チェルノブイリ法では移住が義務となるゾーン
希望すれば居住の権利が認められる。
約23,000 Bq/kg以上または5 mSv/y超
チェルノブイリ法では強制移住となるゾーン

※アレクセイ・ヤブロコフ氏（ロシア科学アカデミー客員、ECRR＝欧州放射線リスク委員会 共同設立者）

文部科学省や原子力規制委員会が発表している「航空機モニタリング」との違い

航空機モニタリングでは、上空約300メートルから、まず空間線量率を測定します。そして、航空機の下方直径約300メートルから600メートル円内の地上1メートルに換算した空間線量値を平均化し、そこからベクレル値を推計したものを土壌の汚染度として発表しています。仮定に仮定を重ねた推計値なので精度は高くありません。

推計された土壌測定マップでは、10kベクレル=10,000ベクレル（1平方メートルあたり）以下の汚染は色分けがなく、すべて薄い茶色（文科省マップ・Bq/㎡の場合）で示されており、それ以下の詳細な汚染について私たちが確認できるデータはありません（本書「17都県全体マップページ」参照）。

これに対し、みんなのデータサイトの「東日本土壌ベクレル測定プロジェクト」では、実際に現地の土を5 cmの深さで採取して測定したため、1キログラム当たり数ベクレルという細かいレベルまで土壌の放射性セシウム濃度を調べることができました。

日本政府による
土壌測定方法
航空機サーベイデータ処理ソフトによりデータの解析処理
原子力発電所
実測データ
対地高度150～300m
放射性物質で汚染された地面
約300～600m
地上

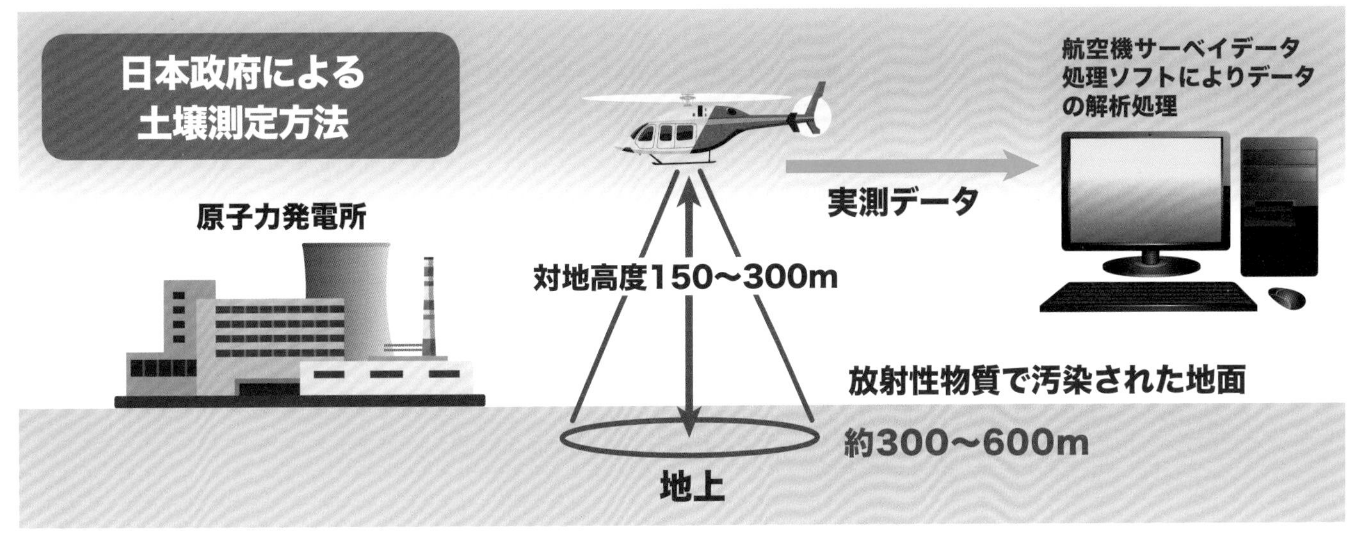

参考資料：文部科学省航空機モニタリング ●http://radioactivity.nsr.go.jp/ja/contents/5000/4899/24/1910 _111112.pdf
原子力規制委員会放射線モニタリング情報 ●http://radioactivity.nsr.go.jp/ja/list/191/list-1.html）

ホットスポットの取り扱いについて

「東日本土壌ベクレルプロジェクト」では、17都県の広大な土地の中で他の地点との相対的な汚染度を調べるため、極力ホットスポットや除染済みの場所を避けて採取測定をしています。

一方、それぞれの地域におけるマイクロホットスポットの問題は無視できません。第1章の土壌マップにはホットスポットの測定結果は含まず、別ページでホットスポットについての解説をしています（ウェブページでも閲覧できます）。

第2章：「食品－とくに気になる食品」ページについて

多くの食品の中から、以下の切り口でデータを解析し、紹介しています。

- **みなさんからよく尋ねられる食品**
- **主食など生活に密着し摂取量が多い食品**
- **特に放射性セシウムを多く含む傾向がある食品**

放射性セシウムを食品が取り込むメカニズムや汚染の傾向を知ることで、食生活の漠然とした不安を解消し、余計な被ばくを避ける自分の「物差し」を持つことができます。グラフや表の単位、いつのデータなのか、などにも留意してお読みください。

本書を読むときに注意してほしいこと

- 「単位」はμ（マイクロ）なのかm（ミリ）なのか、/kgなのか/㎡なのか、1日あたり/日、1時間あたり/h、1年あたり/年など様々ありますので、よく見ながらお読みください。
- 「時期」はいつなのか。事故直後なのか、2018年なのか、100年後なのか。
- グラフの目盛りにも注意。おなじみのグラフの他に、桁数が大きな数を表すときに使用する「対数グラフ」が使われています。対数グラフは正の乗では値の大きな数を圧縮し小さく見せます（逆にマイナス乗のグラフや表では、小さい値を大きく見せます）。

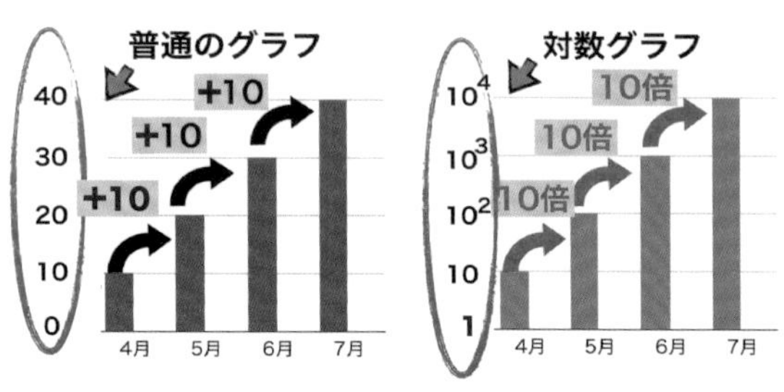

放射能の測定には揺らぎがあります

放射性物質が壊れて放射線を放出する過程は確率現象なので常に揺らぎがあり、どんなに精度の良く高価な測定機を用いても「絶対値」など求まることはありません。同じものを2回測っても異なる値が観測されるのが常です。表示された測定値にはこのような「揺らぎ」が含まれていることを念頭において、1つの目安としてご覧ください。

第3章：「放射能を知ろう」ページについて

「土壌」と「食品」以外で、知っていただきたいことをまとめました。日本の放射能汚染の歴史、放射能の基礎的なこと、チェルノブイリとの比較など幅広い内容となっています。そのほか、測定室独自の活動を紹介する「深掘り！測定室eyes」や「コラム」など様々な切り口で編集しています。

本書に出てくる用語について

本文中略して、統一している言葉があります。

- みんなのデータサイト→データサイト
- 東京電力福島第一原発事故→
  福島原発事故（またはスペースの都合上、福島事故）
- 放射性セシウム→
  セシウム134とセシウム137の合算値を指します。
- セシウム134→ Cs-134　セシウム137→Cs-137
  ヨウ素131→I-131　ストロンチウム90→Sr-90

放射能に関する用語については、本書ではすべてを詳細に説明することが紙面の都合上叶いませんでした。わからない言葉に出会ったら、お調べいただき、より理解を深めていただければ幸いです。

「補償」「保障」という言葉について

避難区分や避難に関連するページで使われる「ほしょう」には2つの意味があります。

【補償】損害補償、遺族補償、災害補償など、損失・損害を補い償うこと。「補償」は償いの意味合いが大きい。

【保障】社会保障、安全保障、人権保障など、地位や権利に害のないよう保護すること。「保障」は保護の意味合いが大きい。

私たちは今回、放射能によって人権が脅かされているという意味合いから「保障」を使用することとしました。

「汚染」という言葉について

何度も編集チームで話し合いを重ねました。その言葉の持つ重さ、意味、辛さ･･･そこへ住まう人へも思いを馳せ、放射能に汚染させられて一番苦しんでいるのはそこに故郷のある方々だとの認識も忘れず、しかし事実として本来環境中にあってはいけない「放射性物質」がある憤りを込め、止むを得ず使わせていただきました。

各マップや表の表示方法について

このマップ集では、様々な方法で作成された「マップ」および「一覧表」があります。
「東日本土壌ベクレル測定プロジェクト」においては、1リットル容器に土を充填して1kgあたりのベクレル値を測定する方法を取っており、土の充填密度の問題から、面積当たりの汚染度を計算で求める方法について、いくつかの選択肢がありました。みんなのデータサイトでは、マップや表を作成するにあたりそれぞれの目的に合うように、読者の皆さんに最もわかりやすい妥当な方法で表現できるよう、表示方法を選択しました。そのため、別種の図表間で見比べると同じ色表示でも対応にズレが出ている場合があることにご注意ください。それぞれの方法を以下に示します。

「都県別マップ」

データ対象	Cs-134+Cs-137。	データ単位	Bq/kg。
換算および表示方法	実測値（一部低濃度検体において、Cs-134過剰評価が明らかなデータは理論比で補正）。 スケールの数値区分については、密度1.0kg/リットルで一律換算したチェルノブイリ法ゾーン区分の一部を反映（概算値）。P.211「チェルノブイリ法と日本の比較表」※2-2を参照。		
カラースケール色調	白～紫（色覚特性のある方にも見えやすい色調）。		

＊ウェブサイトでは、「2011年」の事故直後の値から、10年ごとの「2021年」「2031年」「2041年」、100年目の「2111年」の他、「最近(年度ごとに更新)」「2020年7月」（オリンピック時）の値に計算したマップを公開しています。2021年以降については、Cs-137の値のみで計算しています。
＊また、ウェブサイトでは「都県別マップ」を「Bq/㎡」に換算したマップも公開しています。こちらは「2011年」からすべてCs-137のみの数値で計算して表示しています。

汚染の高い県の解説ページ「市町村別放射性セシウム濃度汚染度（地点数）」
（岩手県、宮城県、福島県、茨城県、栃木県、群馬県、千葉県）

データ対象	Cs-134+Cs-137。	データ単位	kBq/m^2。
換算および表示方法	実測のBq/kg値から測定時実密度（kg/リットル）によって換算。 チェルノブイリ法のBq/㎡によるゾーン区分で表示。P.211「チェルノブイリ法と日本の比較表」参照。		
ゾーン色調	表のゾーン色調は都県別マップの色調と対応。		

チェルノブイリの避難・保障（補償）の内容が4つのゾーンに区分され決められているため、私たちはこれを福島原発事故に当てはめてみたいと考えました。そこで以下の基準に基づき、土壌採取地点市町村を汚染度で分類することを試みました。

本来、点を面に換算するのは少々強引ではありますが、みなさんに放射能がどれくらいあるのか？を比較していただくひとつの目安として計算しています。

	チェルノブイリ	福島	データサイトの市町村表
判断内容	外部被ばく＋内部被ばくで判断	外部被ばくのみで内部被ばくの考慮なし	チェルノブイリではCs-134とCs-137の比が0.5:1であったが、福島はおよそ1:1であることに鑑み、Cs-134による内部・外部被ばくへの寄与を重視し、Cs-134+Cs-137の合計によるBq/kgを、実際の密度補正により土壌表面汚染（Bq/平方メートル）に換算
調査核種	Cs-137, Sr-90, Pu-239などを調査し、代表核種としてCs-137を元に決定	外部被ばくのみで判断のため、核種による推定はなし	
汚染基準	Cs-137による土壌汚染度＋実効線量（1 mSv/年以上）	実効線量のみ（20 mSv/年以上）	

※参照「放射性セシウム減衰推計100年マップ」「チェルノブイリと福島の汚染区分、避難・移住の権利を比較する」「チェルノブイリ原発事故と東京電力福島第一原発事故を比較する」ページ。

「チェルノブイリ法（ロシア連邦）のゾーン区分と日本の比較表」(P.211)

データ対象	Cs-137。	データ単位	Bq/m^2（およびBq/kg）。
換算および表示方法	チェルノブイリ法のゾーン区分であるBq/m^{2}と、密度1.3kg/リットルで一律換算したBq/kg（概算値）を対比して表示。		
ゾーン色調	Bq/kg欄にて、ゾーン区分ごとに都県別マップの色調に対応したものを表示（ただし「チェルノブイリ法（ロシア連邦）のゾーン区分と日本の比較表」と「都県別マップ」では、一律換算に使用した「密度」が異なるため、ゾーン区切りのBq/kg値が異なっている）。		

「チェルノブイリと福島　2つの事故の汚染の濃さ・広がりを比べる」(P.172-173)
チェルノブイリ原発事故マップと同色で表現した福島原発事故のマップ

データ対象	Cs-137。	データ単位	MBq/m^2。
換算および表示方法	Bq/kg（実測値）と測定時実密度（kg/リットル）によって換算。 チェルノブイリマップで決められたスケール区分、および色調に準拠するよう変更。		
カラースケール色調	チェルノブイリマップのスケール区分に対応した黄～赤。		

＊「東日本土壌ベクレル測定プロジェクト」では、土壌を5 cmの深さで直方体の弁当箱状に約1 L超を採取して、あくまでも測定容器に詰めた重量当たりのBq数、すなわちBq/kg単位について測定をした。したがって、正確な面積当たり (/m^2) のBq数の算出は出来ないので参考値として見てほしい。

東日本土壌ベクレル測定プロジェクトによる「東日本17都県マップ」

このマップで表示している放射能汚染は、福島第一原発から4回にわたる爆発やベントなどによって放出された大量の放射能が、放射性プルームと呼ばれる「見えない雲」となってその時々の気象条件によってさまざまな方向に流れ、また降下沈着した結果の累積である。

概観すると、最も深刻な汚染は福島第一原発のサイトから北西方向にのびて伊達市、福島市、宮城県の丸森町まで広がっている。その中心域は最大の汚染域であり今後100年間は人が立ち入るべきではない帰還困難区域（337k㎡）である。7市町村約2万4千人が故郷を失った。土壌サンプリングが出来ていないエリアなので、このマップの空白域として注意しなければならない。伊達市のあたりで汚染域は分岐して、一方は福島県中通りを南下し、栃木県北部、群馬県北部へとのびている。中通りには福島市や郡山市などがある。福島県で最も人口が集中している地域であり、チェルノブイリ法の「移住義務」「移住の権利」ゾーン相当地点が並んでいて、2018年に至ってもそれらの一部が残っている。100万人以上の人々が深刻な初期被ばくをした可能性がある。

栃木県北部では福島県でないというだけの理由で、除染予算もおりず健康検査も行なわれず、除染土や除染廃棄物の行き場がないままに個人宅や公共施設などに積み上げられている。もう一方は宮城県南部、宮城県北部、岩手県南部へと北上している。宮城県南部の丸森町、白石市、岩手県南部の一関市など2市2町も、栃木県北部と同様に無施策状態のまま放置されている。さらに、原発サイトから南下して茨城県南部の霞ヶ浦南岸を汚染し、千葉県北西部を経て東京都、埼玉県に至る流れもある。千葉県北西部の市町では除染土を秋田県小坂町の民間処分場に運んで処分しているが、松戸市の除染土から8,000 Bq/kg超の汚染土がみつかって搬入禁止になったことが報道された。

汚染がほとんどなかったのは青森県、秋田県であるが、青森県にも放射性プルームの一部が到達し、六ケ所村の核燃施設のモニターがそれをとらえていた。秋田県ではCs-134/Cs-137比は低いながらも、少なからず全般に検出されている。

山形県、山梨県、長野県、静岡県、神奈川県、新潟県にも広く汚染が認められる。山形県は、奥羽山脈の西側に明らかな汚染がみられ、キノコや山菜、クマ肉（出荷規制）の汚染も無視できない。山梨県は周囲を囲む山岳地帯によってプルームが阻止されたものと思われる。長野県は長野、北信、東信地域でコシアブラや野生キノコで基準超過するものが出ている。静岡県では伊豆半島東部が県内で最も高い。事故後1年目には特産品であるお茶の汚染が深刻であった。神奈川県は、横浜市の一部と小田原市にやや高いところがある。小中学校などの雨水再利用施設汚泥の校内保管、除染土壌の敷地内埋め立てを危惧した市民の教育委員会追及があった。新潟県では南魚沼市にやや高い汚染がみられ、福島県会津地方を水源とする阿賀野川が放射能を運び、水道水のI-131汚染（最大76 Bq/L）や指定廃棄物相当の浄水汚泥が発生した。山菜やクマ肉の出荷規制も行なわれている。

拡散した汚染を注視し、今後も食品や土壌の放射能測定を少なくとも数十年は継続していく必要がある。とりわけ山菜、キノコ、野草、ジビエは要注意である。詳しくは各都県のマップとその解説をご覧いただきたい。

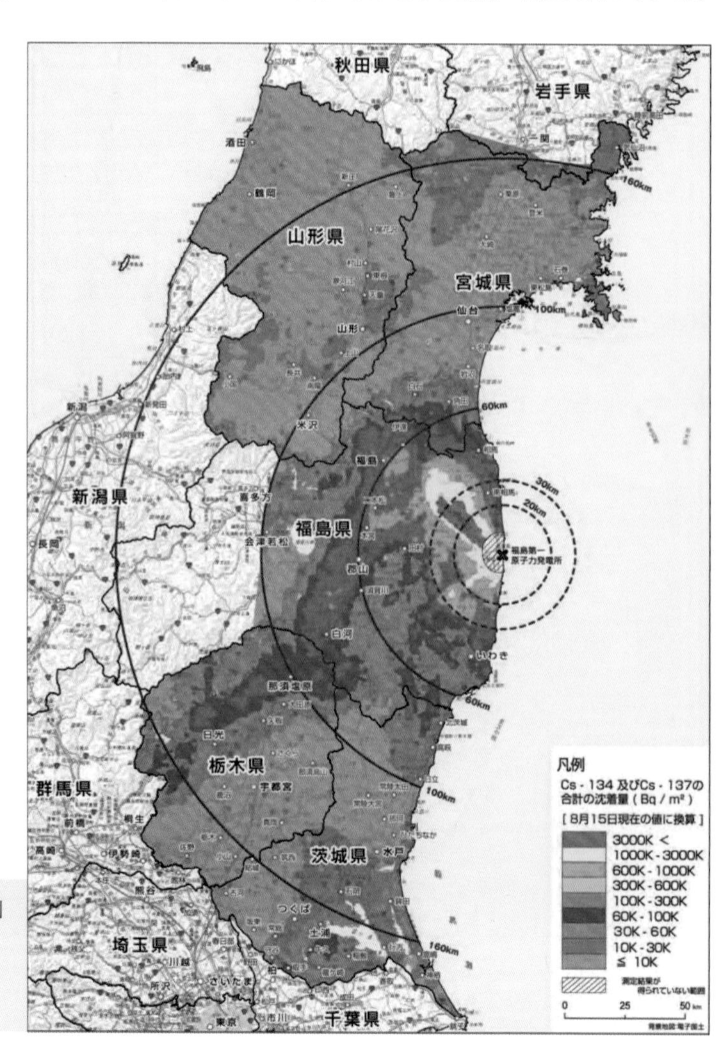

「文部科学省及び山形県による航空機モニタリングの測定結果」
2011年8月15日の値に換算（Cs-134＋Cs-137合算値）
単位：Bq/㎡（出典：https://www.pref.yamagata.jp/houshasen/file/airplanemonitoring.pdf）

東日本17都県
放射能測定マップ
2011年3月の値に換算
（Cs-134＋Cs-137 合算値）単位：Bq/kg
東日本17都県
福島県
東京都
大阪府
福岡県
東京電力
福島第一
原子力発電所
2011年避難指示区域
UPZ
※用語集（P230）参照。
20km
30km
50km
100km
200km
300km
200,000
150,000
100,000
30,000
11,000
3,700
800
400
200
100
50
Bq/kg
青森
秋田
岩手
山形
新潟
富山
岐阜
静岡
愛知
千葉
佐渡島
能登半島

あおもりけん

青森県

●青森県の測定地点数　34地点

●中央値　4.67 Bq/kg

2011年当時の基本データ

【面積】9,644.50㎢　【人口】1,373,339人
【人口密度】142.4人/㎢
【事故当時18歳以下の子どもの数・割合】
228,453人（16.6%）

地形の特徴

●日本海側に県境をまたいで白神山地(1,000m級)、および岩木山、その北には岩木川水系の津軽平野と津軽半島。中央に八甲田山系(1,584m)。●太平洋側に馬淵川、奥入瀬川、高瀬川などが平行する南部平野、その北に下北半島が位置している。● 南部平野には岩手県北部から馬淵川水系、新井田川水系が流入している。

土質の傾向

● 山岳地域は黒ボク土主体、津軽平野は低地土が主体、下流には泥炭土が混じる。● 陸奥湾を囲むように下北半島先端、夏泊半島、津軽半島先端には褐色森林土と一部ポドソルが分布。

特産物

●津軽平野全域で全国生産量60%を占めるリンゴ。三八(八戸市、三戸郡)、上北(十和田市、三沢市、上北郡)地域でニンニク(特に田子が有名)、ゴボウ。三八、西北(西津軽郡、北津軽郡)、上北全域でヤマノイモ＝長いも、いちょういも、つくねいも、自然薯など。南部町の南部せんべい。●八戸港のサバ、イカ。陸奥湾のホタテ養殖。大間のマグロ。●林業では青森ヒバ。

事故当時の気象データ

【3/23】気圧の尾根通過、南西寄りの風、翌朝まで曇り時々雪、翌日昼から湿雪。
【4/9】気圧の谷南岸低気圧通過、西寄りの弱風、曇り昼頃一時雨。
【4/27】日本海低気圧通過、北東一時南西寄りの弱風、雨一時曇り。

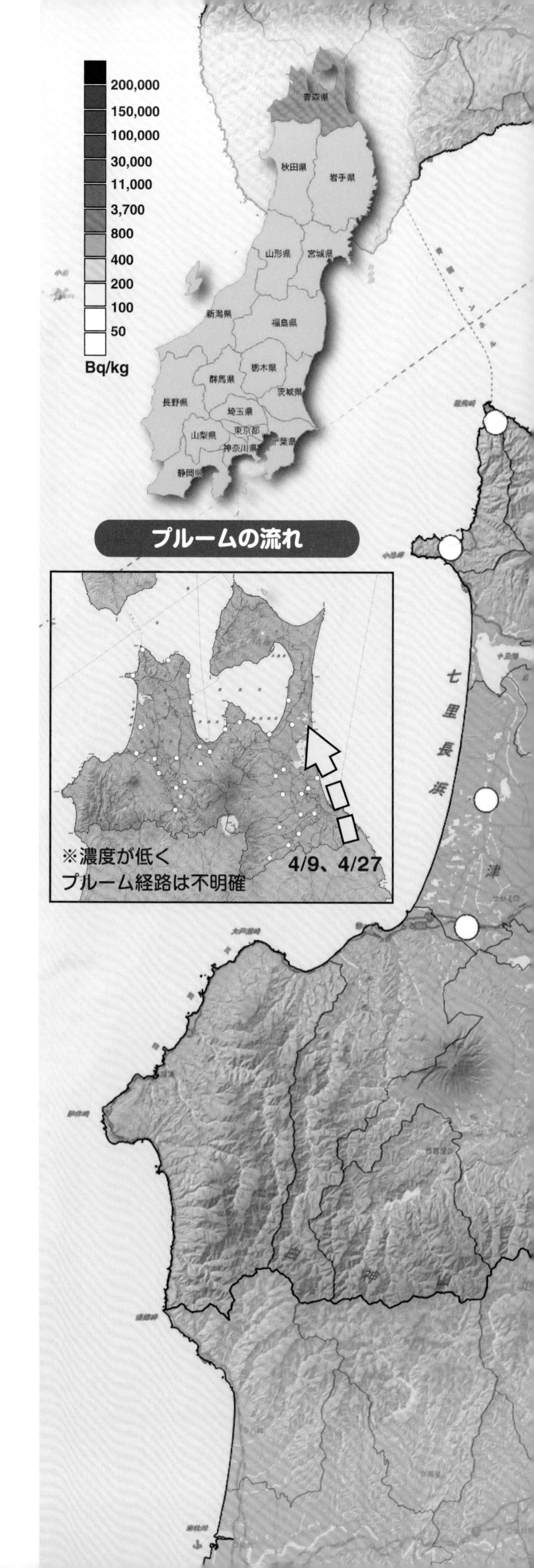

プルームの流れ

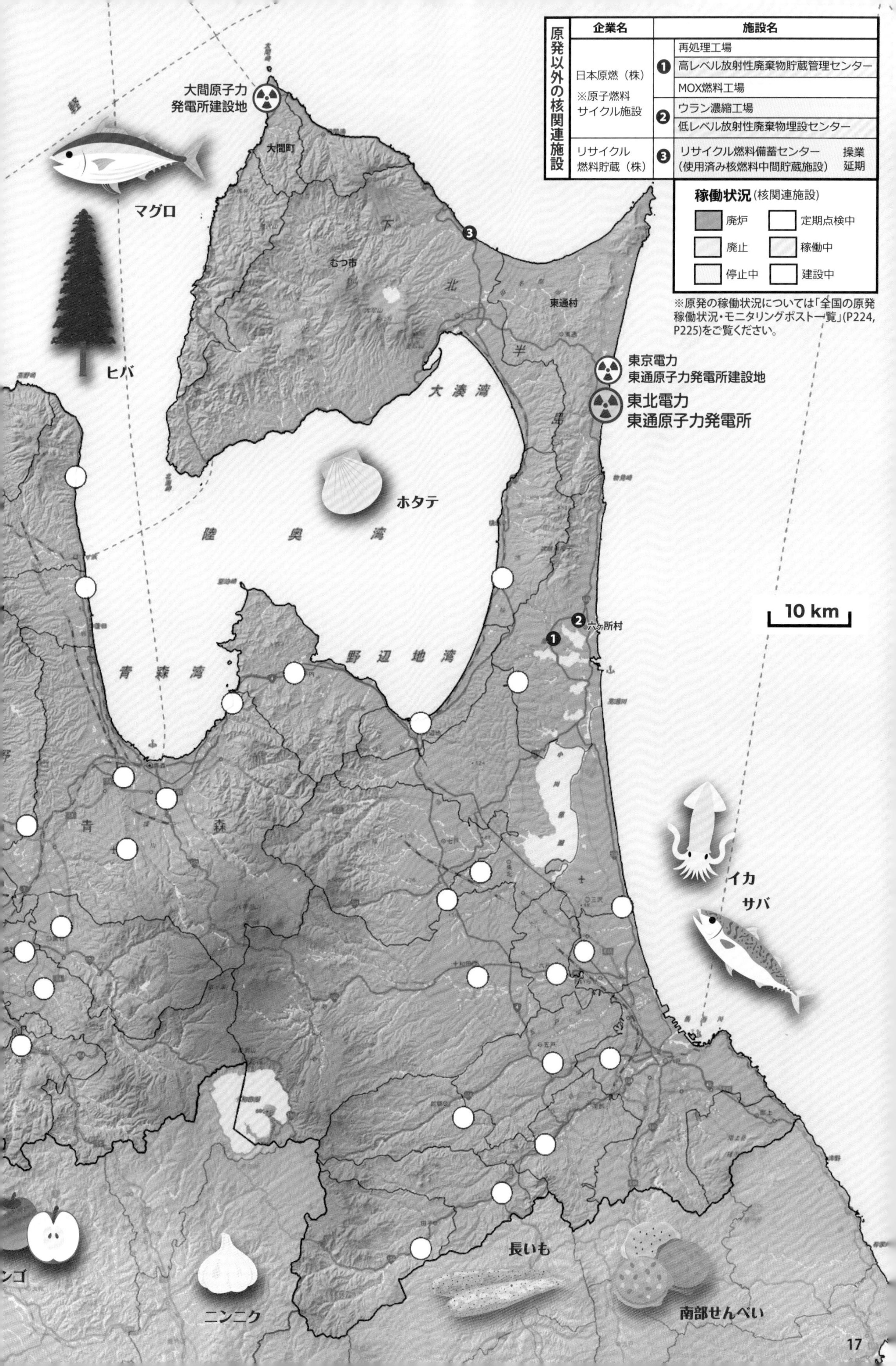

原発以外の核関連施設	企業名		施設名	
	日本原燃（株） ※原子燃料サイクル施設	❶	再処理工場	
			高レベル放射性廃棄物貯蔵管理センター	
			MOX燃料工場	
		❷	ウラン濃縮工場	
			低レベル放射性廃棄物埋設センター	
	リサイクル燃料貯蔵（株）	❸	リサイクル燃料備蓄センター （使用済み核燃料中間貯蔵施設）	操業延期

稼働状況（核関連施設）

廃炉　定期点検中　廃止　稼働中　停止中　建設中

※原発の稼働状況については「全国の原発稼働状況・モニタリングポスト一覧」(P224, P225)をご覧ください。

青森県

●解析：さっぽろ市民放射能測定所　はかーる・さっぽろ（北海道）

再処理施設のモニタリングデータが捉えたプルームの流れ

低濃度ではあるが、青森にも事故の影響が確実に及んでいることは、皮肉にも再処理施設などの集中する下北半島における詳細なモニタリングデータが捉えている。モニタリングポストの空間線量率の変動に高汚染地域のようなプルームに対応するピークを識別するのは困難だが、定時降下物（図１）および大気浮遊塵等の観測（図２、図３）はCs-134やCs-137のみでなく、I-131（ヨウ素）もはっきりと検出している。

これらの観測結果を見ると、3月中に見られる変動はごくわずかで、4月4～17日と4月25～5月1日の期間に2回の主要なピークが見られ、青森県を通過したプルームは主にこの期間であったと思われる。

これと合致して、JAEAによるWSPEEDIのI-131降下のシミュレーションでも4月28日3時にはプルーム先端は青森県を通過している。また、同施設による環境放射能モニタリングでも、5月以降に下北地域で松葉、湖沼水から数10 Bq/kg程度、牧草、アブラナ、牛乳、土壌、海水、ヒラメなどから最大10 Bq/kg程度の放射性セシウムが検出されている。

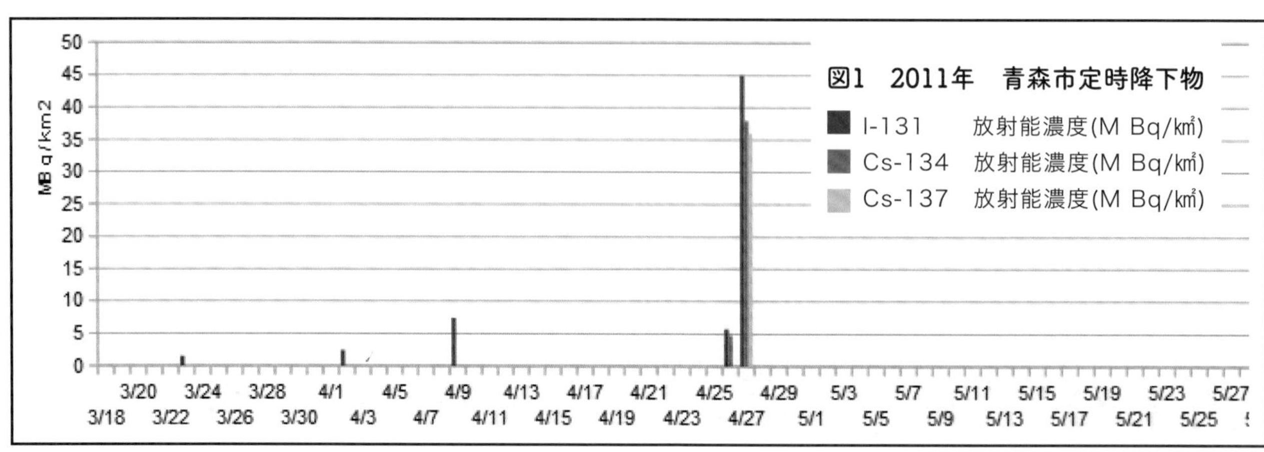

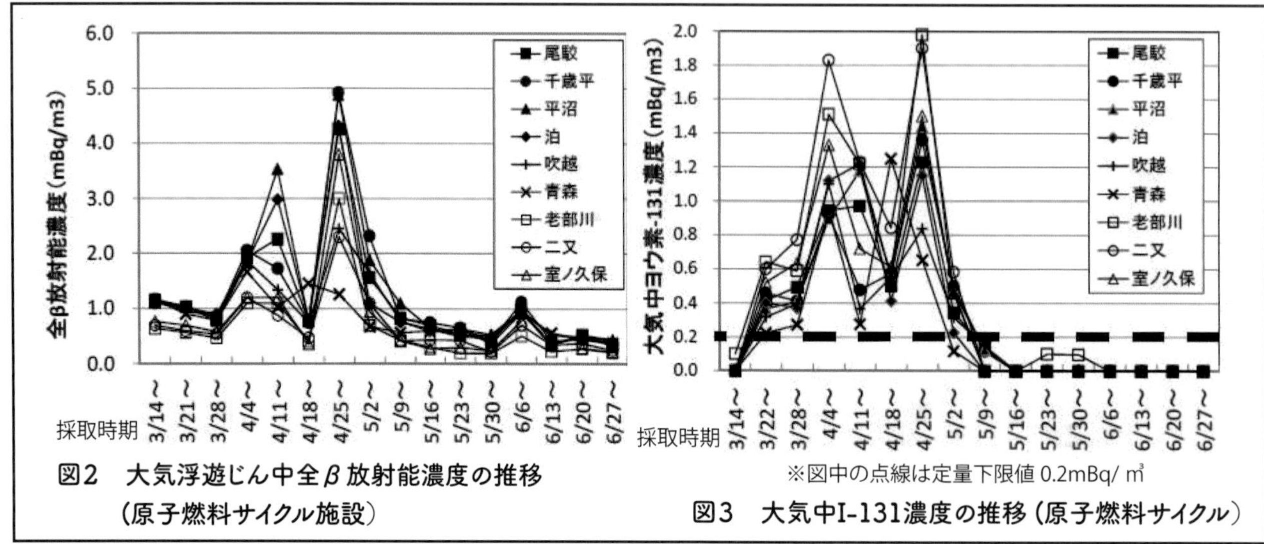

図2　大気浮遊じん中全β放射能濃度の推移（原子燃料サイクル施設）

図3　大気中I-131濃度の推移（原子燃料サイクル）

県内の食品汚染

県内全域を見ると、県による県内6浄水場の水の検査では、検出下限値1〜2 Bq/kgで3月25日測定開始以降、Cs-137、Cs-134、I-131いずれもNDである。

山菜類についても、県の検査では移行率が高いと見られるネマガリタケやコシアブラも含め、後述のキノコ類とは対照的に2012年〜2014年を通して全件NDである(検出下限値10 Bq/kg程度)。また厚生労働省のデータベースで県産の野生鳥獣肉が調べられるが、これも13件すべてNDである(検出下限値Cs-137 10 Bq/kg) 。

淡水魚類では、水産庁が2012年度から岩木川、奥入瀬川のヤマメ、イワナ、アユ、ウグイ、小川原湖のワカサギ、シラウオ、十和田湖のヒメマスなどの検査を始めているが、検出下限値5 Bq/kg程度ですべてNDである。県の検査は定量下限値でCs-137を20 Bq/kg以下で切り捨てた感度が悪い測定を含むが、十和田湖のヒメマスのCs-137で6 Bq/kgの検出を唯一の例外として、他はすべてNDとなっている。おそらく青森県の陸地の汚染は、(キノコ類を除いて)生態系濃縮が起こるレベルには達していないのだろう。

ちなみに海産魚類では、水産庁の検査は2011年7月から始まり、太平洋のマダラが2011年にセシウム合算117 Bq/kg、2012年に同70 Bq/kgの最高値を記録し、10 Bq/kg以上の検体の大部分はマダラが占めている。

一方、県の検査では2011年はなぜかマダラが対象に含まれず全件NDだが、2012年度からはマダラの検査も行なわれ、セシウム合算116 Bq/kgの最高値を記録している。これらは相応にCs-134含むため、土壌の汚染状況とは対照的に福島事故由来のセシウムが主体と考えられ、2013年には最高値は同35 Bq/kgになり、以降速やかに低下している。

県の検査ではまた、県内4地域、三八、津軽、上北、下北での牧草の検査データが注目される。2011年5月18日の一番草では4地点ともセシウムを検出しているが、県最南部の三八地方、田子町の検体が他地点に比べて高いセシウム合算20.7 Bq/kgを記録している。今回の土壌プロジェクトの田子町のデータがNDであることとは整合的ではないが、県境を越えた岩手県北部の測定値が一様に合算30〜60 Bq/kg程度である事を考えると、この地域に他地域よりは高い汚染が一部及んだ可能性も否定は出来ない。

なお、7月、9月の二番草、三番草の検査では、4地域とも検出下限値 7〜15 Bq/kgでNDとなっている。これは4月末のプルームの直接の影響の差とも考えられる。

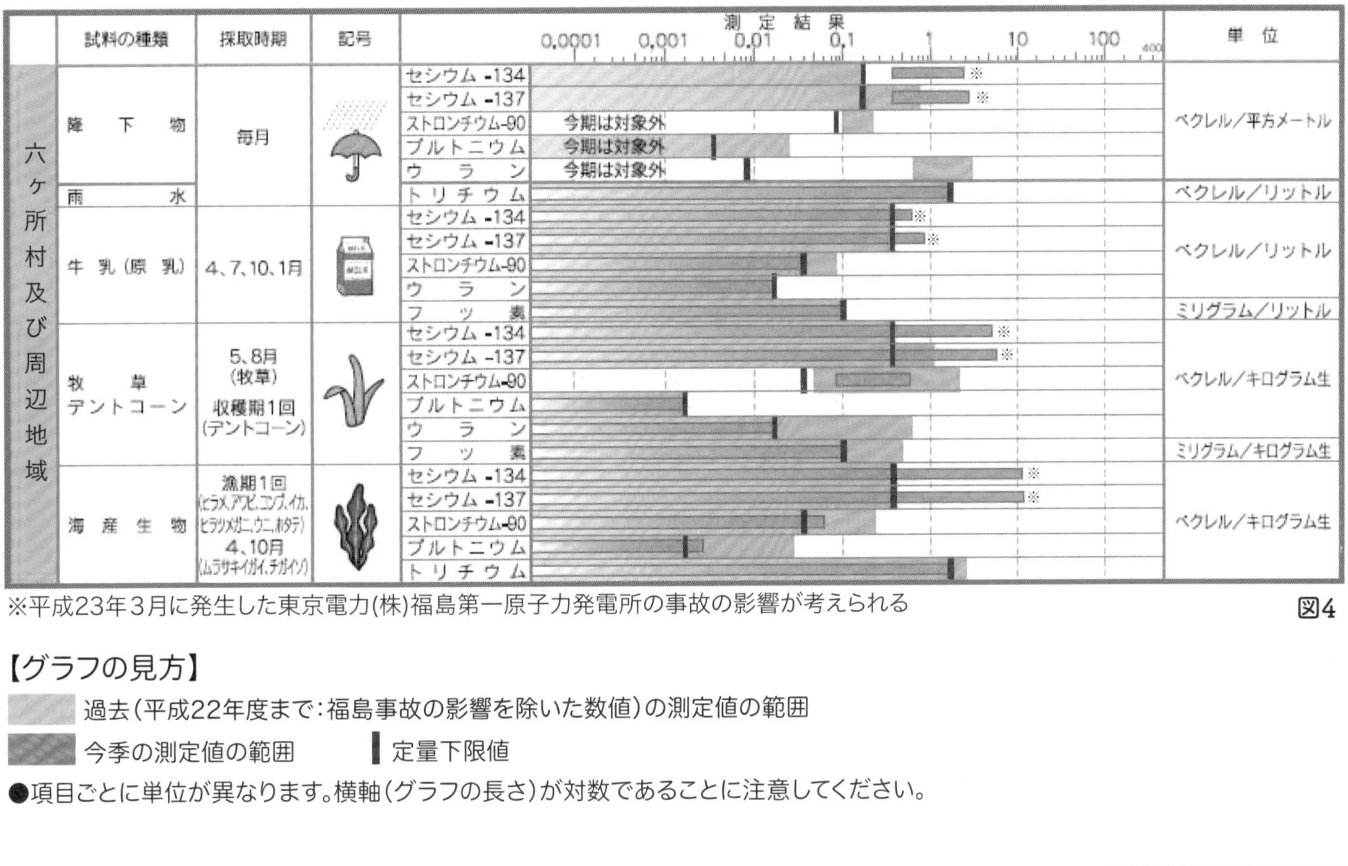

	試料の種類	採取時期	記号		測定結果(0.0001 0.001 0.01 0.1 1 10 100 400)	単位
六ケ所村及び周辺地域	降下物	毎月		セシウム-134	※	ベクレル/平方メートル
				セシウム-137	※	
				ストロンチウム-90	今期は対象外	
				プルトニウム	今期は対象外	
				ウラン	今期は対象外	
	雨水			トリチウム		ベクレル/リットル
	牛乳(原乳)	4、7、10、1月		セシウム-134	※	ベクレル/リットル
				セシウム-137	※	
				ストロンチウム-90		
				ウラン		
				フッ素		ミリグラム/リットル
	牧草 デントコーン	5、8月(牧草) 収穫期1回(デントコーン)		セシウム-134	※	ベクレル/キログラム生
				セシウム-137	※	
				ストロンチウム-90		
				プルトニウム		
				ウラン		
				フッ素		ミリグラム/キログラム生
	海産生物	漁期1回(ヒラメ、アワビ、コンブ、イカ、ヒラツメガニ、ウニ、ホタテ) 4、10月(ムラサキイガイ、チガイソ)		セシウム-134	※	ベクレル/キログラム生
				セシウム-137	※	
				ストロンチウム-90		
				プルトニウム		
				トリチウム		

※平成23年3月に発生した東京電力(株)福島第一原子力発電所の事故の影響が考えられる

図4

【グラフの見方】

過去(平成22年度まで:福島事故の影響を除いた数値)の測定値の範囲

今季の測定値の範囲　　　定量下限値

●項目ごとに単位が異なります。横軸(グラフの長さ)が対数であることに注意してください。

福島事故の影響は小さいものの、過去の核実験の影響がみつかる

みんなのデータサイトによる県内の土壌測定地点は最少で、大部分の県で100〜300地点なのに対して34件であり、特に山岳地帯の白神、八甲田、津軽半島中央部、下北半島先端部は空白域になっているという状況がある。

とはいえ、測定値は最高でもセシウム合算15 Bq/kg程度。またCs-134を検出した地点は少なく、それもゲルマニウム測定器でCs-134を0.36 Bq/kg検出した1ヶ所以外は、すべて低濃度測定においてCs-134値で過大評価の傾向を示す機種での測定であり、補正しきれなかった可能性が高い（注1）。それら疑わしい少数のデータを除外すると、各地点でのCs-134/Cs-137比率から考えて、検出されたセシウムは、少なくとも半分程度は福島事故以前のグローバルフォールアウト（核実験による世界的被ばく。半減期の長いCs-137のみが未だに残留）の影響だと考えられる。この点で、県の報告する環境放射能モニタリングの土壌検体でも同様なセシウム比率の傾向が出ている。

※原発事故前の状況の詳細は、第2章冒頭の「福島事故以前の放射能汚染を学ぶ」参照。

注1：2017年4月からの1年間、高木仁三郎市民科学基金の助成金により「NaIシンチレーターによる土壌中放射性セシウム濃度測定の精度向上と検証のための取り組み」にて、低濃度検体・高濃度検体の測定において測定機種ごとに測定誤差が出るかを検証した。その結果低濃度検体において、Cs-134を過大評価をする機種があり、該当データには補正係数を用いることなどをデータサイト内の取り決めとした。

野生キノコに残された過去の核実験の影響

さらにこれらと合致する興味深いデータとして、県の野生キノコの測定値がある。

2011年〜2017年の1,460件の測定のうち、Cs-137とCs-134合算で75 Bq/kg以上が検出された検体は8検体（最高値150 Bq/kg）だった。そのうち6検体でCs-134はND（不検出）、残りの2検体でも、Cs-134の存在比率は福島事故由来のセシウムの減衰比に比べ、値は3分の1以下で、大部分が福島事故前の汚染の影響である事を示唆している。

ちなみに、過去の核実験による残留セシウムが原木シイタケに特異的に濃縮したと思われる例は、北海道でもよく見られる。土壌に吸着されたセシウムは時間経過と共に移行しやすい交換態が減って、移行し難い固定態になるという知見から考えると、菌類に何か固定態セシウムを遊離させる特性があるのかもしれない。以上を総合して判断すると、青森県においては、福島事故由来の放射能の土壌への影響は過去の汚染に紛れる程度で、かなり低いといえる。

採取日	結果判明日	採取場所	品目	検査結果（単位：Bq/kg）		
				セシウム134	セシウム137	合計
H24.10.29	H24.10.31	八戸市	シモフリシメジ	12	65	77
H24.10.24	H24.10.29	青森市	サクラシメジ	不検出(<10)	107	107
H24.10.19	H24.10.24	階上町	ホウキタケ	18	98	116
H24.10.15	H24.10.19	青森市	サクラシメジ	不検出(<10)	80	80
H24.10.5	H24.10.12	十和田市	チチタケ	不検出(<10)	120	120
H24.10.1	H24.10.5	十和田市	チチタケ	不検出(<10)	77	77
H25.9.13	H25.9.17	平内町	サクラシメジ	不検出(<10)	82	82
H25.9.18	H25.9.20	鰺ヶ沢町	サクラシメジ	不検出(<10)	150	150

図5　野生キノコの測定値

出典

図1：降下物Cs（セシウム）I（ヨウ素）グラフ・放射性物質モニタリングデータの情報公開サイト
https://emdb.jaea.go.jp/emdb/ 環境放射能水準調査結果よりグラフ化
図2、図3：大気浮遊塵およびI-131グラフ・青森県原子力センター所報No7,2012より
図4：原子力環境だより　モニタリングつうしんあおもり　No.83 2012.2発行　5ページ
「原子燃料サイクル施設にかかる環境放射線等モニタリング結果（H23年7月〜9月の結果）」　六ヶ所村及び周辺地域における17試料項目のうち、福島事故の影響が考えられると指摘されている4項目を抜粋、データサイト作成
図5：県キノコ表・青森県庁ウェブサイト内保健衛生/野生キノコ類の放射性物質検査についてより
http://www.pref.aomori.lg.jp/life/shoku/mashroom.html

放射線の基礎を学ぼう！❶

放射線にはどんな「種類と作用」がある？

放射性物質が出す放射線には「アルファ線」「ベータ線」「ガンマ線」「エックス線」「中性子線」がある（本書で主に取り上げるセシウム134、セシウム137は、「ベータ線」と「ガンマ線」を出す）（図1）。

放射線は自分が持っているエネルギーを、「他の物質」との衝突や相手を電離させることで、徐々に失ってゆく。「他の物質」とは、人間の体や身の回りにある空気や紙や鉛などあらゆるもののこと。空気より紙、紙より金属の方がギッシリと物質（原子）が詰まっているので、短い距離で多数回の衝突が起き、放射線はエネルギーを失いやすくなる。そのため、粒子サイズが大きく他の物質（原子）と衝突しやすい「アルファ線」や「ベータ線」はすぐに止まってしまう。言い方を換えると、重さをもった「アルファ線」や「ベータ線」は短い距離で持っていた運動エネルギーを周囲に与えてしまう。

一方、「ガンマ線」「エックス線」は「他の物質」との衝突が起こりにくく、止めにくい放射線である。この性質を利用したのが医療で用いられる「レントゲン写真」や「CT画像診断」だ。

放射線に衝突された「他の物質」は結果的に放射線の持っていたエネルギーを受け取ることになり、「他の物質」が「人体」の場合には「被ばく」が発生するという訳だ。

図１　放射線の種類とつきぬける力（透過能力）

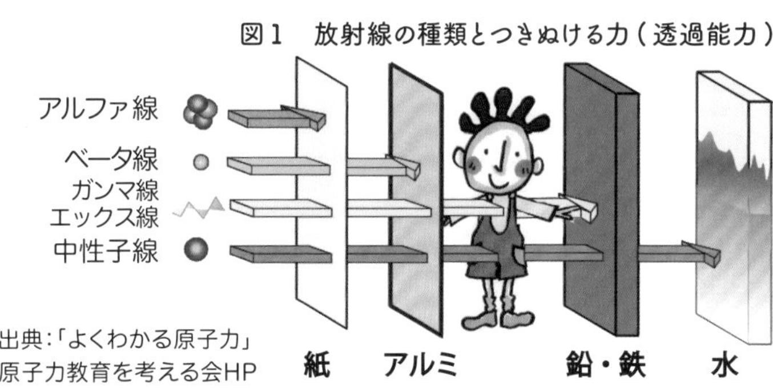

出典：「よくわかる原子力」原子力教育を考える会HP

放射能・放射線にはどんな「単位」がある？

昔は「キュリー」という単位が使われていたが、チェルノブイリ原発事故以降あたりから、「ベクレル」が使われるようになった。ちなみに、1キュリーは370億ベクレル。他にも、以前の「ラド」という単位が「グレイ」となっているが、今でも作業現場などでは使われることがある。現在使用されている放射能と放射線の単位を表1にまとめ、図解であらわした。

単位	名称	概要
ベクレル (Bq)	放射能	「放射性物質の量」のこと。放射線の種類や数には無関係で、1秒間に起きる壊変数で表現される。
グレイ (Gy)	吸収線量	放射線により物質が吸収するエネルギー量。物質によって吸収量は違ってくる。1Gy=1J（ジュール）/kg≒0.24 カロリー/kgと定義される。モニタリングポストで空間線量率(Gy/h)として表示しているのは、周囲の空気1kgが時間あたりに吸収したエネルギー量（空気吸収線量率）を表示している。
シーベルト (Sv)	線量当量	人体が放射線によって受ける「被ばくの影響の度合い」を表す量。上記の「吸収線量」に放射線の種類による影響度（線質係数）をかけたもの。ベータ線、ガンマ線では1Gy=1Sv、影響の大きいアルファ線では1Gy=20Svとされる。中性子線は、エネルギーの大きさにより1Gy=2～20Svと幅がある。

表1

単位の前に付けられる「接頭記号」は倍率を表している（図2）。m（ミリ）は千分の1倍、k（キロ）は千倍。1mSv（ミリシーベルト）はSv（シーベルト）の千分の1倍、μSv（マイクロシーベルト）はSv（シーベルト）の千分の1倍のさらに千分の1倍（＝100万分の1倍）という意味になる。小さい方の倍率を表す「接頭記号」は小文字を使用し、大きい方の倍率を表す「接頭記号」はk（キロ）以外はすべて大文字を使用し、すべての接頭記号は3桁ずつ増減した倍率を表していることになるので注意！

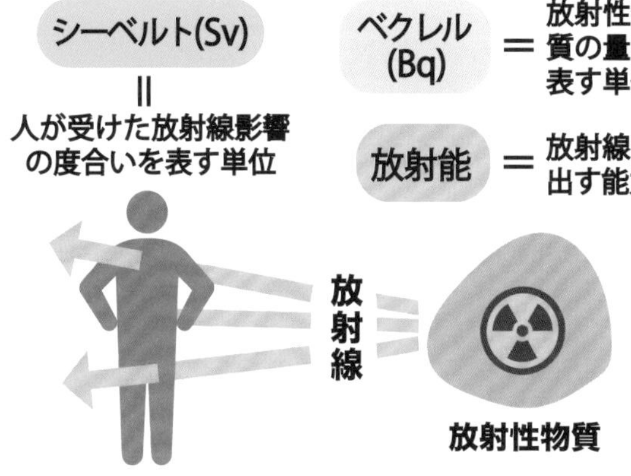

参考
- 固定型モニタリングポストではμGy/hあるいはnGy/h表示
- 可搬型モニタリングポストではμGy/hあるいはμSv/h表示
- リアルタイムモニタリングポストではμSv/h表示
- γ線用サーベイメーターではμSv/h（1cm線量当量）表示
- 簡易線量計ではμSv/h（1cm線量当量）表示

図２　単位の接頭記号

1/100京	1/1000兆	1/1兆	1/10億	1/100万	1/1000	1	1000	100万	10億	1兆	1000兆	100京
10^{-18}	10^{-15}	10^{-12}	10^{-9}	10^{-6}	10^{-3}	10^{0}	10^{3}	10^{6}	10^{9}	10^{12}	10^{15}	10^{18}
a	f	p	n	μ	m		k	M	G	T	P	E
アト	フェムト	ピコ	ナノ	マイクロ	ミリ		キロ	メガ	ギガ	テラ	ペタ	エクサ

岩手県（いわてけん）

●岩手県の測定地点数　326地点
●中央値　240 Bq/kg

2011年当時の基本データ

【面積】15,278.90㎢
【人口】1,330,147人【人口密度】87.1人/㎢
【事故当時18歳以下の子どもの数・割合】
223,00人（16.8%）

地形の特徴

●岩手県は、東縁の太平洋沿岸にリアス式海岸の三陸海岸、その西側、中程に早池峰山(1,917m)や薬師岳(1,645m)、そして南部には五葉山(1,351m)を持つ北上山地、西縁には北から八幡平(1,613m)、岩手山(2,038m)、焼石岳(1,548m)、栗駒山(1,626m)の山々を持つ奥羽山脈が、いずれも南北方向に配置されている。そして、このほぼ並行に配置された山地の間に北上盆地が存在し、岩手郡岩手町の弓弭の泉を源流として宮城県石巻市で太平洋に注ぐ北上川が流れる。流路延長249kmは全国6位、流域面積は4位の大河川である。全域を沿岸、県北、県央、県南と分けて呼ぶ。

土質の傾向

●山地では粘性土や岩盤類由来の風化土砂が被覆し、火山地では熔岩や火山砕屑物、その風化土砂と火山泥流堆積物などが主体となる。●丘陵地には軽石のような火山噴出物も見られる。低地では砂質土や粘性土を混在する。

特産物

●奥州市、北上市、花巻市でお米のひとめぼれ。久慈地方で寒じめホウレンソウ。県北・沿岸地方で岩手短角和牛（赤べこ）。県内全域できおうリンゴ。遠野市でわさび。岩泉町で畑わさび、松茸。矢巾町、洋野町、岩泉町で原木生しいたけ。洋野町、一関市で原木乾しいたけ。岩泉町、大船渡市、一関市で菌床しいたけ。三陸でホタテ、ウニ、牡蠣、アワビ。重茂半島と田老地区で生ワカメ。盛岡で冷麺、じゃじゃ麺、わんこそば。

事故当時の気象データ

【3/15】南風で雪やみぞれで夜には雨。
【3/20】南風で夕方から21日の明け方まで雨。
【3/26〜31】時々少雨があった。

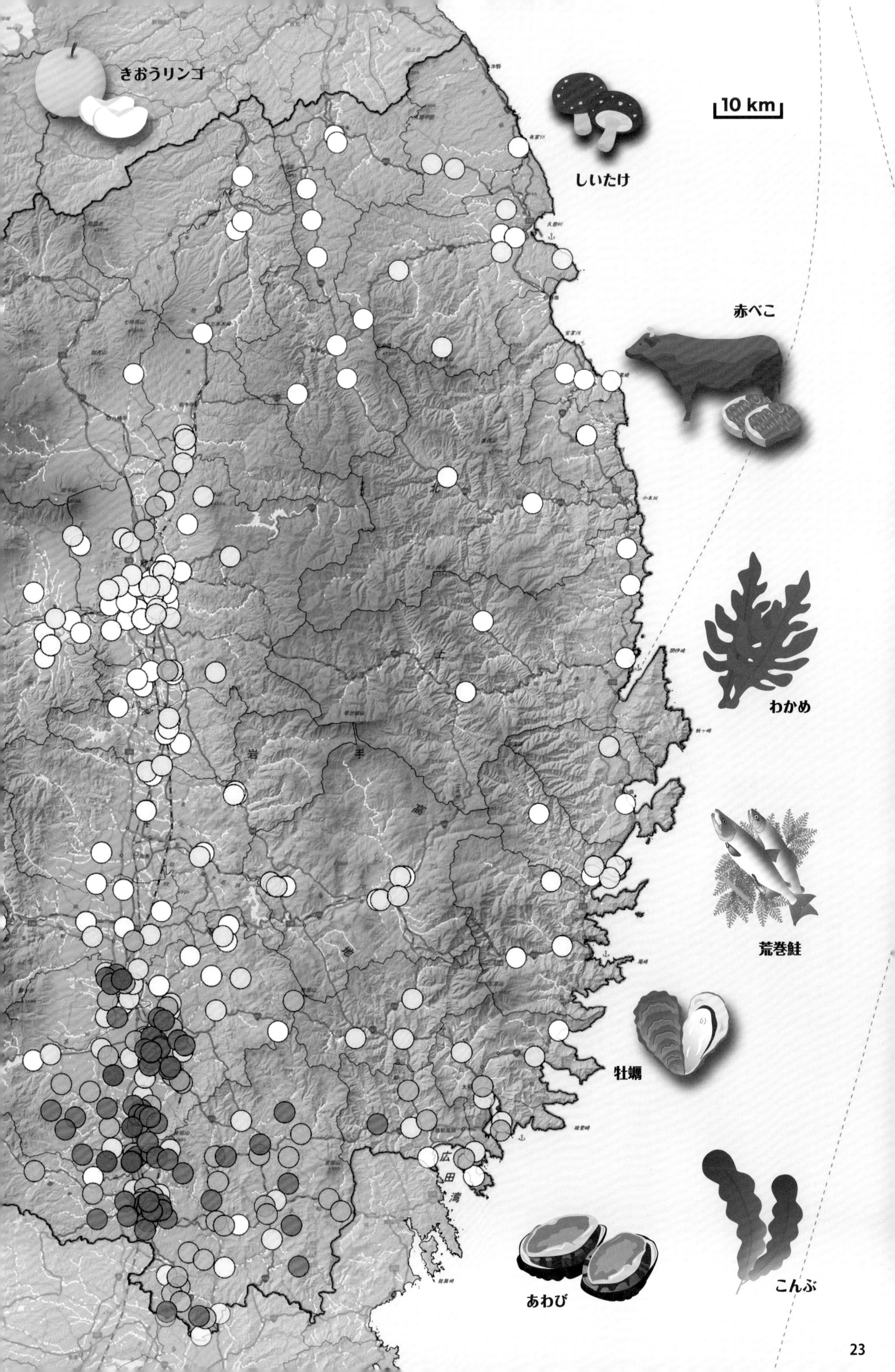
きおうリンゴ
しいたけ
10 km
赤べこ
わかめ
荒巻鮭
牡蠣
こんぶ
あわび
岩
手
北
上
高
地
広
田
湾

岩手県

●解析：かねがさき放射能市民測定室（岩手県）

かねがさき
放射能
市民測定室

データサイト土壌プロジェクトのお手本「土壌調査プロジェクト・いわて」

岩手県では、東京電力福島第一原発事故によってもたらされた放射能汚染状況を、土壌中の放射能濃度を測定することにより正確に把握すべく、地元の市民グループと「かねがさき放射能市民測定室」「小さき花 市民の放射能測定室（仙台）」「市民放射能測定所SAVECHILDiwate」の3つの測定室が中心となり、名古屋の「未来につなげる・東海ネット　市民放射能測定センター（C-ラボ）」の支援を受けながら、「土壌調査プロジェクト・いわて」を立ち上げ、2012年5月28日より2013年6月26日の約1年間にわたり活動を行なった（図1）。

当時、岩手県ではすでに県と農水省とが連携して県下160地点における土壌調査を実施していたが、これは耕された農用地を対象とした調査であった。土壌調査プロジェクトでは、市民が日常の生活空間として利用している場所、学校の校庭や幼稚園の園庭、公園や空き地など、子どもが遊べる場所を中心に、放射性セシウムが濃縮されて遍在する傾向がある溝底や雨樋の落ち口などを避けた。また、市民参加型の活動にするために、土壌のサンプリングや前処理の方法などを統一するためのマニュアルを作成するなどの工夫を行なった。

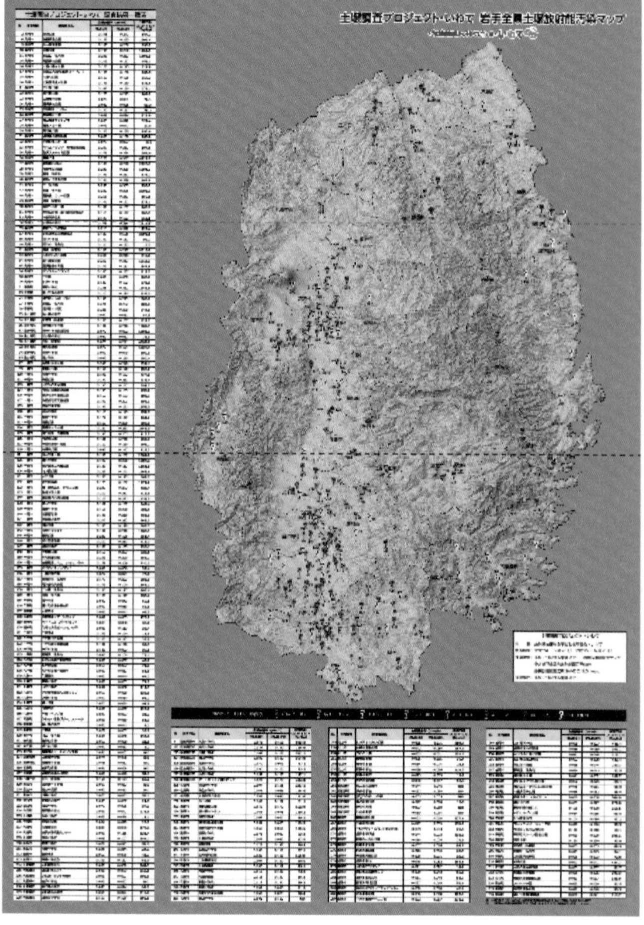

図1 土壌プロジェクト・いわて　岩手全県土壌放射能汚染マップ

県南部に深刻な汚染が判明

調査地点数は県下326地点にも及び、放射能の濃淡はあるものの、ほぼ全域よりCs-134が検出され、福島原発事故由来の放射能汚染であると明らかになった。

表1に示すように、事故直後の2011年3月15日時点では、とりわけ県南部2市2町の汚染が深刻で、金ヶ崎町で調査中最高値となる放射性セシウム5,620 Bq/kgが検出されたのを筆頭に（2016年の追加調査で、新たに奥州市で6,800 Bq/kg地点）、2,800 Bq/kgを超える（>185 kBq/㎡）チェルノブイリ法の移住権利ゾーン相当地点が奥州市（3地点）など合計5地点、600 Bq/kgを超え（>37 kBq/㎡）何らかの保障・放射線管理ゾーン相当地点が奥州市（26地点）、一関市（27地点）、平泉町（8地点）など合計67地点もあり、岩手県が実施した農用地調査ではわかりえなかった深刻な状況であることが確認された。さらに、2018年3月15日時点でも、何らかの保障・放射線管理ゾーン相当地点が25地点（いずれも県南の2市2町）残っていることがわかった。

これに対し、盛岡市およびその周辺（雫石町、滝沢村）45地点のうち500 Bq/kgを超えたのは唯一盛岡市玉山地区の607 Bq/kgであり、100 Bq/kg以上が17地点、100 Bq/kg未満の地点が28地点と、県南部と比べると汚染が比較的軽微であったことがわかった。

表1 岩手県市町村別放射性セシウム土壌汚染度（地点数）

	2011年3月15日現在					2018年3月15日現在				
kBq/㎡	>1480	>555	>185	>37	0~37	>1480	>555	>185	>37	0~37
ゾーン区分	強制移住	移住義務	移住権	何らかの保障		強制移住	移住義務	移住権利	何らかの保障	
奥州市			3	26	42				10	61
平泉町			1	8	5				3	11
金ヶ崎町			1	4	9				3	11
一関市				27	38				9	56
陸前高田市				1	7					8
大船渡市				1	6					7
盛岡市					30					30
花巻市					11					11
遠野市					9					9
北上市					8					8
久慈市					8					8
滝沢村					7					7
雫石町					7					7
矢巾町					6					6
西和賀町					6					6
紫波町					6					6
大槌町					5					5
宮古市					5					5
洋野町					4					4
釜石市					4					4
岩手町					3					3
一戸町					3					3
九戸村					3					3
住田町					3					3
葛巻町					3					3
普代村					3					3
二戸市					2					2
滝沢市					2					2
軽米町					2					2
田野畑村					2					2
山田町					2					2
岩泉町					2					2
八幡平市					1					1
	0	0	5	67	254	0	0	0	25	301

※表の作り方や計算方法については、P.13「市町村別地点表のつくり方について」を参照。

岩手県内33市町村、採取測定地点があるのは32市町村。野田村は採取地点なし。市町村名は採取時点のものです。

事故当時のプルームの流れ

岩手県全体の汚染としては、福島原発から放出された放射性物質のプルームは2011年3月19日～20日、23日、25日、31日と続き、4月30日頃まで、風に乗り岩手県に飛来したことが、県内唯一盛岡市で観測されていた岩手県環境保健研究センターの降下物量調査の結果（図2）より明らかである。3月20日にはI-131が7,830 Bq/㎡、放射性セシウムが1,320 Bq/㎡も降り注いだ。3月18日から3月31日の合計値は、I-131が8,110 Bq/㎡、放射性セシウムが1,380 Bq/㎡にのぼった。

3月18日以前の観測値はないが、事故以前から継続されていた月間降下物量3月分の調査結果では、I-131が280 Bq/㎡、放射性セシウムが2,200 Bq/㎡であった。I-131は捕集容器の中で減衰していくのであてにならないが、放射性セシウムのデータは確実なものである。日間降下物と月間降下物との差820 Bq/㎡（3月分の降下物量の37%）は、3月18日以前の降下物の存在を示している。盛岡市および岩手県での最大の降下沈着は3月20日（3月分降下物量の60%）に起きているが、それ以前にも放射性プルームの到来があったことがわかる。東北電力女川原発の報告書に3月12日23時に空間線量率が急上昇し、21 μSv/hに達したことが記されていることより、

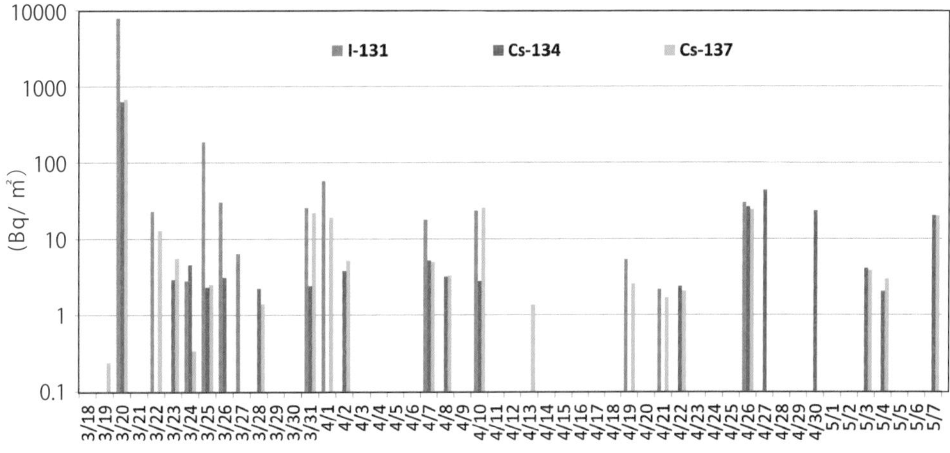

図2 盛岡市における日間降下物中の放射性物質濃度推移

岩手県への到来は3月12日深夜から13日未明にかけてであったとも考えられる。

以上のことから、3月18日以前降下分と3月19日から4月30日までの降下分を合計した総降下物量は、放射性セシウムが3月と4月の合計月間降下物量の2,850 Bq/㎡であり、I-131は13,000 Bq/㎡と推定された。

最大と考えられる3月20日のプルームについては、冬型の気圧配置がゆるんで西風が弱まった時にプルームの北上があったものと考えられるが、奥羽山脈と北上山地の間へ運ばれたものは、北上川本流を真ん中にした大平地である県南地方へ大量に降下し、一部は西風が戻ってきた時に北上山地内の平地市街部などへも降り注いだであろうと考えられる。北上山地より東側へ運ばれたものは、沿岸南部の小平地などへ降り注がれたものの、大半は河川を通じて太平洋へと流され、北上市の北方から盛岡市にかけては降下量が少ない地域がみられた。さらにその北方や西方である盛岡市玉山地区、雫石町、滝沢村などで再び増加の傾向がみられたのは、当時の降雪や降水の有無など、微妙な地域差が存在したためであろうと推察される。

そこで、高濃度汚染地帯となった県南地方の土壌中放射能濃度(Cs-137 および放射性セシウム合算値)と空間線量率の縦断分布を図3に示した。縦軸が土壌中放射能濃度と空間線量率で、横軸が左側より一関市、平泉町、奥州市、金ヶ崎町と、右側にいくにつれ北となる採取地点を緯度順に並べた。県南中部地域に県内最大汚染数値が確認されているが、全体的には南より北にいくにつれて土壌中放射能濃度並びに空間線量率とも減少していることがわかる。

岩手県環境保健研究センターの所在地に最も近い調査地点であった泉屋敷児童公園の測定値は放射性セシウムが22 Bq/kgであった。この数値と金ヶ崎町で測定された最高値4,570 Bq/kgを単純に比較すると、盛岡市の約200倍となり、当時の観測データのない県南部で大量の放射性降下物が降り注いだことが示唆される。つまり、盛岡で観測された事故発生から4月30日までに降下した放射能を200倍すれば、県南部では約260万 Bq/㎡のI-131、約57万 Bq/㎡の放射性セシウムが降下した可能性があることとなり、このことは県南部、とりわけ一関市、平泉町、奥州市、金ヶ崎町の2市2町の子どもたち並びに住民が多量のI-131を吸引被ばくした恐れを示唆する。

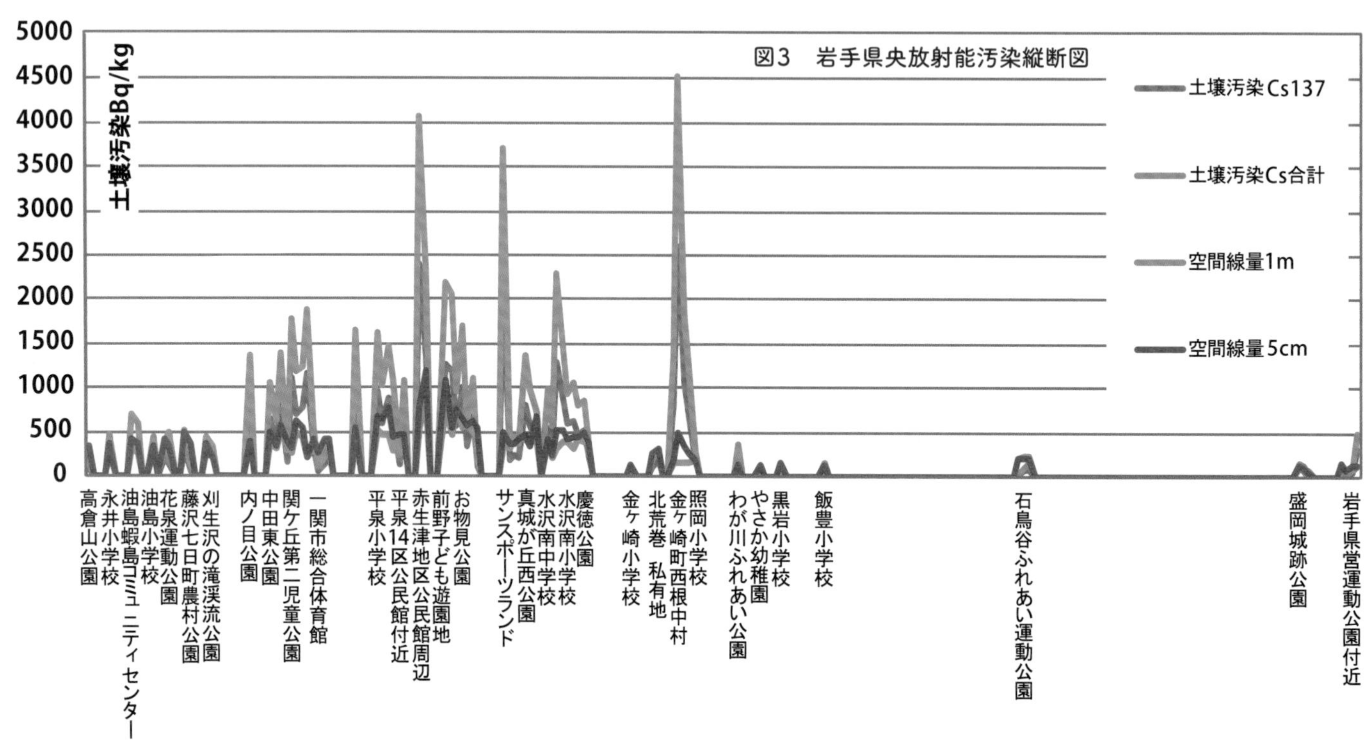

岩手県の食品　野生キノコや山菜に出荷制限が出た！

岩手県総務室放射線影響対策担当がまとめた岩手県下で採取された野生キノコのうち、含有放射能食品基準（100 Bq/kg）を超えたものを表2に示した。2012年度の総検査検体数はわずかに54検体にとどまったが、その17%にあたる9検体が基準超過となって出荷停止措置が取られた。最高値は奥州市のハツタケの3,000 Bq/kgであり、やはり今回の土壌調査で深刻な放射能汚染が明らかになった県南地方の2市2町の一つであった。検出限界(7.6〜19 Bq/kg)以下となったものは9検体にすぎず、検出率は83%に達した。

注目すべきは、第2位の高濃度1,900 Bq/kgを示した陸前高田市のアミタケである。土壌調査結果では、8検体の測定が行なわれ、47.1〜823 Bq/kg(平均312 Bq/kg)と、内陸部県南地域と比べれば高くはなかった。遠野市のヌメリイグチも460 Bq/kgと高かったが、土壌調査結果では、9検体の測定が行われ、46.1〜189.5 Bq/kg(平均112 Bq/kg)であった。これらのことは、さほど汚染が深刻でないように思われる地域でも野生キノコに関しては深刻な汚染があり、岩手県全県にわたって食品基準超の野生キノコが出る可能性があることを示している。なお、野生キノコで高い放射能が検出された地域（2市2町に加えて、盛岡市及び北上山地や沿岸域の自治体）では、コシアブラ、ゼンマイ、ワラビ、セリ、タケノコなどの山菜類でも出荷自粛措置が取られた（野生キノコ、山菜の汚染の詳細は第2章参照）。

表2　岩手県の野生キノコ放射能含有量(平成24年11月7日現在)

自治体名	キノコ名	Cs-134 (Bq/kg)	Cs-137 (Bq/kg)	放射性セシウム合計(Bq/kg)
金ヶ崎町	ナラタケ	54.2	76.1	130
奥州市	コウタケ	18.4	87.2	110
奥州市	ハツタケ	1,110	1,860	3,000
平泉町	アミタケ	220	370	590
一関市	ホウキタケ	520	880	1,400
釜石市	アミタケ	219	363	580
大船渡市	マツタケ	29.9	99.4	130
陸前高田市	アミタケ	730	1,200	1,900
遠野市	ヌメリイグチ	166	298	460
※総検査検体数54検体、基準超過率＝9/54×100=17%				

多くの市民が実態を知ることで、子どもたちを守ろう!

これらのことを踏まえて、活動チームでは岩手県に対して調査結果の報告と要望を行なった。岩手県議会に対しては他の市民団体と協働し、放射能汚染対策や健康影響調査の実施などについて請願書（図4）を提出したが、残念ながら採択されることはなかった。

今日、身の回りの生活環境や食品の放射能汚染について、心配の声が聞こえることはほとんどない。放射能汚染濃度が高かった県南部では公園などその敷地の隅に、除染事業ではぎ取られた表土が、ぼろぼろになったブルーシートがかけられた区画の中で、行くあてがないまま放置されている。

今回「東日本土壌ベクレル測定プロジェクト」という行政に頼らない市民の手による広域調査が実現したことで、多くの人の善意や協力を得ながら、広範囲の放射能汚染状況が明らかにされた。未来を担う子どもたちのために、この放射能事故の実態を知り伝えることが、未来の役に立つものと期待している。

図4　県南3市町（一関市、奥州市、平泉町）の子供たちの健康調査実施を求める要望書(抜粋)

2013年9月

岩手県知事
達増　拓也　様
県南3市町(一関市、奥州市、平泉町)の子供たちの健康調査実施を求める要望書

子どもたちの未来を考えよう平泉の会(平泉町)
放射能から子供を守る岩手県南・宮城県北の会(一関市)
岩手ホスピスの会(盛岡市)
三陸の海を放射能から守る岩手の会(盛岡市)
他連名72団体：後掲

記

1. 今後も岩手県内(特に線量の比較的高い県南部を重点的に)の子供たちの尿中放射性物質サンプリング調査を詳細に継続して行い、そのデータを公表していただくこと。
2. 県内でも比較的高濃度の空間線量が計測され、国の放射能汚染状況重点調査区域となっている、県南三市町(一関市、奥州市、平泉町)の子供たちについて重点的に甲状腺検査のフォローアップと2次検査を、親や子が希望するすべてのケースで実施していただくこと。また、子どもの健康調査は甲状腺検査に限らず、血液、尿検査を含むすべての健康影響に関する調査に拡大していただくこと。
3. がんの予防という観点からも、この問題を大人のがん検診推進と同等に、今後の岩手県がん対策推進計画の一環として位置付け、対がん協会、医療者、患者団体、などと岩手県民一体となって子どもたち、ひいては私たちの子孫を守るという立場に立って取り組みを強化していくこと。

以上につきまして、ぜひともご検討をお願いいたします。

出典

図1：「土壌調査プロジェクト・いわて　岩手全県土壌放射能汚染マップ」ー放射線被曝から子どもを守る会ーいわて 作成。
図2：「岩手県環境保健研究センター」降下物量調査結果より、みんなのデータサイト作成。
図3：放射線被曝から子どもを守る会ーいわて作成
図4：「県南3 市町（一関市、奥州市、平泉町）の子供たちの健康調査実施を求める要望書（抜粋）」子どもたちの未来を考えよう平泉の会、放射能から子供を守る岩手県南・宮城県北の会、岩手ホスピスの会、三陸の海を放射能から守る岩手の会、他連名72団体による要望書。
表1：チェルノブイリ法ゾーン区分に照らして試算。みんなのデータサイト作成。
表2：「岩手県総務室放射線影響対策担当」作成。

●宮城県の測定地点数　296地点
●中央値　551 Bq/kg

2011年当時の基本データ

【面積】7,285.80㎢　【人口】2,348,165人
【人口密度】322.3人/㎢
【事故当時18歳以下の子どもの数・割合】
401,813人（17.1%）

地形の特徴

●東は太平洋に面し、三陸海岸や仙台湾があり、豊かな漁場に恵まれている。西には蔵王連峰・船形・栗駒などの山々が連なっている。中央部には有数の穀倉地、仙台平野が広がっている。●宮城県南部から福島第一原子力発電所脇を通り茨城県北部にかけて阿武隈高地が広がっている。●主な河川に、福島県中通り及び宮城県南部を流域に持ち仙台湾に流れる阿武隈川や、岩手県の内陸部、北上盆地、宮城県北部を流域に持ち、石巻湾に流れる北上川がある。

土質の傾向

●山地は各種岩盤類が基盤を形成し、その上位に粘性土や岩盤類由来の風化土砂が被覆する。●丘陵地は固結度の比較的進んだ軟岩系の泥岩、砂岩および凝灰岩を基盤とし、一様に安定した地盤を形成する。●低地は主要河川の中～下流域に発達する内陸性の沖積低地で、氾濫平野、三角州性低地、後背湿地などの諸様相を示す。洪積礫層を基盤とするが、その上位には泥炭や有機質粘土およびシルトなどが互層状に厚く堆積しており、典型的な軟弱地盤を形成する。

特産物

● 県全域でお米のひとめぼれ、いちご、きゅうり、トマト、ほうれんそう、仙台牛。蔵王町で梨。岩切地区で仙台曲がりネギ。登米市、栗原市でパプリカ。名取市、石巻市でせり。蔵王、柴田、仙南全域でツルムラサキ。大崎平野でササニシキ。大崎市、栗原市、気仙沼市でタラの芽、わらび。●気仙沼、石巻、塩釜の牡蠣、マグロ、フカヒレ。

事故当時の気象データ

【3/12】プルームが通過した際の天候は晴れだった。
【3/15】一転して雨のために、宮城県南部の土壌へ汚染が沈着した。
【3/20】宮城県南部をプルームが通過中、曇りだったが、宮城県北部（栗原市付近）をプルームが通過中に、一時的に雨が降った。

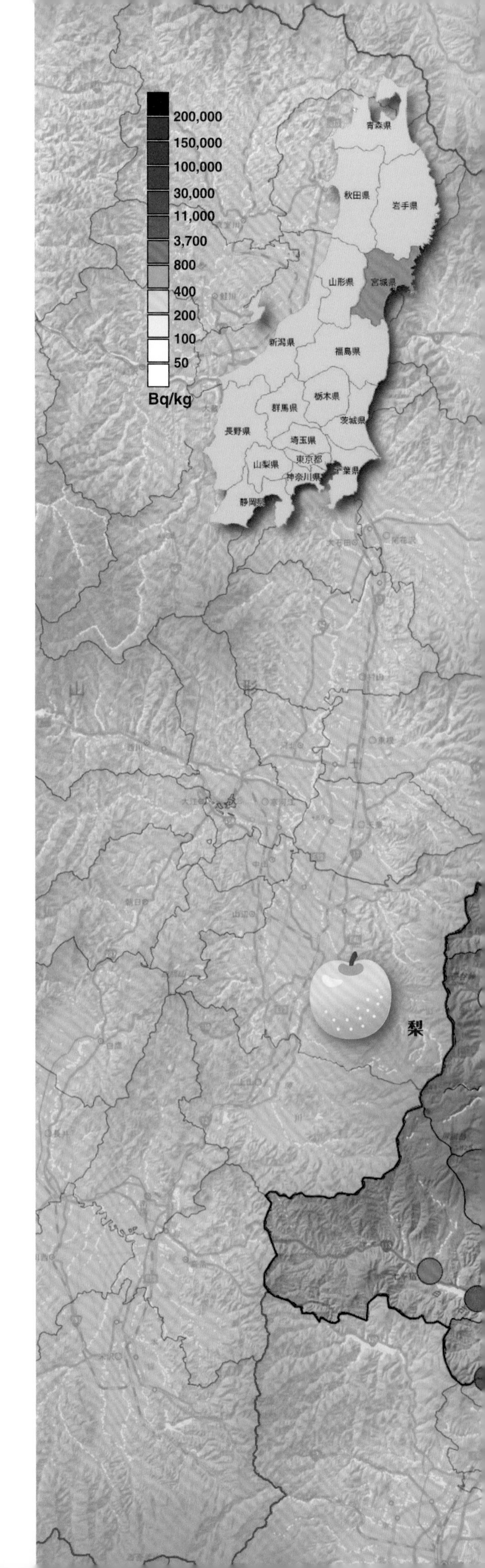

200,000
150,000
100,000
30,000
11,000
3,700
800
400
200
100
50
Bq/kg

青森県
秋田県
岩手県
山形県
宮城県
新潟県
福島県
栃木県
群馬県
茨城県
長野県
埼玉県
東京都
山梨県
千葉県
神奈川県
静岡県

梨

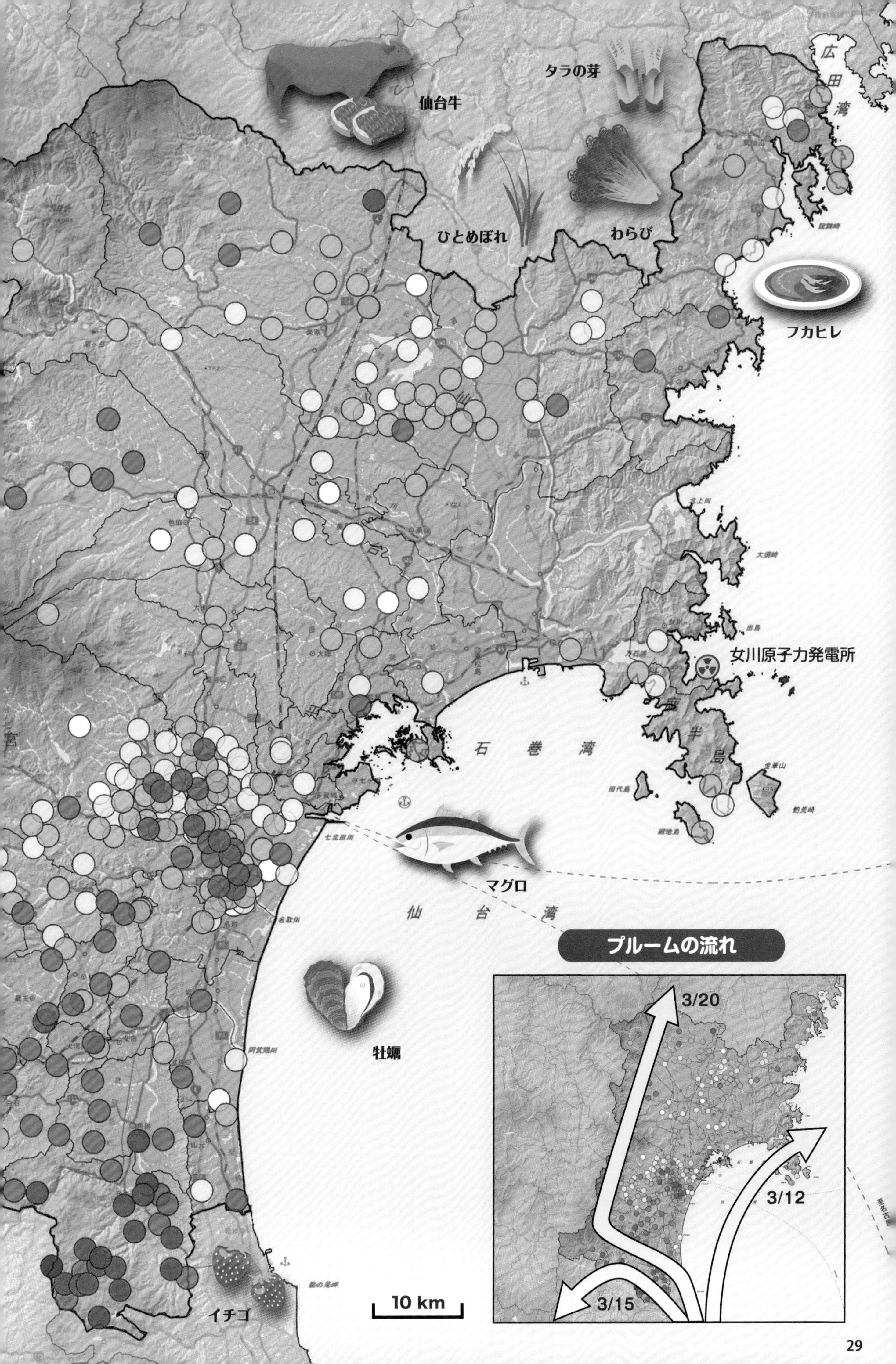

仙台牛
タラの芽
ひとめぼれ
わらび
フカヒレ
広田湾
女川原子力発電所
石巻湾
半島
マグロ
仙台湾
牡蠣
イチゴ
10 km
プルームの流れ
3/20
3/12
3/15

宮城県

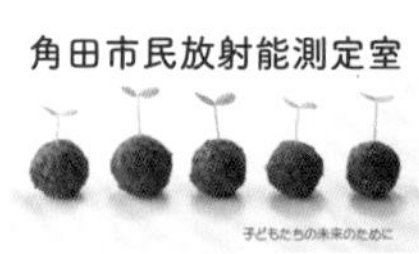

●解析：みんなの放射線測定室「てとてと」、小さき花 市民の放射能測定室（仙台）、角田市民放射能測定室（宮城県）

全県にわたる深刻な汚染

みんなのデータサイトの測定地点数は296地点である。表1に示したように、事故直後にはチェルノブイリ法による汚染区分で「移住の権利ゾーン」に相当する地点が、県南の丸森町に9地点、白石市に4地点、七ケ宿町に1地点、角田市に1地点、県北の栗原市に1地点存在する。丸森町でも最南端の筆甫地区は標高がやや高く福島県伊達市と境を接し、高濃度の放射性プルームが通過した時の降下沈着量が大きかったものと考えられる。「何らかの保障がある放射線管理ゾーン」相当地点が66地点ある。丸森町に16地点、白石市に4地点、角田市に4地点とやはり県南で多く、県北の栗原市にも6地点あった。町村合併で大きくなった仙台市では、東部の宮城野区は汚染度が低いが、西南部の太白区で6地点、東南部の若林区で5地点、青葉区で3地点の放射線管理ゾーン相当地点がある。

7年を経た2018年3月になって、移住の権利相当地点は丸森町3地点（いずれも筆甫地区）、白石市1地点となった。放射線管理ゾーン相当地点は丸森町21地点、白石市6地点など37地点残っている。

表1　宮城県市町村別放射性セシウム土壌汚染度（地点数）

宮城県35市町村で採取なしの自治体は、塩竃市、七ヶ浜町

	2011年3月15日現在					2018年3月15日現在				
kBq/㎡	>1480	>555	>185	>37	0~37	>1480	>555	>185	>37	0~37
ゾーン区分	強制移住	移住義務	移住権利	何らかの保障		強制移住	移住義務	移住権利	何らかの保障	
丸森町			9	16	0			3	21	1
白石市			4	4	1			1	6	2
栗原市			1	6	13				1	19
角田市			1	4	2				4	3
七ケ宿町			1	1	0				1	1
仙台市太白区				6	20					26
仙台市若林区				5	9					14
仙台市青葉区				3	42					45
蔵王町				3	4					7
加美町				3	3				1	5
登米市				2	22				1	23
気仙沼市				2	10					12
山元町				2	2					4
名取市				2	1					3
岩沼市				2	0				1	1
石巻市				1	5					6
村田町				1	4					5
松島町				1	2				1	2
柴田町				1	1					2
大河原町				1	1					2
仙台市泉区					22					22
仙台市宮城野区					11					11
川崎町					9					9
大崎市					9					9
美里町					3					3
亘理町					3					3
色麻町					2					2
利府町					2					2
東松島市					2					2
大和町					2					2
涌谷町					1					1
女川町					1					1
大郷町					1					1
大衡村					1					1
富谷町					1					1
多賀城市					1					1
南三陸町					1					1
計	0	0	16	66	214	0	0	4	37	255

※表の作り方や計算方法については、P.13「市町村別地点表のつくり方について」を参照。

福島第一原発事故の主要な放射性プルームの動き

福島事故による放射性プルームは、主に日時によって7つに分けられる(図1)。そのうち、宮城県内を通ったものとして、以下のものがある。プルームがどこを通ったかと合わせて、通過時期に雨が降っていたかも重要になる。

1) 3月12日のプルームが通過した際は、天候は晴れだったために土壌への放射能沈着は低く抑えられた。もし雨が降っていたら、女川町から仙台市にかけても汚染が広がっていたであろう(女川原子力発電所のモニタリングポストで最大21 μSv/hを観測)。
2) 3月15日は一転して雨のために、宮城県南部の土壌への著しい放射能沈着があった。
3) 3月20日、宮城県南部をプルームが通過中は曇りであったが、栗原市付近をプルームが通過中に一時的に雨が降ったために土壌への放射能沈着が起きた。これがさらに北上して県境を越え、岩手県を汚染したものと思われる。
   栗原市や登米市など仙台平野の穀倉地帯である県北では、汚染した農業資材などの処理処分が大きな問題となっている。大崎市産の汚染わらが出荷されて、岐阜県の飛騨牛の放射能汚染を起こして報道されたこともある。加美町には環境省による「汚染物長期保管施設計画」があって、全町をあげて反対運動が続いている。

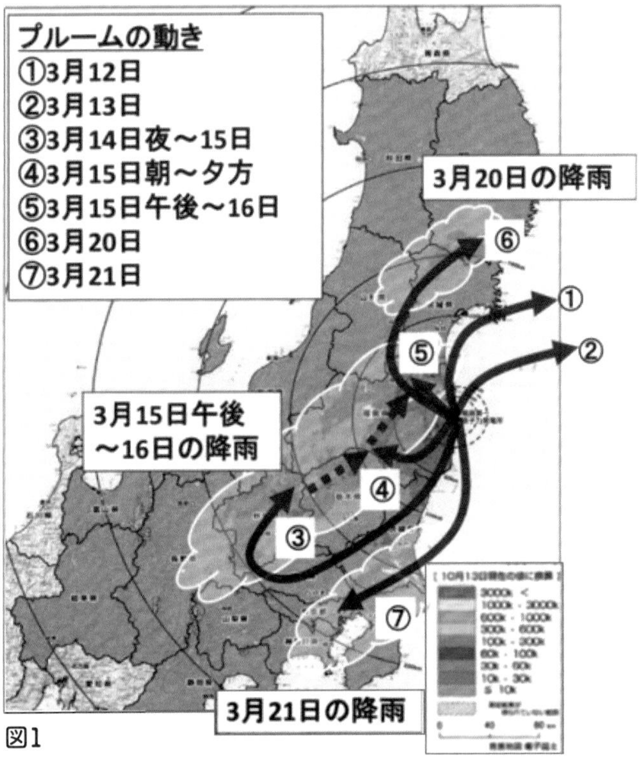

図1

宮城県における放射性ヨウ素汚染

宮城県では事故後の放射性ヨウ素(I-131)の降下物測定がなされなかったため、どれくらいのI-131が降下したかについて直接的なデータが残っていない。そこでいくつかのデータをもとにI-131の値を推測してみる。

主に県南を汚染した15日と、県北中心と思われる20日について検討する。それぞれのプルーム内の放射性物質の構成比には違いがあると考えられるため、表2にI-131の減衰補正の値を示し別々に検討・解説する。

【❶ 丸森土壌】 公表されてはいないが、2011年4月3日、丸森町町内の水田土壌をゲルマニウム半導体検出器で測定したデータがあり、I-131が1,300 Bq/kg、Cs-137が300 Bq/kg、Cs-134が300 Bq/kgとなっている。これをもとに考える。田植えのために既に耕起した水田なので、放射性降下物が15cm程度の深さまで撹拌されて希釈されたと考えられ、今回の土壌プロジェクトの、耕されていない5cmの深さで採取した土壌測定の数値と整合するために各測定値を3倍にした。3月15日にさかのぼってI-131の減衰補正をした結果を示すと、I-131とCs-137

表2 I-131(半減期8.0207日)の減衰補正

	採取地点(測定単位)	採取日および測定日	I-131	Cs-134	Cs-137	3/15 補正値		
						I-131	Cs-137	放射能比 I-131/Cs-137
❶	丸森土壌(Bq/kg) 15cm深度(実測)	4/3	1,300	300	300			
	丸森土壌(Bq/kg) 5cm深度(換算)		3,900	900	900	20,100	900	22.3
❷	村田町コマツナ(Bq/kg)	4/2	1,220	1,760	1,850	5,780	1,850	3.1
❸	仙台市土壌(Bq/kg)	5/18	75	1,028	1,100	18,900	1,100	17.2
❹	山形県降下物データ(Bq/m²)	3/20	58,000		4,300			13.5

※❹「山形県降下物データ」は、3月20日の実測データ。 ※減衰補正は $N=N_0\ (1/2)^{d/8.0207}$ による。

の構成比は汚染のあった3月15日時点で約22倍、20,100 Bq/kgのI-131汚染であったと推定される。

同様にこの構成比を用いて、データサイト2011年のベクレル測定マップから県内でも汚染が強いといわれる丸森筆甫地域の和田地区の土壌データを取り上げ計算してみる。Cs-137は3,260 Bq/kg。構成比22倍から放射性ヨウ素は71,700 Bq/kgとなる。

事故後日本各地の放射能汚染を詳しく調べたフランスの環境NGOであるACROによる、ゲルマニウム半導体測定器によるデータを紹介する（※ACRO はフランス厚生省から、技術面で優れた資格があると認められた信頼できる測定機関 https://www.acro.eu.org/wp-content/uploads/2013/11/RAP11041401-OCJ-v1.pdf ACRO日本放射能モニタリングで検索）。

ACROは、2011年4月2日には、仙台市と村田町で野菜を採取、測定結果は公開された。その後も福島県を中心として各地の農水産物、土壌、水や子どもの尿検査等貴重なデータを発表している。この中から2つの例を紹介する。

【❷村田町コマツナ】 みんなのデータサイト参加測定室の小さき花市民の放射能測定室(仙台)から2キロ地点で2011年4月2日に採取された小松菜
I-131：1,220 Bq/kg　Cs-134：1,760 Bq/kg
Cs-137：1,850 Bq/kg
テルル132/ヨウ素132：300 Bq/kg
なお、I-131は減衰補正をすると3月15日時点で5,780 Bq/kgになる。

【❸仙台市土壌】 小さき花市民の放射能測定室(仙台)の土壌（未耕起　深さ5cm 2011年5月18日採取）
I-131：75 Bq/kg　Cs-134：1,028 Bq/kg
Cs-137：1,100 Bq/kg
テルル129m：430 Bq/kg（テルル129mは半減期が34日で、崩壊すると半減期が1,600万年のI-129ができる）
I-131は減衰補正して3月15日時点では18,900 Bq/kg、I-131とCs-137の構成比は17.2になる。

一部の例だが、仙台近郊においてもI-131の大量降下があったことがわかる。原発事故後、I-131が存在していた約1ヶ月間、もっと注意を喚起していれば、子どもの甲状腺がんに対する不安を減少できたのではないかと思う。

野菜についても、当時、宮城県は安全であるという認識から、放射能の測定はほとんど行なわれておらず、福島県のような野菜の出荷規制はなされなかった。しかしこのデータにより、少なくとも4月上旬までは仙台近郊で当時の食品暫定基準、Cs-134,137合算500 Bq/kg、I-131で2,000 Bq/kgをはるかに超える野菜などが流通していたことがうかがえる。

【❹山形県降下物データ】 県北については、同じプルームによる汚染が起こったと考えられる山形県衛生研究所（山形市）で測定された定時降下物（日間）データを利用し構成比を考える。

3月20日にI-131が58,000 Bq/㎡、Cs-137が4,300 Bq/㎡（単位は面積あたり）であり、I-131とCs137の構成比は13.5倍となる。

データサイト2011年のベクレル測定マップから栗原市旧萩野村藤渡戸の土壌測定値、Cs-137：2,300 Bq/kgを取り上げると、3月20日に降下沈着したI-131は13.5倍して、31,000 Bq/kgになる（※この地点は近隣のデータよりかなり高い値になっているが、宮城県農林水産部の資料で栗原市旧萩野村水田　Cs-137：858 Bq/kg（15cm）、2,570 Bq/kg（5cm相当）のデータがありデータサイトのデータとよく一致している。よって信頼できる数値と思われる）。

これら一部のデータが県全体の数値を表しているわけではないが、当時宮城県内においても大量のI-131が降下沈着したことは容易に推測できる。

野生（自生）キノコの放射能汚染状況

宮城県内に「仙台キノコ同好会」という団体があり、2011年から6年間、約200種、延べ1,200検体のキノコの放射能測定データを公開している（表3）。測定は東北大学大学院理学研究科木野康志氏が行なっている。貴重な資料だ。このデータを利用して、野生キノコの汚染状況を見ていきたい。

まず、県南、県央、県北に分けて、100 Bq/kg以上の割合がどのくらいあるかを調べてみる（検体数が少ない地点は省く）。県南の丸森町筆甫地区の割合が90%と突出していることがわかる。次に、県央でも県北に隣接している大和町が62%、県北の栗原市が63%と続く。県央の仙台市では43%だった。これらの市町にサンプルが集中しているのは、県内の土壌の放射能汚染状況を反映してキノコの採集と測定が行なわれているからだと思われる。

丸森町筆甫地区で採集されたキノコは、他地区とは桁違いの汚染を示している。144検体中5,000 Bq/kgを超えるものが30検体、2万 Bq/kgを超えるものが17検体もあり、最も高い2検体は5万～10万 Bq/kgであった。

表3　宮城県　自生キノコ放射性セシウム　濃度別件数(2012年～2018年)

単位：Bq/kg	0 ～10	10 ～50	50 ～100	100 ～200	200 ～500	500 ～1000	1000 ～2000	2000 ～5000	5000 ～ 10000	10000 ～ 20000	20000 ～ 50000	50000 ～ 100000	合計	100 Bq/kg 以上の 割合(%)
丸森町筆甫（県南）	1	8	5	10	13	25	26	26	13		15	2	144	90
七ヶ宿町(県南)						1							1	100
名取市（県央）	1	5	3	2	4	1	1						17	47
仙台市（県央）	18	33	16	16	21	7	7	0	0	0	0	0	118	43
大衡村		1	1	1									3	33
大和町	0	17	11	14	12	7	8	4	1	0	0	0	74	62
色麻町		2	1										3	0
栗原市（県北）	3	4	6	4	6	6	3	2	1	0	0	0	35	63

これに対して、他の地区では、大和町と栗原市でそれぞれ最も高いものが5,000 Bq/kg超1検体だった。同じ種類のキノコの数値で比べてみても、同じ傾向が見てとれる。また2万~5万 Bq/kgのキノコの植生を調べてみると、すべて直接土壌から生えたキノコであることから、土壌の汚染状況がキノコの放射能含有量に反映したものであることがわかる。

木野康志氏による2011年から2015年までの宮城県のキノコの放射性セシウム含有量の年次別変化（サンプリング時の測定値）を図2に示した。2011年から2012年になって濃度が増加しているが、その後は増加も減少もしていない。減衰補正計算をしていないので、時間とともに半減期2年のCs-134の顕著な減衰によってキノコの含有放射能が減少するかと思われるが、その傾向はほとんど見えない。森林生態系内における放射性セシウムの濃縮や循環の挙動とキノコの塩類吸収特性が複雑にからまっているのであろうが、キノコ愛好家にとってはつらい成り行きである。

図3に宮城県の野生キノコにおいて放射性セシウム濃度中央値の10倍以上が出たキノコ種のリストを示した。菌根菌のほうが中央値から大きく外れて高濃度を示す種が多いことがわかる。野生キノコを採取、摂食する時はこのことを思い起こす必要がある。いずれにしても、宮城県で野生キノコを食べることは当分の間難しいことを知るべきである。青森県五所川原市で食品基準を超えて出荷停止になったキノコはCs-134が含まれていなかった。すなわち、大気圏内核実験かチェルノブイリ原発事故由来の放射能（Cs-137）であったと考えられている。なお、当分の間とは数十年以上を意味することになるのである。

図2　実測値にもとづくキノコの地域別年次変化

仙台近郊里山　宮城県中北部山間部　宮城県南部山間部

Cs-134は2年、Cs-137は30年の半減期で減衰

$^{134}Cs+^{137}Cs$ 放射能濃度 (Bq/kg 生)

10^6 10^5 10^4 10^3 10^2 10^1 10^0

2011 2012 2013 2014 2015 2011 2012 2013 2014 2015 2011 2012 2013 2014 2015

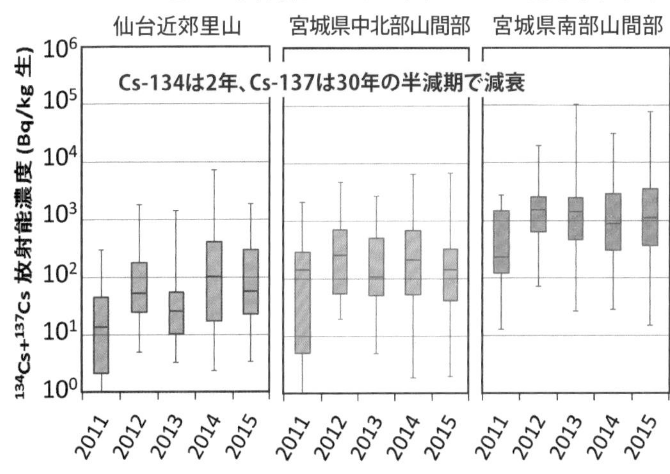

図3　各地区で放射能濃度が中央値の10倍以上になったキノコ

カワリハツ（5回）

オニイグチ、チチタケ（4回）

アカモミタケ、カバイロツルタケ、イッポンシメジ*、クサウラベニタケ*、ヌメリイグチ*（2回）

アカジコウ、ウグイスハツ、ウスタケ、サクラシメジ、ニセマンジュウガサ、ヌメリササタケ、ハツタケ、ハナイグチ、ハナホウキモドキ、ヒビワレシロハツ、ベニウスタケ、ホウキタケｓｐ、ムラサキヤマドリタケ、ニセムラサキアブラシメジ*、アカカバイロタケ*、ウスキニガイグチ*、スミゾメヤマイグチ*、ニセイッポンシメジ*

（菌根菌, 26/111≈23%）

ヒロヒダタケ、クリタケ、シイタケ、ナメコ、マスタケ、ムキタケ、ヤニタケ

（木材腐朽菌, 7/21≈33%）

カヤタケの仲間、ムラサキシメジ、ウラベニガサ、トガリベニヤマタケ*（腐生菌, 4/38≈11%）

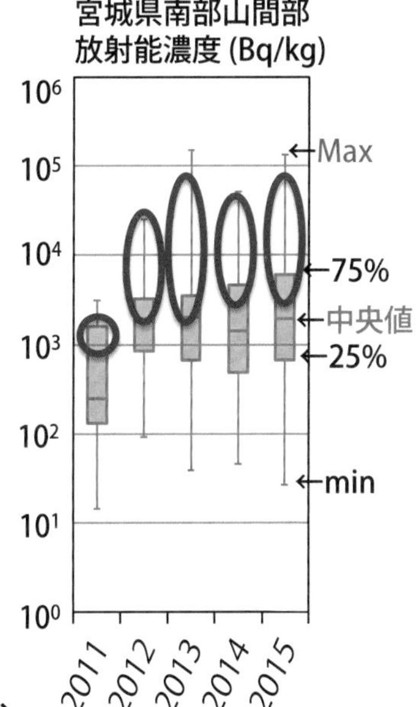

38種／201種

____*：毒、食毒不明

住民持ち込み品検査の経年変化について

宮城県内各市町村は2012年の7月以降、住民が持ち込んだ食品・土壌・焼却灰等を測定している。NaIシンチレーション測定器による簡易測定のため参考値として扱われているが、これまでに31,000件以上の測定結果が蓄積され、汚染の実態を反映する貴重な資料となっている。年度ごとの持ち込み件数の推移をみると2013年の1万件超えに比べ、2017年には8分の1以下になっており住民の測定意欲がかなり減少していることがわかる（図4）。しかし以下に考察するように、イノシシ、山菜等の食品の放射能濃度はさほど減少しておらず、今後とも測定の継続が必要である。

2018年7月までのデータから、今だに高い数値の検出が続いているイノシシ肉と、山菜のタケノコ、コシアブラ、タラノメ、野生キノコのイノハナ（香茸）について経年変化をまとめた（図5）。

イノシシ肉については、狩猟期間が11月から翌年3月の冬季に限定されているため捕獲数に偏りがあるが、餌が少なくなる冬季にイノシシ肉中の放射能濃度が高くなる傾向が見える。イノシシは雑食性で、季節によって食べるものが違い、餌の汚染レベルの差がイノシシ肉中の放射能濃度に影響しているものと考えられる。イノシシ肉汚染の減少はゆるやかで、今後長期にわたって汚染が続くことが推定される。

タケノコでは100 Bq/kg 以上という高いレベルのものは次第に見られなくなってきている。しかし、汚染レベルの減少は緩やかで今後も長期に渡って汚染が継続することが推定される。

コシアブラは2013年、2014年には1,000 Bq/kgを超える高い汚染レベルのものが確認され、山菜の中では要注意食品である。現在でも100 Bq/kgを超えるものがあり目立った減少傾向も認められない。

タラノメはコシアブラと比べれば減少傾向が認められるが、数10 Bq/kgの検出は依然として続いており、決して安心できるレベルではない。

最後に秋の野生キノコの中でも松茸と並び香りの良さで珍重されるイノハナ（香茸）は、汚染レベルが数千Bq/kgと非常に高く、山菜の中でも汚染レベルが高いコシアブラと比べてもさらに1桁高いと言える。イノハナ（香茸）は入手が困難な野生キノコなので公的検査では調べられておらず、持ち込み検査の結果のみがその危険性を伝えている。

＊第2章に「野生キノコ」についての詳しい解説あり。

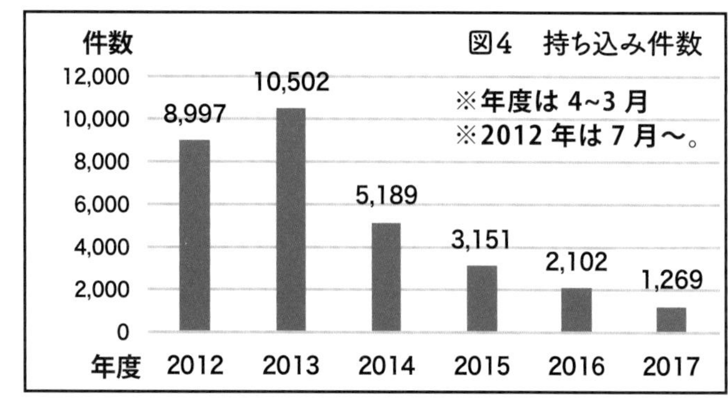

図5

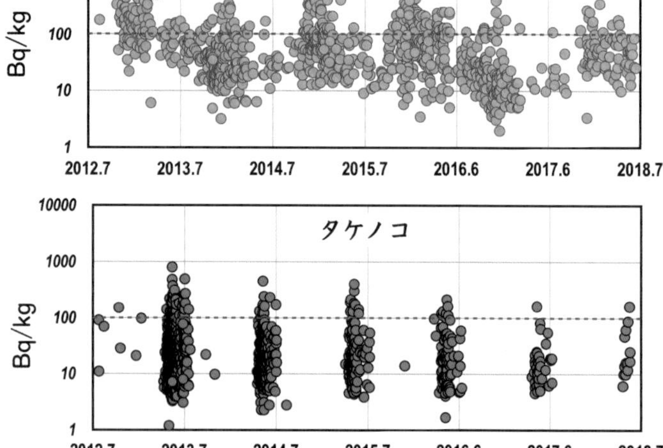

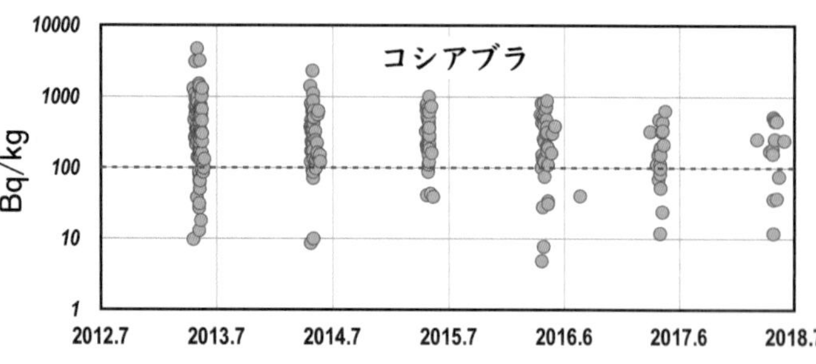

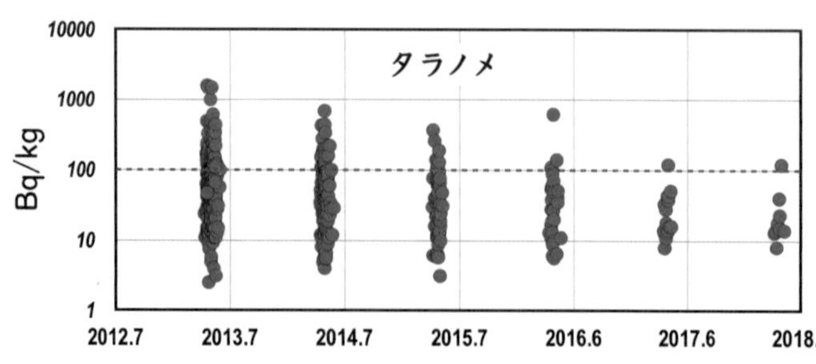

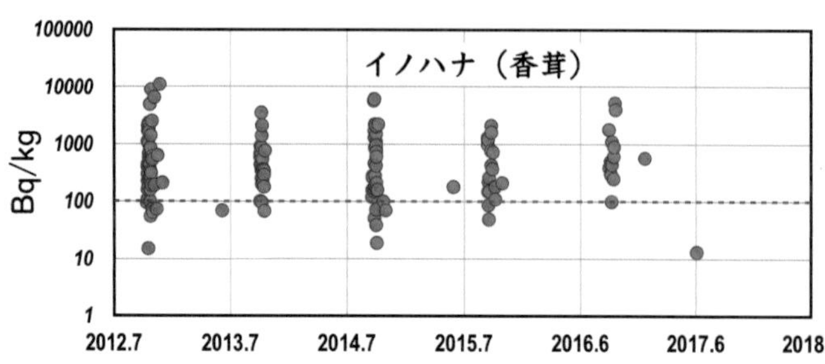

事故直後1週間の見えない「初期被ばく」を避けよ！

原子力発電所をはじめとする核施設で事故が起きたら、何をおいても「初期被ばく」を避けることが重要である。見えない、においもしない、味もしない（ごく近いところでは金属の味がするという人がいるらしい）放射性プルーム（放射能雲）は、薄まりながら風によって数百キロも拡散移動する。今回の福島原発事故では、一部の地域で地表付近に上空への拡散を妨げる「逆転層」が形成されていたためI-131（ヨウ素）が薄まること無しに低い高度に滞留し、我々の生活空間にも侵入したことがわかっている。

高濃度の放射性ガスや塵を含んだ「見えない雲」が通過すると、呼吸を介した「吸引」、汚染食物や汚染された水の「摂取」により内部被ばくし、プルームから雨や雪によって降下沈着した放射性物質から発せられる主にガンマ線で外部被ばくしてしまう。

3月12～16日に襲来したプルームには、I-131や放射性セシウムよりも多量のキセノン(Xe-133 半減期5.2日)、テルル(Te-132 半減期3.2日)とその娘核種であるI-132(半減期2.3時間)、などの短寿命核種ガスおよび浮遊塵が大量に含まれていて、初期被ばくの多くをもたらしたことが後々の分析から判明してきている。しかし、それらを各地で具体的に計算するためには、根拠となる多数の観測値や測定値が必要だが、残念ながらその十分なデータは存在しない。

被ばくを避けるために、やって欲しいことがいくつかある。

❶ とにかく逃げる

逃げる時には、風向きに対して逆か、少なくとも直角方向に逃げる。車での避難はリスクが大きい（渋滞に巻き込まれて身動きが取れなくなると、プルームに追いつかれる）ので、電車や飛行機が動いている内に、遠方に逃げる。

❷ 逃げられない場合にやって欲しいこと

- **家にこもって、極力外に出ず、プルームに接触しないようにする。**可能なら、目張りをして、少しでも放射性物質が家の中に入るのを防ぐ（それでも、放射線自体は家の中にまで飛び込んでくる）。
- **エアコンを使わない。**外気を取り込むエアコンの場合、放射性物質が入らないよう使用を避ける。車のエアコンの外気導入も同様。
- **水道の水を飲まない。**水道水はI-131で汚染されている可能性が非常に高いので、ペットボトルの飲み物を飲む。どうしても水道水を飲む場合は、汲み置きして、I-131の半減期8日を意識して、放射能が減衰した水から飲んでいく。
- **事故後、最初に降る雨・雪にあたらない。**この降雨・降雪には大量の放射性物質が含まれているので、これを避ける。
- **やむを得ず外出する場合はマスクをし**（N-95微粒子用マスクがお勧め！）、帰宅時には家の中に放射性物質を持ち込まないよう、**服や靴など汚れたものは玄関の外に置く。特に泥を持ち込まないようにする。**帰宅後は直ちに全身をよく洗い、うがいするなど、身体に付着した放射性物質を洗い流す。

2011年4月11～16日に福島現地入りした弘前大学の床次眞司氏による、甲状腺に取り込まれたI-131の測定では最大87mSvが出ている。残念なことにこの測定は福島県によって中止させられたので、たった65人分のデータしかない。また、厚労省が集計した3月中のほうれん草のデータでは、I-131や放射性セシウムが数万Bq/kgを超えたものがあった。すなわち、事故直後には出荷規制の指示通達が間に合わず、住民には一切知らされなかったため、強烈に汚染された葉物野菜などを食べ、汚染された水をつかった食事などで内部被ばくした人々が多数いたものと考えられる。当時、自分や家族がどこにいて何をしていたか、記憶をたどっておくことが重要である。そして、福島県以外も含めた全汚染地域住民の健康検査を長期的に継続することが最も必要である。

出典

表1：チェルノブイリ法ゾーン区分に照らし試算、みんなのデータサイト作成。
表3：「仙台キノコ同好会」作成資料 ● http://sendaikinoko.web.fc2.com/
図1：※当時 http://radioactivity.mext.go.jp/ja/1910/2011/11/1910_111112.pdfに掲載されていたもの。現在は削除。
図2、図3：木野康志（東北大学理学研究科）「第4回福島第一原発事故による周辺生物への影響に関する勉強会（2017年）」講演資料
図4、図5：宮城県住民持ち込み放射能測定結果 ● http://www.r-info-miyagi.jp/r-info/kensamotikomi/

あきたけん
秋田県

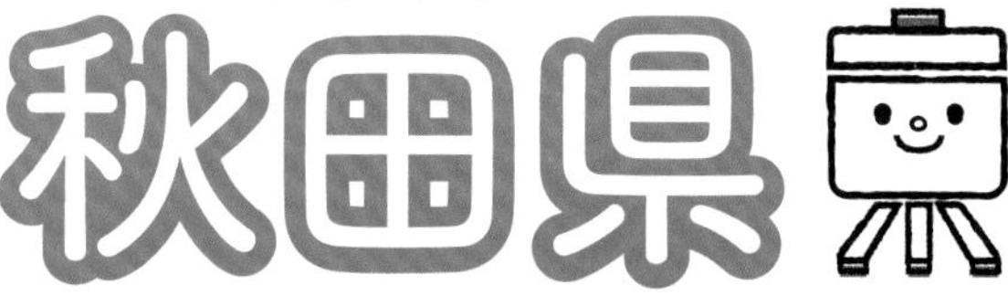

- 秋田県の測定地点数　55地点
- 中央値　10.4 Bq/kg

2011年当時の基本データ

【面積】11,636.30㎢
【人口】1,085,997人
【人口密度】93.3人/㎢
【事故当時18歳以下の子どもの数・割合】
164,611人（15.2%）

地形の特徴

●県境は数ヶ所の峠以外は概ね鳥海山-出羽山地-奥羽山脈-白神山地の1,000m級の山脈が連なる。●北部は米代川水系の能代平野、南東-中部は雄物川水系の秋田平野、横手盆地、その間には八幡平、森吉山などの山地が横たわる。

土質の傾向

●北部山地は黒ボク土、中南部山地は褐色森林土主体。中部山地には一部ポドソル。平野部、横手盆地は低地土が多い。秋田平野には周辺部などに赤黄色土も混じる。

特産物

●県全域でお米のあきたこまち、日本酒、根曲がり竹、わらび。能代市でうど、みょうが。湯沢市三関地区で三関せり。県北部できりたんぽ。県南部で稲庭うどん。比内地方で比内地鶏。横手市十文字地区で食用菊。県沿岸でハタハタ、しょっつる。象潟地区で象潟イワガキ。林業では秋田杉。

事故当時の気象データ

【3/20】気圧の谷南岸低気圧通過　西→北東→南東の弱風　晴れのち夕刻から雨。
【4/7】　高気圧の縁→気圧の谷　南寄りの風　曇りのち夕刻から弱雨。
【4/27】日本海低気圧通過　南東寄りの弱風　雨一時曇り。

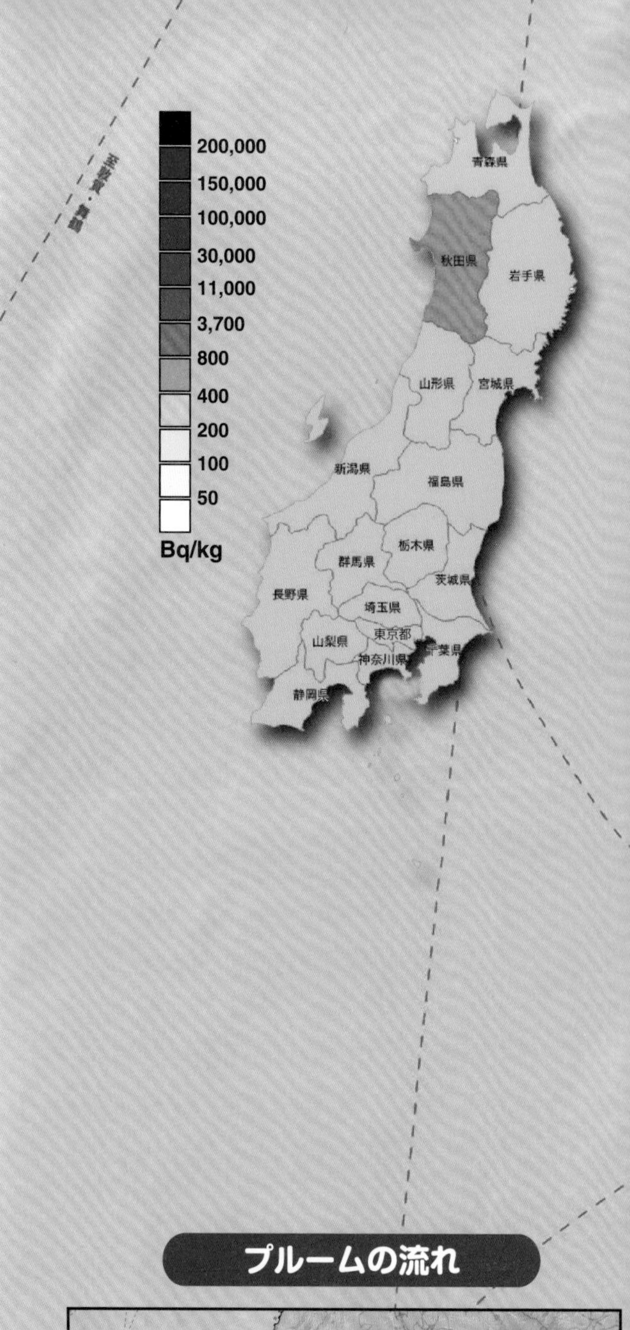

プルームの流れ

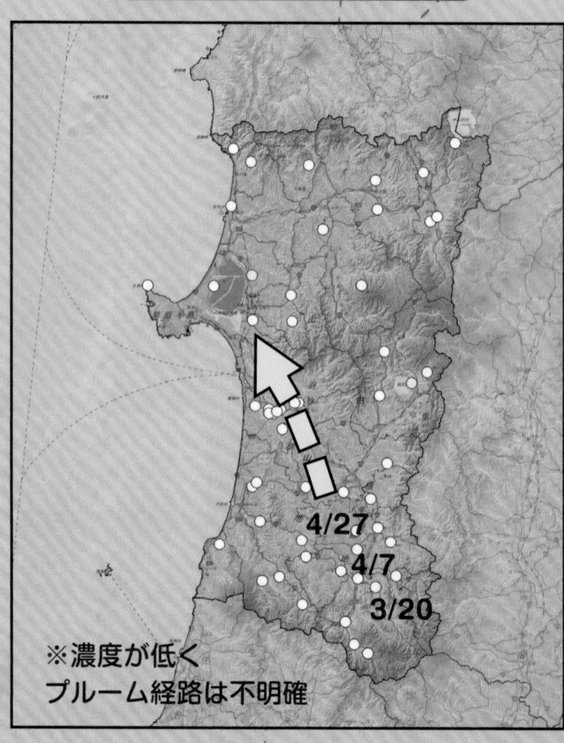

10 km

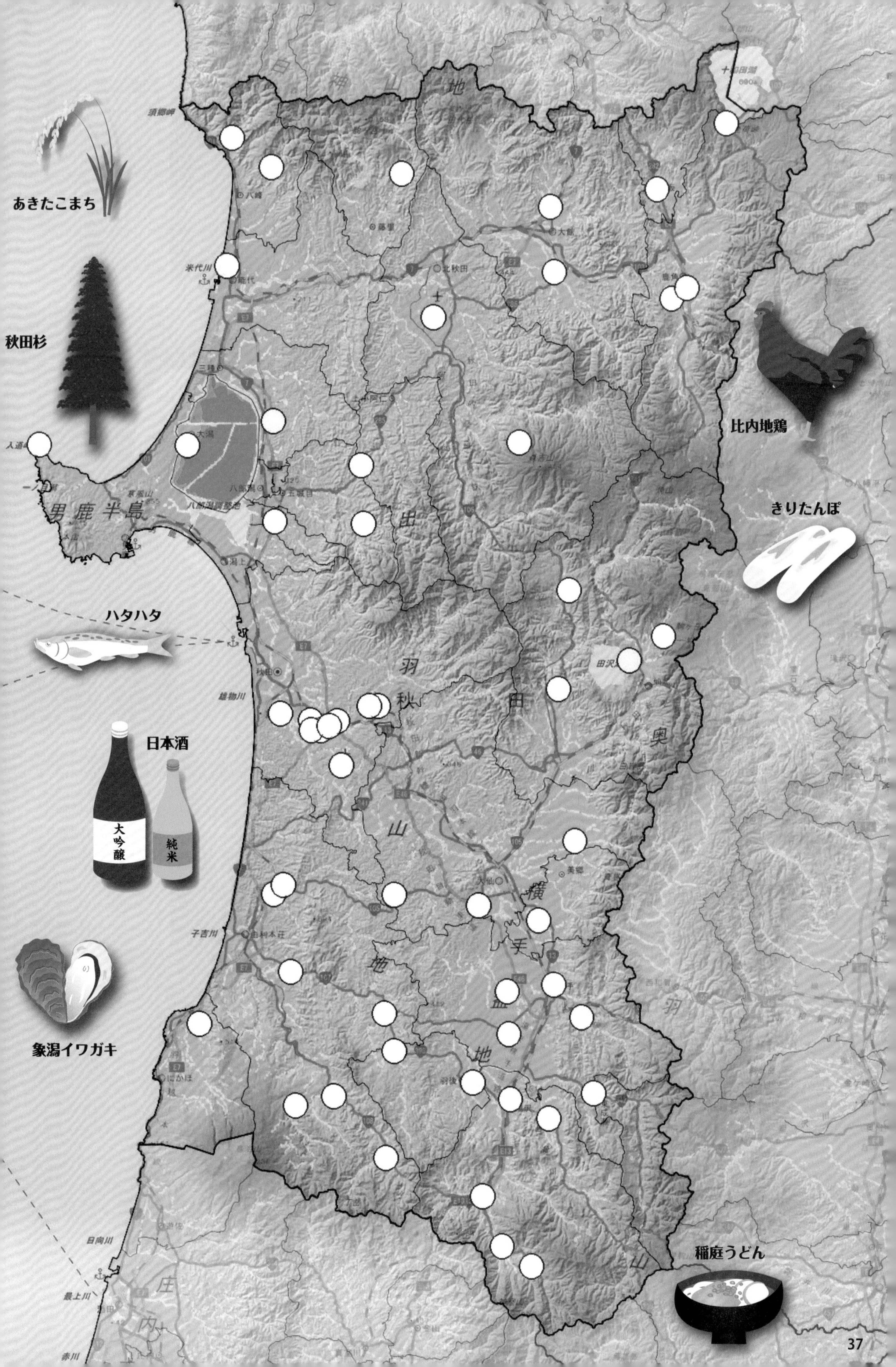

あきたこまち
秋田杉
比内地鶏
きりたんぽ
ハタハタ
日本酒
大吟醸
純米
象潟イワガキ
稲庭うどん
男鹿半島
白神山地
出羽山地
奥羽山脈
横手盆地
秋田
田沢湖
八郎潟調整池

秋田県

●解析：さっぽろ市民放射能測定所　はかーる・さっぽろ（北海道）

60年代のグローバルフォールアウトの影響も

みんなのデータサイトによる秋田県内測定地点は55ヶ所で青森に次いで特に少ない。山岳地帯以外でも能代市東部、秋田市北部、大仙市北部などに空白域が残る。測定値は最大でも（2011年4月時点の数値で）放射性セシウム65 Bq/kg以下であり、測定値が高めの地点は地理的にあまり偏らずに分布している。

それらの測定値に特徴的な傾向は、大部分の検体でCs-134の値がCs-137の値から減衰比で計算した理論値よりも大幅に低いことである（放射性セシウムが10 Bq/kgを越える検体中での唯一の例外は田沢湖東岸地点であった。この検体は、減衰補正計算して2011年4月時点でCs-134が32 Bq/kgの検出となり、両核種の比は約1:1と福島事故由来を示していた）。

ここから想定されるのは、比較的高濃度の地点は、福島事故の影響よりも主にグローバルフォールアウトの影響が反映されている可能性である。

ただ、秋田県が2011年11月に県内9ヶ所の公有林で測定した落ち葉の放射能濃度のデータからは別の傾向も見られる（図1）。

県南部の3ヶ所ではCs-134/ Cs-137比から福島事故由来と見られる放射性セシウム9.4～17. 8 Bq/kgの検出が見られるのに対して、北部～中部では東側2ヶ所で共にCs-137のみ2.6 Bq/kgの検出、より西側の4ヶ所ではND（不検出）という結果で、これは福島第一原発からの距離と降下濃度が相関するだろうという直感と合致するが、濃度が相対的にそれほど高くなく影響が小さいためか、土壌データの傾向とは一致していない。

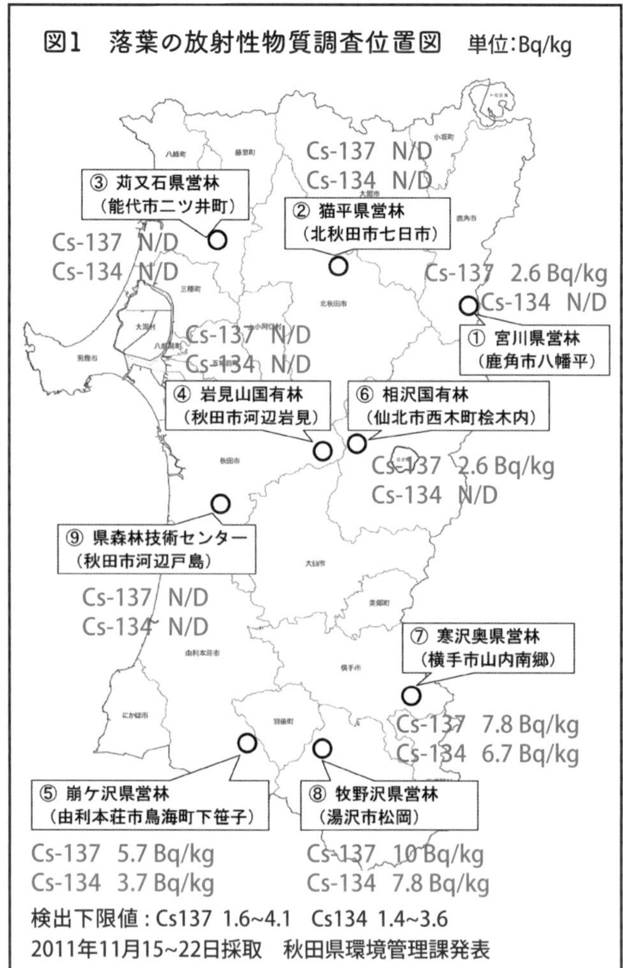

放射性プルームは3月から4月にかけて通過

JAEAによるWSPEEDIのI-131降下のシミュレーションでも示されるように、プルームがある程度一定の弧状パターンで南東側から北へと移動すると、濃度分布はもっと偏るのが自然だろうし、他県隣接地点の濃度と比較してもプルームの主要部はある程度県境の山脈で防がれた可能性がありそうだ。

シミュレーションではプルームが県内を通過したのは、3月16日未明に南東県境をかすめたのに始まり、3月20日夜、26日朝に県南半まで、4月23日、27日夜には県北端までの主に5回にわたっている。実際の観測ではどうだろうか。

確認できたデータは秋田市（秋田県健康環境センター）の1ヶ所のみで、空間線量率の変動のピークは識別し難いものの、2011年3月18日に開始された毎日の定時降下物データにI-131、放射性セシウムを検出している（図2）。

それによると、高汚染地域に見られる1万 Bq/㎡を超えるような降下量ではないが、3月20〜23日、4月7〜9日、19日頃にI-131を主とする検出が、そして4月27日にI-131、Cs-134、Cs-137が共存する各100 Bq/㎡程度の検出が見られた。

実測と一致しない部分もあるが、低濃度地域でも、3月20日、4月27日のような主要なプルームはシミュレーションでも再現できていることが分かる。

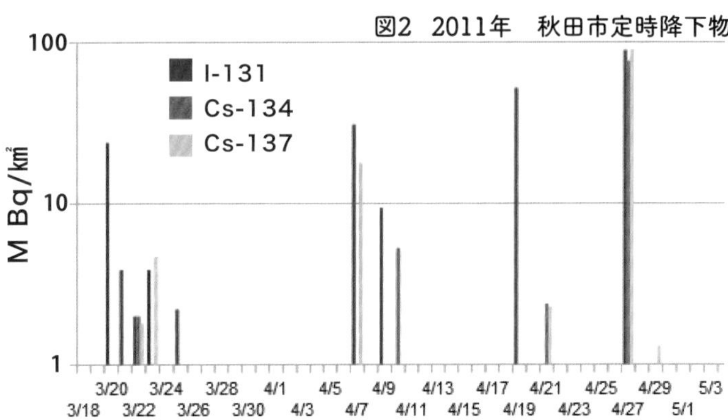

食品の汚染は限定的だが、県外からの汚染資材流通で問題も

秋田県の水道水検査では秋田市で2011年3月22日〜4月1日までI-131を最高値で2.0 Bq/L検出しているが、Cs-137、Cs-134は6時間測定では検出されていない(ただし、2012年1月〜3月連続採取検体の20時間測定でのみCs-137を0.00045 Bq/L検出)。

また、秋田県の公表した2011〜2012年度の県産水産物44検体検査結果によると、淡水魚では23検体中6検体、桧木内川のアユ、ウグイ、笹子川のアユ、役内川支流のヤマメ、十和田湖のヒメマスなどで放射性セシウム1〜11 Bq/kgを検出している。

一方、日本海の海産物は21検体中、検出はスズキでCs-137が0.79 Bq/kgの1件のみ。厚生労働省データベースで秋田県のマダラを調べても13検体すべてNDである。

山菜、野生キノコ類については2012年度の12検体の報告があり、湯沢市のネマガリタケでCs-137が10 Bq/kgにCs-134が2.0 Bq/kg、仙北市のネマガリタケでCs-137が8.2 Bq/kg、ナラタケでCs-137が9.8 Bq/kgが検出されている。さらに厚労省データベースではネマガリタケは最高値放射性セシウム120 Bq/kg、48検体中30検体で検出(図3)、コシアブラは最高値同53 Bq/kg、8検体中6検体検出、野生キノコと思われるナラタケ、ハナイグチ合わせて20検体中7検体で検出など、長期残留、濃縮傾向がより特徴的に見られる。全県にわたって土壌中濃度が放射性セシウム値で50 Bq/kgを超えないところでこのレベルの山菜類の汚染があることは注目に値する。

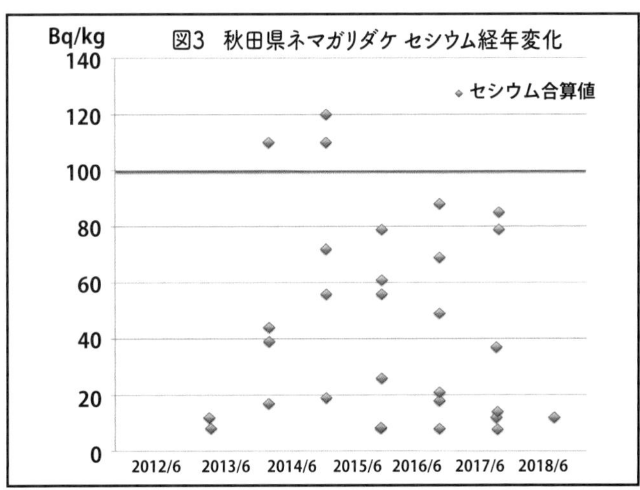

米については2011年9月に県内69ヶ所で、Cs-137で検出下限値1.6〜2.9 Bq/kgの精度の検査が行なわれ、全地点NDを確認している。食品以外では、2011年5月の牧草の県内5ヶ所の調査では、湯沢市の放射性セシウム28 Bq/kg、I-131が4.5 Bq/kgを最高値として、各地で数値が検出された。6月の再検査ではNDの地点が多かったが、湯沢市では22 Bq/kgの放射性セシウムが検出された。また県内4ヶ所の下水処理場の脱水汚泥の焼却灰等からは、6月に放射性セシウム210 Bq/kgを検出し、2012年の2月でも汚染が残った。

他に、流通を介した汚染として、宮城県(北部)から購入した汚染稲わらを与えた肉牛や、その牛糞堆肥から基準値を超える放射性セシウムが検出され、出荷自粛などの対応が取られた。

出典

図1：Cs-134/Cs-137一覧　落ち葉放射性セシウム図・美の国あきたネットサイト内　平成23年度の環境放射能調査結果についてより
● https://www.pref.akita.lg.jp/uploads/public/archive_0000006397_00/ochiba.pdf

図2：定時降下物量の推移・放射性物質モニタリングデータの情報公開サイト　● https://emdb.jaea.go.jp/emdb/
環境放射能水準調査結果よりグラフ化

図3：食品中の放射性物質検査データウェブサイトより　● http://www.radioactivity-db.info/

●山形県の測定地点数　104地点
●中央値　90.6 Bq/kg

2011年当時の基本データ

【面積】9,323.50km²　【人口】1,168,924人
【人口密度】125.4人/km²
【事故当時18歳以下の子どもの数・割合】
196,145人（16.8%）

地形の特徴

● 東北地方の南西部に位置し、北西側が日本海に面している。東から奥羽山脈、出羽丘陵、越後山地と南北に連なる3列の山地が存在。●北側は鳥海山-丁岳山地、南側は吾妻山地で秋田県や福島県に接する。●奥羽山脈と出羽丘陵の間には、北から新庄、尾花沢、山形、米沢盆地が連なり内陸性気候を示し、山間部は豪雪地帯。● 日本海に面する庄内平野は沖積平野で、季節風が強く多雨多湿の日本海側気候。●海岸部には南北に庄内砂丘が発達している。

土質の傾向

●県内の7割を占める山地部では、各種岩盤類や礫層に風化した土砂が被覆した森林土壌が分布しており、平野部と山地の境界に扇状地が形成されている。●内陸盆地と平野部は、吾妻連峰に源を発し日本海に注ぐ最上川の侵食作用で運搬された粘土、砂からなる低地土壌が分布している。●最上地域や鳥海山等の火山の周辺では火山灰由来の黒ボク土が分布している。

特産物

●内陸部の水はけの良い扇状地でさくらんぼ(桜桃)、りんご、西洋梨(ラ・フランス)。水稲では高温耐性ブランド米のつや姫。村山地域や置賜地域で山形牛、米沢牛。県全域でわらび、うるい、食用菊。管内地区で青ばた豆(ずんだ)。舟形町でマッシュルーム。最上地方で原木なめこ。

事故当時の気象データ

【3月の融雪期】周期的に寒気と暖気が流れ込み、海岸部の庄内地域では殆ど残雪はなかった。一方、内陸部の豪雪地域の最上・置賜地域では地表はまだ雪に覆われていた。
【3/15〜17】内陸部の最上・置賜地域でまとまった降雪や雨を観測したが、村山地域の降雨・降雪量は比較的少量だった。
【3/22】以降、急激に融雪が進んだ。

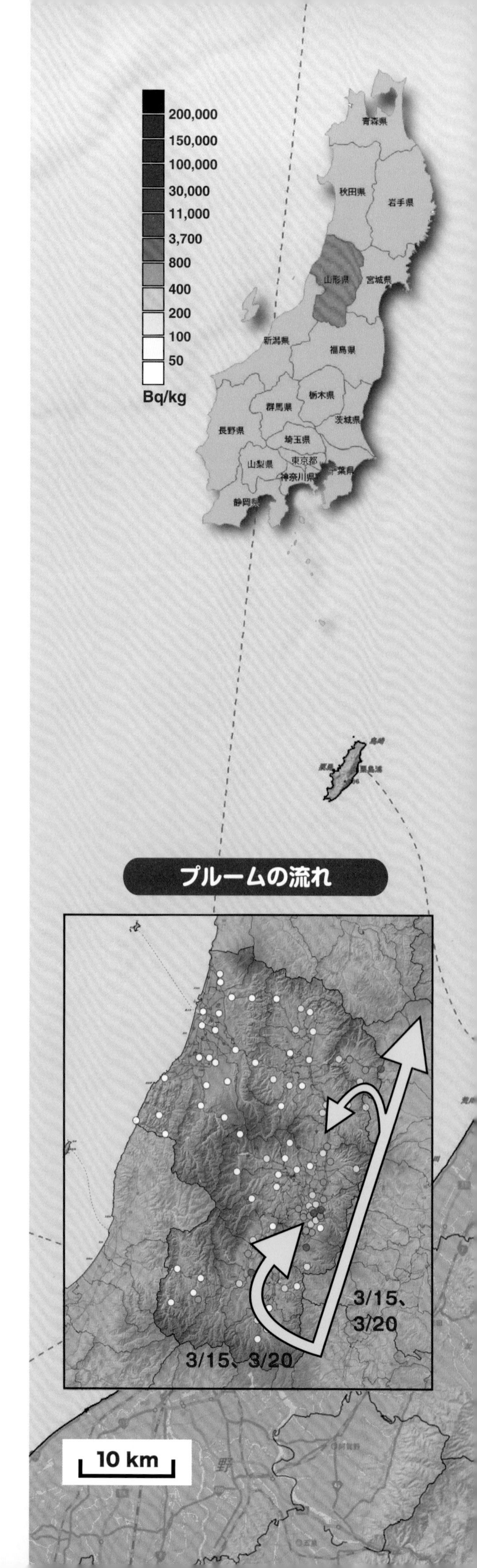

200,000
150,000
100,000
30,000
11,000
3,700
800
400
200
100
50
Bq/kg

青森県
秋田県
岩手県
山形県
宮城県
新潟県
福島県
群馬県
栃木県
長野県
茨城県
埼玉県
山梨県
東京都
神奈川県
千葉県
静岡県

プルームの流れ

3/15、3/20
3/15、3/20
10 km

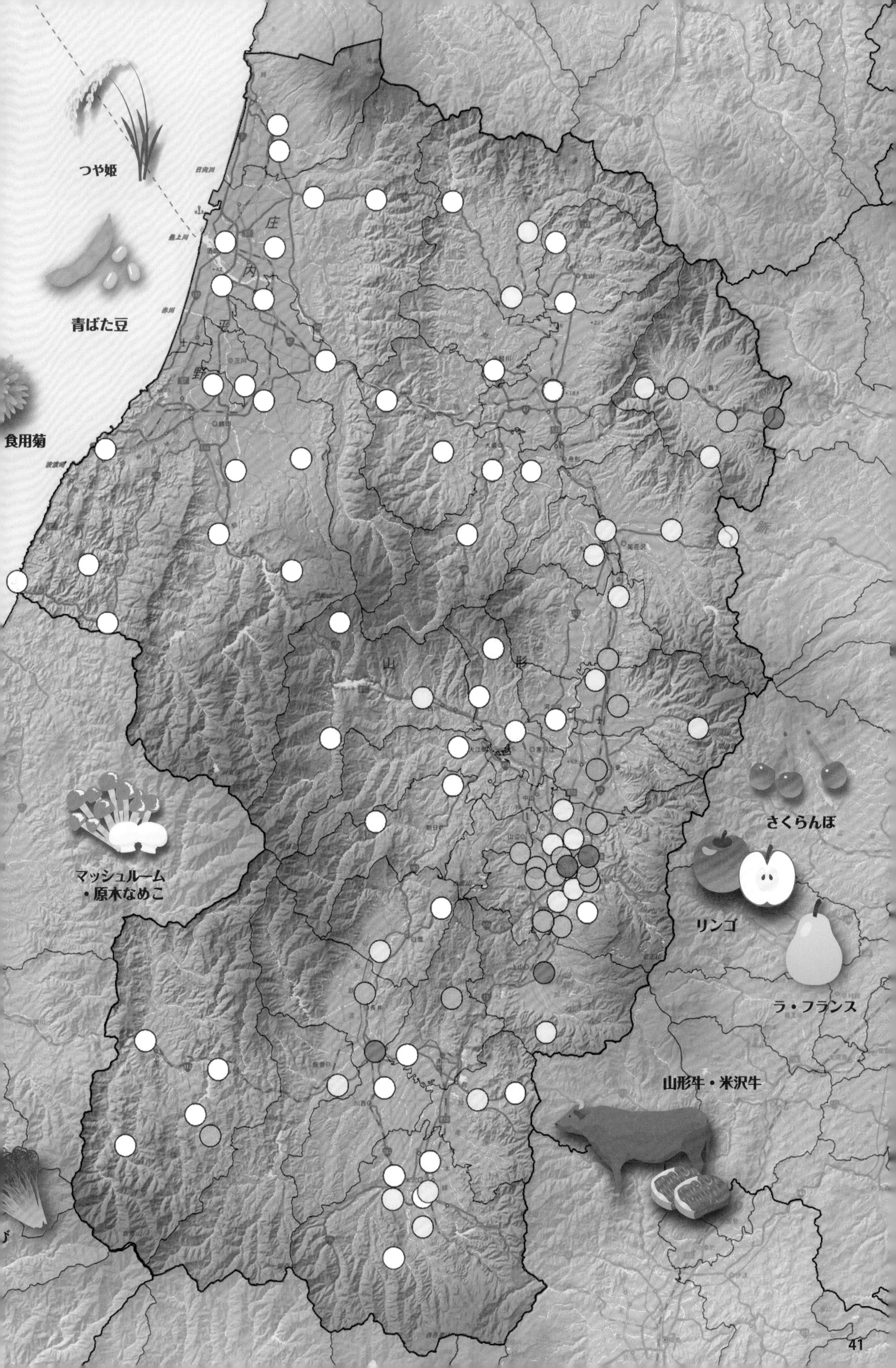

つや姫
青ばた豆
食用菊
マッシュルーム
・原木なめこ
さくらんぼ
リンゴ
ラ・フランス
山形牛・米沢牛
庄
内
平
野
山
形

山形県

● 解析：あがの市民放射線測定室「あがのラボ」（新潟県）

福島原発事故後の空間線量率変化と放射性降下物

① 山形市(山形県衛生研究所)に唯一設置されていた固定型モニタリングポストが3月15日午後からの降雨に伴って16時頃から変動し始め、3月16日午前3時をピーク(最高値0.114 μSv/h)とする一過性の急上昇がみられた。一方、3月16日から米沢市(置賜総合支庁)に設置された可搬型モニタリングポストでは、この1度目の急上昇を捉えることはできず、線量率の減少過程のみが記録された(図1)。山形市の空間線量率は、数日後に急減していることから、長半減期の人工放射性核種の寄与は少なかったと考えられる。

② 3月20日夕方からの降雨に伴い、放射線量率の2度目の急上昇が観察された。20日20時に山形市で最高値0.129 μSv/h、米沢市で21日0時に最高値0.187 μSv/hを記録。その後は、高いレベルを維持しながら緩やかに減少した。3月20日の空間線量の急上昇に同調して、山形市内の降下物量も急上昇していた。空間線量の漸減カーブが、その後の8日間のうちに約半分にまで減衰していることから放射性ヨウ素(I-131)が大きな割合を占めていたと推定できる。実際に、3月20日～3月21日の降下物で放射性ヨウ素(I-131) 58,000 Bq/m²、放射性セシウム(Cs-137) 4,300 Bq/m²(ほぼ同等量のCs-134)が地表に沈着した。

③ 山形市における3月～12月間のCs-137の総沈着量は10,848 Bq/m²で、土壌中のCs-137濃度に換算すると約167 Bq/kgと見積もられ、沈着は4月末までに完了している。3月15日～16日の1度目の線量率上昇の際のCs-137の沈着量は、3月分の月間降下物量を用いて概算すると総沈着量の約18％と推定され、3月20日からの2度目の沈着と合わせると3月中の90％以上の沈着が3日間で発生していたことになる。この時、Cs-137と同量のCs-134も沈着したと考えられるので、山形市では約300 Bq/kg程度のセシウム土壌汚染が発生したと推定できる(この時期の山形県の発表にはI-131とCs-137の観測値しかない。測定器ではCs-134値も同時にデータが出るにもかかわらず、なぜこのようなデータ公開となるのか、疑問が残る)。

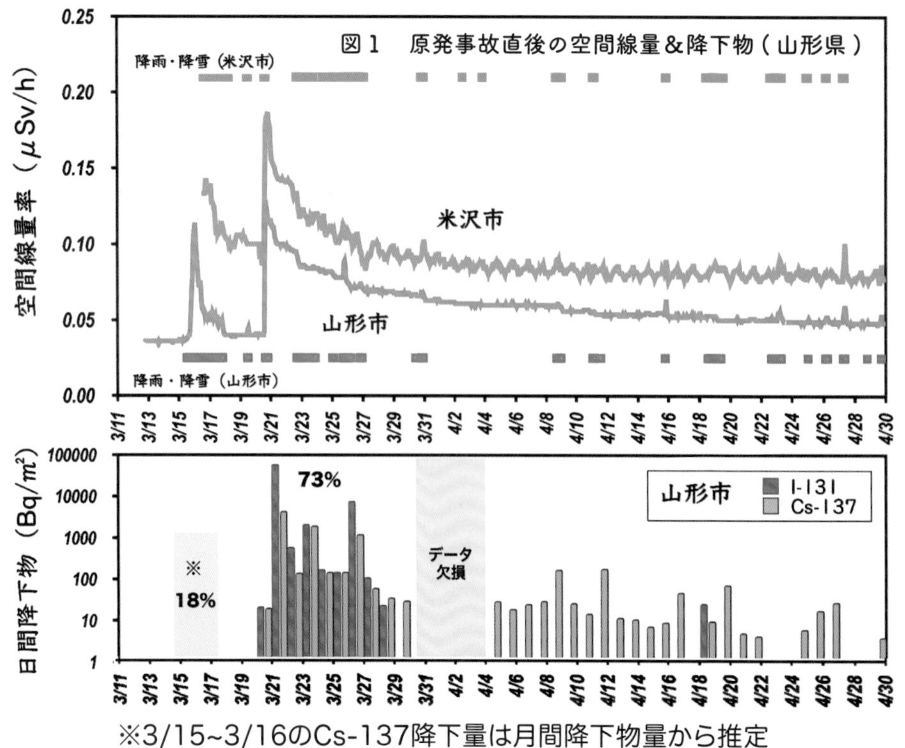

※3/15~3/16のCs-137降下量は月間降下物量から推定

放射性ヨウ素による水道水汚染

最上川水系水窪ダムおよび綱木川ダムを水源とする笹野浄水場から給水された米沢市、南陽市、高畠町、川西町及び、寒河江川を水源とする西川浄水場から給水された山形市の水道水から放射性ヨウ素(I-131)が3月22日以降4月中旬まで検出された。最大値は3月24日の米沢市水道水(4.66 Bq/L)で、幸いにも汚染は軽微であった。

放射性セシウムによる土壌汚染

山形県が原発事故5ヶ月後に公表した空間線量率マップと「東日本土壌ベクレル測定プロジェクト」によって得られた土壌汚染マップは概ね傾向が一致しており、汚染は宮城県に近い東側に偏在していた(図2)。

しかし、① 空間線量測定では把握できていないやや強い土壌汚染が県北東部の最上町や尾花沢市にも存在すること、② 空間線量からは汚染されていないと思われていた県北部地域の新庄市周辺の盆地にも拡がっていること、③ モニタリングポストのデータから山形市よりも強い汚染が推定されていた米沢市の土壌汚染は予想より軽微である等の新たな事実が明らかとなった。

山形県には2度に渡り放射性プルームが飛来したが、セシウム汚染を引き起こしたのは主として3月20日～21日の2度目のプルームによると考えられる。プルームが北上する際に奥羽山脈や吾妻山地に遮られたが、比較的標高の低い峠や谷筋に沿って米沢盆地や山形盆地、新庄盆地にまで侵入したと推測できる。山形大学の協力で2012年から実施している汚染調査では福島県境に接する米沢市の市街地より、福島市寄りの山間地や比較的標高の低い板谷峠付近の汚染が高いことが示されており、山形県内へのプルーム流入経路の一つであったと推測される。

山形県の内陸部は豪雪地帯で、3月は融雪時期とはいえ東北地方の太平洋側や関東圏と異なり地表にはまだ残雪がかなり残っていたことが土壌へのセシウム沈着に影響したと考えられる。山形市ではほぼ残雪が無く直接地表に沈着したのに対し、米沢市では厚い残雪上にセシウムが降下した。この違いがその後のセシウムの土壌沈着に影響した可能性がある。

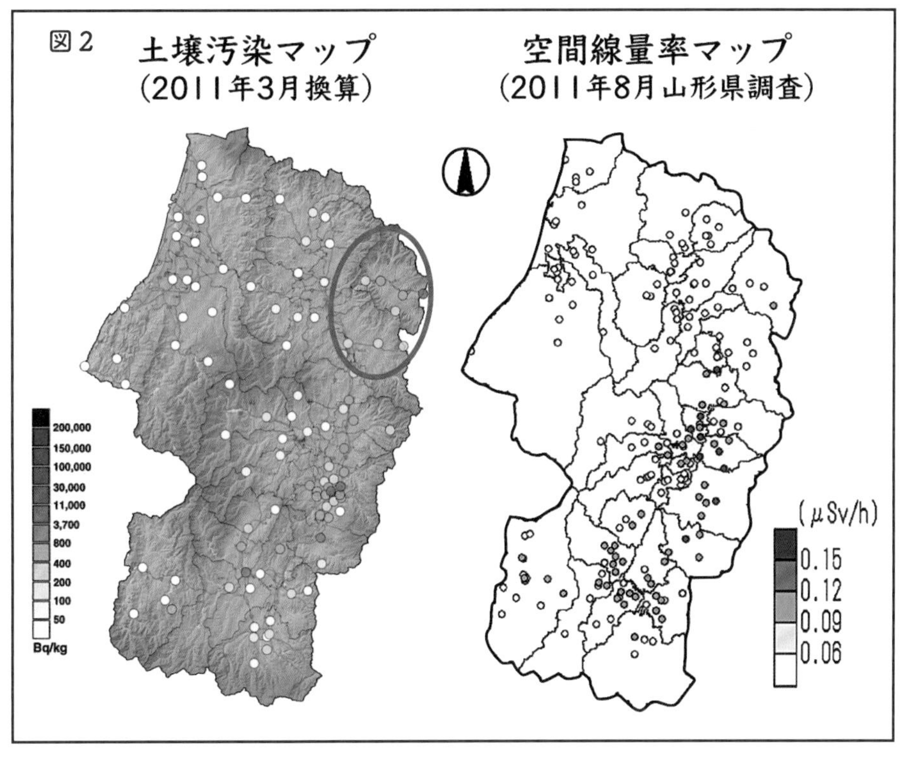

クマ肉と山菜・野生キノコの汚染

山形県の70%を占める山林土壌の汚染状況はあまり調査されていないが、山菜・野生キノコなどの山の恵や、それらを主食にするツキノワグマの汚染から間接的に知ることができる(図3)。

「ツキノワグマ肉」の検査は原発事故の翌年の2012年から開始され、基準値(100 Bq/kg)を超えたため山形県全域で「出荷制限」が指示されたが、小国町の一部地域のみ全頭検査を条件に出荷が許可されている。「クマ肉」のセシウム濃度はやや減少傾向にあるが、依然として高いレベルにある。

一方、春の山菜「コシアブラ」は毎年のように基準値超過が確認され高い汚染が継続しているが、出荷制限の指示が出されておらず、2018年現在で最上町のみ出荷自粛が要請されているのみである。このため、出荷された山形県産「コシアブラ」が他県で基準値超過を指摘される事件が発生し、農協等へ出荷前検査の徹底が呼びかけられている。「野生キノコ」の検査に関しても県はあまり積極的ではなく検査件数が少ない状況にあり、「コシアブラ」と同様に他県からの指摘による基準値超過事件が発生している。低汚染地域と考えられている山形県の山間地の汚染は「コシアブラ」や「ツキノワグマ肉」検査データから明らかであり、今後も長期的な監視と検査体制の強化が必要と考えられる。これらクマ肉や山菜類、キノコの自家用採取や縁故品での流通に対しても、山形県は警鐘を鳴らすべきである。

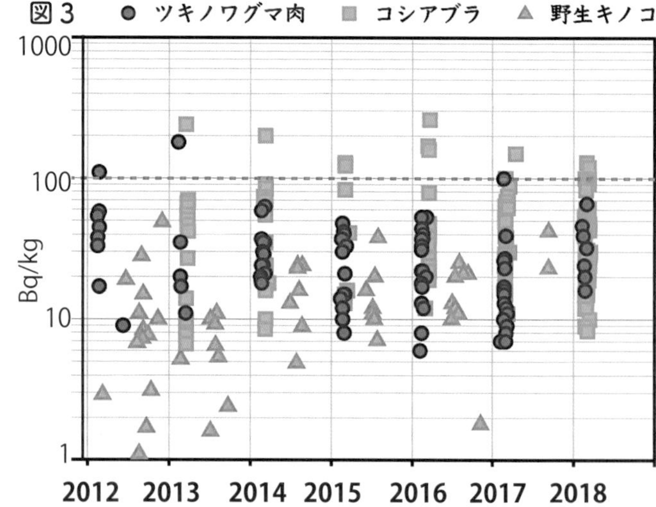

出典
図1:2011年 空間放射線量の推移(山形県)及び定時降下物のモニタリング(原子力規制庁)より著者作成
● https://www.pref.yamagata.jp/ou/kankyoenergy/020072/radi/radiation/mpkotei.html
● http://radioactivity.nsr.go.jp/ja/list/195/list-1.html
図2:各市町村における空間放射線量率測定結果の推移(山形県)と東日本土壌ベクレル測定プロジェクト(みんなのデータサイト)より著者作成
● http://www.pref.yamagata.jp/ou/kankyoenergy/050014/radiation/suii2017.pdf ● http://minnanods.net/soil
図3:食品中の放射性物質検査データ(厚労省)から著者作成 ● http://www.radioactivity-db.info

放射線の基礎を学ぼう!❷

「外部被ばく」と「内部被ばく」について

身体の外部に放射線源があり、体外から飛んできた放射線を受けて被ばくするのが「外部被ばく」、呼吸や食品から放射性物質を取り込むことにより体内に放射線源があり、そこから発せられる放射線を受けるのが「内部被ばく」だ。

アルファ線が出る核種(プルトニウムなど)やベータ線の出る核種(放射性ヨウ素など)は、体内に取り込まれると狭い範囲に繰り返しダメージを与え続けるので強く細胞を傷つける。また、皮膚などに放射性物質が付着し汚染した場合でも、アルファ線やベータ線が体表面細胞に強いダメージを与える(図1)。

図1 外部被ばくと内部被ばく

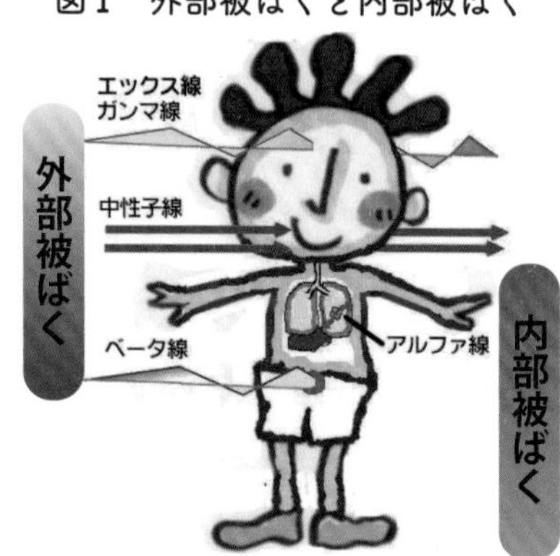

エックス線
ガンマ線
中性子線
ベータ線
アルファ線
外部被ばく
内部被ばく

シーベルト(Sv)の数値だけを見て被ばくの影響を考えるのは間違い!

被ばくの程度を表すためのシーベルト(Sv)という単位は、放射線による人体への影響を表すための指標として用いられるが、これだけを見て人体への影響を考えるのは適切ではない。Svはあくまでも人体が放射線から受け取ったエネルギーを表現していて、放射線によって人体で何が起きているかを示しているものではないのだ。「東海村JCO臨界事故」(1999年)では2名の作業員の方が亡くなった。その推定被ばく量は、6〜20 Svだった。このときに人体が放射線から受け取ったエネルギーは体重1kg当たり、わずか約1.44〜4.8カロリー相当だった。1 kgの水の温度を1 ℃上げるのに1,000カロリー必要なのと比較すると、いかに小さなエネルギーであったかがわかる。放射線による被ばくではわずかなエネルギーでも死に至るほどのダメージが発生してしまったことになる。

放射線による被ばくとは「放射線によって人体を構成するDNAなどの分子を破壊し、それを含む細胞や臓器が破壊され、やがて死に至ること」なのだ。Svという単位だけでは、放射線によって人体で何が起きているか表現することは到底無理なのである。

放射性物質の寿命「半減期」

放射性物質の種類には様々なものがあり、それぞれ持っている寿命が異なる。「半減期」とは放射性物質が持っている放射線を出す能力が半分になる期間のことを指し、その影響力の長さ(時間)を見る際に使用する。放射性核種固有の原子核の崩壊による半減期を「物理的半減期」と呼ぶ(表1)。

表1

核種	核種名	放出する主な放射線	物理的半減期
I-131	ヨウ素131	ベータ線、ガンマ線	8日
Cs-134	セシウム134	ベータ線、ガンマ線	2年
Cs-137	セシウム137	ベータ線、ガンマ線	30年
Sr-90	ストロンチウム90	ベータ線	29年
Pu-239	プルトニウム239	アルファ線	24,000年
U-235	ウラン235	アルファ線、ガンマ線	7億年
U-238	ウラン238	アルファ線	45億年
H-3、(T)	トリチウム	ベータ線	12.3年

例えば、半減期8日の「ヨウ素131」(I-131)は16日経過した時、ゼロになるのではなく、最初あった量の25%に減少する。この半分⇒半分になることを「半減期」と呼んでいるのだ(図2)。

「セシウム134」(Cs-134)は、2018年3月の時点で事故から7年が経過し半減期(2.06年)が3回経過しているため、事故当時の半分の半分の半分以下(1/8以下)になっており、現在では測定が難しくなっている。

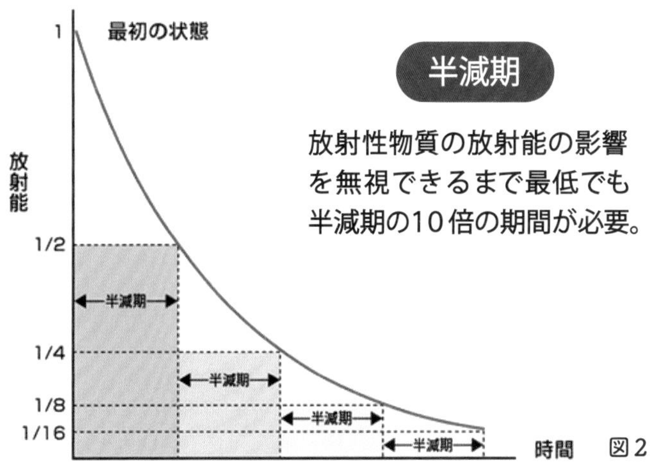

図2

「セシウム137」(Cs-137)は半減期が30年のため、今現在ではまだ1回目の半減期にも達していないので、事故時の約8割が残っているという計算になる。

一方、食品などと一緒に体内に取り込まれた放射性物質は、体内で一部血中に入り、呼気や汗、あるいは便や尿などの排せつにより体外に排出される。こうした過程により体内に取り込まれた物質が半分に減少するまでの期間を「生物学的半減期」と呼んでいる。「生物学的半減期」は、年齢の違いや個々人に代謝能力の違いがある点で一人ひとり異なる。

体内に取り込まれた放射性物質は、上記の放射性核種固有の「物理的半減期」と個々人の代謝能力に依存する「生物学的半減期」の両者により体内から減少してゆく。これを「実効半減期」と呼び、一人ひとり異なることになる。

放射性物質の危険性　〜半減期の長短では危険性は決まらない〜

今回の原発事故時に環境へ多量に放出された核種(ヨウ素131、セシウム134、セシウム137)は「ベータ線」とともに「ガンマ線」を放出する。「ガンマ線」は遠方から人体に向けて飛んでくるので「外部被ばく」の危険性が高い。

一方、「内部被ばく」を考えた場合は、体に取り込まれやすく、特定の臓器に集まる核種(ヨウ素131⇒甲状腺、セシウム134・セシウム137⇒筋肉、ストロンチウム90・プルトニウム239⇒骨)は、体外に排出されにくい。ヨウ素やセシウムなど半減期が短い核種でも「ベータ線」による影響を考慮する必要があり、ストロンチウム「ベータ線」やプルトニウム「アルファ線」などを人間の一生分ずっと出し続ける核種は、体内に取り込まない注意が必要である。

【出典】図1:原子力教育を考える会　　表1:みんなのデータサイト作成。
図2:文科省 高等学校生用 知っておきたい放射能のこと●http://www.mext.go.jp/b_menu/shuppan/sonota/attach/1314239.htm

福島県（ふくしまけん）

●福島県の測定地点数　407地点
●中央値　2,813 Bq/kg

2011年当時の基本データ

【面積】13,782.80㎢【人口】2,029,064人
【人口密度】147.2人/㎢
【事故当時18歳以下の子どもの数・割合】
361,107人（17.8%）

地形の特徴

●南から北へつらなる阿武隈高地と奥羽山脈によって、地形や気候風土などから浜通り・中通り・会津の3つの地方に分けられる。●浜通りは阿武隈高地以東にあり、太平洋沿岸部は細長く帯状の低平地となっている。●中通りは県中央部を南北に流れる阿武隈川の本流に沿って幅10〜30km程度の低地帯を形成する。●会津は奥羽山脈より西側の地域を示し、新潟県境に展開する越後山脈とともに大起伏の山地帯を形成する。●主な河川に福島県中通り及び宮城県南部を流域に持ち仙台湾に流れる阿武隈川や、南会津町を源流に持ち会津地方から新潟市に流れる阿賀野川がある。

土質の傾向

●山地は岩盤類や礫層が基盤を形成し、その上を黒ボク土や風化土砂が覆っている。●浜通りの海岸沿いと中通り低地は、岩石や砂礫を基盤とし、その上を粘性土や泥流堆積物が覆っている。●中通りの福島南部から二本松市への地域、矢吹町から白河市への地域ではローム質土層が発達している。●河川流域の氾濫原や盆地、太平洋岸の海岸低地や谷の多くは、基盤岩上に砂質土や粘性土が混在する軟弱地盤で形成されている。

特産物

●福島盆地、伊達地区で桃。福島市および県北地区でさくらんぼ、りんご。伊達市で柿(あんぽ柿、干し柿)●会津地区でお米のコシヒカリ。喜多方市で喜多方ラーメン。県全域でキュウリ、日本酒。●太平洋沿岸でカレイ、メヒカリ、シラス、アンコウ。

事故当時の気象データ

【3/12】 北西の風、晴れ。1号機のプルームは太平洋に流れた。
【3/14】 北の風晴れ。3号機のプルームはいわき市を通過した。
【3/15】 北東の風のち南東の風、曇りのち雨、所により雪。中通りおよび原発より北西方向を激しく汚染沈着した。

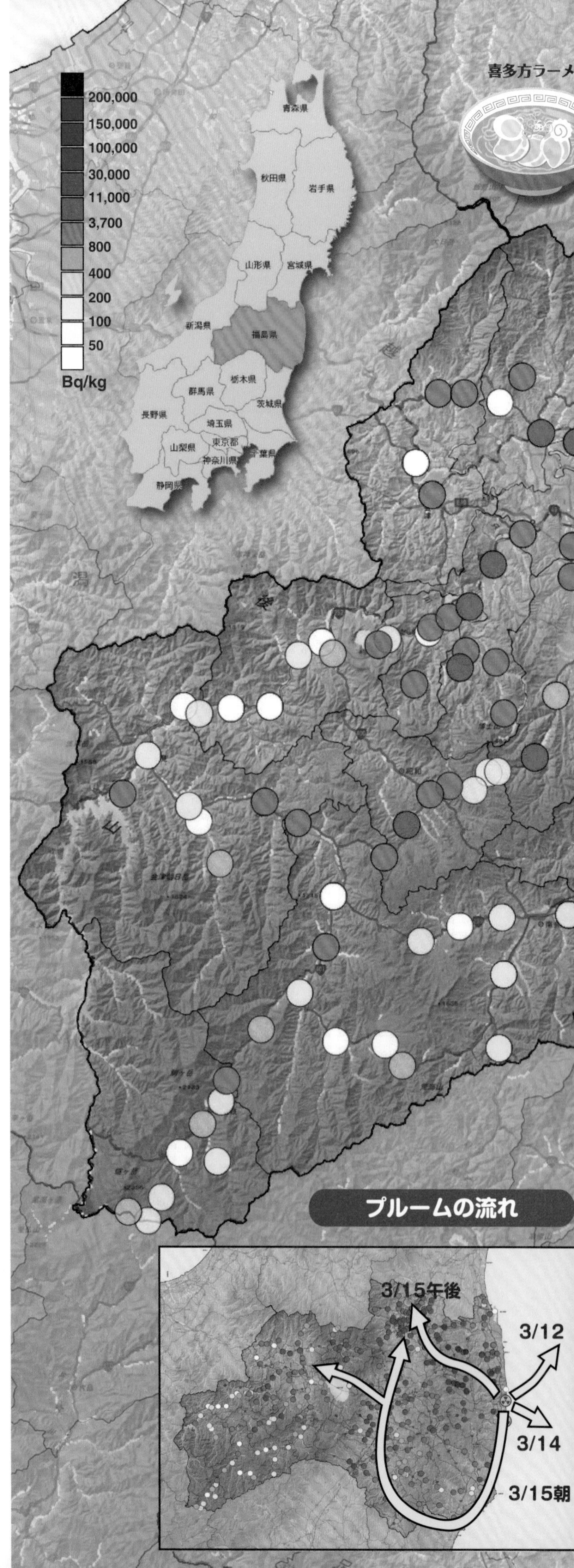

桃
あんぽ柿
コシヒカリ
福島第一
原子力
発電所
福島第二
原子力
発電所
福
島
阿
武
隈
高
地
きゅうり
日本酒
大吟醸
純米
アンコウ
メヒカリ
カレイ
シラス
10 km

福島県

●解析：認定NPO法人 ふくしま30年プロジェクト（福島県）

福島第一原子力発電所事故の主要な放射性プルームの広がりと土壌汚染

【3月12日15時】 1号機水素爆発
プルームは海陸風（日中に陸地が高温になり、上昇気流が発生することにより、海から陸地に風が吹く現象）により双葉町を汚染した後、北西の風によって太平洋上に流れた。

【3月14日11時】 3号機水素爆発
海陸風により双葉町・大熊町を汚染したプルームは、その後西の風によって太平洋上に流れた。

【3月15日0時】 2号機ベント失敗、その後漏洩
北北東の風によりプルームが南下、いわき市を通過後、中通りを通過した一部は裏磐梯や会津地方にまで流れ、夜の降雨または降雪により各地域を汚染した。いわき市は朝から午前中にかけてプルームが通過したが、曇り空で気温の変動が少なく風が弱かったことなど大気が安定したことで、プルームも安定した層を上空で作り流れていったと考えられる。

【3月15日6時】 2号機圧力容器破損（最大の汚染源）
4号機水素爆発
朝は無風状態、昼から東南東の風、天候は昼は曇、夜に降雪があった。原発から北西方向、請戸川沿いをプルームが流れたことと、その夜の降雪により請戸川沿いと飯舘村、および伊達市や福島市が激しく汚染された。浪江町請戸地区は原発から北に約6kmの地点にあるが、海陸風のおかげで汚染は少なかった。一方で、大熊町、浪江町、南相馬市小高区の山沿い地域などは激しく汚染された。

避難区域指定の妥当性と、チェルノブイリ法における汚染区分との比較

チェルノブイリ事故が起きた旧ソ連3国は、事故から5年後の1991年にそれぞれチェルノブイリ法を制定した。細部で少々の違いはあるものの、移住の権利と保障のある放射線管理ゾーン相当の対象地との境界は、土壌放射能が37,000 Bq/㎡または被ばく線量が年間1 mSvであった。しかし、福島原発事故が起きた際に日本政府は、避難指示区域の境界を年間20 mSvとした。そのために、激甚汚染地である福島県ではチェルノブイリ法による汚染区分では人が住んではいけない「強制移住ゾーン」や「移住の義務ゾーン」相当の地点でも避難区域に指定されない地域が数多く存在する。

図1は2011年11月に制定され、2013年8月に改正された避難指示区域図である。帰還困難区域は年間50 mSvで線引きされたエリアであり、面積は337 k㎡に及ぶ。当時の住民は合計2万4千人であった。立ち入り禁止地域となるので、今回のみんなのデータサイトの調査ではサンプリングが出来なかった。このため、汚染マップでは空白域であり、汚染の過酷さを示しきれていないが、100年経過した後も人が住めないエリアが多数存在すると思われる。

表1に示したように、事故直後にはチェルノブイリ法の強制移住ゾーン相当地点が12市町村に31地点ある。2018年3月になっても、8市町村に11地点残っている。移住の義務ゾーン相当地点は、避難指示区域外でも多数存在し、事故直後に57地点、2018年3月でも36地点が残っている。それは飯舘村、葛尾村、楢葉町、浪江町、南相馬市小高区、伊達市月舘町、伊達市霊山町、福島市大波などに点在している。

移住権利ゾーン相当地点は事故直後で96地点、2018年3月で58地点残っている。それは福島市、伊達市、郡山市、南相馬市小高区などのほか、広野町、川内村、本宮市、西郷村などにも存在している。

保障のある放射線管理ゾーン相当地点は、汚染が軽微だとされる会津地方にも点在している。

避難指示区域とされなかった移住の義務ゾーン相当地点および権利相当地点は、「子ども被災者支援法」にもとづく支援対象地域に指定された（図2）が、さして有効な対策はとられなかった。2017年3月には年間20 mSvを下回ったということで居住制限地域と避難指示解除準備地域が

ほぼ同時に指定解除され、避難者に対する帰還圧力が強まっている。子ども被災者支援法第2条2項には「支援対象地域における居住、他の地域への移動及び移動前の地域への帰還についての選択を自らの意思によって行なうことができるよう、被災者がそのいずれを選択した場合であっても適切に支援する」とされているにもかかわらず、条文は無視されている。

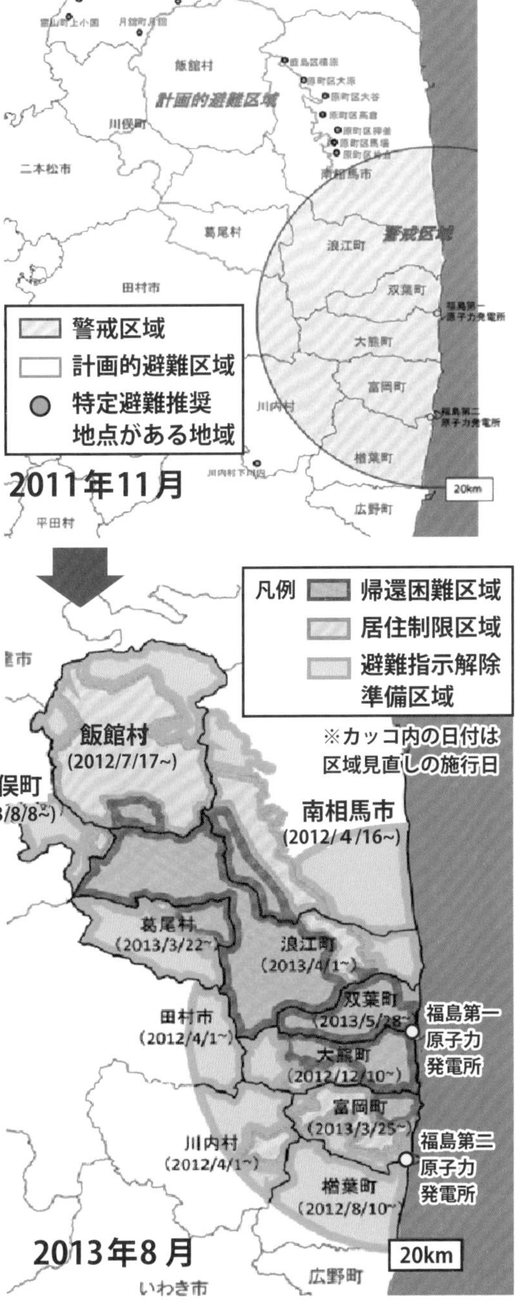

図1　福島原発事故に伴う放射能汚染に対する避難指示区域図

表1　福島県市町村別放射性セシウム土壌汚染度（地点数）
福島県59市町村中、採取測定地点があるのは57市町村。双葉町、大熊町で採取なし。

	2011年3月15日現在					2018年3月15日現在				
kBq/㎡	>1480	>555	>185	>37	0~37	>1480	>555	>185	>37	0~37
ゾーン区分	強制移住	移住義務	移住権利	何らかの保障		強制移住	移住義務	移住権利	何らかの保障	
伊達市	6	7	13	5	0	1	7	7	14	2
葛尾村	5	4			0	1	6	1		1
飯舘村	5	3			0	3	4			1
富岡町	3				0	2	1			0
福島市	2	12	18	17	2		6	10	26	9
南相馬市	2	5	4	7	0	1	3	5	9	0
川俣町	2	1	1	2	0	1	1		3	1
浪江町	2	1			1	1	2			1
二本松市	1	3	2		0	1	1	1	2	1
楢葉町	1	2	1		0		2			2
広野町	1	2	1		0		1	3		0
川内村	1	1	2		0		1	2	1	0
郡山市		5	7	6	1			6	11	2
田村市		3	2	8	0			2	8	3
須賀川市		3	2	2	4			2	2	7
本宮市		2		1	0			2		1
相馬市		1	5	1	1			1	5	2
いわき市		1	4	11	6		1	1	9	11
西郷村		1	1		0			2		0
白河市			4	4	0			1	7	0
北塩原村			3	4	4				5	6
棚倉町			3	1	1			1	4	0
三島町			2	2	1			1	2	2
小野町			2	2	0				3	1
三春町			2	2	0				3	1
大玉村			2	1	0			1	2	0
桑折町			2		0			1		1
天栄村			2		0			1	1	0
喜多方市			1	8	2				4	7
会津美里町			1	5	1				2	5
猪苗代町			1	4	2			1	4	2
柳津町			1	4	0				5	0
昭和村			1	3	2			1	2	3
中島村			1	1	3			1	2	2
鏡石町			1	1	1			1	1	1
泉崎村			1	1	1				2	1
塙町			1	1	0			1		1
国見町			1	1	0				1	1
磐梯町			1	1	0				2	0
会津若松市				4	4				1	7
矢吹町				4	1			1	3	1
石川町				3	2				1	4
西会津町				3	1				2	2
会津坂下町				3	0				2	1
古殿町				3	0				1	2
只見町				2	6				1	7
金山町				2	6				1	7
下郷町				2	3					5
玉川村				2	1			1	2	0
新地町				2	1				1	2
平田村				2	0				1	1
南会津町				1	12				1	12
浅川町				1	2				1	2
湯川村				1	0					1
鮫川村				1	0					1
矢祭町				1	0					1
檜枝岐村					8					8
計	31	57	96	143	80	11	36	58	160	142

※表の作り方や計算方法については、P.13「市町村別地点表のつくり方について」を参照。

図2　子ども被災者支援法にもとづく支援対象地域と準支援対象地域

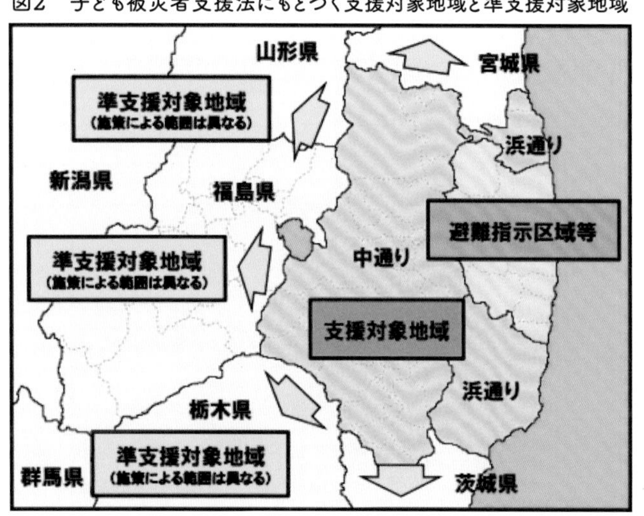

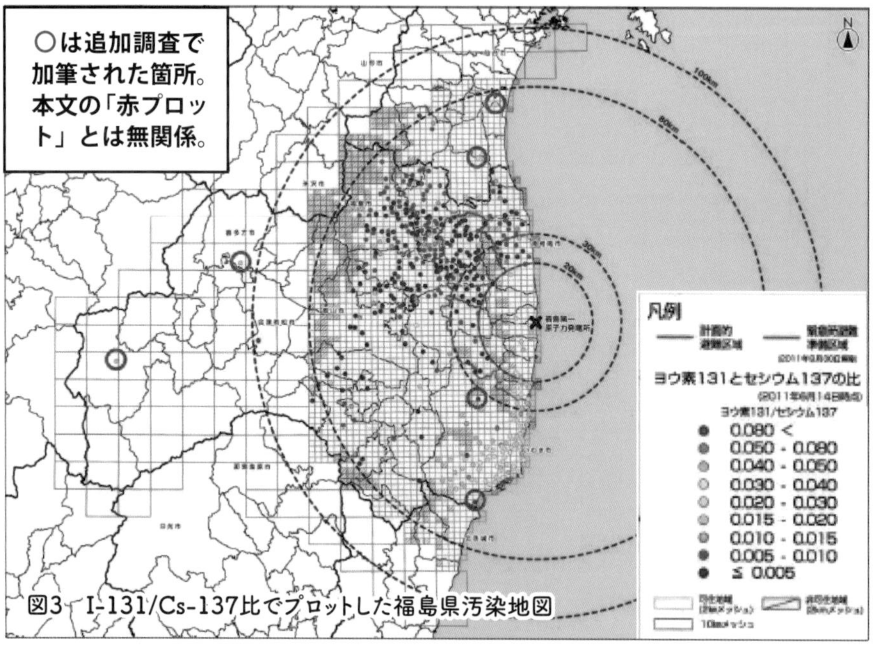

放射性ヨウ素（I-131）と放射性セシウムの汚染状況比較

図3にI-131/Cs-137比に関する汚染地図を示した。2号機が爆発した3月15日を起点とすればすでに91日も経過した2011年6月14日時点なので、I -131は約11半減期を経て、爆発時の約2050分の1に減衰している。赤のプロットで示した比が0.08以上というのは、事故直後では164以上に相当する。この時点ではCs-134/Cs-137比がほぼ1だったので、I-131/放射性セシウム比は、約82ということになる。濃紺でプロットした0.005以下は、事故直後ではI-131/Cs-137比が10.3であり、I-131/放射性セシウム比は5.2となる。

○は追加調査で加筆された箇所。本文の「赤プロット」とは無関係。

図3　I-131/Cs-137比でプロットした福島県汚染地図

I -131と放射性セシウムの汚染状況を比較すると、最も深刻な汚染を被った事故炉から北西方向では、濃紺や青のプロットが広がっており、放射性セシウムが卓越して降下沈着したことを示している。半減期の短いI-131と比較して半減期がはるかに長い放射性セシウムが多かったことは、その後の空間線量率の低減速度が遅いことを意味しており、この汚染域が帰還困難区域として今日まで立ち入り禁止区域となっていることとよく符合する。

これに対して、南方沿岸部（いわき市、広野町、楢葉町等）ではI-131/Cs-137比が高く、I-131の汚染割合が高かったことを示している。また、遠方のほうがI-131の汚染割合が高く、放射性セシウムより広範囲に汚染が広がったと考えられる。千葉県千葉市の日本分析センターでは、3月24日の放射性降下物のI-131/放射性セシウム比は32.6を記録している（千葉県の解説ページ参照）。

セシウムは融点が28 ℃、沸点は金属としては低い641℃である。放射性セシウムは、爆発イベント（事象）によって存在形態とその組成が変わり、水に溶けやすい状態のものもあれば、水に溶けにくい数種類の外観を持ったセシウムボールなどが報告されていて、その挙動は複雑である。ヨウ素は固体からでも直接に昇華してガスになる。融点114℃なので液体になるとさらにガス化しやすくなる。このためI-131は主としてガス状で、一部は粒子状で拡散したものと考えられる。南方沿岸部は3月15日の2号機ベント時に、多量のガス状I-131が拡散し、空気より比重が大きく重いので地表付近を這って移動したことにより汚染したものとみられる。

食品の放射能汚染状況

1）玄米の経年変化

玄米の経年変化（図4）を見ると、2011年度は最大861 Bq/kg、中央値でも11.5 Bq/kgあった。2012年度の中央値は2.66 Bq/kgと大幅に下がり、2017年度の中央値は不検出となった。

田畑では、カリウム散布や、果樹では樹皮洗浄等の対策の結果、2012年は大きく低減した。

2017年度で、NaIシンチレーション測定器の検出限界（1～2 Bq/kg）まで下がった。2017年4月までに飯館村など避難指示解除準備区域と居住困難地域の多くが、指定解除になり順次農業再開される状況にあるので、今後も注意が必要である。

2)自家消費野菜等の放射能汚染状況

原発事故から6年を過ぎ（平成29年度）福島県民は、どんな食品で放射能が高いかを把握しているとみられる。その中で気になる自家野菜等を近くの公民館や学習センター等に持ち込み放射能検査を行った結果（表2）を見ると、実施検体数50,088件のうち50 Bq/kg超が3,830検体あった。割合で7.6%である。福島は米や野菜・果樹のほかに、キノコや山菜そしてイノシシなど山の恵みがある。この検査状況から山の恵みが未だに安心できない状況にあることが分かる。

山菜とキノコ類は、50 Bq/kg超の割合が23.9%と高い。キノコ類はシロシメジ、コウタケ、シイタケ、クリタケ、マツタケなど種類が多く、また野生のものが多いのが特徴である。山菜は、コシアブラ、タケノコ、タラノメなどで50 Bq/kg超のものが多い。その他も18.5%と割合が高いが、内容は猪肉、熊肉、鹿肉など野生鳥獣のほかに、茹でキノコや、アク抜き山菜などがある。特に猪肉で50 Bq/kg超のものが多い。果実はクリ、ユズなどで50 Bq/kg超のものがある。

魚は種類が多いが、アユなどの淡水魚で50 Bq/kg超のものがある。※キノコ、山菜、ジビエ（野生鳥獣肉）、川魚、海魚などは第2章の食品ページを参照。

3) 農家の努力で汚染が軽減された「桃」

桃は福島県の名産品の1つである。厚労省データに登録されている福島県産「桃」検査の検出率は10.5 %（84/803件）で大部分がND判定（下限値平均10 Bq/kg）で低い濃度まで測定できていないため経年変化はよくわからない。

一方、データサイトのデータでは下限値が低いため検出率が71 %（96/135件）と高く、「桃」中の放射性セシウムの経年変化が追跡できている。グラフからは、2012年に最大値14.99 Bq/kg（中央値8.1 Bq/kg）であったものが減少しており、基準値を超える福島県産「桃」は流通していないことがわかる。しかし、2017年産でも放射性セシウムがごく僅か（最大値で0.98 Bq/kg、中央値で0.30 Bq/kg）に含まれている。このような明確な減少は、放射性セシウムの物理的な減衰を待つだけでは達成できず、樹皮を剥がすなど除染対策を行った桃農家の努力の賜物と考えられる（図5）。

図4　福島県産玄米の放射性セシウム含有量の経年変化（検体数450件）

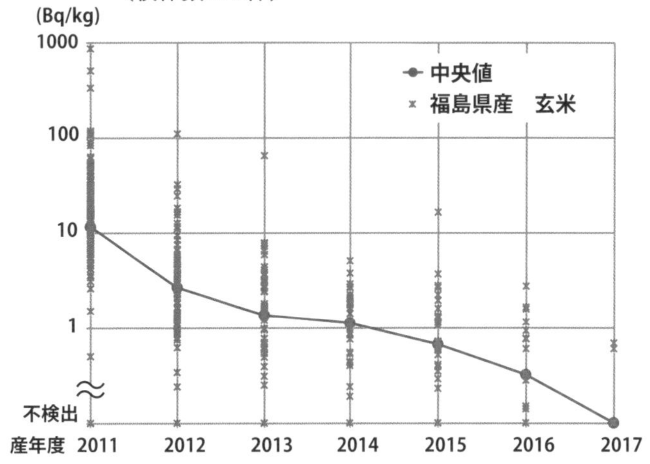

表2　自家消費野菜（家庭菜園等）などの放射能検査実施状況平成29年度累計・検体分類別）

分類	実施検体数	50 Bq/kg超	左の割合
野菜	26,241	41	0.2%
果実	7,349	287	3.9%
魚	247	37	15.0%
山菜、きのこ類	9,843	2,349	23.9%
米	378	0	0.0%
その他	6,030	1,116	18.5%
合計	50,088	3,830	7.6%

図5　福島県産桃の放射性セシウム含有量の経年変化

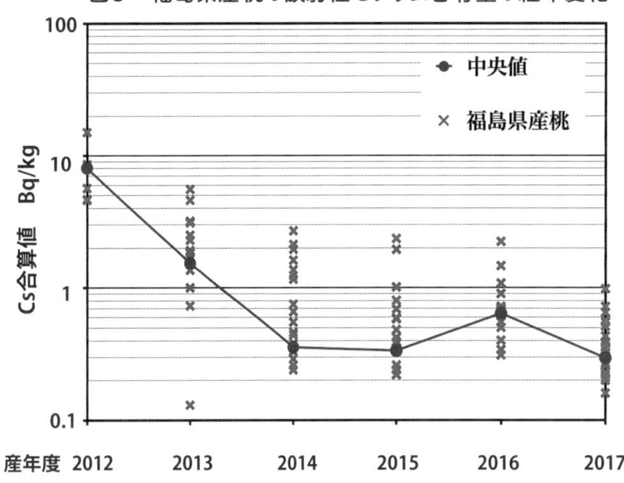

出典

表1：チェルノブイリ法ゾーン区分に照らし試算。みんなのデータサイト作成。
図1：平成23年3月11日～3月31日（東日本大震災発生以降）にモニタリングポストで測定された空間線量率等の測定結果について
● https://www.pref.fukushima.lg.jp/sec/16025d/post-oshirase.html
図2：子ども被災者支援法にもとづく支援対象地域と準支援対象地域
● http://www.reconstruction.go.jp/topics/main-cat2/20160617gaiyou.pdf
図3：「文部科学省による放射線量等分布マップ（ヨウ素131の土壌濃度マップ）の作成について（平成23年9月21日）」の訂正について
● http://radioactivity.nsr.go.jp/ja/contents/6000/5047/25/5600_130701.pdf
図4、図5：みんなのデータサイト・食品データより解析作成。
表2：自家消費野菜（家庭菜園等）などの放射能検査実施状況（平成29年度県別累計・検体分類別）
● http://www.pref.fukushima.lg.jp/uploaded/attachment/264748.pdf
参考資料 各地点の空間線量率の変動グラフ ● https://www.pref.fukushima.lg.jp/sec_file/monitoring/etc/post3-20120921.pdf

●茨城県の測定地点数　309地点
●中央値　611 Bq/kg

2011年当時の基本データ

【面積】6,095.70㎢　【人口】2,969,770人
【人口密度】487.2人/㎢
【事故当時18歳以下の子どもの数・割合】
517,390人（17.4%）

地形の特徴

●北部には久慈山地、多賀山地、八溝山地の山々が連なり、山間地を久慈川とその支流が流れ、その南を栃木から続く那珂川が流れて太平洋へと注ぐ。●八溝山地は北端に県内最高峰八溝山(1,022m)がそびえ、南端の加波山、筑波山まで続く。●中央部から南西部にかけて常総平野が広がるなかを小貝川、鬼怒川が並走し、千葉県との県境を流れる利根川に合流して太平洋へと注ぐ。●南東部には、日本第二の湖霞ケ浦(西浦)と北浦が豊かな水を湛えている。

土質の傾向

●全域に広く黒ボク土が分布し、河川流域には低地土が分布する。霞ヶ浦と利根川にはさまれた地域の一部には有機質土も分布する。褐色森林土は北部の山地の一部と筑波山のみに見られる。

特産物

●水戸市の梅・梅干し。笠間市、かすみがうら市、石岡市で栗。行方市でかんしょ(さつまいも)。ひたちなか市でほしいも。霞ヶ浦周辺のレンコン。●霞ヶ浦のワカサギ、シラウオ、アメリカナマズ。常陸沖のアンコウ。●利根川のウナギ。涸沼のヤマトシジミ。

事故当時の気象データ

【3/15】未明～午前中　降雨なし。
【3/16】早朝～午前中　鹿行では早朝に1.0mmの降雨あり。県南でも早朝に一部で1.5mmの降雨あり。
【3/20】午前～午後　降雨なし。
【3/21】早朝～午前中　全域で雨。降雨量は地域差があり9～30mm。

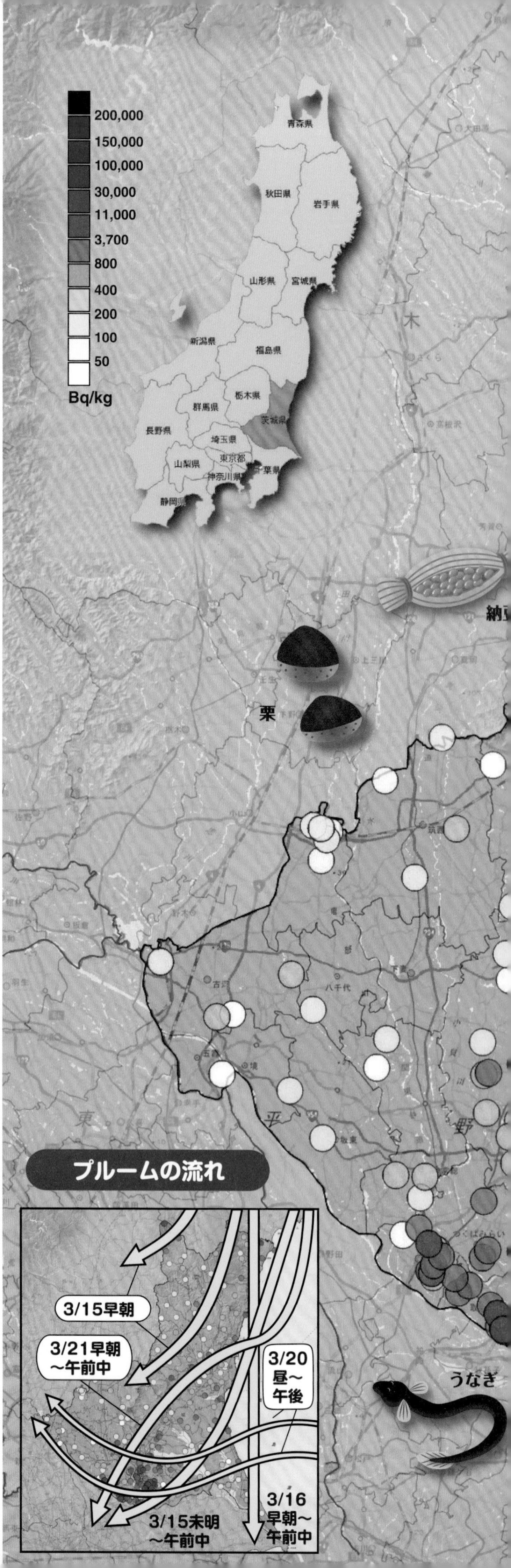

200,000
150,000
100,000
30,000
11,000
3,700
800
400
200
100
50
Bq/kg

納豆
栗
うなぎ

プルームの流れ

3/15早朝
3/21早朝～午前中
3/20昼～午後
3/16早朝～午前中
3/15未明～午前中

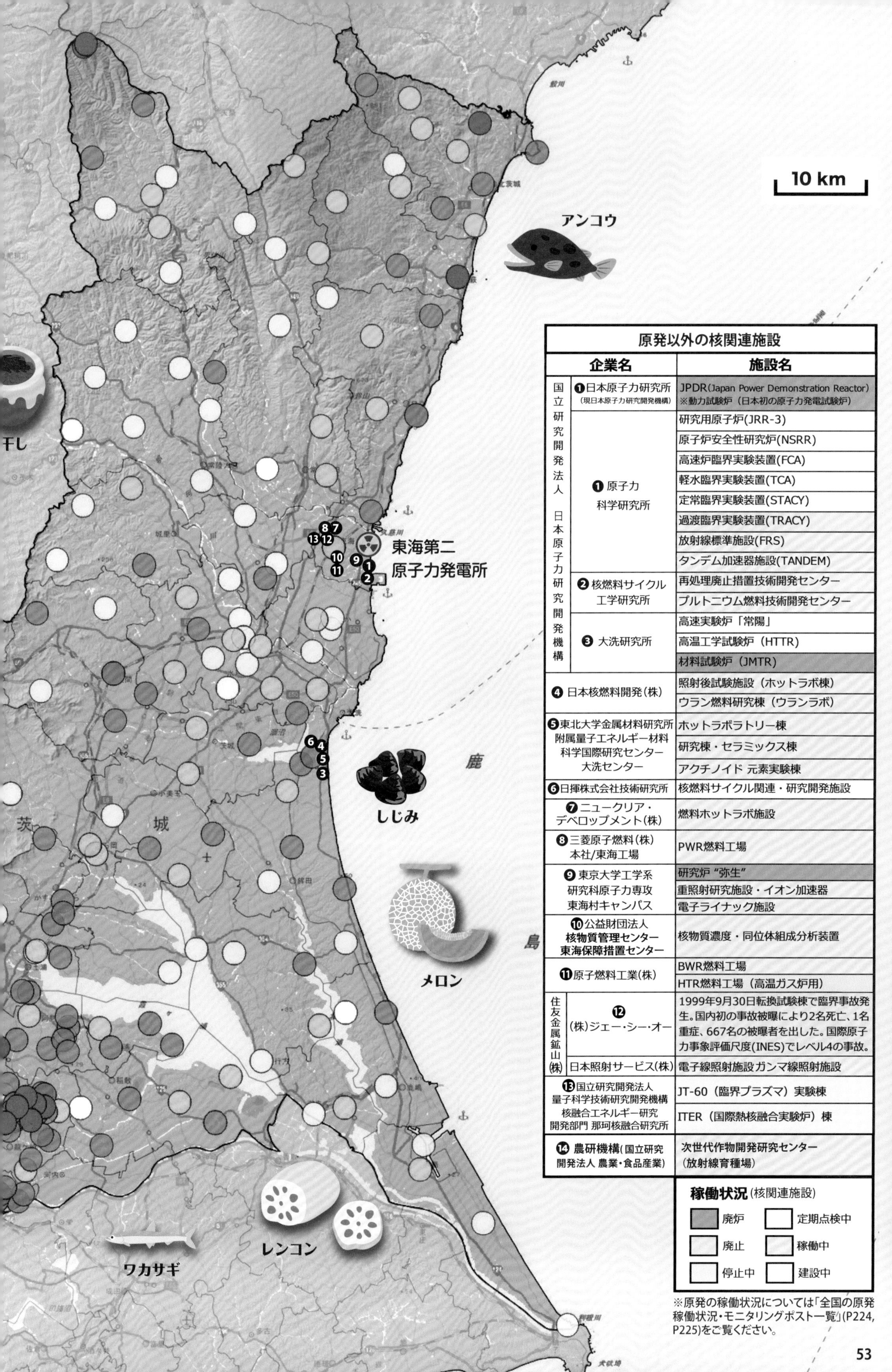

原発以外の核関連施設

	企業名	施設名
国立研究開発法人 日本原子力研究開発機構	❶日本原子力研究所（現日本原子力研究開発機構）	JPDR(Japan Power Demonstration Reactor) ※動力試験炉（日本初の原子力発電試験炉）
	❶原子力科学研究所	研究用原子炉(JRR-3)
		原子炉安全性研究炉(NSRR)
		高速炉臨界実験装置(FCA)
		軽水臨界実験装置(TCA)
		定常臨界実験装置(STACY)
		過渡臨界実験装置(TRACY)
		放射線標準施設(FRS)
		タンデム加速器施設(TANDEM)
	❷核燃料サイクル工学研究所	再処理廃止措置技術開発センター
		プルトニウム燃料技術開発センター
	❸大洗研究所	高速実験炉「常陽」
		高温工学試験炉（HTTR）
		材料試験炉（JMTR）
❹日本核燃料開発(株)		照射後試験施設（ホットラボ棟）
		ウラン燃料研究棟（ウランラボ）
❺東北大学金属材料研究所附属量子エネルギー材料科学国際研究センター大洗センター		ホットラボラトリー棟
		研究棟・セラミックス棟
		アクチノイド 元素実験棟
❻日揮株式会社技術研究所		核燃料サイクル関連・研究開発施設
❼ニュークリア・デベロップメント(株)		燃料ホットラボ施設
❽三菱原子燃料(株)本社/東海工場		PWR燃料工場
❾東京大学工学系研究科原子力専攻東海村キャンパス		研究炉"弥生"
		重照射研究施設・イオン加速器
		電子ライナック施設
❿公益財団法人核物質管理センター東海保障措置センター		核物質濃度・同位体組成分析装置
⓫原子燃料工業(株)		BWR燃料工場
		HTR燃料工場（高温ガス炉用）
住友金属鉱山(株)	⓬(株)ジェー・シー・オー	1999年9月30日転換試験棟で臨界事故発生。国内初の事故被曝により2名死亡、1名重症、667名の被曝者を出した。国際原子力事象評価尺度(INES)でレベル4の事故。
	日本照射サービス(株)	電子線照射施設ガンマ線照射施設
⓭国立研究開発法人量子科学技術研究開発機構核融合エネルギー研究開発部門 那珂核融合研究所		JT-60（臨界プラズマ）実験棟
		ITER（国際熱核融合実験炉）棟
⓮農研機構(国立研究開発法人 農業・食品産業)		次世代作物開発研究センター（放射線育種場）

稼働状況(核関連施設)

廃炉	定期点検中
廃止	稼働中
停止中	建設中

※原発の稼働状況については「全国の原発稼働状況・モニタリングポスト一覧」(P224, P225)をご覧ください。

茨城県

● 解析：つくば市民放射能測定所（茨城県）

汚染は県南と県北で強い

茨城県のみんなのデータサイトによる土壌調査地点は309地点である（注1）。高濃度汚染地点は、県北の一部（八溝山地最高峰である八溝山を含む大子町、北茨城市、高萩市）と県南の霞ヶ浦南西部一帯に集中しており、後者は千葉県東葛地域の高濃度汚染地と連続している。県西は比較的低い汚染にとどまっている。県東・鹿行の海沿い

図 1　茨城県市町村別放射性セシウム土壌汚染度（地点数）茨城県44市町村中、採取測定地点があるのは42市町村。下妻市、河内町には採取地点なし。

	2011年3月15日現在					2018年3月15日現在				
kBq/㎡	>1480	>555	>185	>37	0〜37	>1480	>555	>185	>37	0〜37
ゾーン区分	強制移住	移住義務	移住権利	何らかの保障		強制移住	移住義務	移住権利	何らかの保障	
龍ケ崎市			9	14	4				17	10
取手市			3	10	6			1	5	13
牛久市			2	17	5				7	17
太子町			2	2	6				2	8
守谷市			1	6	5				5	7
つくば市				9	31				1	39
北茨城市				8	1				2	7
利根町				7	5				1	11
阿見町				6	2				6	2
土浦市				6	2				2	6
水戸市				4	11					15
日立市				4	3					7
高萩市				4	2				2	4
つくばみらい市				4	2				1	5
鉾田市				3	3				1	5
稲敷市				3	3				1	5
美浦村				3	1				2	2
かすみがうら市				3	1				1	3
常陸太田市				2	6					8
笠間市				2	4					6
小美玉市				2	2					4
城里町				2	2					4
茨城町				2	1					3
行方市				1	4					5
那珂市				1	2				1	2
鹿嶋市				1	2					3
大洗町				1	0					1
常陸大宮市					7					7
石岡市					5					5
結城市					5					5
常総市					4					4
ひたちなか市					4					4
筑西市					4					4
神栖市					4					4
桜川市					3					3
古河市					3					3
東海村					2					2
八千代町					2					2
潮来市					2					2
坂東市					2					2
五霞町					1					1
境町					1					1
計	0	0	17	127	165	0	0	1	57	251

※表の作り方や計算方法については、P.13「市町村別地点表のつくり方について」を参照。

には一部やや高めの地点が見られる。

茨城県の32市10町2村において、2011年3月時点に換算した各市町村の汚染度をチェルノブイリ法区分で当てはめてみると「移住の権利ゾーン」に龍ヶ崎市の9地点、取手市の3地点をはじめとし5市町村17地点、「なんらかの保障ゾーン」は27市町村127地点となるなど、全309地点のうち計144地点（46%）がゾーンに相当する。2018年3月時点では、移住権利ゾーンは取手市の1地点のみ、なんらかの保障ゾーンは17市町村57地点となる。

（注1）309地点には、常総生協が2011年10月から2012年3月に独自に行った調査の101地点を含む。

複雑な汚染分布は、プルーム通過経路と通過時の天候によって形成された

モニタリングポスト等の空間線量率の時間変化、また、SPM（Suspended Particulate Matter＝浮遊粒子状物質）捕集用ろ紙による放射能濃度の時間変化のデータからは、東京電力福島第一原子力発電所から最も大量の高濃度プルームが茨城県を通過したのは、2011年3月15と16日および3月20と21日と考えられる（図2、図3）。中でも多くの地点で最も高濃度のプルームが通過したのは3月15日の午前中であり、それに次ぐ高濃度プルームが通過したのは16日の午前中または21日の午前中である（県南では21日が最も高いところもある。また、北茨城は16日が最も高い。県西では21日よりも20日の方が高い）。

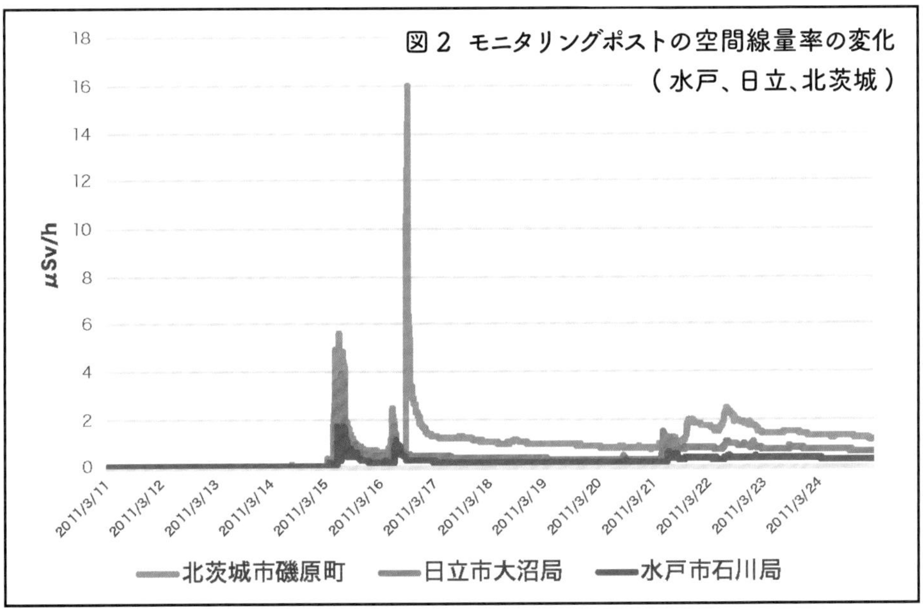

図2 モニタリングポストの空間線量率の変化（水戸、日立、北茨城）

μSv/h

北茨城市磯原町　日立市大沼局　水戸市石川局

しかし、ほとんどの地点で「土壌汚染に与えた影響」が最も大きかったのは、15日や16日ではなく21日午前中のプルームである。これは、プルーム通過時の天候が関係している。15日は全域で降雨なし、16日はプルームが通過した早朝〜午前中に降雨があったところは少なく、鹿行で1.0 mm、県南の一部で1.5 mmといった程度である。

また、20日は全域で降雨なしであったが、21日には全域で9〜30 mmのまとまった降雨が見られた。つまり、県北の一部に見られる高濃度地点では、16日に一定の乾性沈着があった上に21日のまとまった湿性沈着が重なったと考えられる。他方、県南の高濃度地域は、21日午前中の高濃度プルームの通過と、西からの雨雲によるまとまった降雨が相まって、相当量の放射性セシウムの湿性沈着が起こったことでできたと考えられる。

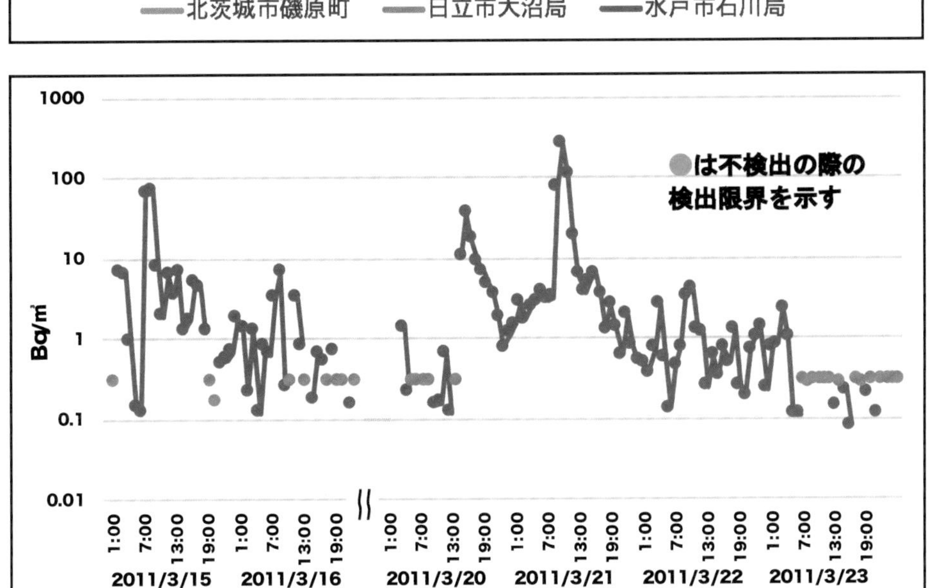

図3 SPM補集用ろ紙による放射能濃度測定結果（守谷）

茨城県産農作物・水産物の汚染状況

まず、2018年7月現在、茨城県の農水産物で、食品に関する出荷制限指示の対象になっているのは、県内全域(一部例外あり)で野生のイノシシ肉の他、自治体や地域を限れば、原木シイタケ、タケノコ、野生のコシアブラ、アメリカナマズ、ウナギである(他に、野生キノコ、乾シイタケ、野生のタラノメが県による出荷・販売の自粛要請の対象)。このうち、厚労省発表のデータで2018年まで100 Bq/kg超が検出され続けているのは、イノシシ肉とコシアブラであり、原木シイタケは2014年、タケノコは2012年、アメリカナマズとウナギは2013年が100 Bq/kgを超えた最後の年である(数値はCs-134とCs-137合算)。

原木シイタケ、タケノコは100 Bq/kgを超えることはなくなったものの、それぞれ45 Bq/kg前後、30 Bq/kg前後が継続的に検出されており、完全に下げ止まっている。これは、ひとつには、半減期2年のCs-134がほとんど安定核種に変わったのに対し、Cs-137の半減期が30年と長いことが関係していると考えられる。この下げ止まりは検出されやすい他の農作物・水産物にも共通して見られる。特に底魚のアメリカナマズは50 Bq/kg前後で、ウナギは20〜30 Bq/kg程度の比較的高い値で下げ止まっている。

同じ淡水魚関連では、霞ヶ浦のワカサギは、2011年には100 Bq/kgに近い汚染があったが以後減少傾向を示し、2015年1月以降は25 Bq/kg超えはない。しかし、10〜20 Bq/kgで下げ止まっている。同じく霞ヶ浦産のシラウオは、2014年1月22日以降は25 Bq/kg超えはないが、2017年12月でも14 Bq/kgの検出があるなど下げ止まっている。涸沼のヤマトシジミは、2013年10月の20 Bq/kg以降は不検出が続いているが、Cs-137の検出下限値は2.97〜7.65 Bq/kgである。海水魚の常陸沖産アンコウは、2013年7月以降10 Bq/kgを超える検出はないが、不検出の際のCs-137の下限値は5 Bq/kg以上のことが多い。底魚に限らない淡水魚の下げ止まりは、湖沼への放射性セシウムの蓄積と、淡水魚は海水魚と比較して塩類を排出しにくいという特徴も要因として考えられる(第2章淡水魚・海水魚参照)。

農作物に戻ると、霞ヶ浦周辺で栽培されている生産量全国一位のレンコンは、公式データではこれまで100 Bq/kgを超えたものはなく、2013年4月25日の33 Bq/kgが最大であり、以後減少傾向にはあるが、検出される場合の最大値が10 Bq/kg前後で下げ止まっている。同じく生産量一位の栗は、2014年9月に29 Bq/kgを検出して以降は、数ベクレルの検出や不検出が続いている。

放射能汚染廃棄物も深刻

最後に、茨城県の14市町15ヶ所に保管されている当初8,000 Bq/kg超あった指定廃棄物の量は、2016年3月から一年かけた調査による再測定で、主にCs-134の減衰によって数値が減少したため612.3トンとなり、3,030トンあまりは8,000 Bq/kg以下であるとされた(注2)。8,000 Bq/kg以下は普通ゴミとして処分できるとされているので、今後はその減容のための焼却や埋め立て処分による放射能の拡散が懸念される。

(注2)「茨城県の指定廃棄物等の放射能濃度の再測定結果について」
●http://shiteihaiki.env.go.jp/initiatives_other/ibaraki_gunma/pdf/remeasurement_result_ibaraki_170331.pdf

出典

図1:チェルノブイリ法ゾーン区分に照らし試算。みんなのデータサイト作成。
図2:※以下の茨城県ウェブページに記載されているデータから作成。
「東北地方太平洋沖地震以降の茨城県における空間線量率測定結果について」
● http://www.houshasen-pref-ibaraki.jp/earthquake/doserate_2011.html
「東日本大震災関連情報2011年3月/茨城県」
● http://www.pref.ibaraki.jp/earthquake/bugai/koho/kenmin/important2/20110311eq/2011/03/index.html
※北茨城市磯原町は可搬型モニタリングポストデータから作成。
図3:※以下の報告書に記載されているデータから作成。
首都大学東京『平成24年度　SPM捕集用ろ紙に付着した放射性核種分析報告書』
● https://www.env.go.jp/air/rmcm/misc/attach/report-201303_main.pdf

福島原発事故由来の放射能となぜわかるのか？

Cs-134とCs-137の比率のお話

原発事故が起こると様々な種類の放射性物質が放出される。中でも、特に被ばくに気を付けなければならない放射性核種のひとつ「セシウム」は、福島原発事故由来かどうかを確かめる手がかりとなる核種である。

セシウムの2兄弟であるCs-134（半減期2年）とCs-137（半減期30年）の放出比率は当時ほぼ1対1の同率で、環境中に放出された。東京大学小森氏・小豆川氏らによる原子炉建屋やタービン建屋の溜まり水の実測値に基づく評価（2013年）によると、1号機が0.9 、2号機と3号機は1.0である（参考文献1）。

では、この比率はどうやって決まるのだろうか。ウラン-235（U-235）が核分裂するとこの2つの核種が1:1で生成するのだろうか。そうではない。

実は、Cs-134は核分裂生成物ではなく、核分裂生成物の中の「Xe-133」(キセノン)がベータ崩壊して安定同位体のCs-133となり、原子炉内で中性子が衝突して、原子核に1個の中性子が飛び込んでCs-134となるのである。いわば原子炉特有の核種なのである。原爆が爆発した時に生成する死の灰の中には、Cs-134はほとんど入っていない。

つまり、Cs-134/Cs-137比が1だったのは一種の偶然なのだ。Cs-134比率は、燃料棒の中のU-235の濃縮率や、原子炉の中での燃え具合、「燃焼度」と呼ばれる燃料棒が燃えて発生するトン当たりの熱量などによって左右されるもののようである。

例えばチェルノブイリ原発事故では、Cs-134/Cs-137比が0.5～0.52だったと報告されている。この原子炉は黒鉛を積み重ねて中性子を減速する方式で、燃料の濃縮率が2%、燃焼度が10 GWD/t（ギガワット(GW)×日/トン）だったとされている。

これに対して福島第一原発では、濃縮率が3.7%と高く、燃焼度が21.8～25.8 GWD/tだったとされている。これらの違いによって生じた偶然の割合が1対1であったことによって、Cs-134とCs-137を同時に測定し、その割合（減衰度合）を見ることによって、福島原発事故由来の放射能かどうかがわかるという訳だ。

ちなみに、濃縮率が高く燃焼度が大きい理由は、原発の稼働率を上げたい電力会社の都合である。原発で最も費用がかかるのは原子炉と発電設備などの施設費であり、燃料費は比較的安い。このため発電コストを下げて利益率を上げるために、電力会社は原子炉の稼働率を出来るだけ上げようとする。すなわち長く運転し続けて、定期点検や燃料交換による運転休止時間を短くする工夫がなされている。それが濃縮率を上げて燃焼度を大きくすることなのである。

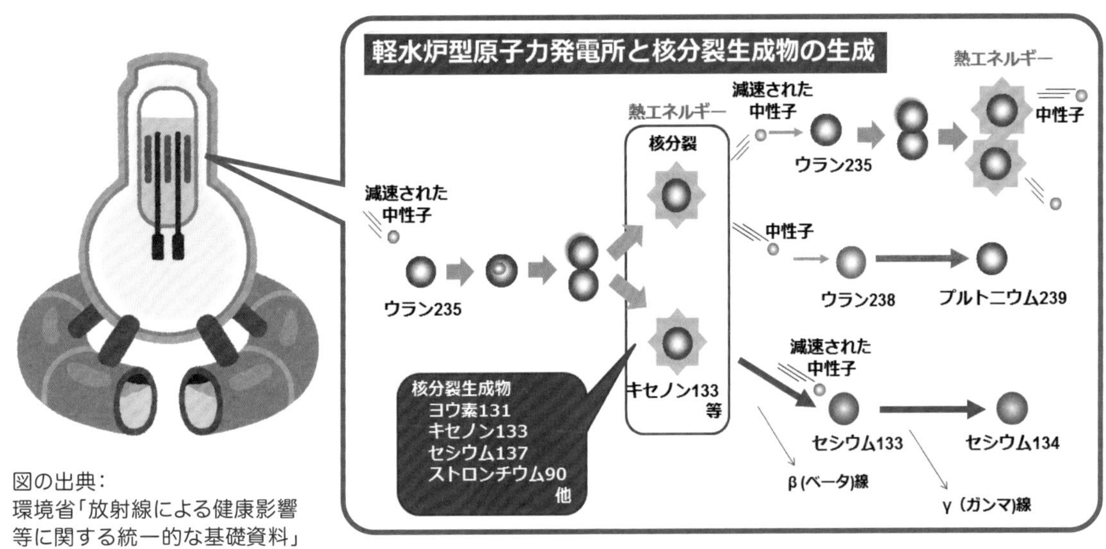

図の出典：
環境省「放射線による健康影響等に関する統一的な基礎資料」（平成２９年度版）※一部改変●https://www.env.go.jp/chemi/rhm/h29kisoshiryo/h29kiso-02-02-03.html

参考文献：134Cs/137Cs放射能比を指標とした福島第一原子力発電所事故に由来する放射性核種の放出原子炉別汚染評価　小森 昌史、小豆川 勝見、野川 憲夫、松尾 基之●https://doi.org/10.2116/bunsekikagaku.62.475

※関連コラム「福島原発事故直後にCs-134の測定データがなかったのはなぜなのか？」も併せてご覧ください。

●栃木県の測定地点数　294地点
●中央値　768 Bq/kg

2011年当時の基本データ

【面積】6,408.30km²　【人口】2,007,683人
【人口密度】313.3人/km²
【事故当時18歳以下の子どもの数・割合】
346,767人（17.3%）

地形の特徴

●海岸線を持たず、北部県境に奥羽山脈の南端となる那須岳(1,917m)を中心とする那須高原を擁し、北部中央には高原山(1,795m)、北西に中禅寺湖を眼下にする男体山(2,486m)や白根山(2,578m)などが位置する。また、東部にある八溝山地(1,022m)で茨城県と接する。●平野部を潤す河川は、いずれも北部から西部の山々を水源とし、東から八溝山地の西縁を那珂川、平野部の中央を鬼怒川、西部中央に位置する足尾山地の南部に渡良瀬川が流れて県境をなす。

土質の傾向

●山地や台地では、風化土砂のほか、黒ボク土(有機質土)の層厚や軽石層が見られる。低地の上流域では粗礫や砂が浅い深度から分布することが多いが、中～下流域では砂質土や粘性土、砂礫などが互層状に堆積している。

特産物

●那須塩原市、大田原市、宇都宮市でお米のコシヒカリ、あさひの夢、なすひかり。県全域で生乳、いちご。宇都宮市でとちぎゆめポーク(豚肉)、とちぎ和牛、とちぎ霧降高原牛、日光高原牛。大田原市、那須塩原市でうど。宇都宮市、黒磯市でクレソン。上三川町、下野市、壬生町でかんぴょう。鹿沼市、大田原市、上三川町などの水田地帯でニラ。陶芸で益子焼が有名。

事故当時の気象データ

【3/15】南南東の風で、夜一時雨。
【3/20】南東の風で、夜一時雨。
【3/21】北北東の風。
【3/22】南東の風で雨模様が続く。
【3/23および25】雨があった。

200,000
150,000
100,000
30,000
11,000
3,700
800
400
200
100
50
Bq/kg

青森県
秋田県
岩手県
山形県
宮城県
新潟県
福島県
栃木県
群馬県
茨城県
長野県
埼玉県
東京都
山梨県
神奈川県
千葉県
静岡県

コシヒカリ
あさひの夢
なすひかり
生乳
MILK

プルームの流れ

3/21～23
3/15
10 km
ニラ

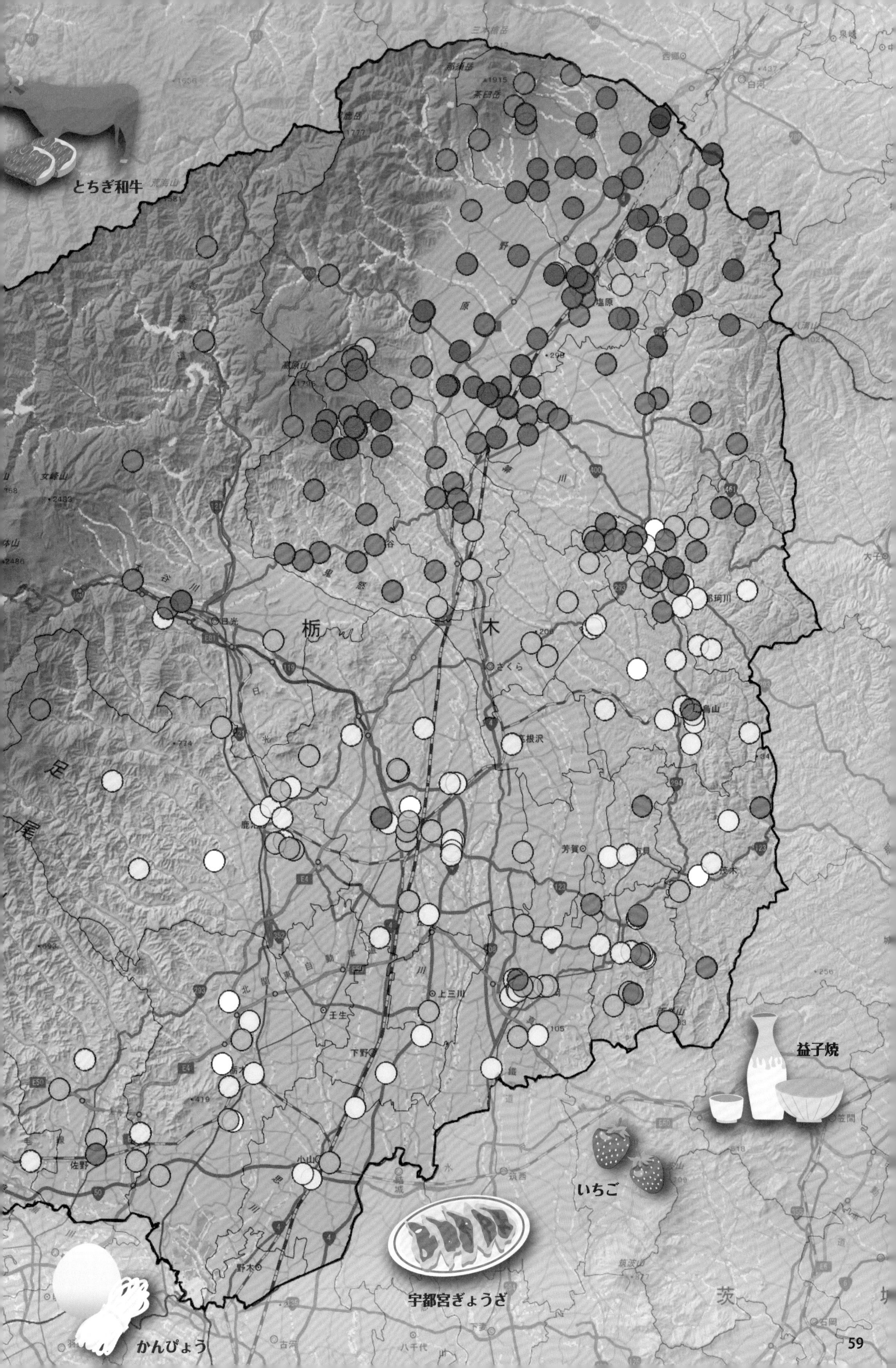

とちぎ和牛
益子焼
いちご
宇都宮ぎょうざ
かんぴょう
栃
木
日光
さくら
塩原
那須
那珂川
烏山
宝積寺
芳賀
茂木
上三川
壬生
下野
小山
佐野
野木
鹿沼
高原山
茶臼岳
女峰山

栃木県

●解析:益子放射線測定所(栃木県)、未来につなげる・東海ネット市民放射能測定センター(C-ラボ)(愛知県)

益子
放射線
測定所

放射能に県境はない! 深刻な県北部の汚染

栃木県の292地点の土壌中放射能濃度データによれば、ほぼ全地点においてCs-134が検出されているので、福島第一原発事故由来の放射能汚染であることは明らかである。県内の土壌汚染調査結果から市町村別にチェルノブイリ法による汚染ゾーニング相当地点数を表1に整理した。

福島事故発生直後の汚染は深刻で、23,000 Bq/kgを超える強制移住ゾーンが那須町に1ヶ所あった。8,500 Bq/kgを超える移住義務ゾーンは、那須町に1ヶ所、那須塩原市に2ヶ所、合計で3ヶ所存在。2,800 Bq/kgを超える移住権利ゾーンは上記市町村のほか矢板市で3ヶ所、大田原市で2ヶ所など合計で50ヶ所もある。更に、600

表1　栃木県市町村別放射性セシウム土壌汚染度(地点数)

栃木県内 25 市町村のうち、採取測定地点があるのは 22 市町村。芳賀町、壬生町、野木町は採取地点なし。

	2011年3月15日現在					2018年3月15日現在				
kBq/㎡	>1480	>555	>185	>37	0~37	>1480	>555	>185	>37	0~37
ゾーン区分	強制移住	移住義務	移住権利	何らかの保障		強制移住	移住義務	移住権利	何らかの保障	
那須町	1	1	22	12	0		1	5	28	2
那須塩原市		2	21	12	3		1	3	23	11
矢板市			3	14	4				9	12
大田原市			2	7	2				6	5
塩谷町			1	11	3				7	8
日光市			1	7	4				6	6
那珂川町				9	24				1	32
鹿沼市				3	11				1	13
宇都宮市				2	25					27
益子町				2	13					15
真岡市				2	12					14
茂木町				1	5					6
佐野市				1	4					5
那須烏山市					12					12
栃木市					10					10
足利市					8					8
小山市					5					5
市貝町					4					4
さくら市					4					4
上三川町					2					2
高根沢町					1					1
下野市					1					1
計	1	3	50	83	157	0	2	8	81	203

※表の作り方や計算方法については、P.13「市町村別地点表のつくり方について」を参照。

以上〜2,800 Bq/kg未満の何らかの保障が受けられる放射線管理ゾーンに相当する地点が、塩谷町で11ヶ所、日光市で7ヶ所、那珂川市で9ヶ所、鹿沼市で3ヶ所、宇都宮市に2ヶ所など13自治体83ヶ所に存在している。すなわち、全294地点のうち47%にもあたる137地点が、チェルノブイリ法によるゾーニング相当の汚染をしていることがわかる。

発災から7年を経過した2018年3月時点では、半減期の短いCs-134が大きく減衰し、放射性セシウムが半分以下になったことに伴って、チェルノブイリ法ゾーニング相当汚染地点数は減少したが、那須町、那須塩原市には合計2地点の移住義務ゾーンが残っている。移住権利ゾーンは8ヶ所にのぼる（表1）。

初期被ばく線量推定のために

図1に示した栃木県保健環境センター（宇都宮市岡本町）による日間降下物量によれば、3月18日〜4月11日までの25日間の合計では、I-131が61,400 Bq/㎡、放射性セシウムが6,280 Bq/㎡であった。また、同じ場所で観測された月間放射性降下物量を見ると、3月1日〜3月31日では放射性セシウムは11,500 Bq/㎡であった。つまり、放射性セシウムに関しては3月18日以前に全降下物量の半分ほどの降下があったことになる。さらにこれに4月と5月分を加算すると、14,500 Bq/㎡となった。一方、県の観測点に最も近いデータサイトの土壌測定点である岡本駅前第１公園の試料の測定値は354 Bq/kgであった。放射性物質が表層5 cmにとどまっていると仮定し、土壌の比重を実測値の0.8として計算すると、14,200 Bq/㎡となり、両者はよく一致した。

一方、I-131の降下物量は、半減期が短くて捕集装置の中でも減衰が進むために月間降下物量では過小評価になる。そこで、3月18日のI-131/放射性セシウム比が10.5だったので、この比率が一定だったと仮定してI-131の全降下物量を推定計算した結果、3月11日〜4月11日では、131,000 Bq/㎡となった。栃木県で最も高かった那須町豊原の土壌中放射性セシウムは、2011年3月11日減衰補正値で45,000 Bq/kgであり、宇都宮市岡本町と比べると127倍であった。面積当たりの放射性セシウム量は、放射性物質が表層5 cmにとどまっていると仮定し、土壌の比重を実測値の1.1として計算すると、247万 Bq/㎡となった。I-131については、宇都宮市の降下物量に127を乗算すると、放射能存在量は1,660万 Bq/㎡となる（表2参照）。

このように大量の放射能が降下・沈着し、人々は外部被ばくしたと同時に、それらで汚染された水や食物を摂取したと推定される。また、通過して行く高濃度プルームを呼吸することによってI-131などの放射性物質を大量に体内に取り込んだであろう事も大いに危惧される。福島県と同等の健康調査を行なうべきである。これに対して、政府や栃木県は放射能が県境を超えなかったがごとき対応に終始している。那須町、塩谷町、日光市で自治体独自の甲状腺検査が実施されているが、残念なことに受診率は極めて低い。

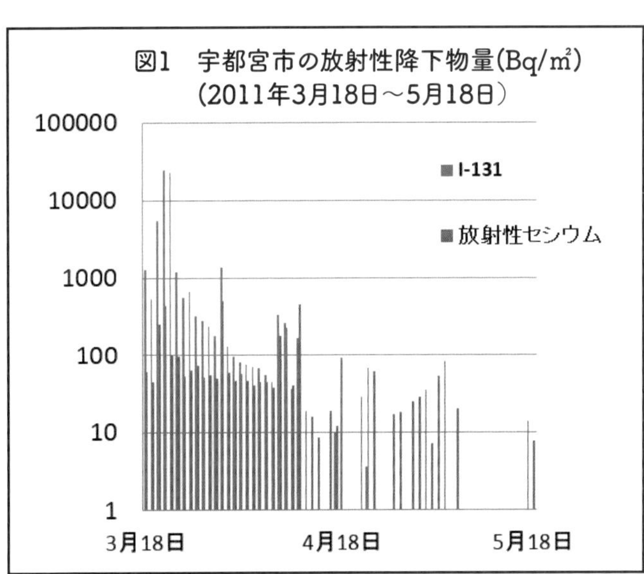

表2　那須町豊原の放射性降下物に関する宇都宮の観測値からの推定計算結果

単位：Bq/㎡	I-131の1ヶ月間フォールアウト量	放射性セシウムの3ヶ月間フォールアウト量
保健環境センター	131,000	14,500
那須町豊原	16,600,000	2,470,000

図2に示したが、宇都宮市の水道水の放射能観測データから放射性セシウムは、3月21日に12.2 Bq/L、3月22日に10.3 Bq/Lを記録している。1 Bq/Lを下回ったのは4月10日以降であった。I-131は、3月18日に77 Bq/L、3月24日に108 Bq/Lを記録し、1 Bq/Lを下回ったのは4月24日以降であった。この当時の飲食物摂取制限に関

する指標値は、放射性セシウムが200 Bq/L、I-131が300 Bq/Lだったので、給配水は停止されなかった。但し、乳児の飲料に関するI-131暫定指標値が100 Bq/Lのため、県営鬼怒水道用水とともに乳児の摂取制限広報はなされた。しかし、測定開始前だった15～16日の高濃度プルームによる水道水汚染については不明である。さらに、宇都宮市と比べて127倍の放射性降下物があったと推定された那須町をはじめとして県北の市町の水道水源は井戸、河川表流水、伏流水など様々であるが連続データがない。なお、3月20日以降各市町にいくつかの単発データがあり、その範囲内ではI-131も放射性セシウムも100 Bq/Lを超えていない。

図2　宇都宮市上水道原水の放射能濃度推移

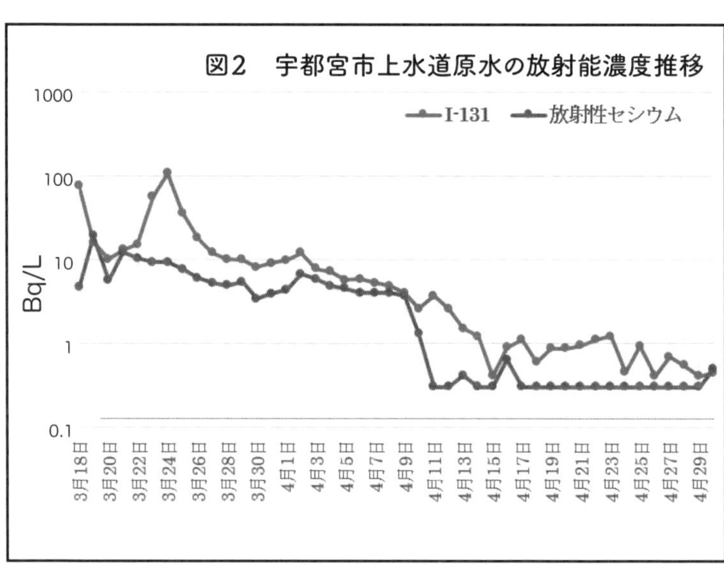

キノコ、山菜、ジビエなどの食品汚染も深刻

厚労省が集計したイノシシ肉検査結果（2011年3月～2017年8月）によれば、福島県、栃木県など16県で4,165頭の検査がされて、基準超過（発災後1年間の基準は500 Bq/kg、2年目からは100 Bq/kg）が1,335頭だった。放射性セシウムの最高値は10万 Bq/kgに近い。ゆるやかな減少傾向が見えるが、イノシシ肉汚染は当分の間続くことをグラフは示している(図3)。本誌第2章の「野生鳥獣肉（ジビエ類）の汚染度解析」に書かれているように、土壌中放射性セシウムが200 Bq/kg超なら食品基準100 Bq/kg超が出る可能性がある。すなわち、栃木県全域で基準超過イノシシ肉が出る可能性があることになる。また、土壌中放射性セシウム濃度が今後は半減期30年のCs-137の減衰曲線に従うことになるので、長い汚染期間を覚悟しなければならない。

栃木県は、福島県の1,150頭に次ぐ1,130頭のイノシシ肉検査を行っている（図4）。那珂川町に町営のイノシシ肉加工センターがあって、近隣の那須烏山市、茂木町、市貝町、益子町を加えて5市町で捕獲されたイノシシを加工しており、栃木県農業試験場など複数の測定機関で全頭検査を行なっているからだろうと思われるが、基準値100 Bq/kg以下であればブランド肉「八溝ししまる」として販売されている。

国立環境研による報告(文献1)では、イノシシの胃内容物と筋肉中セシウムの濃度に正の相関があることを示

図3　Total Cs (厚生労働省公表日 2011-03-11~2017-08-25)

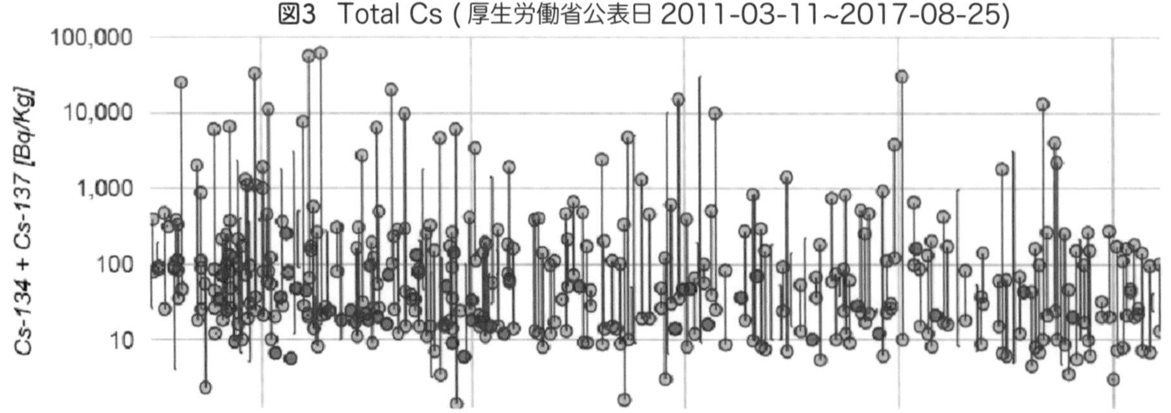

グラフは各公表日における放射性セシウム濃度 (Bq/kg) の最大値、最小値を表しており、データが1件の場合は●で示しています。検出限界以下の場合は描画の都合上「0」として処理しています。ご了承ください。対数表示の場合は値が「0」のデータはグラフ上に表示されません。

しており、イノシシ肉の放射能濃度は食べた餌中の放射能濃度に比例している事がわかる。栃木県自然保護課が集計したシカとイノシシの放射能汚染調査結果では、比較的土壌汚染が軽微だった佐野市でさえ、2016年度にシカ110 Bq/kgと、イノシシ240 Bq/kgの基準超過が報告されている。

キノコ類やタケノコ、タラノメ、コシアブラなどの山菜類についても、ほぼ全県的に出荷制限が出ている。しかし、商品として流通していない場合には検査対象から外れて、土壌汚染が深刻な地域であるにもかかわらず、制限がかかっていないケースも見られる。

2017年8月、那須塩原市の道の駅で販売されていたチチタケで720 Bq/kgという大幅な基準超過が判明して大きく報道されたが、すでに20キロ以上が売られてしまった後だった。栃木県は、放射能に対する警戒心を持つようにもっと警鐘を鳴らすべきである。サンショウ、ゼンマイ、ワラビ、ミズ、ヤマグリ、モミジガサ、野生のミョウガなどに至っては、高濃度汚染地域にもかかわらず、出荷制限の指定から外れているケースが目立つ。

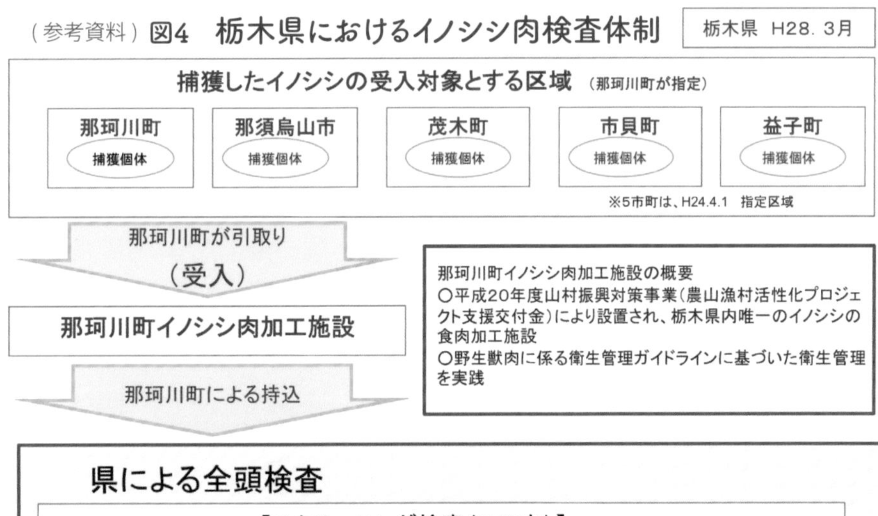

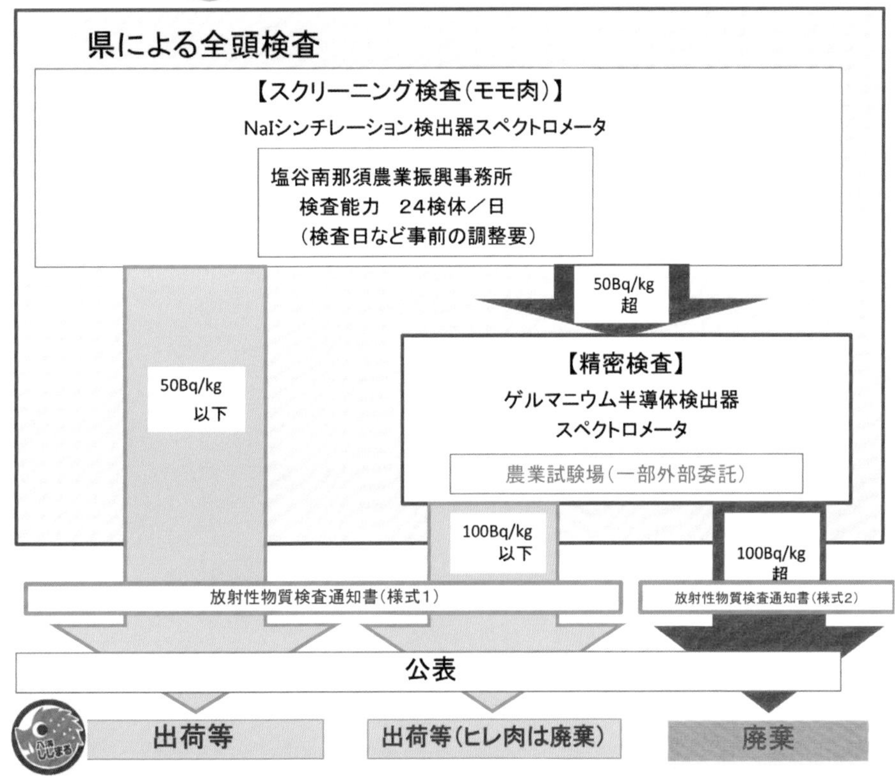

除染と汚染廃棄物の措置に関する不条理

同じように深刻な放射能汚染をしてしまったにもかかわらず、福島県と栃木県では政府の対策・対応がまったく異なっている。栃木県には除染のための予算がこない。除染で発生した汚染土壌の行き場がない、その結果、その場に仮置きのまま放置されるなどといった不条理、不公平がまかり通っている。この事については、第3章の指定廃棄物に関するページをご覧いただきたい。

出典

表1:チェルノブイリ法ゾーン区分に照らした試算。みんなのデータサイト作成。
表2:「栃木県保健環境センター」月間降下物量測定結果より作成。
図1:「栃木県保健環境センター」による宇都宮市の日間降下物量測定結果より作成。
図2:「栃木県保健環境センター」による宇都宮市上水道放射能検査結果。
文献1:平成28年度 野生動植物への放射線影響に関する調査研究報告会 要旨集
●https://www.env.go.jp/jishin/monitoring/results_wl_d170221-1.pdf
図3:厚労省集計イノシシ肉検査結果(2011年3月〜2017年8月)。 図4:「栃木県」の発表によるイノシシ肉検査体制。

群馬県

ぐんまけん

●群馬県の測定地点数　125地点
●中央値　770 Bq/kg

2011年当時の基本データ

【面積】群馬県　6,362.30km²
【人口】2,008,068人
【人口密度】315.6人/km²
【事故当時18歳以下の子どもの数・割合】
354,710人（17.7%）

地形の特徴

●南東部は関東平野の最北端の一部だが、西部から北部にかけては関東山地・三国山脈などの山地が連なって、浅間山や谷川岳が他県との県境に位置する。●平野部に近い赤城山・榛名山・妙義山は上毛三山と呼ばれ、平野部からは目立つ存在。北部山岳地帯は日本海側の気候で豪雪地帯である一方、南東部は冬に乾燥した季節風が吹く太平洋側の気候となっている。●県内は利根川水系の源流域だが、一部信濃川水系や阿賀野川水系の地域もある。

土質の傾向

●平野部や山岳部でも利根川本流付近は灰色低地土、北部山岳部は火山灰性の黒ボク土、南西部山岳地帯には黒ボク土の他褐色森林土も分布する。●セシウム沈着の多い地域の多くは黒ボク土、ついで褐色森林土となっている。

特産物

●太田市でモロヘイヤ。嬬恋村でキャベツ。下仁田で下仁田ネギ。富岡、下仁田でコンニャク。沼田、渋川でリンゴ。太田市尾島地区で大和芋。高崎市で梅。利根沼田や吾妻地域でうど。昭和村、沼田市、東吾妻町、高崎市・中之条町でふき。県南東部できゅうり。●かつては全県で生糸生産を核とした絹織物を生産。現在は桐生市が産地。

事故当時の気象データ

【3/15〜16、3/20〜22】放射性プルーム到達。
【3/15】南南東の風、平野部の降水なし。
【3/16】北の風　北部山岳地帯では昼ごろから20センチ前後の降雪。
【3/20】南東の風。
【3/21】北または北東の風、小雨。
【3/22】南の風、小雨。

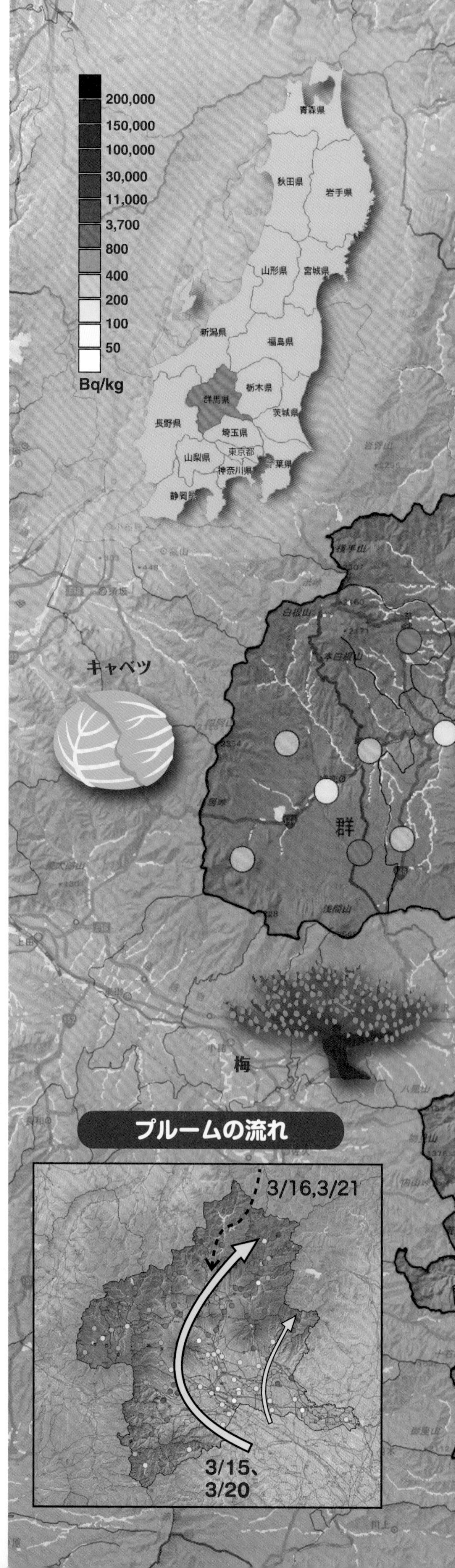

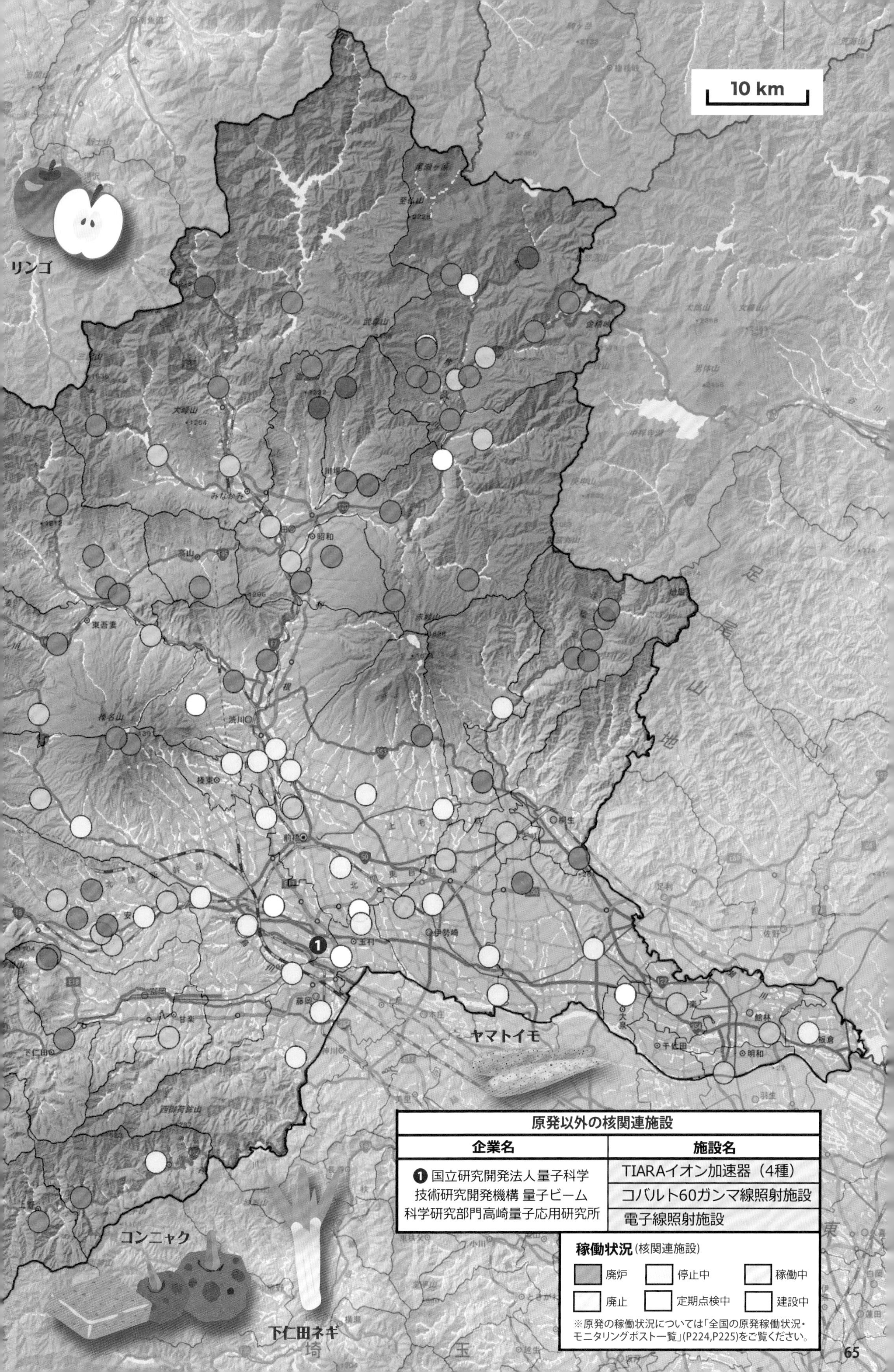

原発以外の核関連施設	
企業名	施設名
❶ 国立研究開発法人量子科学技術研究開発機構 量子ビーム科学研究部門高崎量子応用研究所	TIARAイオン加速器（4種）
	コバルト60ガンマ線照射施設
	電子線照射施設

群馬県

●解析：高崎市民測定所クラシル（群馬県）

プルームの流れ

放射性プルームに関する各種拡散シミュレーションの多くは、3/15に南南東の風にのって高濃度のプルームが飛来し、県南部の平野を通過した後、北部山岳地帯にぶつかって湿性沈着したことを示唆しているように思われる。3/16には北の風となり昼ごろから山岳地帯で降雪があったが、この時福島県会津方面からプルームが運ばれた可能性がある。

3/20から3/22に再びプルームが飛来している。濃度は高くないが、全県的に降水があり、湿性沈着が起きたものと考えられる。

土壌汚染について

東日本土壌ベクレル測定プロジェクトの結果を元に、データサイトの試算によってチェルノブイリ法によるゾーン区分にあてはめたのが表1である。

県内の測定地点125ヶ所のうち、2011年3月時点では移住権利が発生するゾーンに該当する地点が片品村に2ヶ所、沼田市やみなかみ町など7市町村に1ヶ所ずつ計9ヶ所に、なんらかの保障が受けられるゾーンに該当する地点が56ヶ所も存在した。7年後の2018年3月時点では、自然減衰により移住権利ゾーンはなくなったが、なんらかの保障が受けられるゾーンは36ヶ所あり、土壌汚染が今もなお残っていることがわかる。なお、同法で土壌汚染が重視された背景として①チェルノブイリでは被ばく総量のなかで内部被ばくの割合が高く、かつそれに対する土壌汚染との相関が高いという見方もある②チェルノブイリは土壌沈着のセシウムの移動は大きくないと推定される平坦な地形だった、といった日本とは違う条件があったことを考慮する必要もあろう。

「農地と農産物の測定から見た土壌汚染のばらつき」で述べるように、セシウム汚染はまだら模様と思われ、チェルノブイリよりも急峻な地形の日本では移動も大きいと考えられる。わが国においてはホットスポットの消長を捉える努力がもっと必要なのではないだろうか。本書「ホットスポットを見つけ出し、追跡し、追求する」の頁も参照されたい。

表1 群馬県市町村別放射性セシウム土壌汚染度（地点数）

群馬県内35市町村のうち、採取測定地点があるのは34市町村。千代田町は採取地点なし。

	2011年3月15日現在					2018年3月15日現在				
kBq/㎡	>1480	>555	>185	>37	0~37	>1480	>555	>185	>37	0~37
ゾーン区分	強制移住	移住義務	移住権利	何らかの保障		強制移住	移住義務	移住権利	何らかの保障	
片品村			2	7	4				8	5
沼田市			1	5	4				4	6
みなかみ町			1	4	1				2	4
東吾妻町			1	2	1				1	3
昭和村			1	2	0				2	1
高崎市			1	1	8				2	8
川場村			1	1	0				2	0
南牧村			1	1	0				1	1
安中市				6	4				2	8
中之条町				6	1				3	4
みどり市				5	1				1	5
前橋市				2	6					8
嬬恋村				2	3				1	4
桐生市				2	1				2	1
富岡市				2	0				1	1
下仁田町				2	0				1	1
渋川市				1	3				1	3
太田市				1	3					4
上野村				1	2					3
神流町				1	1				1	1
草津町				1	0					1
高山村				1	0				1	0
伊勢崎市					3					3
長野原町					2					2
藤岡市					2					2
玉村町					2					2
邑楽町					1					1
明和町					1					1
館林市					1					1
甘楽町					1					1
板倉町					1					1
大泉町					1					1
榛東村					1					1
吉岡町					1					1
計	0	0	9	56	60	0	0	0	36	89

※表の作り方や計算方法については、P.13「市町村別地点表のつくり方について」を参照

食品の汚染　灰の汚染

県内では、2011年にホウレンソウ・カキナ・茶が暫定規制値を超えたため出荷制限となったが、まもなくこれは解除された。2018年8月現在、野生イノシシ・シカ・クマ・ヤマドリの鳥獣肉が全県で出荷制限指示となっている。また、いずれも野生のコシアブラ・タラノメ・タケノコ・きのこや一部の栽培きのこがいくつかの市町村で出荷制限指示や自粛、

また水産物（養殖を除く淡水魚）は吾妻川や赤城大沼の一部で同じく出荷制限や自粛という扱いになっている。

みんなのデータサイトで集積している県内産品のデータ（343件）のうち食品で100 Bq/kgを超えたものはない。最大でシイタケがセシウム合算値（Cs137+Cs134）で73 Bq/kgとなっている。きのこ以外では2012年に白米で合算48 Bq/kg検出されている。

一方、薪ストーブの焼却灰からは1,000 Bq/kg以上のものが続出している。これらのデータに厚労省の県内関連の食品データ（187,785件）を加え、その中からセシウム合算値が10 Bq/kg以上の2,778件データを抽出した。図1はカテゴリ別にそのセシウム合算値(Bq/kg)の分布を示したものである。

「飲料水」と「牛乳・乳児用食品」では10 Bq/kgを超えたのは各1件のみで、「その他」には「苔」「桑乾燥粉末」「乾燥果実」「牛糞堆肥」「梅干」「干し柿」などが含まれている。焼却灰やきのこ類以外では野生鳥獣肉、山菜、水産物（ワカサギ、イワナやヤマメ）の汚染が顕著といえるだろう。茶については2011年の6件のみであり、これはプルームによる直接的・一時的な汚染と考えられる。

次に各カテゴリ中の月間最大値を抽出し、特徴的な経時変化を示すものを図2、図3に表した。

「焼却灰」は、着実に減少しているが、取り扱いの際に舞い上がった灰を吸引する可能性があるため注意が必要。「きのこ類」も減少している一方、「野生鳥獣肉」については殆ど減少傾向が認められない。

図3をみると水産物（ワカサギ、イワナやヤマメなどの淡水魚）と野菜の汚染も着実に減少しているが、山菜類はむしろ増加傾向にみえる。これは2018年にコシアブラ・タラノメなどで高濃度のものが検出されたことによる。新たに出荷制限が指示され、多くの地域で出荷自粛が続く。山菜、野生キノコ、野生獣肉の長期に渡る汚染継続は他県でも観察されており依然として要注意食品なのだ。

私たちの身の回りでは、必要な箇所はすべて除染完了したことになっているが、このように県内（特に山間部）においては事故前に存在したきのこ・山菜などの豊かな山の幸の恩恵は、現在ほぼ受けることができなくなっている。激増する野生動物による農作物被害により駆除される生き物も増え続けているが、その命に感謝し利用させていただく道も閉ざされてしまった。こうした、かつては確かに存在した周囲の生き物との豊かな関係性の多くが失われたことと、このことは長い年月を経て私たちの大切な部分に関わっていくような気がしている。

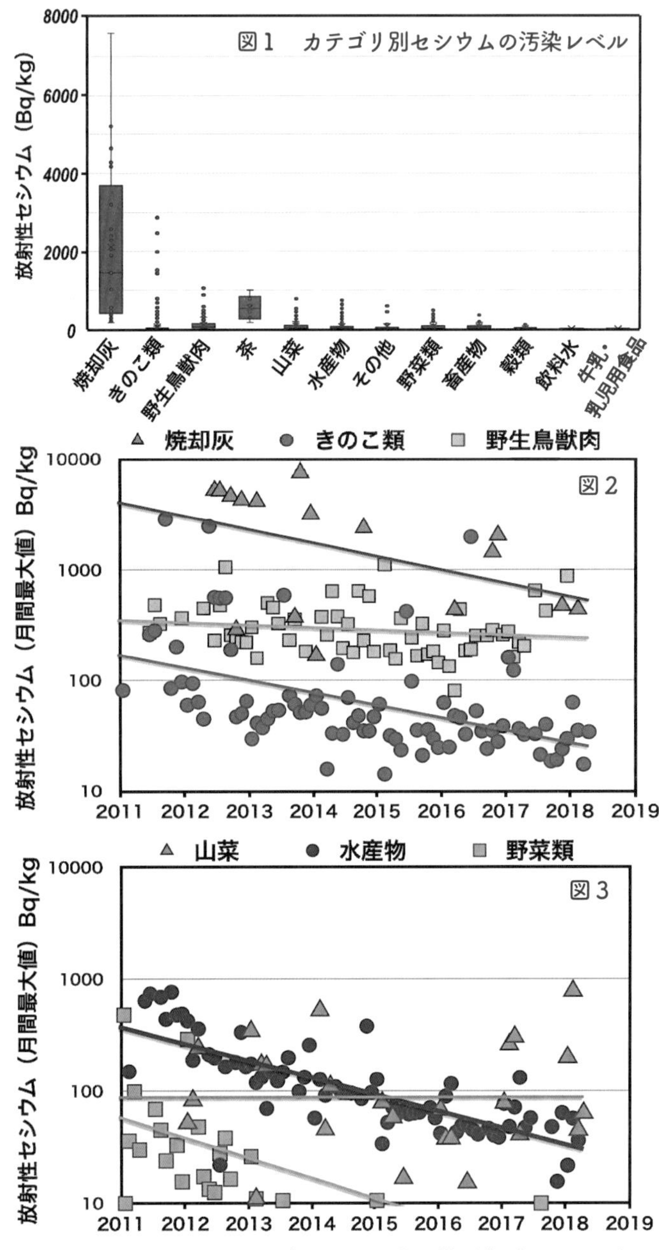

図2,3　みんなのデータサイト食品等測定データおよび、厚労省群馬県食品等データ抽出による解析

チェルノブイリでは、前記ゾーン区分に適用する数値をはじき出す際に、キイチゴやキノコ等の採集などを含めた住民活動の場として、居住地域周辺の農地や森林の放射線量や土壌放射能の測定値を用いている(文献1)。この貴重な先例は、わが国ではどうやら参考とはされていない。

出典
表1：チェルノブイリ法ゾーン区分に照らし試算。みんなのデータサイト作成。
図1、図2、図3：みんなのデータサイト食品等測定データおよび、厚労省群馬県食品等データ抽出による解析。
参考：群馬県内の出荷制限・出荷自粛について　● http://www.pref.gunma.jp/contents/000202882.pdf
文献1：尾松亮　チェルノブイリ被災地の土壌汚染基準と測定法, 研究紀要『災害復興研究』第9 号

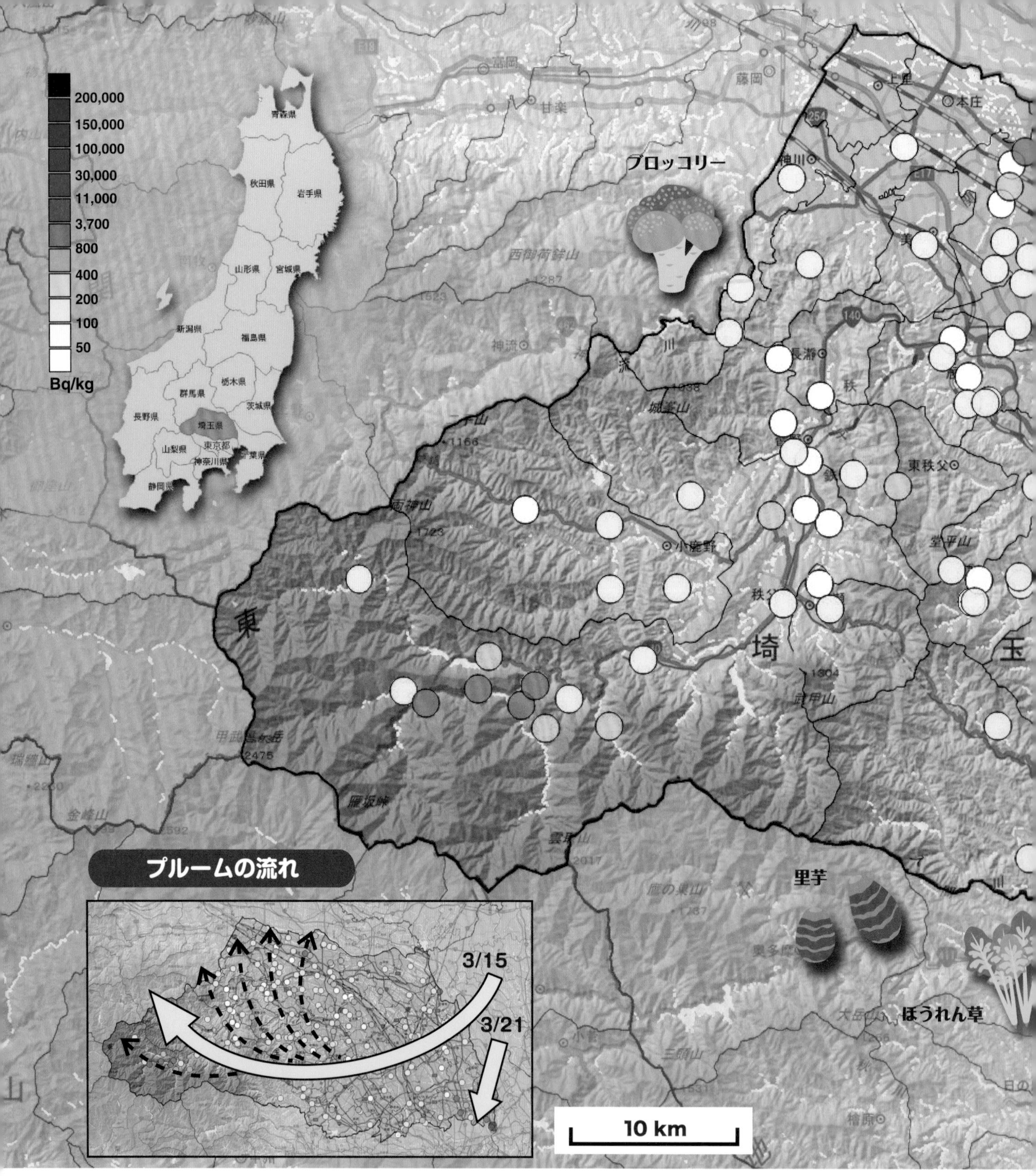

さいたまけん 埼玉県

- **埼玉県の測定地点数　　215地点**
- **中央値　　　　　　　　160 Bq/kg**

2011年当時の基本データ

【面積】3,798.10 ㎢　【人口】7,194,556人
【人口密度】1894.2人/㎢
【事故当時18歳以下の子どもの数(割合)】
1,233,340人（17.1%）人

地形の特徴

● 関東平野の中西部に位置し、一都五県に四方を囲まれた内陸県。西に総面積の3分の1を占める山岳地帯(秩父山地)、東に残りの3分の2を占める平野部(大地と低地)に大別することができる。● 主な河川は、秩父山系を源とする荒川、“坂東太郎”の異名を持つ利根川。● 気候は、夏は蒸し暑く、冬は乾燥した北西の季節風が吹く日が多いのが特徴。● 風水害は比較的少ない一方、全国的に見ても快晴日数が多い。

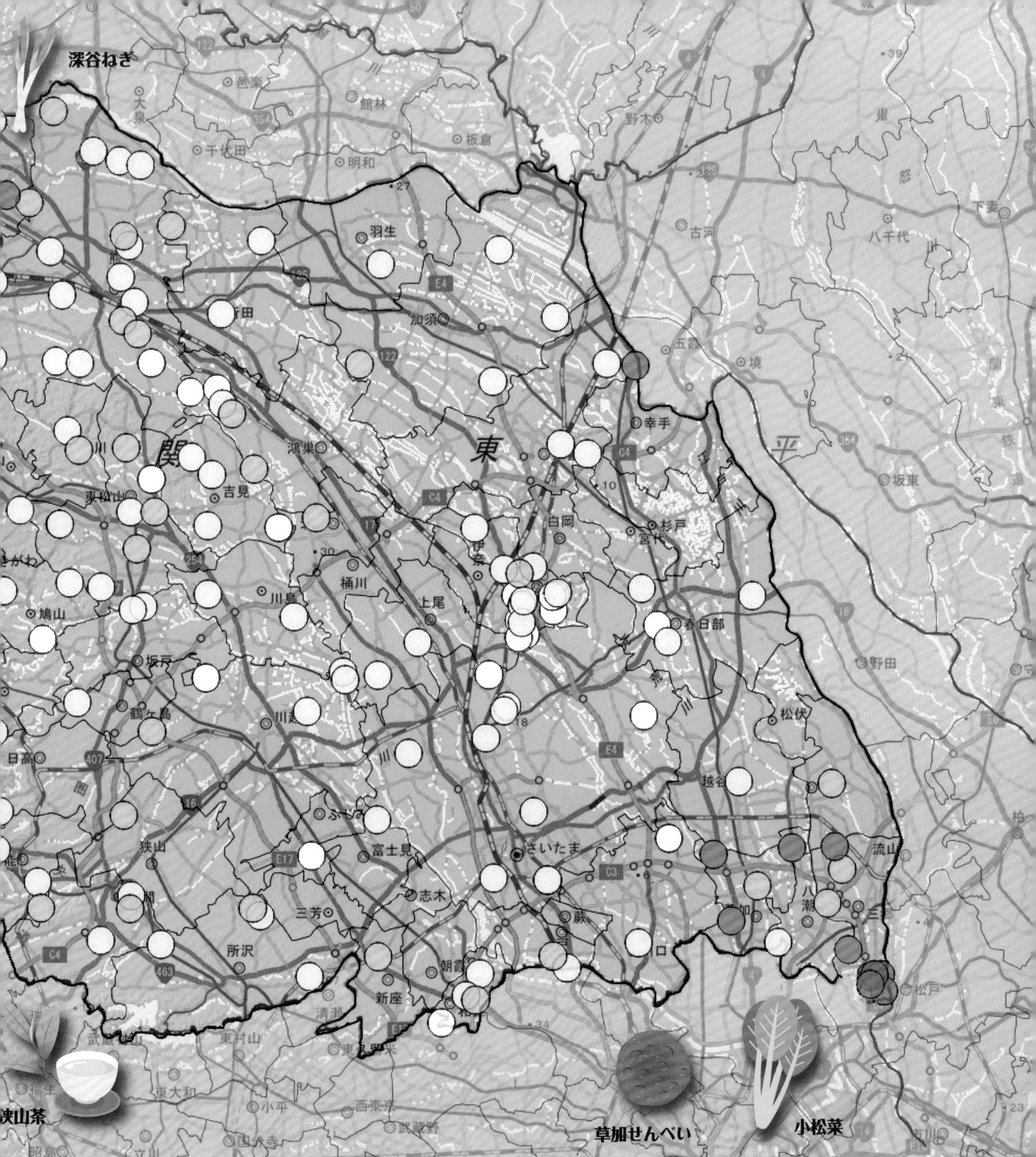

土質の傾向

● 県中央は黒ボク土が多くみられる。北西部にかけては低地土が見られ、南部まで所々黒ボク土と混じってみられる。西部で一部褐色森林土が見られ、西部山地は未熟土が多い。

特産物

● 800年前から栽培されている狭山茶。深谷ねぎ。越生の梅。草加せんべい。熊谷で五家宝(和菓子)。八潮地域で小松菜。大里地域、児玉地域でブロッコリー。入間地域でほうれん草、里芋。川越市、富士見市、熊谷市妻沼地区でかぶ。さいたま市、越谷市、草加市でくわい。

事故当時の気象データ

【3/15】降雨なし、弱風。
【3/16】未明、秩父地方のみ、降雨あり。
【3/20】降雨なし、弱風。
【3/21】降雨あり、弱風。
【3/22】降雨あり、弱風。
【3/23】降雨あり（県西部のみ）弱風。

埼玉県

●解析：森の測定室 滑川、HSF市民測定所・深谷（埼玉県）

埼玉県での特徴的な土壌汚染

県内のみんなのデータサイト土壌測定地点は215ヶ所。その中で見えてきたのは、県東部の三郷市周辺と西部の秩父市の大滝地区周辺で周りに比べて汚染の高い地点が見られるということである。この測定結果は、文部科学省が実施した航空機モニタリングによる測定結果と概ね一致している。事故当初に言われていた秩父市の汚染は、山間部では見られるものの市街地では県内の平均的な汚染と変わらないことが、実際の土壌のベクレル測定から分かった。

汚染の高い三郷市周辺と秩父市大滝地区周辺の汚染具合をチェルノブイリ原発事故と比較してみる。チェルノブイリ法による汚染ゾーン区分において、社会保障や健康維持のための支援が受けられるゾーンに相当する地点（赤橙色の地点800～2,799 Bq/kg）が2018年6月現在で3ヶ所あった。三郷市に2ヶ所、秩父市大滝地区に1ヶ所である。比較的汚染を免れた埼玉県においても、強い汚染が残っている地域、場所があることを忘れてはならない。また、文科省の航空機モニタリングでは秩父市と東京都との境に強い汚染を観測しているが、山間部であるために土壌プロジェクトでは採取できなかった。しかし、その影響は鹿肉汚染という形で表れている。これについては後半の食品との関連で述べる。

原発事故後の空間線量率の変化～モニタリングポスト、降下物の連続観測データから～

原発事故当時、埼玉県では県衛生研究所（さいたま市桜区：当時）だけが放射能の観測を行なっていた。モニタリングポストによる空間線量率を図1に示す。期間は3月12日から3月31日までである。観測結果を見ると、3月15日の11時と18時に1 μSv/hを大きく超える値が観測されており、この時間に高濃度に汚染されたプルームが通過したと推測される。また、3月21日13時から0.1 μSv/hを超え始め、そこからはなだらかに減少し、21日以前の空間線量率よりも高い数値で安定していく。アメダスデータによると、21日は朝の7時から降水が観測されている。これらのことから、21日のプルームによって運ばれてきた放射能がこの日の雨によって湿性沈着し、測定器とその周辺を汚染したためと考えられる。

モニタリングポスト同様に埼玉県衛生研究所で観測された日間放射性降下物量観測結果を図2に示す。Cs-134は4月からの結果しかなく、I-131とCs-137のみのグラフである。しかし残念ながら3月18日からの観測となっている。但し、同じ場所で観測されていた月間放射性降下物量のデータがある。

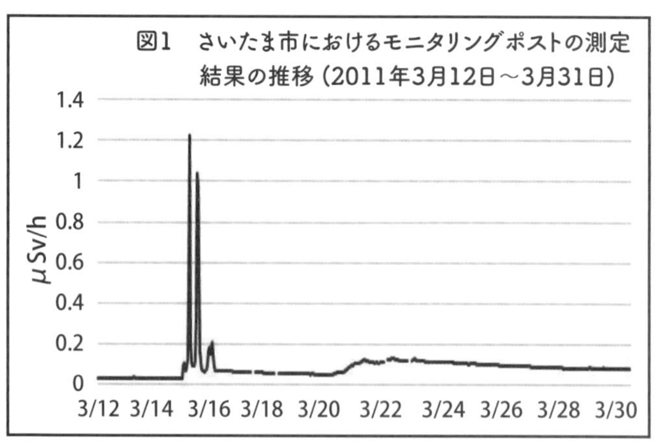

図1 さいたま市におけるモニタリングポストの測定結果の推移（2011年3月12日～3月31日）

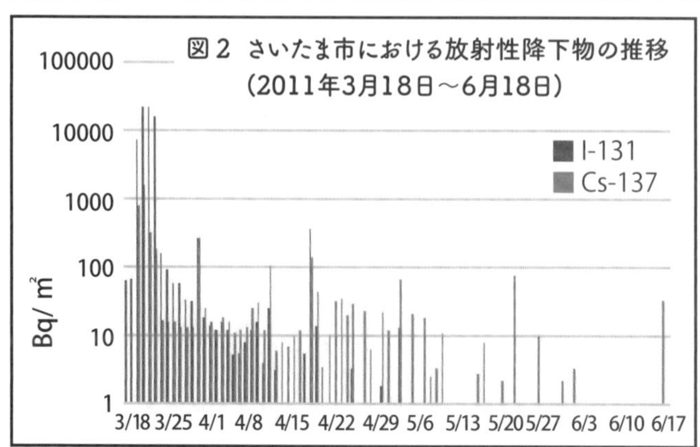

図2 さいたま市における放射性降下物の推移（2011年3月18日～6月18日）

グラフを見ると、3月21〜23日に1万 Bq/㎡を超えるI-131が観測されている。Cs-137については21日に最大値1,600 Bq/㎡が観測されている。何故か公表されていないCs-134は当時Cs-134/137比が1：1であったので、セシウム合算値として3,200 Bq/㎡だったことになる。

日間降下物の観測から21日に高濃度のプルームが来たことがわかる一方、空間線量率（図1）からはもっと高濃度のプルームが15日に通過したことが推定される。そこで15日の降下物量を調べるために、事故前から観測が行なわれていた「月間降下物量」のデータを見ると、I-131が24,000 Bq/㎡、セシウム合算値が10,700 Bq/㎡であった。3月18〜31日の日間降下物量の合計が、セシウム合算値で6,480 Bq/㎡であることから、3月の降下物量の約40%が15日に集中して降下していたことがわかる。この時は雨が降らず、湿性沈着と比べて10分の1程度と言われている乾性沈着だったために、プルームが高濃度でも沈着はそれほどでもなかったのであろう。しかし、その高濃度のプルームを多くの市民が呼吸によって吸飲摂取したことになる。

JAEAによるWSPEEDIのI-131及びCs-137の降下シミュレーション結果を見ても、1回目のプルーム到達が15日の昼前。2回目は21日の昼過ぎである。15日のプルームは、そこから西の方向に県全体を覆うように広がり、群馬県と長野県の境の山伝いに北へ上って行った。ちなみに、秩父市周辺では16日の未明に0.5〜1㎜とわずかながらの降水を観測している。このことからこの雨による湿性沈着が秩父市の汚染の原因の可能性が高い。23日のプルームは、県東部をかすめるように北東から南西の方向に通過している。この時の降雨による降下沈着が三郷市周辺の汚染の原因と考えられる。

さいたま市の水道水（大久保浄水場）の連続測定データ

さいたま市の水道水の放射能測定データから放射能濃度の推移を図3に示した。こちらも残念ながら18日からの観測のため、15日のプルームをとらえていない。

I-131は、観測を始めた18日から徐々に上昇し、26日に37 Bq/Lとピークを記録している。28日までは30 Bq/Lを超える濃度が検出されている。放射性セシウム（Cs-134,Cs-137）は25日、27日、4月3日に1 Bq/Lを上回る値を記録している。当時の基準は、セシウムが200 Bq/L、ヨウ素が300 Bq/L（乳児は100 Bq/L）だったので、給配水の停止もなく、多くの市民が飲んでいた可能性があり、水道からも初期被ばくをしていたことが考えられる。

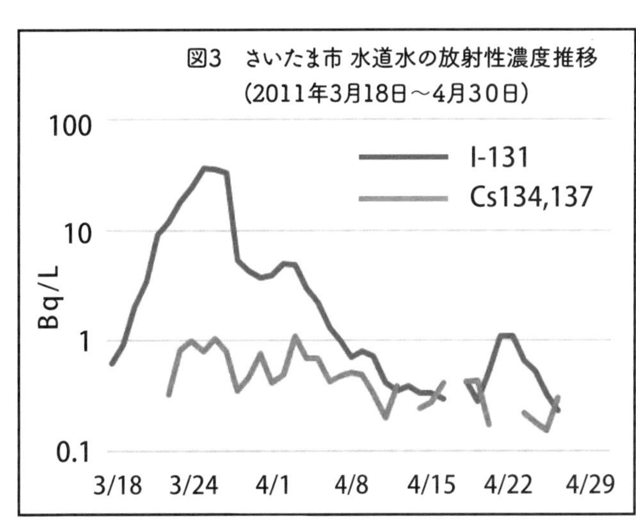

出荷制限と食品の汚染

埼玉県では野生きのこの採取・出荷制限が4町村（鳩山町、ときがわ町、横瀬町、皆野町）で出ている。また、鹿肉において2016年の調査で国の基準値を上回る汚染が出たため、取り扱い業者と県で二重の検査体制をもって、基準値の2分の1を下回ったものに関してのみ、出荷許可を出している状況である（「埼玉県の放射性物質の農産物等への影響調査」より）。埼玉県でも原木シイタケや野生キノコ、タケノコ、茶葉、淡水魚、ジビエなどで放射能が検出されている。今後も測定し続けなければならない。

出典
図1：埼玉県モニタリングポスト測定結果より著者作成
図2：埼玉県環境放射能水準検査より著者作成
図3：埼玉県大久保浄水場放射性物質測定結果より著者作成

●千葉県の測定地点数　248地点
●中央値　766 Bq/kg

2011年当時の基本データ

【面積】5,156.70km²　【人口】6,216,289人
【人口密度】1205.5人/km²
【事故当時18歳以下の子どもの数・割合】
1,024,163人（16.5%）

地形の特徴

●三方を海に囲まれた房総半島と関東平野からなる。南半分は丘陵地であるが、最も高い山である愛宕山でも海抜408mで、海抜500m以上の山地がない日本で唯一の都道府県である。●関東平野の一部である北部は、海岸(東京湾・太平洋)や、河川(利根川・江戸川など)沿いの低地と下総台地とからなる。●千葉県は大部分が平野部と低山で構成されているので、急な流れの川や大きな川は少ない。茨城県境に利根川が流れている。印旛沼、手賀沼の大きな沼がある。●房総半島の東京湾側は内房(うちぼう)、太平洋側は外房(そとぼう)と呼ばれ、内房では近年埋め立てが進んでいる。

土質の傾向

● 土質は平野部は黒ボク土、丘陵地は褐色森林土、海岸部は地下水位が高いグライ低地土となる。

特産物

● 八街市、千葉市で落花生。ふなっしーで有名になった船橋市の梨だが、生産量では白井市、市川市、鎌ヶ谷市。●東葛地域、九十九里地域、茂原地域で長ねぎ。柏市、東庄町、松戸市でかぶ。八街市、富里市、山武市で里芋。野田市、柏市、船橋市、千葉市でほうれん草。野田市、松戸市、船橋市、君津市、鴨川市、栄町で枝豆。

事故当時の気象データ

【3/15～20】降雨はなし。
【3/16～17】北西の風が7m近く吹いた。
【3/21～22】20mm程度の雨が降った。県北では北東の風約3m。県南では南西または北の風3～4m程度が吹いた。

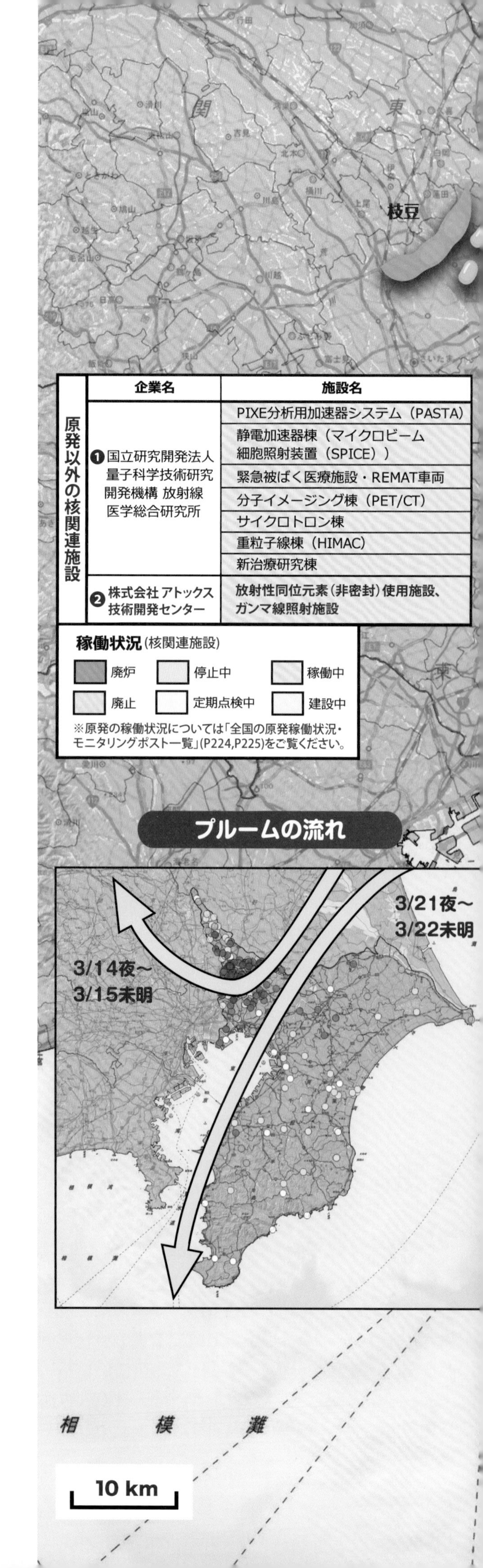

	企業名	施設名
原発以外の核関連施設	❶国立研究開発法人 量子科学技術研究開発機構 放射線医学総合研究所	PIXE分析用加速器システム（PASTA）
		静電加速器棟（マイクロビーム細胞照射装置（SPICE））
		緊急被ばく医療施設・REMAT車両
		分子イメージング棟（PET/CT）
		サイクロトロン棟
		重粒子線棟（HIMAC）
		新治療研究棟
	❷株式会社 アトックス 技術開発センター	放射性同位元素（非密封）使用施設、ガンマ線照射施設

稼働状況（核関連施設）
廃炉　停止中　稼働中
廃止　定期点検中　建設中
※原発の稼働状況については「全国の原発稼働状況・モニタリングポスト一覧」(P224,P225)をご覧ください。

プルームの流れ

3/21夜～
3/22未明

3/14夜～
3/15未明

相模灘

10 km

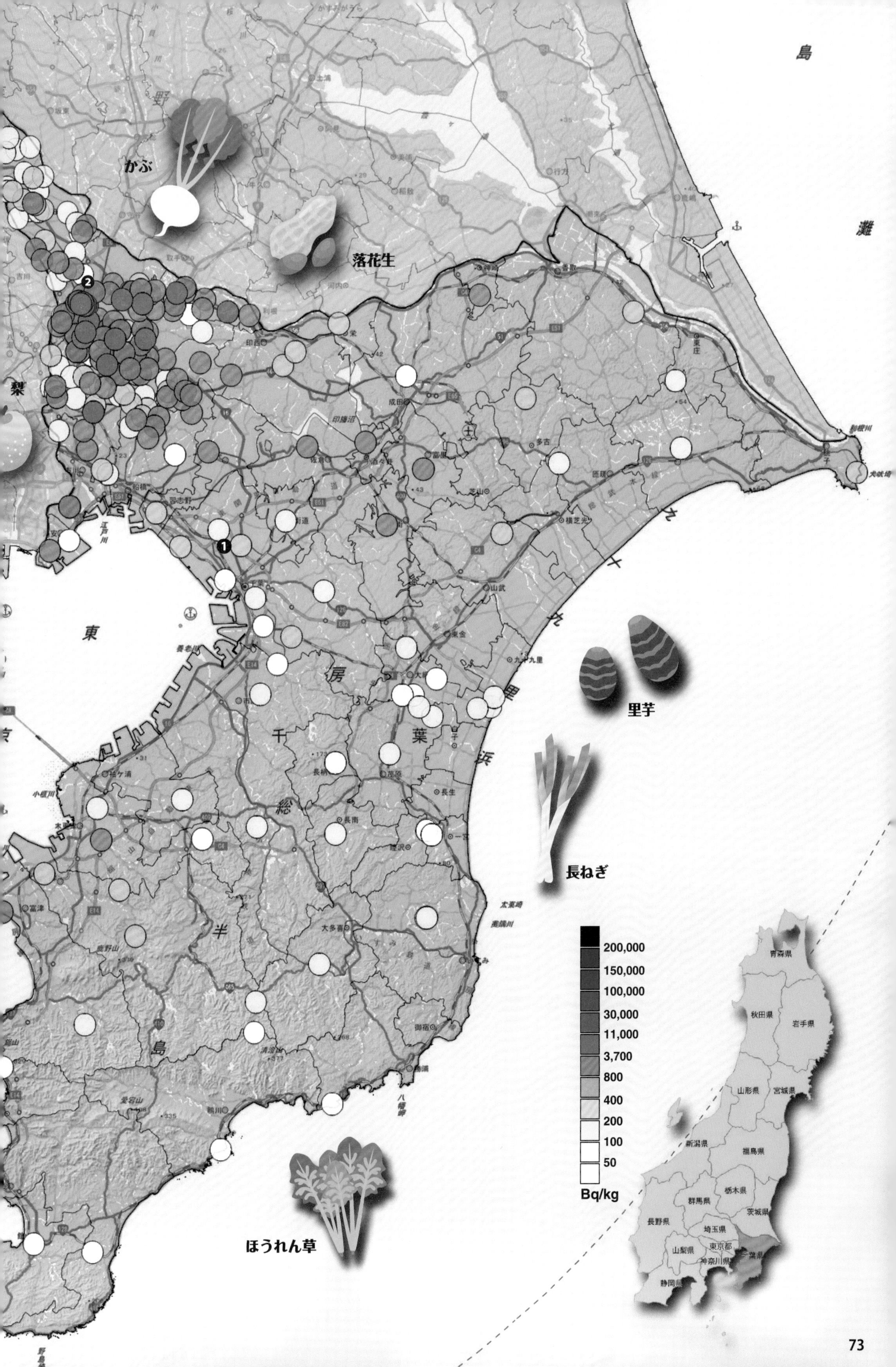

かぶ
落花生
里芋
長ねぎ
ほうれん草
梨
鹿島灘
東京湾
房総半島
千葉
九十九里浜
200,000
150,000
100,000
30,000
11,000
3,700
800
400
200
100
50
Bq/kg
青森県
秋田県
岩手県
山形県
宮城県
新潟県
福島県
栃木県
群馬県
茨城県
長野県
埼玉県
山梨県
東京都
神奈川県
千葉県
静岡県

千葉県

●解析:東林間放射能測定室(神奈川県)

東林間
放射能
測定室

県北西部に深刻な汚染

表1に「千葉県市町村別放射性セシウム土壌汚染度」(地点数)を示した。事故直後の数値に換算すると全248地点のうち、チェルノブイリ法による汚染区分の移住権利ゾーン相当が22地点(流山市、柏市、我孫子市、松戸市、白井市、神崎町の6自治体)ある。保障のある放射線管理ゾーン相当が107地点ある。移住の権利ゾーン以上の深刻な汚染は、いずれも県北西部に集中している。この地域の9市は、放射性物質汚染対処特措法に基づく汚染状況重点調査地域に指定された(図1)。しかし、後述するように汚染土を現地保管するなど政府や自治体の対策は不十分で、市民が調査や除染に立ちあがっている。7年後の2018年でも、移住の権利相当が3地点(流山市と柏市)、放射線管理相当が59地点も残っている。

図1 汚染状況重点調査地域に指定された千葉県北西部の9市

千葉県内54市町村のうち、採取地点があるのは46市町村。東金市、九十九里町、芝山町、横芝、光町、白子町、御宿町、睦沢町、長生村は採取地点なし。

表1 千葉県市町村別放射性セシウム土壌汚染度(地点数)

	2011年3月15日現在					2018年3月15日現在				
kBq/㎡	>1480	>555	>185	>37	0~37	>1480	>555	>185	>37	0~37
ゾーン区分	強制移住	移住義務	移住権利	何らかの保障		強制移住	移住義務	移住権利	何らかの保障	
流山市			9	20	9			2	23	13
柏市			4	24	9			1	8	28
我孫子市			4	12	4				7	13
松戸市			3	13	13				9	20
白井市			1	6	2				3	6
神崎町			1		0				1	0
野田市				10	18				1	27
鎌ケ谷市				5	8				2	11
市川市				3	0				1	2
船橋市				1	3				1	3
木更津市				1	2					3
浦安市				1	1				1	1
印西市				1	1					2
富津市				1	1					2
八千代市				1	0				1	0
酒々井町				1	0					1
多古町				1	0					1
佐倉市				1	0				1	0
山武市				1	0					1
千葉市緑区				1	0					1
銚子市				1	0					1
八街市				1	0					1
富里市				1	0					1
大網白里市					8					8
君津市					4					4
いすみ市					3					3
市原市					3					3
一宮町					3					3
千葉市美浜					2					2
鴨川市					2					2
千葉市中央					2					2
茂原市					2					2
栄町					1					1
香取市					1					1
千葉市稲毛					1					1
旭市					1					1
鋸南町					1					1
大多喜町					1					1
館山市					1					1
東庄町					1					1
四街道市					1					1
習志野市					1					1
勝浦市					1					1
成田市					1					1
千葉市花見					1					1
千葉市若葉					1					1
匝瑳市					1					1
袖ケ浦市					1					1
長南町					1					1
長柄町					1					1
南房総市					1					1
計	0	0	22	107	119	0	0	3	59	186

※表の作り方や計算方法については、P.13「市町村別地点表のつくり方について」を参照。

日本分析センター（千葉市稲毛区）の観測結果から見えること

放射性プルームは、3月14日深夜から15日未明にかけて茨城県を経て柏付近から西に向かい、埼玉、群馬に流れた。さらに21日夜から22日未明の大洗近辺から侵入したプルームは、幕張近辺を抜け東京湾に沿い南下したようである。県北西部の深刻な汚染地域にはこれら二つのプルームの両方ともが通過したようである。プルームの一部は上記メインルートからは外れているが、千葉市や市原市方向にも流れている。千葉市稲毛区にある日本分析センターでは、空間線量率は無論のこと、線量率を上昇させた放射性核種についてプルームガスの測定を行なっていた。その結果を図2に示す。

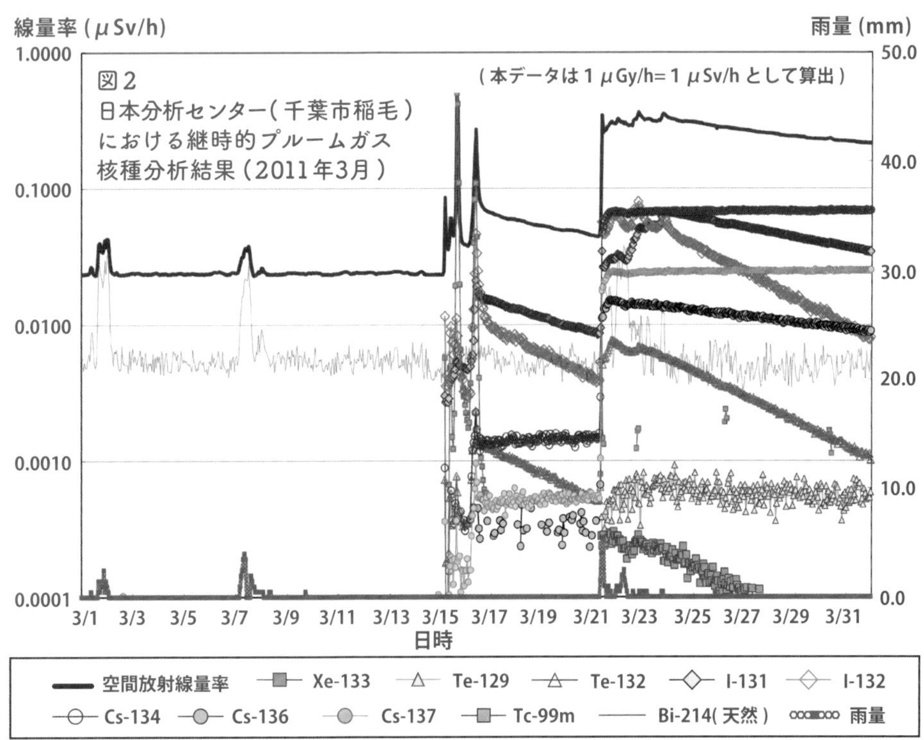

15～16日に4波にわたってプルームが到来したが、降雨が無かったために湿性沈着が起こらず、通過すると空間線量率はすぐに下がった。この線量率上昇に最も寄与したのは、短寿命核種であるキセノン（Xe-133）であり、次いでI-131およびI-132であった。21～24日に到来したプルームはまとまった降水があったために、大量に湿性沈着し、その沈着物から放射されるガンマ線（グランドシャインという）によって、空間線量率はプルーム通過後も高止まりした。沈着物の主な核種は、Cs-134とI-132、そしてI-131とCs-137であった。

同じ日本分析センターによる日間放射性降下物量の推移を図3に示した。空間線量率から見れば14～15日のプルームの方が高かったが、降下物量からすると21日以降のプルームの方がはるかに高い。注目すべきはI-131/放射性セシウム比である。22日は1.7であったものが、23日は16.7、24日は32.6となっている。プルームに含まれる核種組成が、事故炉の放出イベント（事象）によって異なってくることを示しているのであろう。同様の傾向が、千葉市の南に位置する市原市にある千葉県環境研究センターの日間放射性降下物量のデータでも現れており、同じ組成のプルームが通過したものと思われる（図4）。

さらに、浮遊じんの核種分析データによれば、3月22～23日にI-131が最大値47 Bq/m³を記録し、次いで15～

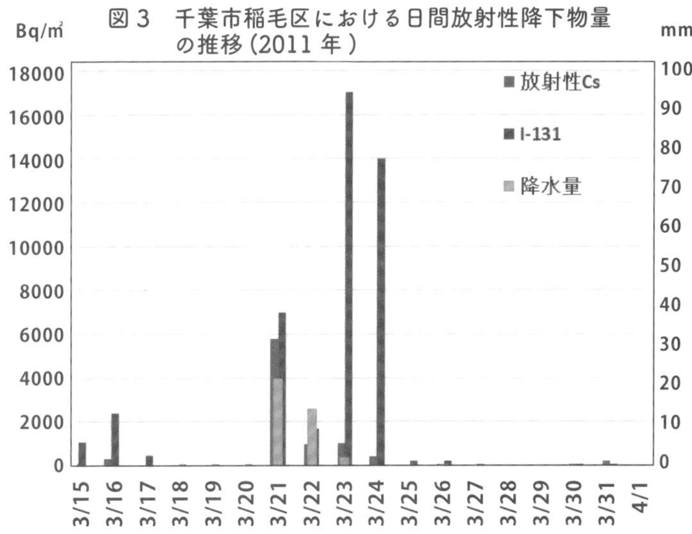

図3　千葉市稲毛区における日間放射性降下物量の推移（2011年）

16日および20～21日に33 Bq/m³（この時、放射性セシウムも22 Bq/m³）であった。これは原子炉の煙突先端での排出基準に匹敵する高い汚染レベルである。エアサンプラーで採取したろ紙の測定結果であるので、1 m³あたりの日平均値だと考えられる。すなわち、プルームに遭遇した人々は、1日平均としてこのような放射性ガスを吸引したことになる。

日本分析センターから最も近いみんなのデータサイト土壌プロジェクトのベクレル測定地点は、南西に2kmの距離にある萩台北第2公園である。土壌中放射能濃度は、Cs-137が328 Bq/kg、Cs-134が296 Bq/kg、合計624 Bq/kg（2011年3月換算値）であった。県北西部高濃度汚染地域では、流山市の9,800 Bq/kgを筆頭に柏・松戸・我孫子などで稲毛区の10〜20倍の汚染がある。すなわち、この地域では数百Bq/㎥のI-131を吸引したことになる。

なお、日本分析センターはかつて原潜寄港時の測定データの偽造などで汚名を着たが、依然として日本における放射能測定の総本山のようなところで、文科省が都道府県に委託している放射能水準調査などを実質的に進めているのがこのセンターである。都道府県の放射能担当者研修なども請け負っており、困難とされるSr-90の測定の多くもここで行なわれている。

図４　千葉県（市原市）における日間放射性降下物量の推移（2011年）

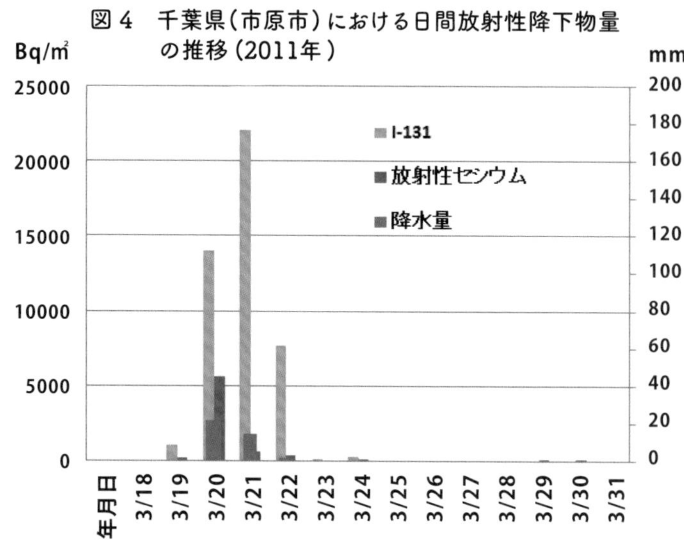

ごみ焼却灰や下水汚泥が8,000 Bq/kg超の指定廃棄物に

千葉県内の各自治体では学校・保育園、公園などの除染が行なわれ、汚染土は敷地内に埋設するなどして放射線量の低減化がはかられたが、焼却灰や下水汚泥が8,000 Bq/kgを超える高濃度に汚染され、2015年まで手賀沼流域下水道手賀沼終末処理場内の一時保管施設に搬入していた。その後は、保管期限が過ぎたことにより各自治体に返送されるという事態になった。

今後の指定廃棄物長期管理施設として、千葉市中央区の東京電力千葉火力発電所の土地が選定されているが、千葉市民から反対運動が起きてとん挫している。

市民による懸命な調査と除染

汚染状況重点調査地域では、放射能半減期、除染、流出による線量低減はあるが、依然として環境濃縮、人為的濃縮によるホットスポットが存在し、市民により発見、通報、除染が続けられている。2017年には野田市で、学校の手付かずの屋上堆積物が高い濃縮を示していることが明らかにされた。柏市でも除染済みの場所への再濃縮が市民の測定によって発見され、除染対応がなされている。鎌ケ谷市では、市民が学校のホットスポット発見に努めており、除染までの取り組みを継続している。松戸市では、市議会議員のDELI氏が市民に呼びかけ、市内公園すべての線量測定、土壌測定を行ない、基準を超えた部分の除染が続けられている（参考1）。その中で側溝などの泥上げでの人為的な濃縮が非常に多いことが明らかになった。こうした取り組みにより、市による子ども関係施設[保育所（園）・幼稚園・公園・小学校、公園等]の測定は地上50 cmから地上5 cmの高さで行なうことに改善されている（参考2）。今後も人為的な濃縮、および環境濃縮は継続的に起こるため、市民、行政による監視の継続が必要である。

出典

表1：チェルノブイリ法ゾーン区分に照らし試算。みんなのデータサイト作成。
図1：環境省、除染情報サイト「千葉県の除染実施区域の進捗について」
● http://josen.env.go.jp/zone/details/chiba_index.html
図2：公益財団法人日本分析センター、事故直後の調査結果「希ガス濃度等の調査結果」
● https://www.jcac.or.jp/uploaded/attachment/175.pdf
図3：公益財団法人日本分析センター、事故直後の調査結果「大気浮遊じん、降下物、水道水」（2011年3月）より作成。
図4：千葉県環境研究センター、日間放射性降下物量データより作成。
参考1：DELI議員呼びかけの公園測定マップ　Gamma Watch Squad ● http://www.planetrock.jp/gws
参考2：松戸市HP「松戸市除染実施計画について」
● https://www.city.matsudo.chiba.jp/chuumoku/houshasen/keikaku_housin/josenjissikeikaku.html

〜みんなのデータサイトによる推測・推理〜

福島原発事故直後にCs-134の測定データがなかったのはなぜなのか？

発表されなかったCs-134

※例：原子力規制委員会
http://radioactivity.nsr.go.jp/ja/contents/3000/2296/24/1060_0319.pdf

大気圏内核実験が盛んに行なわれた1960年代から、国立の研究機関や都道府県の衛生研究所などによる国の委託事業「環境放射能水準調査」の一環として、アメリカ（ビキニ）やロシア、中国からやって来る放射性物質が観測されてきた。測定していたのは「日間降下物量」（平時は月間降下物量）である。

第3章の「放射性降下物を観測・測定するには」の章に詳述したように、チェルノブイリ原発事故以降は全都道府県にゲルマニウム半導体核種分析装置（以下ゲルマと略記）も配備されていた。

そして福島原発事故が起きてからは、3月18日以降「日間降下物量」も急遽測定されるようになった（データの測定と公開は3月19日から）。この貴重なデータを本書の汚染解析では何度も引用している。

ところが、不思議なことに事故直後の3月19日から4月半ば頃まで、公表されたデータはCs-137とI-131だけで、「Cs-134」がなかったのである。

要請がなかったので公開されなかった可能性が高い？！

放射能の測定器は、一定の性能を備えていればCs-137だけを測定してCs-134を測定しないということはない。測定器を動かせば、同時に両方のデータを記録する。事故直後のこの時期、Cs-134はCs-137とほぼ同じ量が存在し、これらの研究所にはゲルマが配備されていたのだから、各県の測定担当者はCs-134が沢山降下していることに気が付かないはずもない。にもかかわらずこのような奇妙なことが起きたのはなぜだろうか。推理してみよう。

日間降下物量の緊急時測定を要請したのは文科省だ。データの公開は、ウェブサイト「日本の環境放射能と放射線データベース」上にて行なわれており、「公益財団法人日本分析センター」によって管理・運営されている。日本分析センターに問い合わせたところ、各都道府県の報告書に記載されたデータはすべて入力したとのことであった。したがって、文科省から届いた報告書にはCs-137とI-131しか記入欄が無かったことになる。文科省が観測を要請した際の落ち度に加え、明らかにCs-134が計測されている事実に接しながら、それを報告しなかった県の観測担当者や上司などがいた結果、これらの奇妙で無責任なデータ公表となったのではないか、という推論が成り立つ。

推測ではあるが、文科省からの観測要請核種がCs-137とI-131に限られていた（その他の核種記入欄があったとしても）のは、近年の隣国北朝鮮の核実験の監視が主な目的となっていたからではないだろうか。すでに述べたように核実験であれば、Cs-134はほとんど存在しないため観測する必要がないからである。

測定記録がない＝被ばく線量の証明ができない

しかし、たとえそのような事情があったとしても、福島原発事故が起きて炉心溶融が心配されるようになったのは3月12日なので、言い訳できる状況ではない。実際、東京都や神奈川県では3月12日から日間降下物の観測が始まっていたし、東京都産業技術研究センターでは大気浮遊塵中の放射能観測も開始されていた。文科省は旧科学技術庁の時代から原子力開発と放射能監視を管轄してきた省庁であり、年20 mSv問題からもわかるように被ばく線量の管理に関わるのも文科省である。

都道府県への日間降下物量の観測要請が遅きに失したことは、すなわち過去に遡って被ばく量の証明材料がないということなので、重大である。また、原発事故由来のCs-134を観測していながら、それを報告しなかった都道府県の担当者には、科学技術者としての良識と常識をもち、住民の生命と安全を守るための任務を担う責任があったにもかかわらず、それを果たさなかったことが問われよう。

※関連コラム「福島原発事故由来の放射能となぜわかるのか？Cs-134とCs-137の比率のお話」も併せてご覧ください。

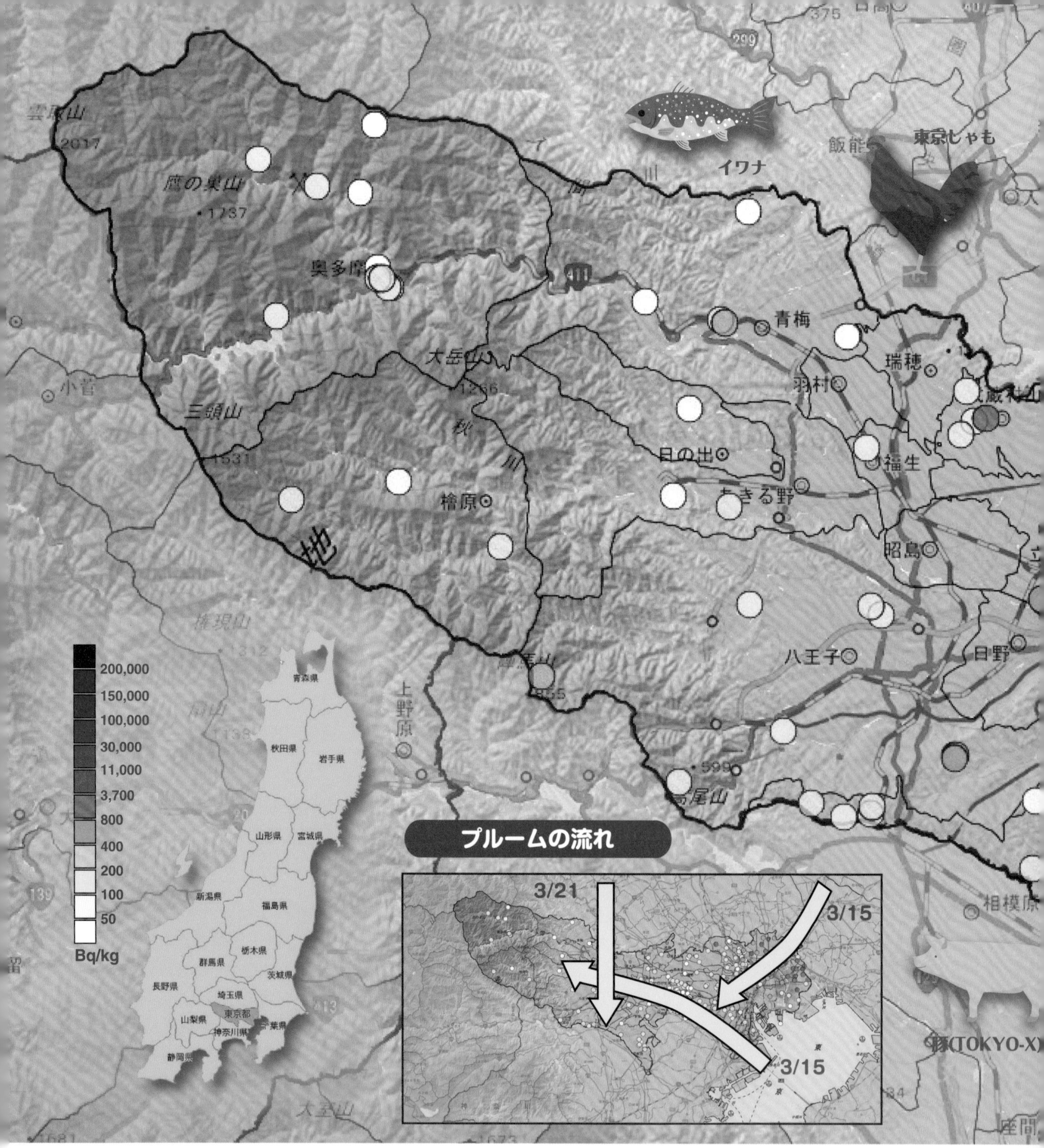

東京じゃも
イワナ
雲取山
2017
鷹ノ巣山
1737
奥多摩
青梅
瑞穂
羽村
大岳山
1266
秋川
三頭山
1531
日の出
福生
あきる野
檜原
昭島
八王子
日野
上野原
599
高尾山
相模原
豚(TOKYO-X)

200,000
150,000
100,000
30,000
11,000
3,700
800
400
200
100
50
Bq/kg

青森県
秋田県
岩手県
山形県
宮城県
新潟県
福島県
栃木県
群馬県
茨城県
長野県
埼玉県
東京都
山梨県
千葉
神奈川県
静岡県

プルームの流れ

3/21
3/15
3/15

東京都（とうきょうと）

●東京都の測定地点数　355地点
●中央値　151 Bq/kg

2011年当時の基本データ

【面積】2,187.50km²【人口】13,159,388人
【人口密度】6015.7人/km²
【事故当時18歳以下の子どもの数(割合)】
1,890,796人（14.4%）

地形の特徴

●東京湾に面した関東平野南西部に位置し、多摩西部を山地帯が覆っている。●山地は雲取山を頂点に東に向かって標高が下がり、多摩川以北で武蔵野台地に、多摩川以南で多摩丘陵に接している。●武蔵野台地は関東ローム層の多段台地を主体として荒川まで広がり、多摩丘陵は河川侵食で複雑な地形を有する。●古東京湾の海退部や多摩川河口近く、大小の河川流域に低地が広く分布している。南洋に島嶼部も有する。

土質の傾向

●山地は岩盤類が基盤をなし、その上を黒ボク土や森林性有機質土等が覆っている。●丘陵地は山地と似て岩盤類を基盤に、

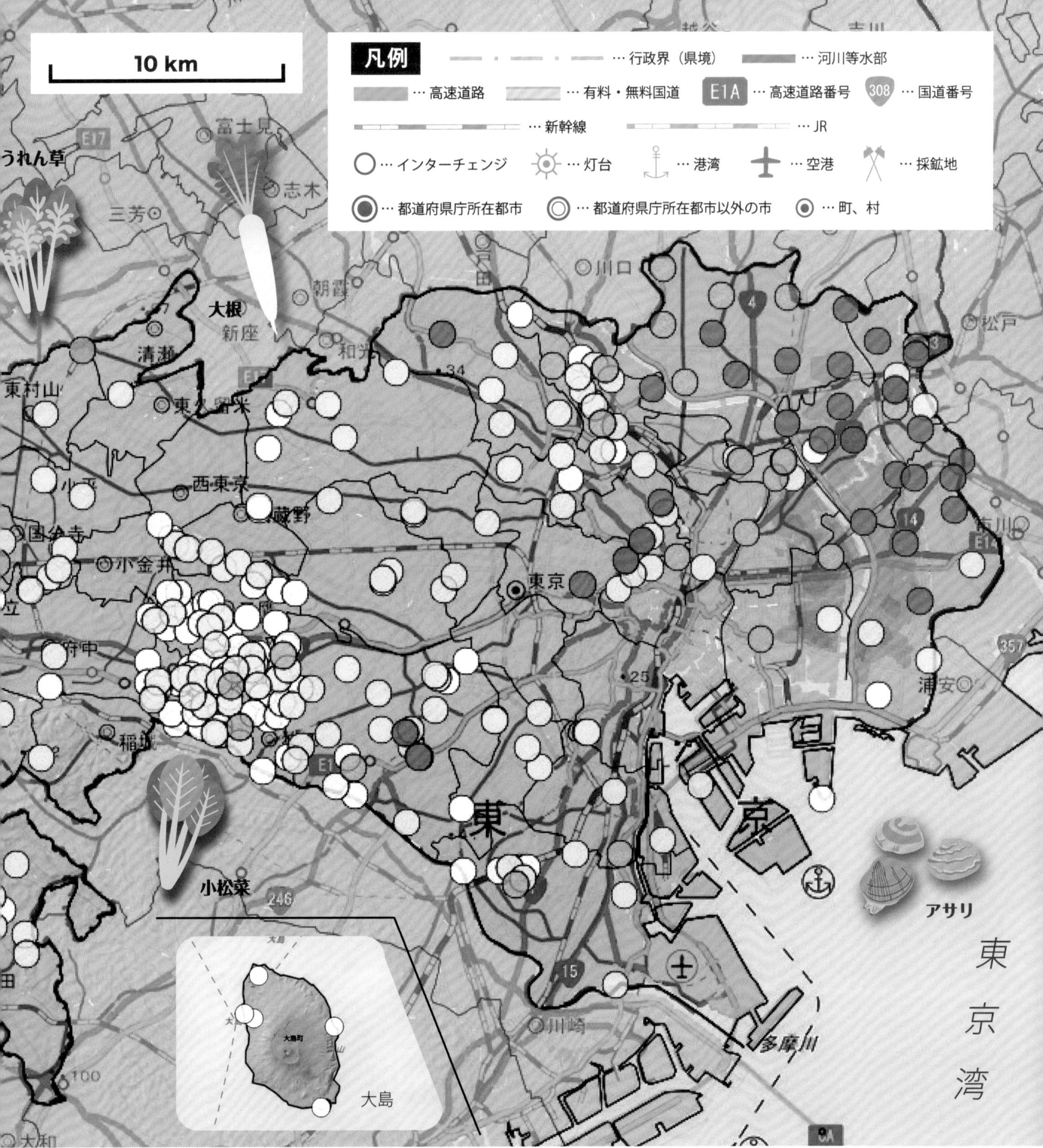

黒ボク土や粘土質の高いローム土が覆っている。●平野部の台地は、砂礫や泥流堆積物によって形成された段丘面などが、関東ローム層のローム土で厚く覆われている。●東部に多い低地は河川によってもたらされた土砂や堆積土を主体とし、砂や砂礫などが混在している。

特産物

●北多摩・南多摩地域で小松菜、ホウレンソウ、日本梨、ブルーベリー。世田谷区、練馬区、江戸川区、葛飾区で小松菜。練馬の練馬だいこん。● 町田市のTOKYO-X(豚肉)。青梅市の東京しゃも、東京烏骨鶏。● 東京湾のアサリ、スズキ、マアナゴ。多摩川のイワナ、ヤマメ、ニジマス、アユ。● 林業では、西多摩地域でスギ、ヒノキ。

事故当時の気象データ

【3月中】　晴れの日が多かった。

【3/15】　特に高濃度のプルームがやってきたこの日は、降雨がほぼ見られず、放射性物質の湿性沈着は免れた。

【3/21～22】　都内全域で降雨が見られ、放射性物質が湿性沈着。22日、金町浄水場経由の水道水からヨウ素が検出されることにつながった。

東京都

こどもみらい測定所
memoli
measuring and mothering for life

●解析：こどもみらい測定所（東京都）

東京都の土壌汚染は東高西低

都内のみんなのデータサイト土壌測定地点は355ヶ所。2011年3月換算でCs-134、Cs-137合算の平均値は291 Bq/kg。データから見える傾向は、概ね東に行くほど汚染濃度が高い、というものである。図1は355検体を西から東にプロットしたグラフであり、ばらつきはあるものの都東部が高めであることが見て取れる（青は2016年3月換算のCs-137単体Bq/㎡試算値、赤は2011年3月換算のセシウム合算Bq/㎡試算値）。特に東葛エリアには明確な高濃度の沈着が見られ、355検体中、上から14検体は葛飾区・江戸川区・文京区であり、セシウム合算1,280〜3,790 Bq/kg前後であった。一方、事故当初、東京西部奥多摩方面も高濃度汚染が言われていたが、当プロジェクトの測定では西多摩郡13検体がセシウム合算で48〜264 Bq/kgであり、都内平均を下回った。

2011年3月換算でCs-134、Cs-137合算100 Bq/kg（原子炉等規制法に基づくクリアランスレベル）を切る地点は355ヶ所中約110ヶ所であった。クリアランスレベルを超えた地点が全体の約3分の2で、最高濃度は、葛飾区のセシウム合算約3,800 Bq/kgであった。また、事故後5年で制定されたロシアのチェルノブイリ法汚染区分で、Cs-137が3万7千 Bq/㎡（約600 Bq/kg）以上で一定の補償がされる地点は、事故直後のセシウム合算値で見ると41地点であり、チェルノブイリ法が制定された事故後5年のCs-137のみで見ると、5地点であった。

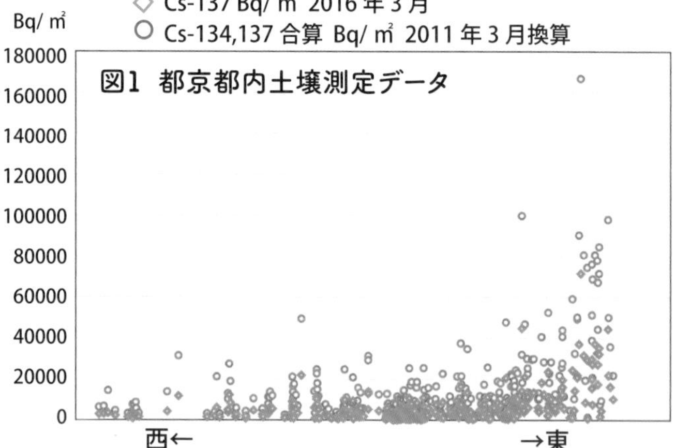

原発事故後の空間線量率の変化〜新宿区百人町モニタリングポストから〜

東京では新宿区百人町でモニタリングポストが稼働しており、原発事故当時も線量が公開されていた。そのデータを元にグラフにしたのが図2である。

新宿区のモニタリングポストにおいて、最も高い線量を示したのは3月15日であり、早朝4時台で0.15 μSv/hを記録。朝10時台に最大0.8 μSv/hを記録し、この時最も濃度の高い放射性プルームが通過した。
さらに夜19時台に0.46 μSv/hを示した。翌朝6時台にも0.16 μSv/hを示し、2日間で合計4回にわたってプルームの来襲があったことが見て取れる。もうひとつ、3月12日から24時間体制が組まれていた東京都産業技術研究センター（世田谷区）の浮遊塵連続測定核種分析データがある（図3、SvとBqをひとつのグラフに掲載、単位に注意）。

新宿のモニタリングポストの線量率変化と重ねて興味深い。新宿で最大だった10時台に、世田谷でも最高値を記録し、その主たる核種はTe-132（テルル）、I-132、I-131、Cs-134、Cs-137などであり、合計は1,200 Bq/㎡だった。都民はこれを呼吸で吸飲したのである。

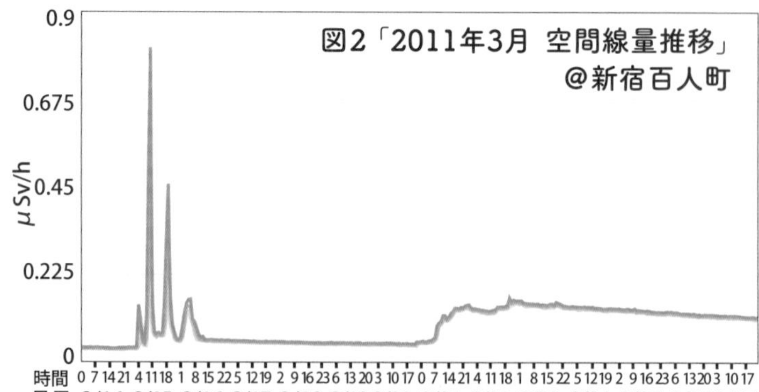

一方で、21日には、15日ほどの高濃度のプルームの来襲は見られなかったものの、降水があったため空間線量が上昇したまま下がらなくなっている。すなわち、プルームが運んできた放射性微粒子及びガスが降水によって地面や測定機自体に湿性沈着し、プルームが通過した後も沈着物からガンマ線が放射され続けたのである（これをグランドシャインという）。東京都における環境・土壌汚染は、この21日の湿性沈着による汚染が主たる要因となった。もし15日に降水があれば、さらに高濃度の汚染地域が出現したであろう。

東京都の水道水(金町浄水場)の連続測定データ

都内で22日に荒川水系江戸川から取水する金町浄水場の水道水から放射性ヨウ素が検出されたというニュースが報道され、一時騒然となった。前述した21日の湿性沈着の影響である。22日に乳児の飲用基準の2倍を超える210 Bq/Lの値を示し、23日に190 Bq/L、24日79 Bq/Lと減少していった(図4)。大人の基準が300 Bq/kgであったこともあり、東京都は配水を停止せず、乳児のミルク調整用のペットボトル水を配布した。

原発事故が起きた時は、放射性プルームが運んできた粒子とガスを吸引しないこと、地面に沈着した放射能からのグランドシャインに気をつけることは無論であるが、水道水の汚染にも気を付けなければならないのである。

都内の食品の汚染

都内の食品汚染の状況は、柑橘類やタケノコ、キノコ類、茶葉、大豆などに事故当初は放射性セシウムの検出が見られた。土壌汚染は広範囲に見られるにもかかわらず、豆類を除く畑にできる作物は概ね5～10 Bq/kg程度の検出限界値では検出されないことが大半であった。これは主に、土壌に含まれる粘土鉱物が放射性セシウムを固く吸着し、植物への吸い上げを抑制したからだと考えられている。

しかし、東京都産の柑橘類や梅などで比較的多数のセシウム検出事例が記録された。みんなのデータサイトには、東京都で柑橘類の検体が2018年8月現在144件登録されており、その経年変化を図5に示した。2011年から年々全体的に数値が減少していることが見て取れる。例えば、江戸川区の同じ木から採れた夏みかんが2012年セシウム合算79 Bq/kgから、2013年に17 Bq/kg、2016年には1 Bq/kg未満の不検出となった。国立市では、2012年に21 Bq/kg、2013年に7 Bq/kg、2014年1.5 Bq/kgに減少。

また、梅では、国立市の同じ方が同じ木から収穫した梅でつくった梅干しを経年測定し、2012年に15 Bq/kgだったのに対して、2013年、2014年ともに1 Bq/kg未満の不検出となった。柑橘類と梅が都内では最も気になる食材であったが、事故後2～4年でかなり数値が減少したことが測定データから示された。

図3 12種類の大気浮遊核種濃度(Bq/m³)と放射線量率(μSv/h)の時間変化
(東京都世田谷区、2011年3月15日～16日)

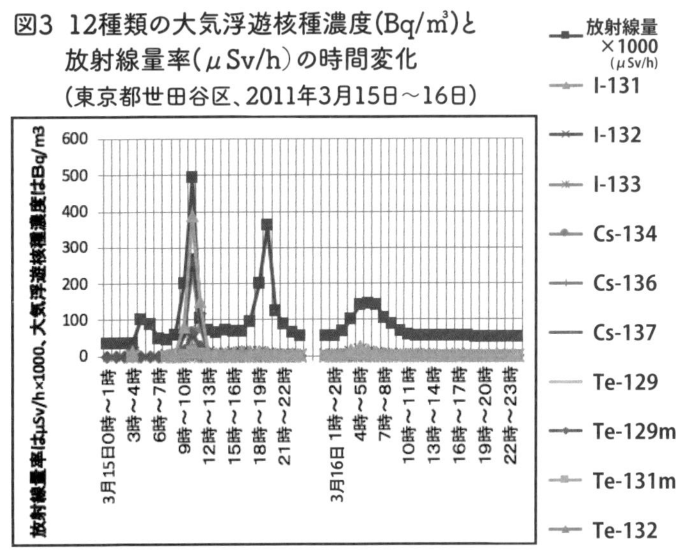

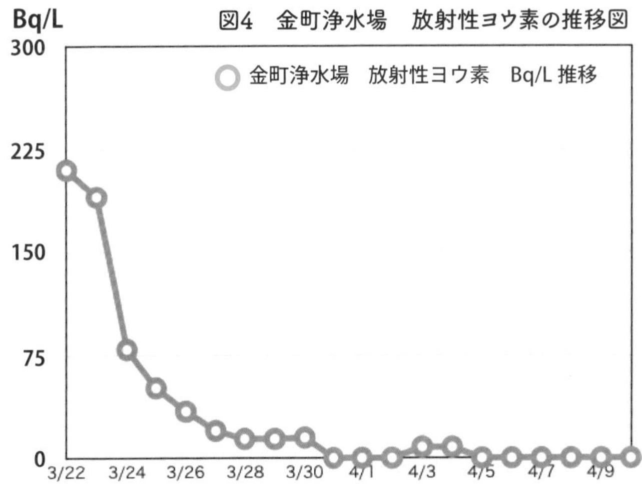

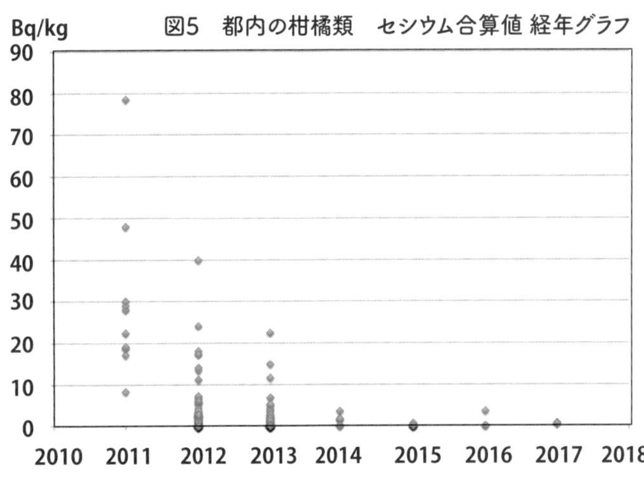

出典
図1:土壌プロジェクト東京都測定データ ● https://data.minnanods.net/mrdatasoilsearch?clubid=mds2&sampletype=1&prefid=13
図2:東京都健康安全センターサイト ● http://monitoring.tokyo-eiken.go.jp/mon_post.html
図3:東京都産業技術研究センターによる浮遊塵核種分析連続データより筆者作成
図4:金町浄水場データ ● https://www.waterworks.metro.tokyo.jp/suigen/shinsai/sokutei.html
図5:みんなのデータサイト柑橘類測定データ東京都
● https://data.minnanods.net/mrdatafoodsearch_without_201xxxx?mds_scatid=1060102&prefid=13&clubid=mds2

かながわけん
神奈川県

●神奈川県の測定地点数　219地点
●中央値　103 Bq/kg

2011年当時の基本データ

【面積】2,415.90km²　【人口】9,048,331人
【人口密度】3745.4人/km²
【事故当時18歳以下の子どもの数・割合】
1,514,036人（16.7%）

地形の特徴

●関東平野の南西端に位置。県域は中央部を南下する境川と相模川によって、大きく東部丘陵地帯（境川以東）、中央部低地帯（境川-相模川）、西部山地帯(相模川以西)の3つに分けられる。●西に箱根(火山)、丹沢という山地を背景に、南は相模湾に面しており、三浦半島は太平洋に突き出した形となる。●海岸線の長さは約430kmにおよび、変化に富んでいる上、森林・原野が県の40%近くを占めるという特徴をもつ。

土質の傾向

●平地はほとんど関東ローム層であるが、相模川周辺は沖積層、海岸近くでは砂質が多くなる。●耕地は黒ボク土がほとんどである。●中央部を相模川が流れ、周囲には沖積層がひろがる。

特産物

●三浦のだいこん、スイカ、冬瓜、キャベツ、かぼちゃ、メロン。湘南のきゅうり、レッド玉ねぎ。全域で小松菜、トマト、みかん、梨、キウイフルーツ、いちご。●小田原の梅干し。横浜市のホウレンソウ。秦野の落花生。津久井の大豆。足柄茶。●横浜ビーフ、葉山牛、高座豚。●横浜のしゃこ、アナゴ。三崎のまぐろ。三浦の金目鯛、松輪サバ、サザエ、アワビ。湘南の生しらす。相模川の鮎。芦ノ湖のワカサギ。相模湾のアジ。

事故当時の気象データ

【3/15】最初のプルームが到達した。この日、小田原、松田では感雨を観察。お茶、柑橘類への湿性沈着があったと考えられる。
【3/17】横浜の一部で感雨あり。
【3/21】全県におよぶ降雨で、湿性沈着。

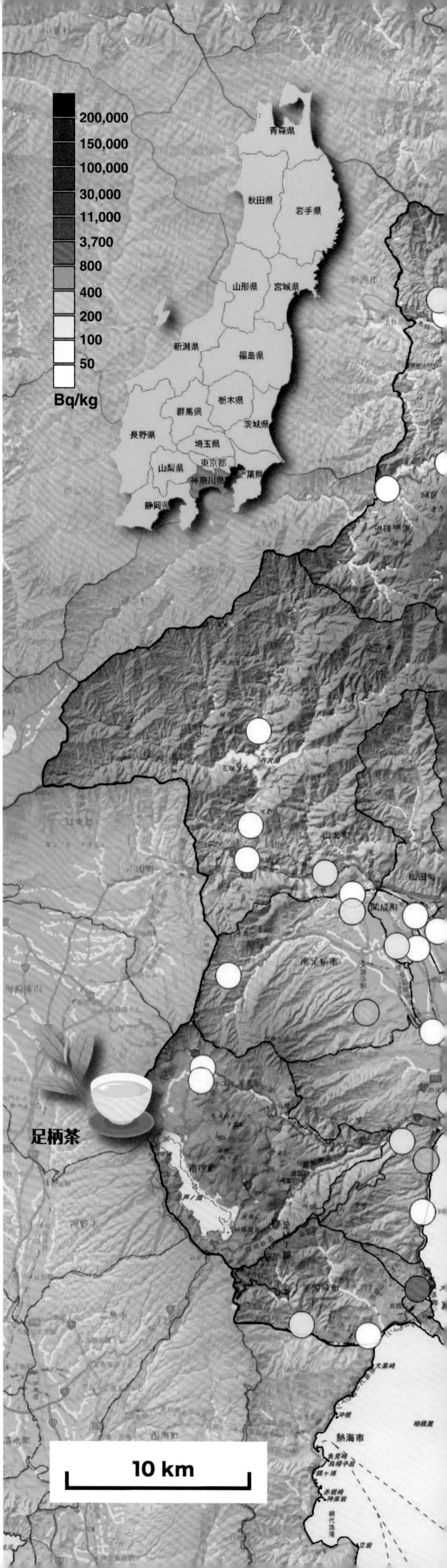

200,000
150,000
100,000
30,000
11,000
3,700
800
400
200
100
50
Bq/kg

青森県
秋田県
岩手県
山形県
宮城県
新潟県
福島県
群馬県
栃木県
長野県
茨城県
埼玉県
東京都
山梨県
千葉県
神奈川県
静岡県

足柄茶

10 km

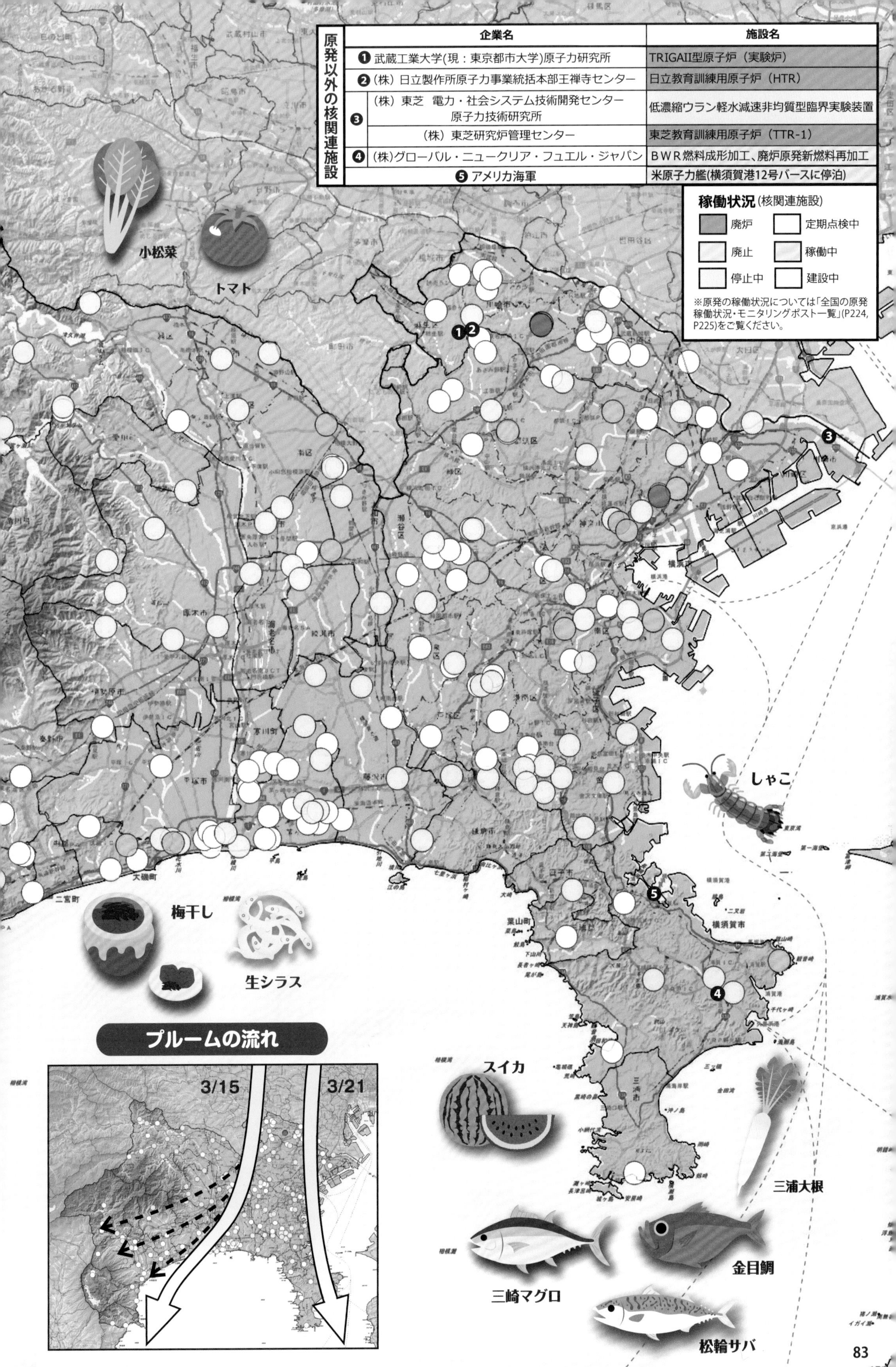

原発以外の核関連施設	企業名	施設名
❶	武蔵工業大学(現：東京都市大学)原子力研究所	TRIGAII型原子炉（実験炉）
❷	(株) 日立製作所原子力事業統括本部王禅寺センター	日立教育訓練用原子炉（HTR）
❸	（株）東芝　電力・社会システム技術開発センター　原子力技術研究所	低濃縮ウラン軽水減速非均質型臨界実験装置
❸	（株）東芝研究炉管理センター	東芝教育訓練用原子炉（TTR-1）
❹	(株)グローバル・ニュークリア・フュエル・ジャパン	ＢＷＲ燃料成形加工、廃炉原発新燃料再加工
❺	アメリカ海軍	米原子力艦(横須賀港12号バースに停泊)

神奈川県

東林間放射能測定室

● 解説:東林間放射能測定室(神奈川県)

神奈川県の汚染状況

神奈川県のみんなのデータサイトによる土壌調査地点数は219ヶ所である。全域にわたって深刻な汚染地域はないが、事故直後には、放射性セシウムで1,000 Bq/kgをわずかに超えるところが2地点あった(真鶴町と横浜市鶴見区)。チェルノブイリ法による汚染区分の保障措置のある放射線管理ゾーンに相当する600 Bq/kgを超える地点が上記を加えて合計で34地点(川崎市、小田原市、横浜市旭区など)であった。2018年現在ではそれが5地点に減少した。

事故当時のプルームの流れと食品の汚染

茅ヶ崎市にある神奈川県衛生研究所(文献1)が観測した空間放射線量率の推移を図1に示した。15日午後に最も高い線量率を記録し、翌16日午前に再び上昇した。このパターンは、東京都産業技術研究センターの浮遊塵データとよく一致しているところから、神奈川県を主に汚染した放射性プルームは、東京方面から海沿いに輸送されて、箱根山地にぶつかったものと考えられる。この日、小田原、松田では降雨が観察されており、お茶、柑橘への湿性沈着があったと考えられる。しかし降水がなかった茅ヶ崎ではプルームの通過とともに空間放射線量率も下がった。

続いて襲来した21日から23日にかけてのプルームでは降水があったために湿性沈着が起きて、プルーム通過後は降下物によるグランドシャインによって線量率がなかなか下がらなくなっている。この時は全県にわたって何らかの湿性沈着が起こり、横浜で栽培されていた小麦、そしてそれを原料とするうどんから高い濃度の放射性セシウム(最高値80 Bq/kg)が検出されるに至った(藤沢、相模原の小麦粉からも検出されている)。

初期の湿性沈着は、足柄のお茶を汚染し、500 Bq/kgを超えるものも見つかった。広葉樹である柑橘にも沈着し、汚染が続いている。その後、お茶は飲用茶としての検査に移行したため不検出となるが、茶葉での測定では現在でも検出となる場合が多い。柑橘では小田原産の柑橘も未だ微量の汚染が確認される場合がある。

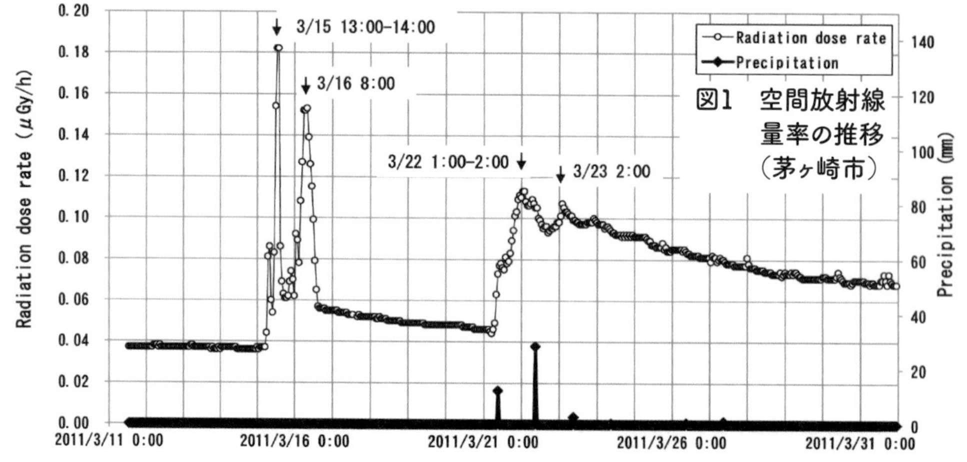

図1 空間放射線量率の推移(茅ヶ崎市)

神奈川県の食品測定

神奈川県、各市町村では、こうした汚染があったものの、充分に測定が行なわれて来たわけではない。米については県の測定はこれまでにわずか5検体ほどで、いずれも平地の玄米を検査して、神奈川県の米は汚染していないと判断してきた。しかし、市民(NPO法人有害物質削減ネットワーク)による測定では、小田原の2012年産米で最高44 Bq/kgが検出されている。

東林間測定室での同一の水田の玄米の測定では、2017年産米でも、まだCs-137が検出される状況である。これらの汚染した玄米は地形的には、谷戸であったり、山の麓であったりして、周囲の森林生態系の物質循環に組み込まれた放射性セシウムが用水を通して水田を汚染してきたものと考えられる。

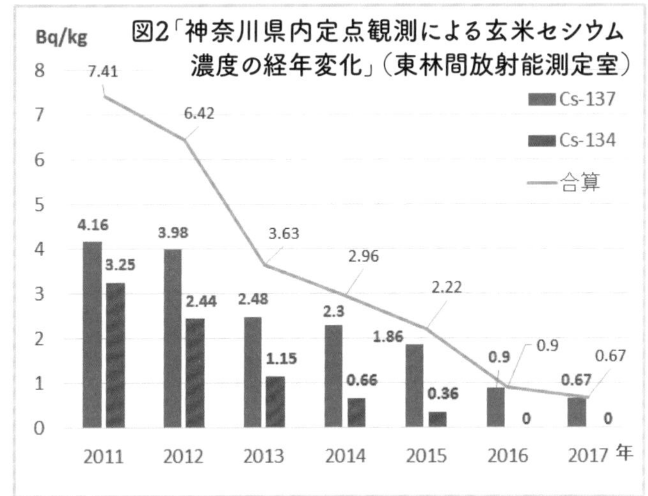

放射性物質の市民生活への影響と自治体により異なる対応

放射性物質の市民生活への影響として2014年秋、横浜市の学校において高濃度に汚染された「汚泥」と「除去土壌（除染土壌）」を校内保管していたことが、井上さくら横浜市議の調査によって週刊誌で報道され、大きな問題となった。「除去土壌」は横浜市の目安「地上1 mまたは50 cmで0.23 μSv/hまたは地上1 cmで0.59 μSv/h」を超えた場合に、清掃し保管を行なうよう指示が出たもので、小学校、中学校や公共施設などで実施された。また保育園では、緊急対応として放射能測定を省いて側溝などの危険箇所の清掃をし、後日改めて保管物の測定が行なわれた。

「除去土壌」が市の目安越えとなった施設は、保育園14園、小学校13校、中学校7校、公園3ヶ所、雨水調整池3ヶ所、その他3ヶ所の計43施設で、総量8,269 kgだった。さらにこれとは別に汚泥は「廃棄物」として保管され、総量は7,508 kgで、内2,908 kgは高濃度の「指定廃棄物」であった。

横浜市でなぜ学校施設内に高濃度の放射性物質が保管されていたかと言えば、校舎屋上に降った雨をトイレの洗浄に使う「雨水再利用施設」があったためで、雨水を溜めておく貯水槽の底に溜まった「汚泥」が高濃度の汚染となったからである。問題はその保管方法で、薄い鉛で覆われたドラム缶に汚染物が入れられ、校内のポンプ室や倉庫、また使用していない空き教室などに置かれており、子どもが近づける場合もあり、置かれた部屋はもとより壁側で空間線量を測るだけで数値が跳ね上がるという状況だった。さらに、除去土壌の一部は学校敷地内の隅に埋められ、埋設方法や経緯がわからなくなっているものも発生していた。

問題視した保護者など市民と議員はすぐに署名運動を展開したが、横浜市教育委員会はあくまでも「空間線量」を基準としベクレル測定を行なわなかった。2016年、横浜市は重い腰を動かし北部汚泥資源化センターに保管庫を新設、一括管理に移行し、2017年にようやく完了した（最高で25,000Bq/kgの沈砂）。しかし、地中に埋設したものについては、10cmの覆土があるという理由で、園庭などに埋められたままの状態である。

横須賀では学校内のホットスポットの土壌除去が行なわれ、敷地内に埋設されていた汚染物をすべて掘り起こし、2018年3月「下町浄化センター」内コンテナへの17.6トンの移設保管が完了した。ただし仮保管で、市教育委員会は「できるだけ早く業者を見つけ最終処分を行ないたい」としている。学校敷地内の除去土壌については、未だ埋設されたままの自治体が県内に多数あると思われ、子どもたちの生活空間の安全のために、保護者の訴えと学校の協力、教育委員会自らの働きかけですべての学校で確認を行なうべきであると考える。

神奈川県内の自治体の測定状況を見ると、相模原市が教育施設、公共施設、公園などは空間線量率のみならず、土壌の測定も行なって公表をしているが、学校給食では自校方式で汚染食品が学校給食に使用されるなどの問題も起きた。特に市内の学校で冷凍みかん19.6 Bq/kg（小田原産）が出たことは、同じく冷凍みかんを給食で出している神奈川県内全域で問題とされた。座間市では空間線量、食材の測定など一切行なわれていないなど、落差が大きい。横浜市の学校給食では汚染された稲わらを給餌された基準値超えの牛肉（最大1,400 Bq/kgの汚染があった可能性）が使用されたり、横須賀市でも汚染した冷凍みかんが使用され、抗議の声があがった。

土壌にしろ、食品にしろ、実害を受ける当事者が声をあげないと当該自治体・学校・教育委員会は対応策を講じないので、今後も状況を注視していく必要がある。

文献（1）神奈川県における福島第一原子力発電所事故後の環境放射能レベルの推移、神奈川県衛生研究所研究報告No.44(2014)、1-8
●http://www.eiken.pref.kanagawa.jp/004_chousa/04_reserch/files/44_PDF/01.pdf
図1：空間放射線量率の推移（茅ヶ崎市）（出典：神奈川県衛生研究所研究報告）　図2：「神奈川県内定点観測による玄米セシウム濃度の経年変化」（東林間放射能測定室）
図3：平成29年1月19日 横浜市放射線対策本部「横浜市記者発表資料」

にいがたけん

新潟県

● 新潟県の測定地点数　105地点
● 中央値　10.2 Bq/kg

2011年当時の基本データ

【面積】12,583.80㎢　【人口】2,374,450人
【人口密度】188.7人/㎢
【事故当時18歳以下の子どもの数・割合】
394,766人（16.6%）

地形の特徴

●県の南東縁には北から朝日山地、飯豊山地、越後山脈、三国山脈、西頸城山地、飛騨山脈といった2,000m級の山が連なり、これらの山岳に源を発する阿賀野川・信濃川の下流部には広大な沖積層からなる新潟平野が広がる。●中越地方には柏崎平野、上越地方に高田平野も広がり、内陸部で豪雪地帯の魚沼地域には山地地形や丘陵地形が形成されている。●平野部の海岸に近い部分には砂丘列が良く発達している。

土質の傾向

●水田が広がる平野部や丘陵地で河川の氾濫流域は粘土が豊富な低地土からなり、平野部の海岸に近い地域には砂質土壌が広がっている。●山岳地の大部分は有機質・砂質・礫質が重層する褐色森林土からなり、長野県境に接する丘陵地には火山灰由来の黒ボク土が分布する。

特産物

●県全域でお米のコシヒカリ、清酒、米菓、切餅(包装餅)。海岸沿いの砂丘地や川の両岸、丘陵地などの畑地や果樹園でチューリップ(切り花)、枝豆、西洋梨、おけさ柿。日本海沿岸で水産練り製品(かまぼこ)。五泉市、阿賀野市、新潟市、新発田市、南魚沼市で施設栽培キノコ(まいたけ、ひらたけ、エリンギ)。

事故当時の気象データ

【3月上旬】　原発事故発生時までは雪や雨まじりの天候であった。
【3/12～14】日差しが戻り気温が急上昇。
【3/15～16】寒気の流れ込みによる雨や雪。
【3/19以降】日照時間が増え気温上昇による融雪が促進された。

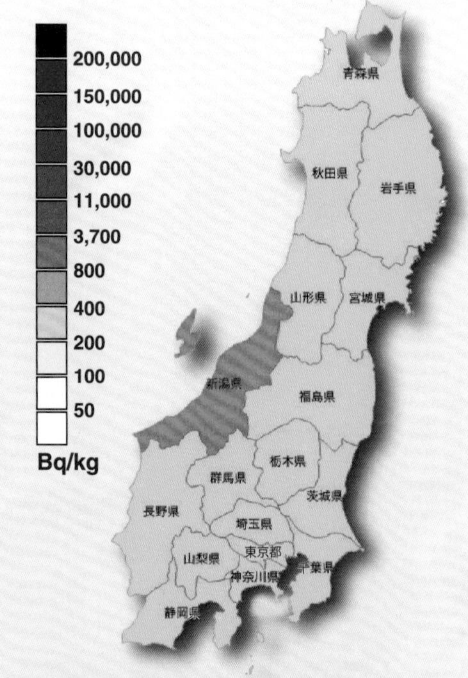

プルームの流れ

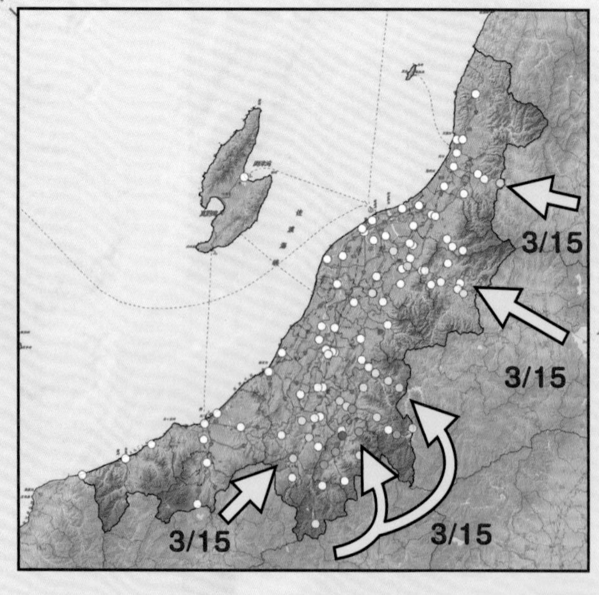

10 km

練り

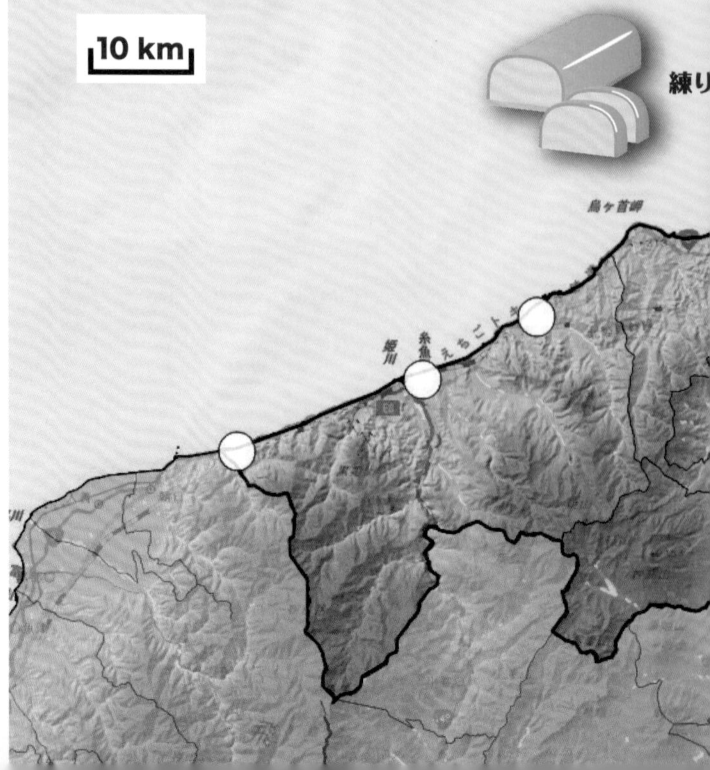

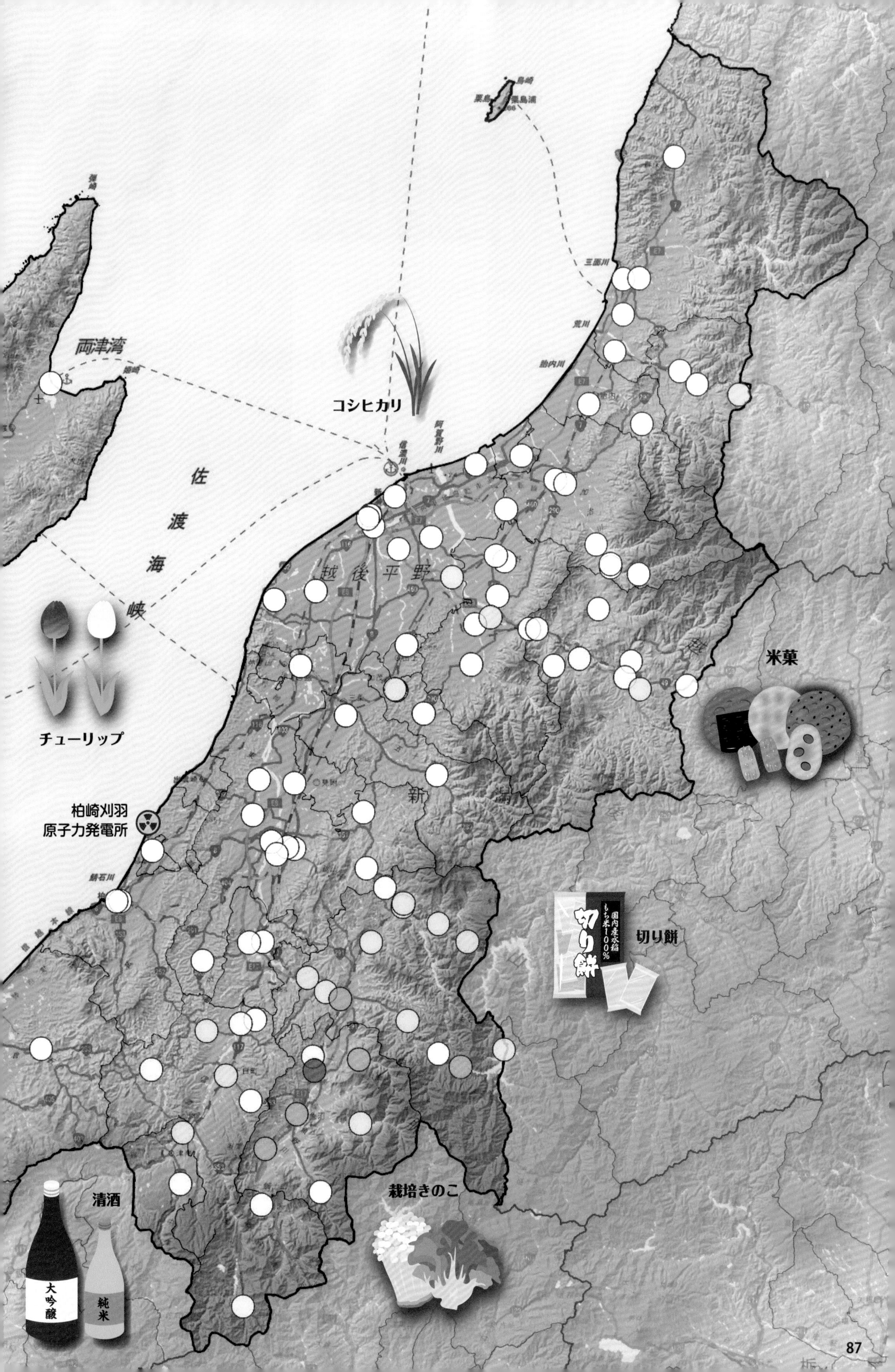
両津湾
佐渡海峡
コシヒカリ
越後平野
チューリップ
柏崎刈羽
原子力発電所
米菓
切り餅
国内産水稲
もち米100%
切り餅
栽培きのこ
清酒
大吟醸
純米

新潟県

●解析：あがの市民放射線測定室「あがのラボ」（新潟県）

原発立地県ゆえの手厚い監視体制と観測結果

新潟県では柏崎刈羽原発のモニタリング体制に加えて、福島第一原発事故に対応するための監視体制が強化されたため、福島原発事故で環境中に放出された人工放射性核種が県内にも飛来していた多くの証拠が残されている。原発立地県であるが故の監視体制である。

① 県内の空間放射線量率は、内陸部の南魚沼市で3月15日17時から降雨・降雪に伴って急上昇し、19時に最大値0.527 μSv/hを観測。福島県会津地方に隣接する阿賀町でも同日23時に最大値0.23 μSv/hを観察し、いずれも数日後には減少した(図1)。長岡市では20時～22時頃に僅かな上昇が観察されたが、新潟市、上越市、新発田市や柏崎刈羽原発周辺のモニタリングポストには際立った線量変化は観察されなかった。これらの放射線量の変化は、3月15日早朝の福島原発2号機破損による放射性プルームが到達したものによると考えられる。

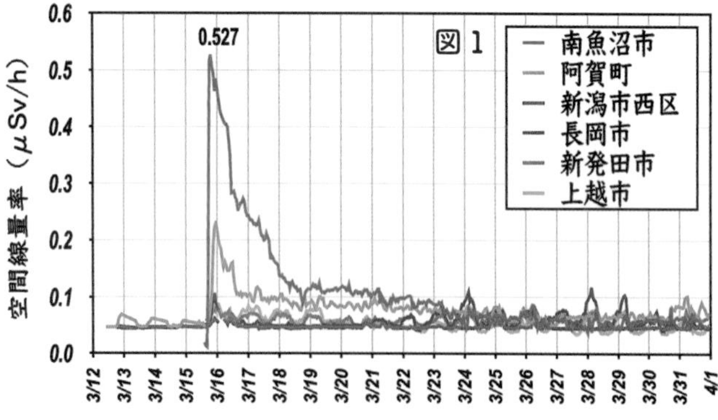

② 3月15日に南魚沼市で採取した大気浮遊じんと、4月18日～21日に阿賀町で採取した大気浮遊じんから多種の人工放射性核種を検出。その内訳をみると、放射性セシウム(Cs-137、Cs-134、Cs-136)よりも放射性ヨウ素(I-131、I-132、I-133)が少なくとも20倍以上含まれていた。空間線量に大きく寄与したのは短半減期のI-131、I-132、Te-132(テルル)などで放射性セシウムの寄与は小さかった。

③ 線量率変化が観察されなかった県設置のモニタリングステーション柏崎市街局と西山局、及び東京電力柏崎刈羽原発敷地内で採取した3月分大気浮遊じんからも微量の人工放射性核種が検出されている。

④ 新潟市西区、柏崎市、刈羽村で捕集された月間降下物から放射性セシウム(Cs-137、Cs-134)が検出されたが、3月より4月の降下物量が多く、その後も長期に渡って断続的に検出され続けた。上越市や離島の佐渡市の月間降下物からも放射性セシウムが微量検出された(図2)。2011年3月～12月の放射性セシウムの積算降下物量は、新潟市西区(104 Bq/m²)、刈羽村(80 Bq/m²)、柏崎市(56 Bq/m²)と少量であった。残念ながら最も人工放射性核種が降り注いだと考えられる内陸部の南魚沼市の降下物測定は実施されなかった。

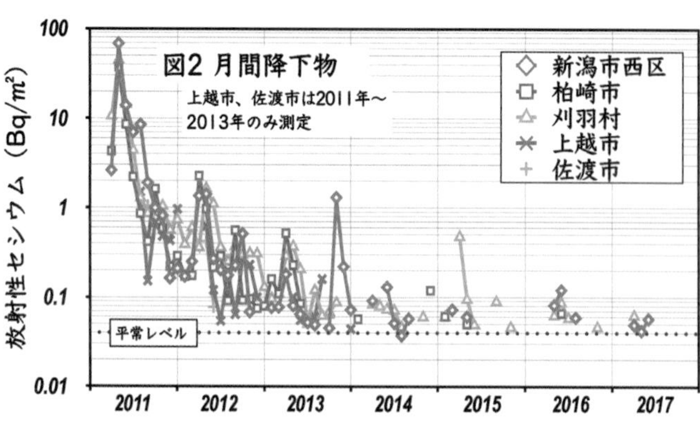

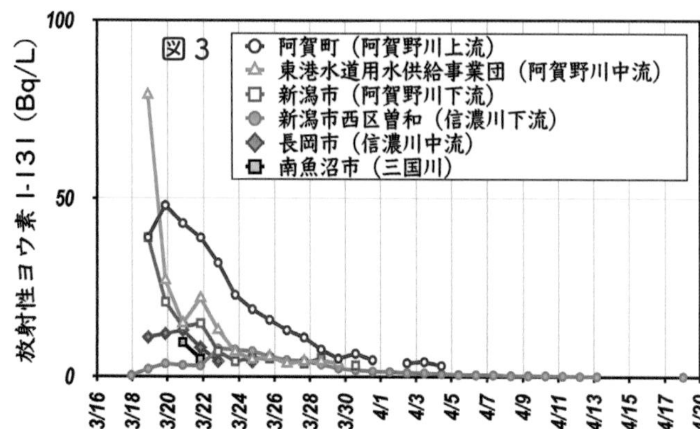

⑤ 阿賀野川水系と信濃川水系を原水とする水道水(蛇口水)から放射性ヨウ素(I-131)が検出されたため、浄水場では通常より多量の粉末活性炭を注入し放射性ヨウ素の吸着除去に努めたが4月初旬まで検出が続いた(図3)。大気中の放射性ヨウ素(I-131)は県設置の柏崎市街局、西山局、刈羽局のヨウ素モニターでは検出できなかったが、東京電力柏崎刈羽原発の全号機の排気筒ヨウ素モニターで3月24日以降に検出された(東電は福島原発事故の影響によるものと評価)。

放射性セシウムによる土壌汚染と食品汚染

① 県境は1千～2千m級の山に囲まれているため、地表近くを移動する放射性プルームが容易に超えられないと思われていたが、実際には県境をまたいで流れる荒川・阿賀野川・信濃川の標高の低い峡谷ルートを経由して移流し、雨や雪により地表(雪上)に降下したと考えられる。原発事故によるセシウム土壌汚染が明確に確認されたのは、魚沼地域(魚沼市、南魚沼市、十日町市、津南町、湯沢町)、阿賀町、関川村であった。セシウム沈着量の最大値は南魚沼市の約900 Bq/kg (2011年3月補正)であった。この時、放射性ヨウ素による地表への沈着も同時に発生し、大気中にはガス状の放射性ヨウ素も浮遊していたとみられる。

② 県内の海岸部・平野部では長期に渡り人工放射性核種による降下物が観察されたが、積算沈着量からの推定値では過去の大気圏内核実験やチェルノブイリ原発事故による土壌沈着量を変動させるほどの量ではなかった。プルームの直接飛来ではなく、人工放射性核種が上空にまで拡散し濃度が薄まった状態で大気団として繰り返し佐渡を含めた県内の広い範囲に到達していたと考えられる。

③ 河川を介した人工放射性核種の大規模な移動が発生していた。河川上流の流域で地表に降り注いだI-131やCs-137が河川に流れ込み、下流域にまで移動して2次的汚染を発生させる要因となった。特に、阿賀野川水系の汚染は顕著で、事故の数日後には放射性ヨウ素が水道水を汚染し(最大79 Bq/L)、浄水場において8,000 Bq/kg以上の放射性セシウムを含む浄水発生土(指定廃棄物)が大量発生した。

また、河川水を灌漑用水に利用している地域では、2011年春の取水の際にセシウム汚染泥を水田に流入させてしまった。さらに2011年7月に発生した新潟・福島豪雨の際には、川底堆積泥と福島県会津地方や流域の山地から新たに運搬された汚染泥で、阿賀野川下流域の河川敷に2次的土壌汚染が広がった。

④ 新潟県の68%を占める山林汚染の実態調査は進んでいないが、原発事故後、山菜・野生キノコ、それらを餌にするツキノワグマなどの検査から汚染が確認されている。クマ肉が佐渡市・粟島浦村を除く全県で「出荷制限」(基準値超え>100 Bq/kg)、コシアブラはセシウム土壌汚染が明確に確認された魚沼地域を中心に「出荷制限」が指示されている。近年では、野生キノコ・クマ肉のセシウム汚染は減少しているが、コシアブラには減少傾向が認められない(図4)。山林内では、樹木と土壌との間にセシウム循環があるため減少速度が遅いと考えられている。

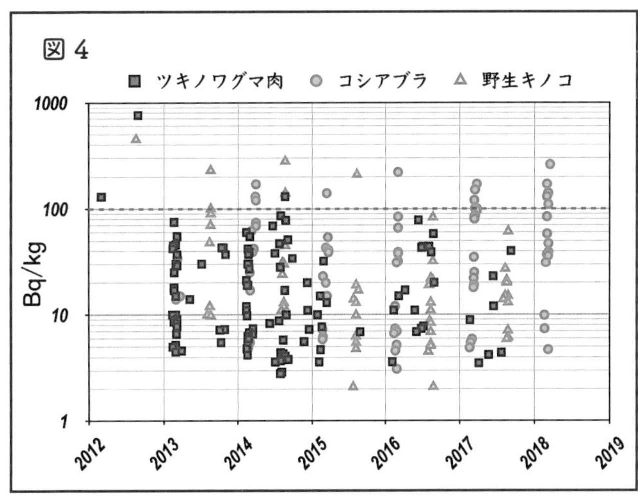

出典

図1：新潟県放射線監視センター2011年報（新潟県放射線監視センター）
図2：福島第一原子力発電所事故に伴う新潟県内の放射線等の監視結果（新潟県）
図3：平成22年度柏崎刈羽原子力発電所周辺監視調査結果（東京電力・新潟県）
図4：第53回環境放射能調査研究成果論文抄録集（文部科学省）

山梨県（やまなしけん）

●山梨県の測定地点数　110地点
●中央値　31.8 Bq/kg

2011年当時の基本データ

【面積】4,465.40km²　【人口】863,075人
【人口密度】193.3人/km²
【事故当時18歳以下の子どもの数・割合】
152,031人（17.6%）

地形の特徴

●周囲を急峻な山々に囲まれている。北東部には秩父山塊、西部に3,000メートル級の山々からなる赤石山脈（南アルプス）、南部には日本一の高峰富士山（3,776メートル）、そして北部には八ヶ岳、茅ヶ岳が広い裾野をひいている。●県内の河川流域は、これらの山地から流下する富士川水系、相模川水系、多摩川水系の3つの一級水系と、本栖湖をはじめとする3つの二級水系に大別される。県内の代表的湖沼に富士五湖がある。

土質の傾向

●山岳地域は各種岩盤類などで形成された基盤を成す。低山地や山麓部では火山灰に由来する黒ボク土や森林性有機質土、火山礫や軽石などが被覆する。●低地は河川によりもたらされる土砂を主体とし、火山性の砂や砂礫、砂質シルトなどを混在する。

特産物

●全域で国内ワインの約3割を生産。生産量日本一のぶどう。桃、すもも、さくらんぼ、柿。●甲府盆地の平坦地で、なす、スイートコーン、トマト、きゅうり。●八ヶ岳南麓や富士北麓の高冷地で、トマト、きゅうり、キャベツ。●ミネラルウォーターの生産量は日本の40%を占める。

事故当時の気象データ

【3/15】降雨なし、南西の風1.9m、曇り。
【3/20】降雨あり3mm、気圧の尾根通過、南西の風1.5m、曇り一時雨。
【3/21】降雨あり25mm、気圧の尾根通過、北西の風1.4m 雨一時曇り。
【3/22】降雨あり15mm、気圧の谷南岸低気圧通過、南東の風1.5m、曇り時々雨。
【3/23】降雨あり7mm、日本海低気圧通過、北西の風8.4m、曇り一時雨。

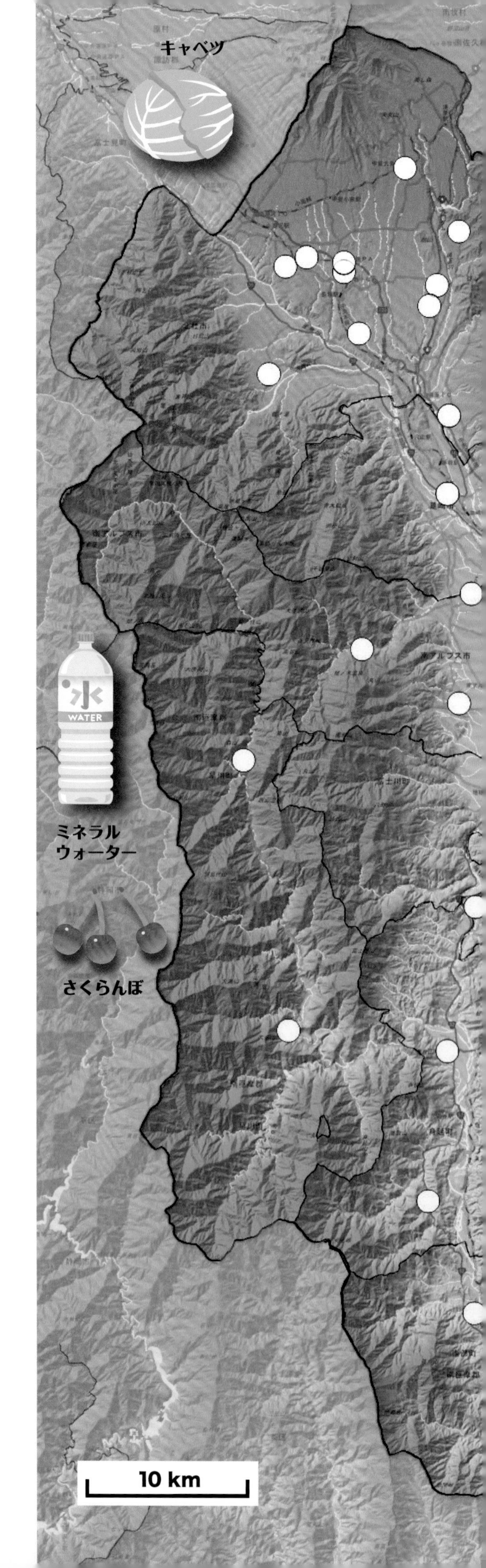

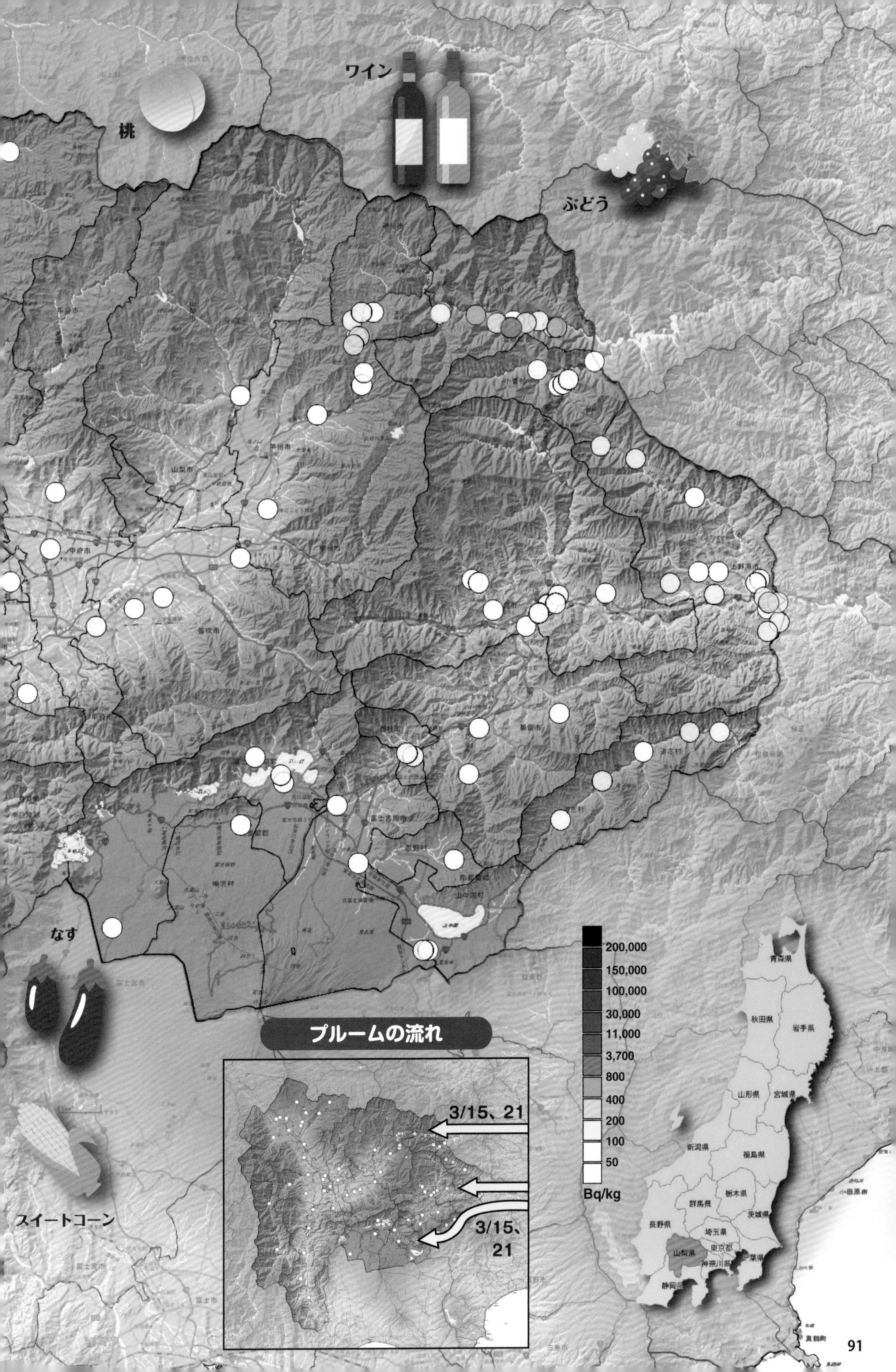
ワイン
桃
ぶどう
なす
スイートコーン
プルームの流れ
3/15、21
3/15、
21
200,000
150,000
100,000
30,000
11,000
3,700
800
400
200
100
50
Bq/kg
青森県
秋田県
岩手県
山形県
宮城県
新潟県
福島県
群馬県
栃木県
長野県
茨城県
埼玉県
山梨県
東京都
千葉県
神奈川県
静岡県

山梨県

● 解析：町田放射能市民測定室はかるーむ（東京都）

みんなのデータサイトによる山梨県の測定地点数は110地点である。北東部の県境に近く、南北を高い山脈に挟まれた谷で、県内では最も高い汚染がみられる。最大値は2011年3月換算値で、丹波山村のCs-137が440 Bq/kg、Cs-134が414 Bq/kg、合算値が854 Bq/kgであった（2018年現在では、407 Bq/kg）。甲府盆地を中心とする他の県域の汚染はおおむね50 Bq/kg以下と軽微であった。県域の周囲を囲う屏風のように並ぶ山岳地帯が甲府盆地を守ったと推定される（図1）。

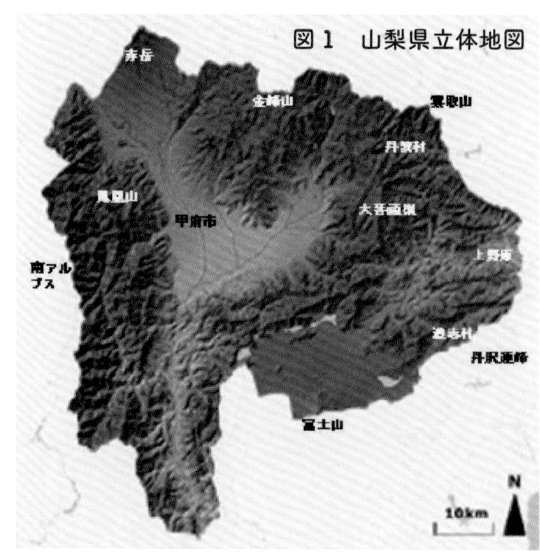

図1　山梨県立体地図

放射性降下物量からわかったこと

原発事故当時に甲府市（山梨県衛生環境研究所）に設置されていたモニタリングポストには明確な空間線量率の変化は認められていないが、同地点で観測された日間放射性降下物量から甲府盆地にも影響があったことが記録されている（図2）。3月18日〜24日に放射性降下物量が増加し最大値は23〜24日に観測されたI-131の540 Bq/㎡であった。3月18〜31日の積算降下物量では、セシウム合算値（Cs-137＋Cs-134）で202 Bq/㎡、I-131（1,133 Bq/㎡）と放射性セシウムに比べ5.6倍の放射性ヨウ素が地表に降下している。

さらに、同じ地点で観測された3月分の月間降下物量では、セシウム合算値が340 Bq/㎡なので3月17日以前（おそらく15〜16日）に138 Bq/㎡と約40％降下したと推定できる。半減期の短いI-131では降下物捕集装置の中で減衰が進むため同様の見積もりはできないが、18日以後のプルームとそれ以前のプルームにおける核種組成を同じと仮定して、セシウム合算値とI-131との比率5.6から推定すると、15〜16日のI-131降下物量は、773 Bq/㎡となり、3月15〜31日までのI-131の全降下量は1,900 Bq/㎡と推定される。

また、3月14〜31日の山梨県各地の日降水量（図3）を見ると、21〜24日に降雨があり、2度目のプルーム

図2　山梨県甲府市の日間放射性降下物推移（Bq/㎡）

凡例：Cs-137、Cs-134、I-131

図3　山梨県の降水量（2011年3月14〜30日）（mm/日）

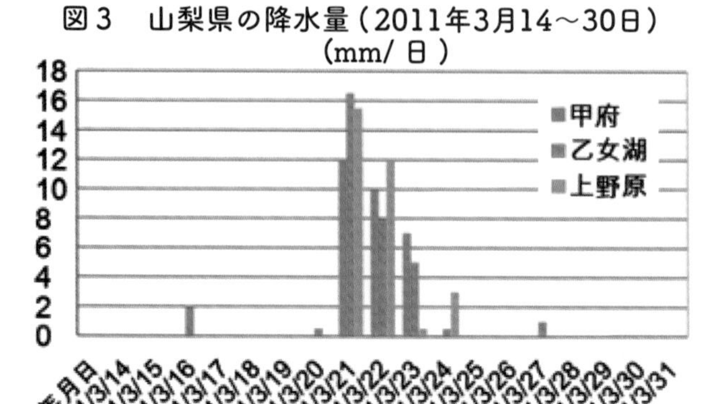

凡例：甲府、乙女湖、上野原

通過では、湿性沈着が起きたことがわかる。一方、14～15日には甲府市では雨は降っていない。つまり湿性沈着ではなかったことになる。乾性沈着では湿性沈着の10分の1程度しか降下沈着しないとされているので、この時のプルームの放射能濃度はかなり高かったと思われる。甲府盆地は汚染が軽微で良かったが、この時のプルームを市民は呼吸によって吸飲摂取したことになることを知っておきたい。

山梨県全般の土壌汚染について

汚染マップを見れば、山梨県における相対的な汚染域は、すでに述べた北東部の丹波山村と東部の上野原市(濃黄色：200～400 Bq/kg)であり、道志村(黄色：100～200 Bq/kg)にもわずかに高いところがある。いずれも東側が開いた谷である。放射性プルームは東京および神奈川県方面から、谷沿いに西に進んだものと思われる。2011年の丹波山村のセシウム合算値は、チェルノブイリ法汚染区分で、一定の補償がされるCs-137が3万7千Bq/㎡(約600 Bq/kg)以上の地点に該当する。但し、2018年現在では、そのレベルを下回っている。

丹波山村は青梅から奥多摩湖を経て東に走る谷底に位置していて、南の大菩薩嶺と北側の東京都・雲取山に挟まれている。青梅方面の汚染は丹波山村よりもむしろ低いが、谷を西進するうちに高度が上がり、霧などによって湿性沈着した可能性が高い。降水量を見ても、甲府盆地はまったく降っていないが、乙女湖で16日に2mmの降水があった。上野原市の場合は神奈川県から津久井湖、相模湖などのダム湖をようする相模川を伝ってプルームが西進したものと考えられる。

福島第一原発事故以前から存在するCs-137

福島事故由来の放射性物質に含まれるCs-137とCs-134は、事故直後は存在比が1：1であった。しかし、この二つの核種の半減期が30年と2年と大きく異なっているために、事故後の時間の経過とともに比率はどんどん変化しており、2018年7月時点では1：0.1となっている。土壌放射能測定時の比率は両核種の半減期による減衰計算値から単純に計算できる。その比率に対して、実際の土壌測定値から計算されたCs-137/Cs-134比が大きくずれていて、Cs-137の値がこの比率より大きければ、その試料には福島事故以前から残留していた大気圏内核実験やチェルノブイリ原発事故由来のCs-137が含有されていたと考えられる。

当測定室の放射能測定器はNaIシンチレーションカウンター・EMF211である。これを購入したEMFジャパンの協力を得て、甲府盆地の土壌試料についてゲルマニウム半導体核種分析装置(以下、ゲルマ)で精密測定を行なった。その結果、甲府盆地から長野県諏訪湖に至る地域で僅かに検出されているCs-137の大半は、福島事故以前から存在したものであり福島原発事故による追加は少なかったと判断された(ゲルマによるCs-137：Cs-134＝20：1以下であり原発事故による放射性セシウム加算分は最大で20%と推定)。

この様に、数十年間人が手を加えなかった場所に福島事故以前の放射性物質が残留していた。この事について政府や自治体の研究機関は把握していたが人々に積極的に知らせてはこなかった。今回の福島事故に由来する放射性物質については、同じ轍を踏まず、土壌や食品、山菜、キノコ、ジビエなどについて監視のため測定を続けていかなければならない。政府や自治体がそれを怠らないように、私たち市民放射能測定室による監視と警鐘を継続していかなければならないと考える。

出典

図1：山梨県立体地図(ウィキメディアプロジェクトより、Batholith氏作成の画像を用いて作成)
図2：原子力規制委員会・放射線モニタリング情報・環境放射能水準調査結果(定時降下物)
図3：気象庁HP・各種データ資料・過去の気象データ検索

●長野県の測定地点数　107地点
●中央値　4.7 Bq/kg

2011年当時の基本データ

【面積】13,562.20㎢　【人口】2,152,449人
【人口密度】158.7人/㎢
【事故当時18歳以下の子どもの数・割合】
379,799人（17.6%）

地形の特徴

●周囲を8つの県と接した海岸線を持たない内陸県。県境に標高2,000～3,000m級の北アルプス・南アルプスの山岳が連なり、内部にも中央アルプスが重なりあう急峻で複雑な地形からなる。●長野県歌にも登場する四つの平（松本・伊那・佐久・長野盆地）に加えて、上田盆地、諏訪盆地、木曽谷から成り立っている。●大半は内陸性気候であるが、長野盆地などの北部は日本海側の気候を示す。

土質の傾向

●県内の大部分を占める山地部では、各種岩盤類や礫層に風化した土砂が被覆した、森林土壌が分布している。●千曲川等の河川沿いに発達する氾濫原や盆地部には、砂質土・粘土を主体とする低地土壌が分布。●飯縄山や浅間連山などの上信越高原、八ヶ岳周辺、安曇野の西部、伊那谷の天竜川沿い、御岳山麓などには火山灰由来の黒ボク土が分布している。

特産物

●信州のコシヒカリ、五平餅、蕎麦、りんご、巨峰、桃、ネクタリン、黄金しゃも。●高標高地帯である南佐久、北佐久、松本地方でレタス、サニーレタス、グリーンリーフレタス、ロメインレタス。●北アルプス山麓のわさび。エノキタケ・ぶなしめじ、なめこ、エリンギ等の菌床栽培きのこ生産ではトップクラス(全域)。

事故当時の気象データ

【3/11】震災時には降雨は殆ど認められない。
【3/15～18 および 3/20～22】低気圧が相次いで通過して、北信地域でまとまった降雨・降雪が認められた。

200,000
150,000
100,000
30,000
11,000
3,700
800
400
200
100
50
Bq/kg

青森県
秋田県
岩手県
山形県
宮城県
新潟県
福島県
群馬県
栃木県
茨城県
長野県
埼玉県
山梨県
東京都
千葉県
神奈川県
静岡県

プルームの流れ

3/15

10 km

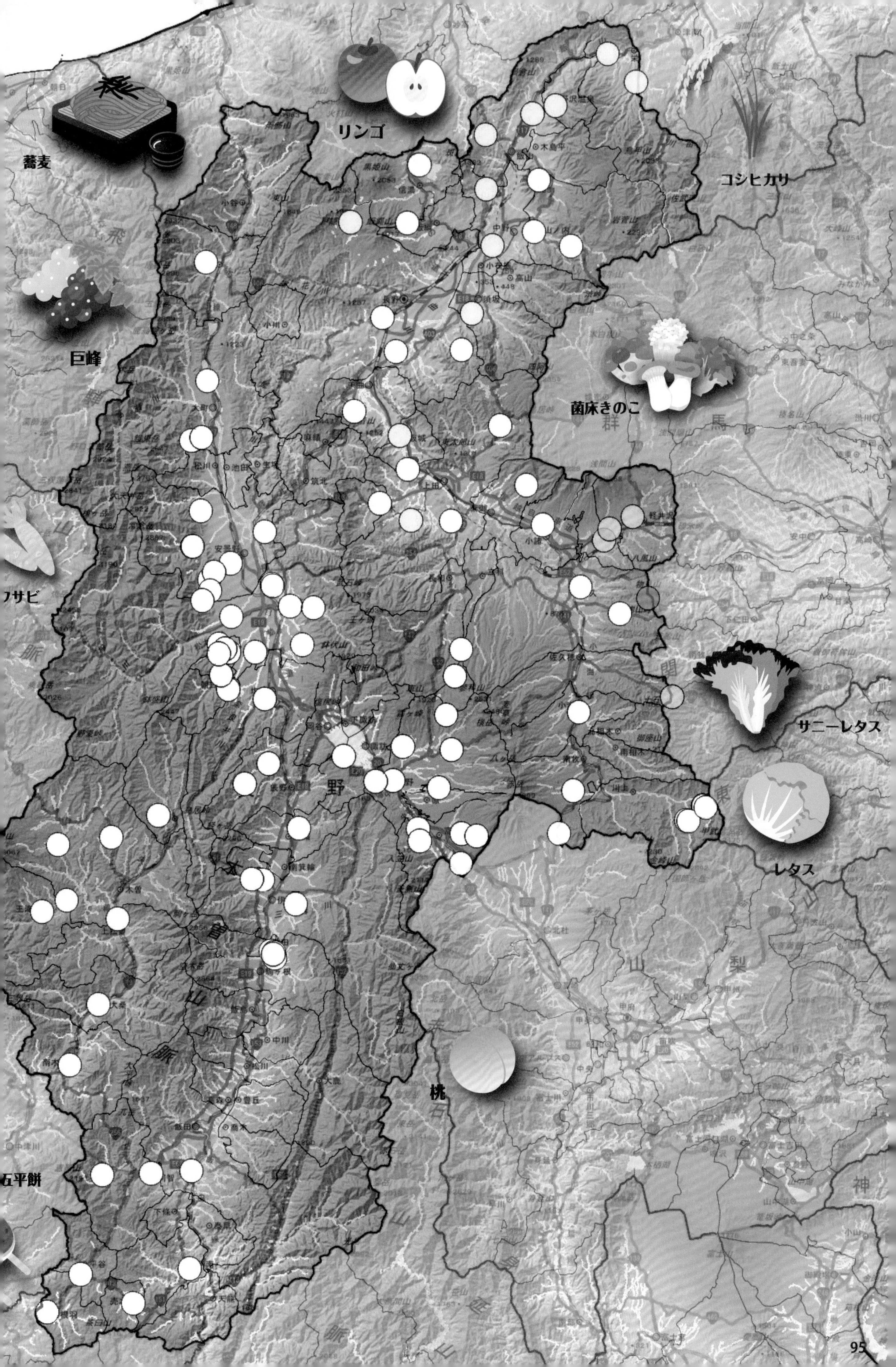
蕎麦
リンゴ
コシヒカリ
巨峰
菌床きのこ
ワサビ
サニーレタス
レタス
桃
五平餅

長野県

●解析：あがの市民放射線測定室「あがのラボ」（新潟県）

放射線等のモニタリング状況と監視結果

福島第一原発事故当時に長野県内に設置されていたモニタリングポストは1台のみであった。長野市にある長野県環境保全研究所の屋上（地上15mの高さ）に設置されているモニタリングポストで、3月15日の22時に急激な変化が観察された。観測点近傍のアメダスデータでは15日夕方から16日午前の間に降水が観測されているので、降雨に伴い人工放射性核種の湿性沈着が発生したと考えられる（最大値0.107 μSv/h）。空間線量率は緩やかに減少し8日後には最大値の約半分にまで減少、その後、平常時より若干高いレベルのままで推移した（図1）。

長野県環境保全研究所で採取された2011年3月分の「月間降下物」からは、福島事故による多くの人工放射性核種が検出されている。月間降下物中の主たる核種はI-131 (1,700 Bq/㎡)、Cs-134 (1,200 Bq/㎡)、Cs-137 (1,200 Bq/㎡)で、4月以降は急激に減少した。2011年3月～12月までの積算降下物の約95％を3月分の月間降下物が占めている。

空間線量率に急激な変化が観察された3日後（3月18日）から捕集した「日間降下物」データからは、3月18日～21日の間には検出されず、22日にI-131（190 Bq/㎡）、25日にCs-137（5.4 Bq/㎡）が僅かに検出されたのみであった。

長野市で観察された空間線量率上昇は、雨により地表に沈着したI-131と放射性セシウム（Cs-134+Cs-137）の寄与によるものだが、これらの観測結果は、大部分の沈着が3月15日～17日の間に完結していたことを意味している。空間線量率が、8日後には最大値の約半分程度まで減少して、その後も緩やかに減少し平常値より僅かに高いレベルに落ち着いていることから、放射性セシウムよりI-131の空間線量率への寄与が大きかったと考えられる。

図1　長野市の空間線量と降雨

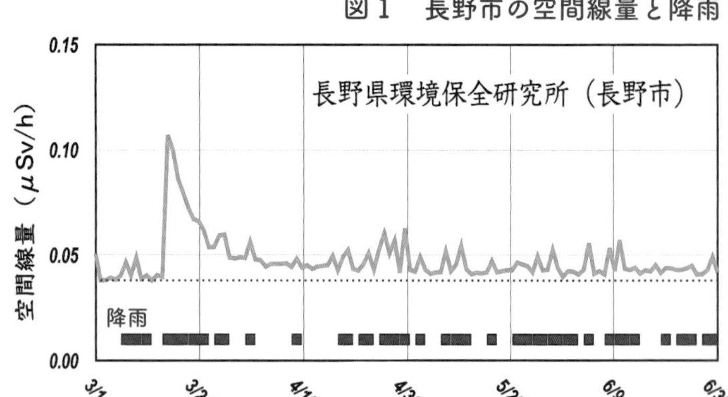

長野県環境保全研究所のモニタリングポストは地上15mの高さに設置されているので、その観測値を用いて外部被ばく線量を推定することはできないが、人工放射性核種が沈着後の地表1m 高では、空間線量率は遥かに高かったと考えられる。また、「月間降下物」は捕集期間内や捕集後の試料調製までの時間内にI-131などの短半減期核種が減衰してしまうので、得られたI-131の降下物量は過小評価されている。I-131の約半分はガス状で浮遊しているので、呼気による吸引被ばくを評価するには粒子状ヨウ素と活性炭フィルターを用いた気体状ヨウ素の分別定量が必要とされるが、大気浮遊じんからは人工放射性核種は検出されなかった。関東圏の多くの都市では水道水中にI-131やCs-137が検出され経口摂取による内部被ばくが憂慮されたが、幸い長野市の水道蛇口水からはI-131や放射性セシウムは検出されていない（文献1）。

セシウムによる土壌汚染

長野県内の放射性セシウムによる土壌汚染に関しては、文部科学省の航空機モニタリングから当初は東信地域のみに汚染が広がっているとされたが、長野県が実施した土壌調査、信州大学のグループによる調査、加えて我々の「東日本土壌ベクレル測定プロジェクト」の調査から東信地域（佐久・上小）のみではなく、長野・北信地域にも比較的高い土壌汚染が存在することが明らかとなった。

3月15日早朝の福島第一原発2号機からの放射性プルー

ム（放射能雲）が南下し、その後に東風により内陸部に入り、午前中に埼玉県に到達、昼過ぎには群馬県全域に広がった。県境の山岳地帯でプルームの行く手が遮られたが、長野県の群馬県境付近で標高の比較的低い軽井沢地域から佐久地域に流入し、上田盆地を経て北上し、3月15日の夕方から夜にかけて北信地域に滞留したと考えられている。北信地域は3月14日までに日照時間が増えて気温が上昇していたが、15日に北から寒気が流入して地表付近には逆転層が形成されていたと考えられるため、容易に拡散せずに長野盆地でしばしば発生する雲海のように低い高度に滞留していたと推測できる。この時のプルームが到達できた標高は長野市の飯縄山の標高別汚染調査から、せいぜい1,000 m程度であったと推定されている（文献2）。

土壌汚染と野生キノコ・山菜汚染

土壌汚染が確認された長野・北信地域、東信地域ではコシアブラ、野生キノコに基準値を越える放射性セシウムが検出されている（図2）。コシアブラは東信の軽井沢町に加え長野・北信地域の長野市・中野市・木島平村・野沢温泉村で出荷制限が指示されており、最大680 Bq/kg（軽井沢町2015年）が検出された。野生キノコでは、2013年に佐久市産チャナメツムタケから最大2,900 Bq/kgが検出され、軽井沢・佐久地域の限られた範囲で出荷制限が指示されている。野生キノコの中で高濃度放射性セシウムが検出されているのはカラマツ・マツなどの針葉樹林内に生えるチャナメツムタケ、ショウゲンジ、ハナイグチ、キノボリイグチ、シモフリシメジ等に多く（文献3）、軽井沢・佐久地域のカラマツ林の分布と出荷制限指示地域が一致する。針葉樹林では広葉樹林より葉の形状の違いにより霧水沈着（空気中の水蒸気が葉に接触して結露する現象）が発生しやすく、特に落葉針葉樹のカラマツ林では林内土壌の放射性セシウム汚染が落葉に伴って促進されたと考えられる。

福島事故によってCs-137とCs-134は、ほぼ等量放出されたとされているが、軽井沢・佐久地域の野生キノコの放射性セシウム比（Cs134/Cs137）はR=1の点線にのらず、Cs-137過剰を示している（図3）。福島事故前からこの地域で大気圏内核実験などによってCs-137の土壌沈着が発生し蓄積していた可能性がある。

図2 コシアブラ・野生キノコ中の放射性セシウム経年変化

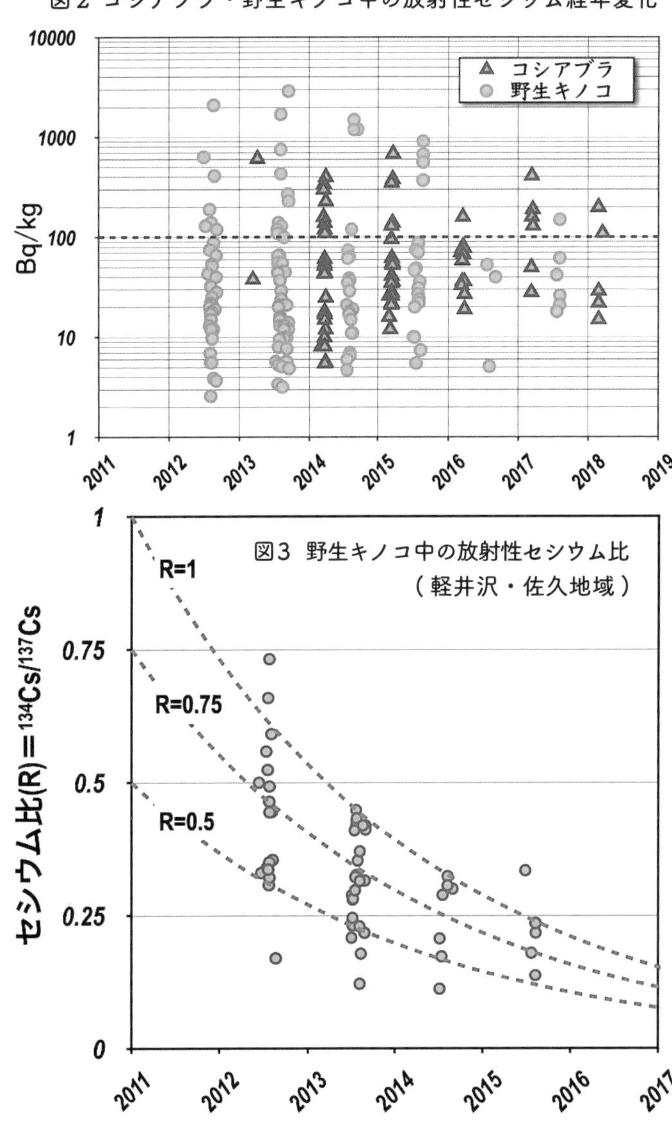

図3 野生キノコ中の放射性セシウム比（軽井沢・佐久地域）

出典

図1：長野市におけるモニタリングポストによる空間放射線量の測定結果（長野県）・気象庁気象データより著者作成 http://www.pref.nagano.lg.jp/kankyo/kurashi/shobo/genshiryoku/hoshasen/kennai/nagano.html
図2：厚労省「食品中の放射性物質検査データ」より著者作成　http://www.radioactivity-db.info
図3：厚労省「食品中の放射性物質検査データ」より著者作成　http://www.radioactivity-db.info
文献1：第53回環境放射能調査研究成果論文抄録集（文部科学省）
文献2：長野県における放射性セシウムの降下量調査（長野県環境保全研究所研究報告2013）
文献3：長野県における野生キノコの放射性セシウム濃度（長野県環境保全研究所研究報告2014）

●静岡県の測定地点数　121地点
●中央値　15.1 Bq/kg

2011年当時の基本データ

【面積】7,780.40㎢　【人口】3,765,007人
【人口密度】483.9人/㎢
【事故当時18歳以下の子どもの数・割合】
653,126人（17.3%）

地形の特徴

●本州太平洋沿岸部のほぼ中央に位置し、太平洋岸沿いの東に伊豆半島、駿河灘で中央に至り、御前崎より遠州灘を経て西端に浜名湖を有する。●内陸部は、標高3,776mの富士山が伊豆半島に延び、富士川が裾野を南東に流れる。●日本の中央構造線を形成する赤石山脈からは、安倍川、大井川、天竜川が海岸線に向かって南下する。●地質構造や地形的特徴から大井川と富士川を境に、西部、中部、東部の3つに区分される。

土質の傾向

●県の大部分を占める山地には粘性土や風化土砂が被覆する。低地は主要河川の下流域に発達する扇状地と扇状地周囲や河口、沿岸域に分布する三角州性低地となっており、扇状地では砂質土と粘性土が互層になった砂礫層が主体である。

特産物

●牧之原地区、川根地区、本山地区、中遠地区でお茶。全域で温州ミカン、生シイタケ（原木栽培）●浜松市のグレープフルーツ。袋井市、森町、磐田市、掛川市、浜松市でメロン。静岡市、伊豆の国市、御前崎市、掛川市でいちご●伊豆半島、南アルプスに水源を持つ県中部地域、富士山の湧き水がある御殿場市や小山町でワサビ。中遠地域、西部地域で芽キャベツ、タアサイ。久能地区で葉ショウガ。浜松市、藤枝市でルッコラ。中部地域で紫蘇●焼津市、御前崎市でマグロ、カツオ。駿河湾でマアジ(養殖桜)、エビ。

事故当時の気象データ

【3/15】西の風で、降雨なし。
【3/20】西南西の風で、夕方に降雨あり。
【3/21】南南西の風で、夕方以降に降雨あり。
【3/22】北北東の風で、午前中に降雨あり。

200,000
150,000
100,000
30,000
11,000
3,700
800
400
200
100
50
Bq/kg

グレープフルーツ
メロン
うなぎ

プルームの流れ
3/15
3/21
～22
10 km
山
梨
富士山
温州みかん
ワサビ
石
山
赤
脈
静
岡
駿
河
湾
伊
豆
半
島
マアジ
生シイタケ
カツオ
お茶
原子力発電所
マグロ

静岡県

●解析：未来につなげる・東海ネット
市民放射能測定センター（C-ラボ）（愛知県）

静岡県の放射能汚染は県全体でみると、17都県の中では比較的軽微であったものの、伊豆半島東岸でやや高濃度の汚染がみられた。また、全国一の生産量を誇るお茶で基準値超えが出てかなりの打撃を受けた。

放射性プルームの挙動と降下物量からみえる東部と西部の違い

静岡市葵区で観測された（静岡県環境放射線監視センター測定）空間放射線量率で、3月15日昼頃と3月21日夕刻から22日午前中まで小さなピークが観測されている。UNSCEARのシミュレーション結果や、御前崎市で18日から連続観測されていた日間放射性降下物量（図1）からは、静岡県西部に放射性プルームが到達したのは、3月21～22日だと考えられる。3月18日～4月1日までの合計で、I-131が360 Bq/㎡、Cs-134が122 Bq/㎡、Cs-137が122 Bq/㎡である。一方、静岡市で観測された3月分の月間降下物量は、I-131が1,100 Bq/㎡、Cs-134が550 Bq/㎡、Cs-137が540 Bq/㎡であった。降下物捕集容器の中で半減期8日のI-131は減衰しているので、3号機と4号機が爆発した14～15日に遡って減衰補正をすると、I-131の降下量は約4,500 Bq/㎡だったことになり、御前崎市と比べると、1ケタ高い。

この観測点から800mほどの距離にある静岡市葵区大岩町の2018年時点での土壌中放射能はセシウム合算値で7 Bq/kgであり、2011年3月に遡って減衰補正すると、17 Bq/kgであった。土壌の比重を1.3と仮定すれば、1,100 Bq/㎡であり、月間降下物量とよく一致している。3月15日にも降下物は存在したはずであるが、後述するように晴天が続いていて湿性沈着がなかったために、降下物量としては少なかったと考えられる。

静岡県土壌マップを見ると、伊豆半島東岸の熱海市と伊東市に汚染域が集中している。濃黄色（200～400Bq/kg）が3地点、橙色（400~800 Bq/kg）が5地点、赤橙（800～3,700 Bq/kg）が1地点（1,130

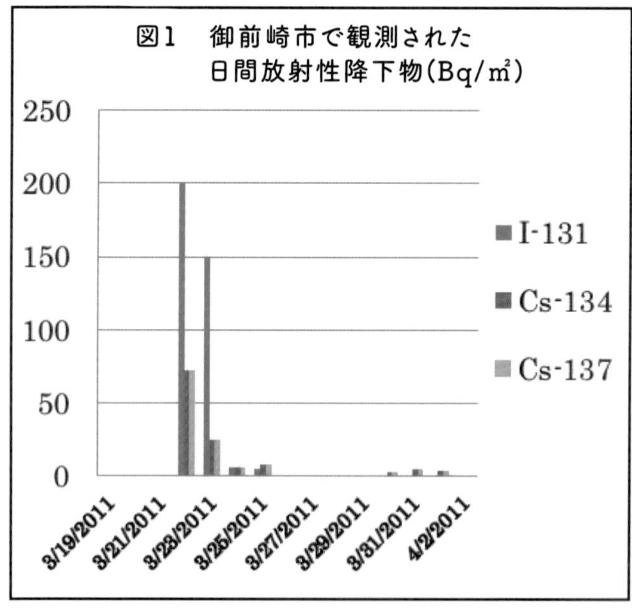

図1　御前崎市で観測された日間放射性降下物（Bq/㎡）

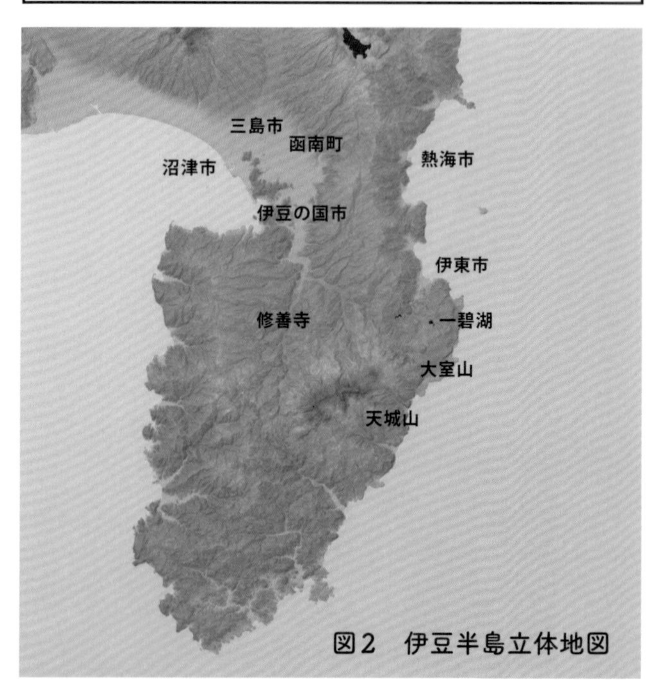

図2　伊豆半島立体地図

Bq/kg）ある。最高濃度地点の1,130Bq/kgは73,500 Bq/㎡だったことになる。チェルノブイリ法では社会保障などの恩恵があるゾーン（37,000 Bq/㎡以上）である。橙色の5地点もほぼそれに該当する汚染である。この地点では静岡市の約80倍もの放射能が降下したことになる。

放射能汚染は東からやってきたプルームが箱根から天城山まで連なる山脈に遮られて東側に降下沈着したものと考えられる。伊豆半島東岸南部の稲取では3月11日から19日まで降水はなく、21日に28.5ミリ、22日に11ミリの降水があった。修善寺や伊豆の国市で濃黄色（200～400 Bq/kg）が3地点あるのは、この山脈の標高が低くなっている伊東市西部でプルームの一部が西側へと流れ込んだ結果であろう（図2地形図参照）。

深刻だったお茶の汚染

静岡県が2011年5月に発表した生葉と飲用茶22検体で、当時の基準（セシウム合算値で500 Bq/kg）を超えたものはなかったが、7検体が100 Bq/kgを超え、最高は伊豆市の379 Bq/kgであった。6月発表の一番茶19検体でも、すべての検体が100 Bq/kgを超え、最高値は金谷市の385 Bq/kgであった。浜松茶で265 Bq/kg、川根茶で350 Bq/kg、牧之原茶で272 Bq/kgなど静岡県西部でも高濃度が出た。500 Bq/kg超はなかったものの深刻な事態であった。さらに、製茶工場の自主検査で500 Bq/kg超が出て、県の追加測定のあと出荷停止措置が取られた。しかし、2番茶と秋冬番茶39検体では、伊豆市産で123 Bq/kgだった以外は、すべてが100 Bq/kg以下となった。

一番茶でかなりの汚染が見られたのは、茶葉の表面が直接に放射能を沈着させたためであろうと考えられる。土壌はさほど汚染していなかったために、2番茶以降では急速に茶葉の汚染が低下したのであろう。同様のことが西隣の愛知県でも起きている。しかし、その後も静岡茶から放射能がまったく検出されなくなったわけではない。2012年産では数十Bq/kgの検出が続き、2017年でさえも香典返しの静岡茶から10 Bq/kgが検出されている。

図3　茶の放射性セシウム〔検出率39% (120/311)〕

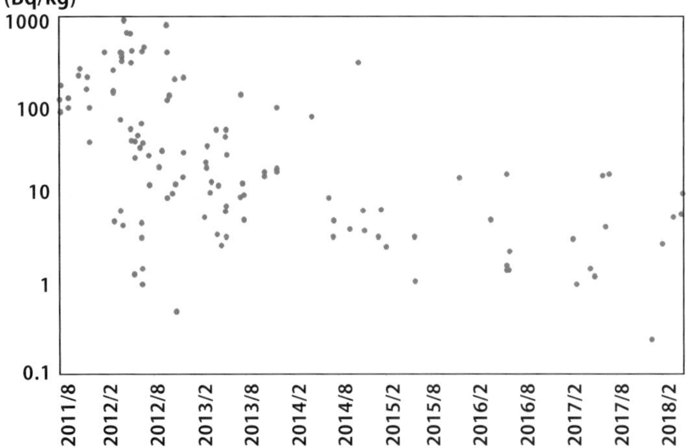

図3のデータサイトによる2018年5月までの全国の茶葉の経年的濃度推移では、1,000 Bq/kgにおよぶ値が検出されていることにも注目したい。

お茶については、第2章の「深掘り！測定室eyes 静岡県および隣県のお茶の汚染について」でも詳述する。

その他の食品汚染

富士山麓の御殿場市、小山町では2012年に野生キノコに出荷制限がかけられた。2013年には富士宮市、富士市が、2014年には裾野市にも同様の措置がなされた。2014年産野生キノコの静岡県による測定結果を図3に示す。福島原発事故由来の放射能だけであれば、事故時まで遡って減衰補正計算をすれば、Cs-134/137比は1になるはずであるが、0.36～0.79である。この事については、キノコの汚染解析のページで詳述するように、過去の大気圏内核実験やチェルノブイリ事故由来のCs-137の存在を示唆している。

いずれにしても、伊豆半島東岸および中伊豆中部においては、野生のキノコ、野草、山菜、イノシシやシカなどのジビエ類、淡水魚については、放射能濃度を測ってから食べる必要がある。栃木県や岩手県など他県で、土壌中放射能が数百Bq/kg程度であっても、これらの食品から100 Bq/kg超の放射能が検出されているからである。

図4　富士山東麓のキノコの放射能汚染(2014年9月採取分)

キノコ名	採取自治体名	Cs-134	Cs-137	Cs 合算値	Cs-134/137 比	2011 年 3 月の Cs-134/137 比
ハナイグチ	御殿場市	18.5	94.7	113	0.20	0.58
シロヌメリイグチ	富士市	12.4	104	116	0.12	0.36
ハナイグチ	富士市	52.8	308	361	0.17	0.51
キハツタケ	裾野市	68.1	258	326	0.26	0.79
アカモミタケ	裾野市	48.4	194	242	0.25	0.75

事故後に行われた大室山の野焼き

大室山は伊東市の観光スポットである。標高580m、スコリア丘型の火山であり、国の天然記念物に指定されている。静岡県で汚染が最もひどかった地域であるが、2012年2月、700年前からの伝統行事として山焼きが強行された。このような地域で、事故後1年もたたないうちに大規模な野焼きが行なわれたのはまったく残念かつ、心配なことである。植物体に沈着した放射能がガスや微粒子となって空中に舞いあがった懸念があるが、当時、放射能の観測は実施されなかったようである。

伊東市 大室山

大室山の野焼きの風景

出典

図1:静岡県危機管理部原子力安全対策課「東京電力/福島第一原子力発電所の緊急事態に伴う静岡県内の環境放射線測定結果」(平成23年9月)より著者作図。
図2:ウィキメディアプロジェクトより、Batholith氏作成の画像を使用して著者作図。
図3:みんなのデータサイト・食品データによる解析。
図4:静岡県経済産業部農林業振興課「原子力災害対策特別措置法に基づく「野生きのこ」の出荷制限指示について(2014年10月7日)。

●食品中の放射性物質検査データ(検索サイト)
http://www.radioactivity-db.info/

●東日本大震災に関する情報(サイト集/農林水産省)
検索「東日本大震災に関する情報」
http://www.maff.go.jp/j/kanbo/joho/saigai/

●関係府省等へのポータルサイト 検索「福島第一 農林水産物」
http://www.maff.go.jp/noutiku_eikyo/

●農産物に含まれる放射性セシウム濃度の検査結果(農林水産省)
検索「農産物に含まれる放射性セシウム濃度の検査結果」
http://www.maff.go.jp/j/kanbo/joho/saigai/s_chosa/

●【厚労省】東日本大震災関連情報、食品中の放射性物質に関する情報ページ
https://www.mhlw.go.jp/shinsai_jouhou/shokuhin.html

●【水産庁】東京電力福島第一原子力発電所事故による水産物への影響と対応について
http://www.jfa.maff.go.jp/j/koho/saigai/index.htm

●食品と放射能　原子力規制庁の委託により公益財団法人日本分析センターが運営・管理
http://search.kankyo-hoshano.go.jp/food/servlet/food_in

お役立ちサイト・URL情報

※本書籍中に紹介ページがあるものは省いています。

みんなのデータサイトが情報として活用・推薦するウェブサイトの情報をまとめました！

市民団体による放射能の情報を知る

乳歯保存ネットワーク

http://www.hahainc.jp/

原発事故で飛散した「ストロンチウム90」による内部被ばくを、抜けた乳歯を測定することで調べるプロジェクト。乳歯募集中。

原子力資料情報室

CNIC 原子力資料情報室 Citizens' Nuclear Information Center

http://www.cnic.jp/

1975年設立。市井の立場から放射能の危険性について情報発信を続ける老舗団体。高木仁三郎氏が一時代を築いた。

原子力教育を考える会

nuketext.org よくわかる原子力

http://www.nuketext.org/

学校で行なわれる「原子力教育」の問題点を指摘。子どもたちが読んでわかる原子力の初歩を紹介。

ふくいち周辺環境放射線モニタリングプロジェクト

http://www.f1-monitoring-project.jp/

南相馬市、飯舘村、伊達市、富岡町、楢葉町など「ふくいち」周辺の最も高濃度の土壌汚染を測定・公開している。

認定NPO法人いわき放射能市民測定室たらちね

https://tarachineiwaki.org/

2014年にβ線測定ができる設備を導入、ストロンチウム測定開始。2017年、初の放射能測定室併設型「たらちねクリニック」を開設。

メディア情報を活用する

アワプラネットTV

http://www.ourplanet-tv.org/

非営利独立メディア。2013年から毎年「福島映像祭」を開催。

ママレボ

http://momsrevo.blogspot.com/

高線量地域の情報や、「子どもたちを守ろう！」と全国で立ち上がったママたちの活動を伝える冊子。

レベル7

https://level7online.jp/

東京電力福島第一原発事故の事実を伝えるサイト。6人のジャーナリストが取材に基づいて執筆を担当。

3.11 子ども全国ネット

NPO法人子ども全国ネット

http://kodomozenkoku.com/

原発事故をきっかけに各地に立ち上がった100余りの団体が参加するネットワーク。子どもを助けつながるための「場」。

子どもを守る

子どもたちの健康と未来を守るプロジェクト

子どもたちの健康と未来を守るプロジェクト

http://kodomo-kenkotomirai.blogspot.com/

ボランティアで運営する「一般社団法人子どもたちの健康と未来を守るプロジェクト」。原発事故にまつわる記事を掲載した冊子を発行。

行政の放射能測定データを調べる

環境

- **福島県の県産材製材品の放射線等調査結果**（福島県）
  検索「福島県産製材品 放射線」
  http://www.pref.fukushima.lg.jp/site/ portal/ps-kensanzaityousa.html

福島県林業研究センター 検索「福島県林業研究センター」
https://www.pref.fukushima.lg.jp/sec/37370a/

森林除染関係環境再生プラザ（環境省・福島県）
検索「環境再生プラザ」 http://josen.env.go.jp/plaza/

- **【林野庁】森林・林業と放射能関係ポータルサイト**（森林総合研究所）
  検索「森林 放射能関係」 http://www.ffpri.affrc.go.jp/rad/
- **環境放射線データベース**
  原子力規制庁が関係省庁、47都道府県等の協力を得て実施
  http://search.kankyo-hoshano.go.jp/servlet/search.top

ホットスポットを見つけ出し、追跡し、追及する

● 解析:Hotspot Investigators for Truth

「東日本土壌ベクレル測定プロジェクト」で測定対象から除外しているマイクロホットスポット(周囲より局所的に放射性セシウムが濃縮して存在する場所)。環境省の除染ガイドラインや特措法では、「多くのホットスポットは積極的に管理しなくてもよい」ような立て付けです。このままでは住民が知らずに被ばくするかもしれないと危機感を募らせ、仲間を募って活動を始めた「Hotspot Investigators for Truth(略称HIT)」という市民グループがあります。「環境濃縮ベクレル測定プロジェクト」として協力しあい、測定結果をみんなのデータサイト上に掲載しています。グループ代表に原稿を寄せてもらいました。

忍耐と行政交渉する苦労の先に、除染や清掃が実を結ぶ

広い場所から濃縮している小さな場所を見つけることは時間のかかる作業で、時には同じエリアに数回通うなど、忍耐力が必要である。発見したら丹念に空間線量率を測定、また検体を持ち帰りベクレル測定する。その結果に基づき、除染を当該自治体に働きかける。これまでに東京都足立区、葛飾区、埼玉県越谷市、さいたま市、三郷市、千葉県流山市、柏市、我孫子市などで約150地点の除染申請を行い、うち計86件は自治体により除染や「清掃」と称される低減策実施に結びつけた。申請から低減策が実施されるまでも長い時間がかかる。中には、除染申請してもまったく対応されない例もある。

空間線量率では見つけられないホットスポットの例

東京都文京区(表1:ID=740)を例にあげる。10,000 Bq/kgの高汚染だが、ここの線量率は、1 m、50 cmいずれも0.1 μSv/hを下回り、地表5 cmでもおよそ0.2 μSv/h。これでは除染対象にはならない。

一方、千葉県の東葛エリアと東京都東部地区の同じ10,000 Bq/kg程度の採取地点の空間線量率では、顕著に高い値が見られ、50 cmでは0.23 μSv/hを超えていた。

文京区の例のように空間線量率だけでは除染対象とならなくても、実際には指定廃棄物レベルを超える濃度の放射性物質が街中に存在していることがわかる(表1:ID=1552)(表1:ID=109)。

千葉県柏市西町の例(表1:ID=1314)では、空間線量率の最大値は地上5 cm 1.25 μSv/h、地上1 m 0.24 μSv/hと高い。しかしホットスポットからたった横方向に2.5 m離れるだけで、地上5 cm 0.07 μSv/h、1 m 0.08 μSv/hに低減した。小規模なホットスポットの空間線量率は距離の2乗に反比例するので、

東京都文京区のホットスポット

少しでも離れると、見過ごされてしまう恐れがある。空間線量率をホットスポット直上で5cm、50cm、1mと測定するのは、自治体によって除染の基準の高さがまちまちであるためである。また汚染の広がりを把握するためでもある。

右 ― 歩道側溝蓋の上に溜まった土砂に環境濃縮全長150 mの長さでホットスポット化。

千葉県柏市西町のホットスポット
(2017年6月時点で清掃対応済み)

ベクレル/kgでは同程度でも面積が違えば汚染程度は大きく異なる例

栃木県那須塩原市と福島県浪江町の例を示す(2016年8月測定)。

那須塩原市のホットスポット(表1:ID=1015)では5 cmの線量が約12 μSv/h、1 mが約1 μSv/h、採取した土壌の放射性セシウム濃度は約290,000 Bq/kgであった。この地点は広い駐車場の隅に濃縮されており、ホットスポットの面積はおよそ7 cm×17 cmほどしかない。3 m離れたところでの高さ1 mの空間線量率は約0.3 μSv/hだった。

同程度の放射能濃度の浪江町のホットスポットの場合は、道路脇に堆積して濃縮されており、濃縮の範囲は20 mにも及んでいた。

この範囲の中で地表付近の線量率は10〜22 μSv/hと幅が大きく、一番高い線量率を示したところから検体を採取した。採取地点の線量率は、地上5 cmが約22 μSv/h、1 mは約8 μSv/h。採取した検体を測定すると約360,000 Bq/kgもあった(表1:ID=1095)。約3m離れた路上での空間線量率は1.6 μSv/hだった。

このように、検体の放射能濃度だけを比較すると那須塩原市と浪江町は変わりがないように見えるが、周辺の線量率やホットスポット直上1 mの線量率が圧倒的に浪江町の方が高いことから、「放射能汚染総量」では浪江町の方が明らかに多いことがわかる。濃度が同程度でも、面積が広ければ放射能総量が格段に大きくなることを知ってほしい。

栃木県那須塩原市
赤く囲ってある溝がホットスポット。線量が最も高い部分が黄色い丸部分(約7 cm×17 cmの範囲)。雨が降った際に広い駐車場の放射性セシウムが、溝に流れ込み濃縮した。

福島県浪江町
浪江町小野田道路脇に約20 m濃縮。赤く囲ってある部分がホットスポットである(※2017年2月に確認した時には除染されていた為、線量率は異なる)。

福島県旧居住制限区域と避難指示解除準備区域のホットスポットの実態

みんなのデータサイト内、環境濃縮ベクレル測定プロジェクトのデータページ（文献1）に掲載している福島県浪江町（一部2016年の検体を除く）(ID＝1420)、富岡町、葛尾村、飯舘村（ID＝1661）、南相馬市（ID＝1097）、楢葉町、福島市（一部泥上げの検体は除く）、二本松市、郡山市の検体は除染が完了した後に採取したものである。除染後にも関わらず、指定廃棄物レベルのものが生活空間にあったことになる（表1参照）。

また2016年〜2017年のサンプリング調査地域内において、避難解除をした浪江町、富岡町、飯舘村（3検体中2検体は除く）、葛尾村、南相馬、飯舘村のホットスポットでは、葛尾村を除く自治体のホットスポットの検体がすべて100,000 Bq/kg以上となった。コンクリート構造の中に管理をしなくてはならない高濃度の汚染土があるにも関わらず、国直轄の除染では「完了」というお墨付きを与えてしまったことになる。

国は避難解除をする基準として年間積算線量20 mSv以下（1 mで3.8 μSv/h以下）という条件下で除染を行なう。しかし、20 mSvは事故前の被曝限度（年間1 mSv以下）の20倍もの高い数値であり、避難解除をしてもこのレベルの放射能汚染がいたるところに残っている。避難解除するにはあまりに酷な高濃度の放射能汚染である。

表1 本文中に関連する土壌データ

ID	採取地	空間線量 単位：μSv/h	Cs-134 単位：Bq/kg	Cs-137 単位：Bq/kg	測定日 （採取日）
740	東京都文京区後楽	1m:0.06 5cm:0.18	1,970	9,360	2016/5/28 (2016/5/28)
1552	千葉県我孫子市本町	1m:0.16 50cm:0.25 5cm:0.74	1,470	9,530	2017/5/28 (2017/5/28)
109	東京都足立区青井	1m:0.12 50cm:0.24 5cm:0.85	2,540	10,100	2016/6/1 (2016/4/30)
1314	千葉県柏市西町	1m:0.24 5cm:1.25	2,930	16,300	2017/1/3 (2017/1/02)
1015	栃木県那須塩原市千本松	1m:1.08 5cm:12.70	44,300	249,000	2016/11/5 (2016/7/30)
1095	福島県双葉郡浪江町小野田	1m:7.95 5cm:22.20	55,000	302,000	2016/11/4 (2016/8/01)
1420	福島県双葉郡浪江町苅宿	1m:3.32 5cm:20.40	43,000	269,000	2017/3/5 (2017/2/26)
1661	福島県相馬郡飯舘村小宮	1m:0.63 5cm:6.91	13,000	95,600	2017/10/1 (2017/7/15)
1097	福島県南相馬市原町区高倉	1m:12.00 5cm:61.70	200,000	1,070,000	2016/10/29 (2016/8/01)

福島県浪江町小野田農道
赤く囲ってある場所が濃縮されている範囲。黄色く囲ってあるところが顕著に濃縮されている場所。除染を行なった形跡がある。土を削っても地上5 cm約28μSv/h。検体採取は2017年2月。2017年3月に測定した結果は約540,000 Bq/kg。

● 文献1：https://data.minnanods.net/mrdatasoilhitlist/spot/mds2#cat3

測定データを、データのまま終わらせないために

マイクロホットスポットは限定的な範囲なので、測定して高い放射能濃度とわかれば、除去して被ばくや飛散の危険を減らすことができる。それぞれの地域で、そこに住む市民が自分ごととしてマイクロホットスポットの問題を捉え、地区の行政を動かして頂けたらと思う。また、除染基準の是正を求める方や避難を継続する方々、今後避難や移住を検討されている方々にも、有用なデータとして活用いただければ幸いである。

 謝辞

東北、栃木、千葉のホットスポットの情報提供を頂いた「消えない夜」さんには、心より感謝申し上げます。また、多くのサポートをして頂いた市民の皆様にも感謝致します。今後もみんなのデータサイトと連携し、データの公表・更新に努めてまいります。
元データ：「YouTube チャンネル kienaiyoru」で検索。

環境濃縮が起こりやすい場所12分類

① 雨樋の下

② 水の集まる場所

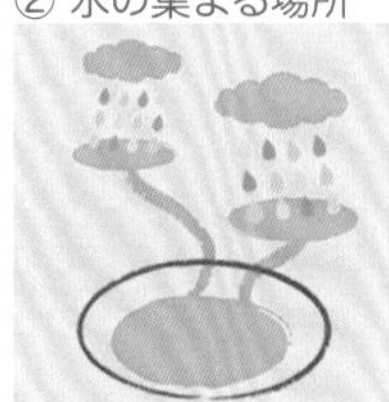

③ 路傍(路肩)の土

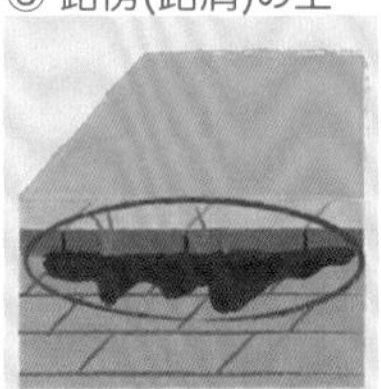

④ 駐車場の端

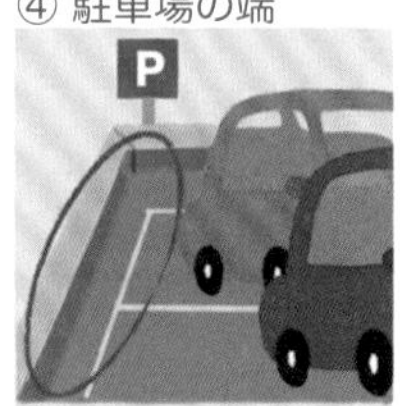

⑤ 側溝の中

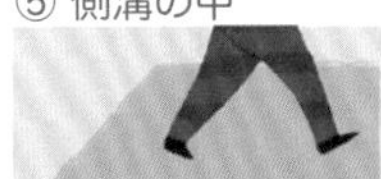

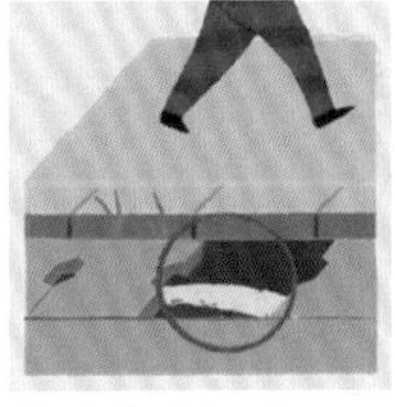

⑥ 坂の下

⑦ 植え込み

⑧ 木の根元

⑨ 建物・壁の横

⑩ 黒い物質

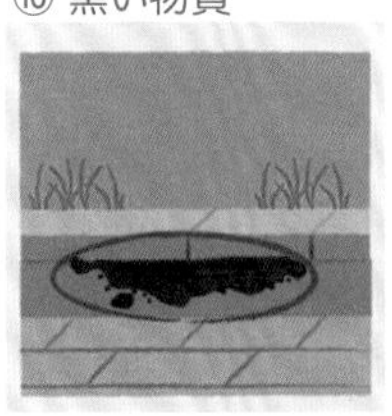

⑪ 苔

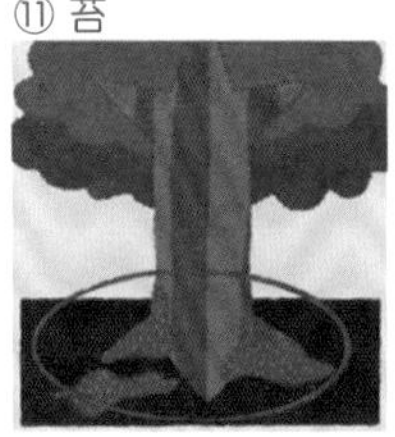

⑫掃き出し・掻き集め

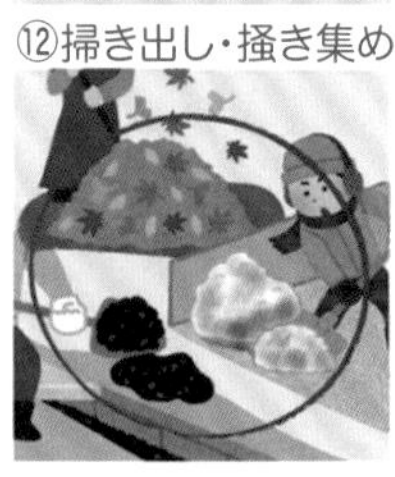

① 雨樋の下

放射性物質を含んだ雨や雪、また屋根に積もった放射性物質が雨樋を通じて、直下に溜まりました。特に、排水溝が無く、土やコンクリートにそのまま雨水が染み込み続けた雨樋下は汚染度が高い傾向にあります。

② 水が集まる場所

雨や雪に含まれた放射性物質が水たまりなどの水の集まる場所に濃縮していきました。落差が大きいなど、周囲から多くの水が集まった場所では数値がより高い傾向が見られます。

③ 路傍（路肩）の土

道路は、中央部が高く、端に行くに従ってなだらかに下がって水はけがよくなっています。それにより、道路全体に降下した放射性物質が端である路肩（路傍）に流れたため、吹き溜まりの土は高濃度に放射性物質が濃縮しやすい傾向があります。

④ 駐車場の端

駐車場（コンクリートの土地）は、その広い面積に降下した放射性物質が、雨や風の働きでより低いところや風下などに移動し、特定の地点で高濃度に放射性物質が集積する傾向がありました。

⑤ 側溝の中

側溝の中は、広範囲からの排水や汚泥が流れ込み集まるため、特に汚染度の高くなった場所です。掃除などする際には、事前に測定をして確かめることが、汚染を受けた地域では推奨されます。

⑥ 坂の下

坂の下でも特に水や泥が溜まりやすい場所は、汚染が濃縮しやすい傾向がありました。線量が高いエリアでは、堆積した吹き溜まりなどに注意が必要です。

⑦ 植え込み

植え込みはブロックなどで囲われ、雨に含まれた放射性物質が溜まったため、濃縮が起こりやすかった場所です。原発事故以降、土の入れ替え、植え替えなどをしていない植え込みには、放射性物質が多く留まっている可能性があります。

⑧ 木の根元

木の根もとは、雨や雪で運ばれた放射性物質が葉や枝で集まったため、濃縮が起こりやすい環境の一つでした。

⑨ 建物・壁の横

建物や壁の横などは、その壁面の放射性物質が狭い範囲に雨や雪で落ちました。また雨や風などの吹き溜まりになり、放射性物質の濃縮が起こりやすい場所でした。

⑩ 黒い物質

藍藻類が周囲の放射性セシウムを取り込むことで濃縮し、それが乾燥することで非常に高濃度になっていることがあります。黒く薄い層のように溜まって、駐車場脇などに見られます。

⑪ 苔

苔（コケ）は放射性物質を溜め、濃度が高い傾向があります。

⑫ 掃き出し・掻き集め

生活の中で、意図せず放射性物質が集まったり、濃縮したりすることがあります。側溝の泥かき、落ち葉の掃き集め、除雪作業で道端の雪を集めるなどの、掃き出しや掻き集めでは、気づかずに放射性物質が集められることがあり、空間線量の上昇や濃縮が起こりやすくなります。

2011年の福島事故以前、2010年度に測定された 国の放射能水準調査による全国の土壌(0−5cm)中セシウム−137濃度

都道府県名	試料採取地点	セシウム-137 (Bq/kg)	都道府県名	試料採取地点	セシウム-137 (Bq/kg)	都道府県名	試料採取地点	セシウム-137 (Bq/kg)
01 北海道	江別市	17	18 福井県	福井市	3.1	36 徳島県	板野郡上板町	検出されず
02-1 青森県	五所川原市	検出されず	19 山梨県	北杜市	8.7	37 香川県	坂出市	8
02-2 青森県	青森市	6	20 長野県	長野市	72	38 愛媛県	松山市	19
03 岩手県	岩手郡滝沢村	40.4	21 岐阜県	岐阜市	4.8	39 高知県	高知市	17
04 宮城県	大崎市	3.68 ※1	22 静岡県	富士宮市	13	40 福岡県	福岡市早良区	2.3
05 秋田県	秋田市	25	23 愛知県	田原市	1.5	41 佐賀県	佐賀市	1
06 山形県	山形市	16	24 三重県	三重郡菰野町	1.13	42 長崎県	佐世保市	16.3
07 福島県	福島市	23	25 滋賀県	野洲市	10.9	43 熊本県	阿蘇郡西原村	40
08 茨城県	那珂郡東海村	57	26 京都府	京都市伏見区	1.8	44 大分県	竹田市	50
09 栃木県	日光市	29	27 大阪府	大阪市中央区	0.829	45 宮崎県	宮崎市	1.3
10 群馬県	前橋市	1.1	28 兵庫県	加西市	0.97	46 鹿児島県	指宿市	0.56
11 埼玉県	さいたま市桜区	6	29 奈良県	橿原市	4.15	47-1 沖縄県	那覇市	2.2
12 千葉県	市原市	検出されず	30 和歌山県	新宮市	0.92 ※2	47-2 沖縄県	うるま市	検出されず
13 東京都	新宿区	2.5	31 鳥取県	倉吉市	検出されず		最大値	72
14 神奈川県	横須賀市	4.4	32 島根県	大田市	15.5		最小値	検出されず
15 新潟県	柏崎市	5.8	33 岡山県	久米郡美咲町	1.42		中央値	4.2
16 富山県	射水市	2.1	34 広島県	広島市東区	2.2			
17 石川県	金沢市	23	35 山口県	萩市	3.3			

出典：原子力規制庁「環境放射線データベース https://www.kankyo-hoshano.go.jp/kl_db/servlet/com_s_index」にて、キーワード「2010年、土壌、全土壌、0−5 cm、都道府県で測定」で検索したもの。福島事故以前のセシウム-137は主に1945年から1980年までに多数行なわれた大気圏内核実験、チェルノブイリ事故に由来するものである。表に示した2010年は、全国的に「検出されず〜72 Bq/kg」の範囲にあり、中央値は4.2 Bq/kgであった。

＊1 宮城県については、2010年の値は欠損のため、2009年の値を用いた。

＊2 和歌山県については、2011年2月の値を用いた。

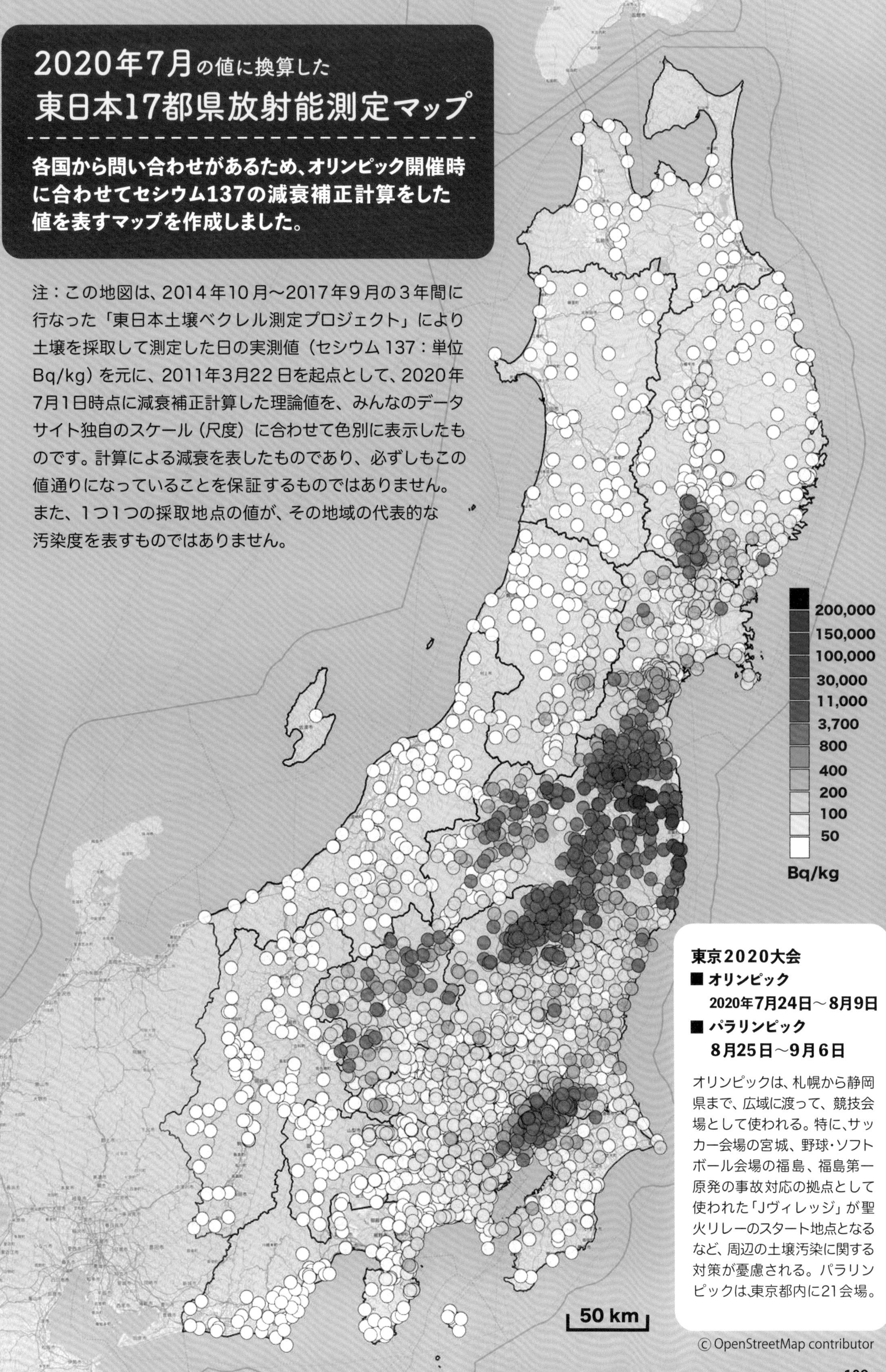

2020年7月の値に換算した
東日本17都県放射能測定マップ
各国から問い合わせがあるため、オリンピック開催時に合わせてセシウム137の減衰補正計算をした値を表すマップを作成しました。
注：この地図は、2014年10月〜2017年9月の3年間に行なった「東日本土壌ベクレル測定プロジェクト」により土壌を採取して測定した日の実測値（セシウム137：単位Bq/kg）を元に、2011年3月22日を起点として、2020年7月1日時点に減衰補正計算した理論値を、みんなのデータサイト独自のスケール（尺度）に合わせて色別に表示したものです。計算による減衰を表したものであり、必ずしもこの値通りになっていることを保証するものではありません。また、1つ1つの採取地点の値が、その地域の代表的な汚染度を表すものではありません。
200,000
150,000
100,000
30,000
11,000
3,700
800
400
200
100
50
Bq/kg
東京2020大会
■ オリンピック
2020年7月24日〜8月9日
■ パラリンピック
8月25日〜9月6日
オリンピックは、札幌から静岡県まで、広域に渡って、競技会場として使われる。特に、サッカー会場の宮城、野球・ソフトボール会場の福島、福島第一原発の事故対応の拠点として使われた「Jヴィレッジ」が聖火リレーのスタート地点となるなど、周辺の土壌汚染に関する対策が憂慮される。パラリンピックは、東京都内に21会場。
50 km

東日本土壌ベクレル測定プロジェクト　放射性セ

Map data© OpenStreetMap contributors

2011

17都県
Cs-134,137合算
ベクレル量換算
2011年3月時点
マップ

2021

17都県
Cs-137ベクレル
量換算減衰加算
マップ

200,000
150,000
100,000
30,000
11,000
3,700
800
400
200
100
50
Bq/kg

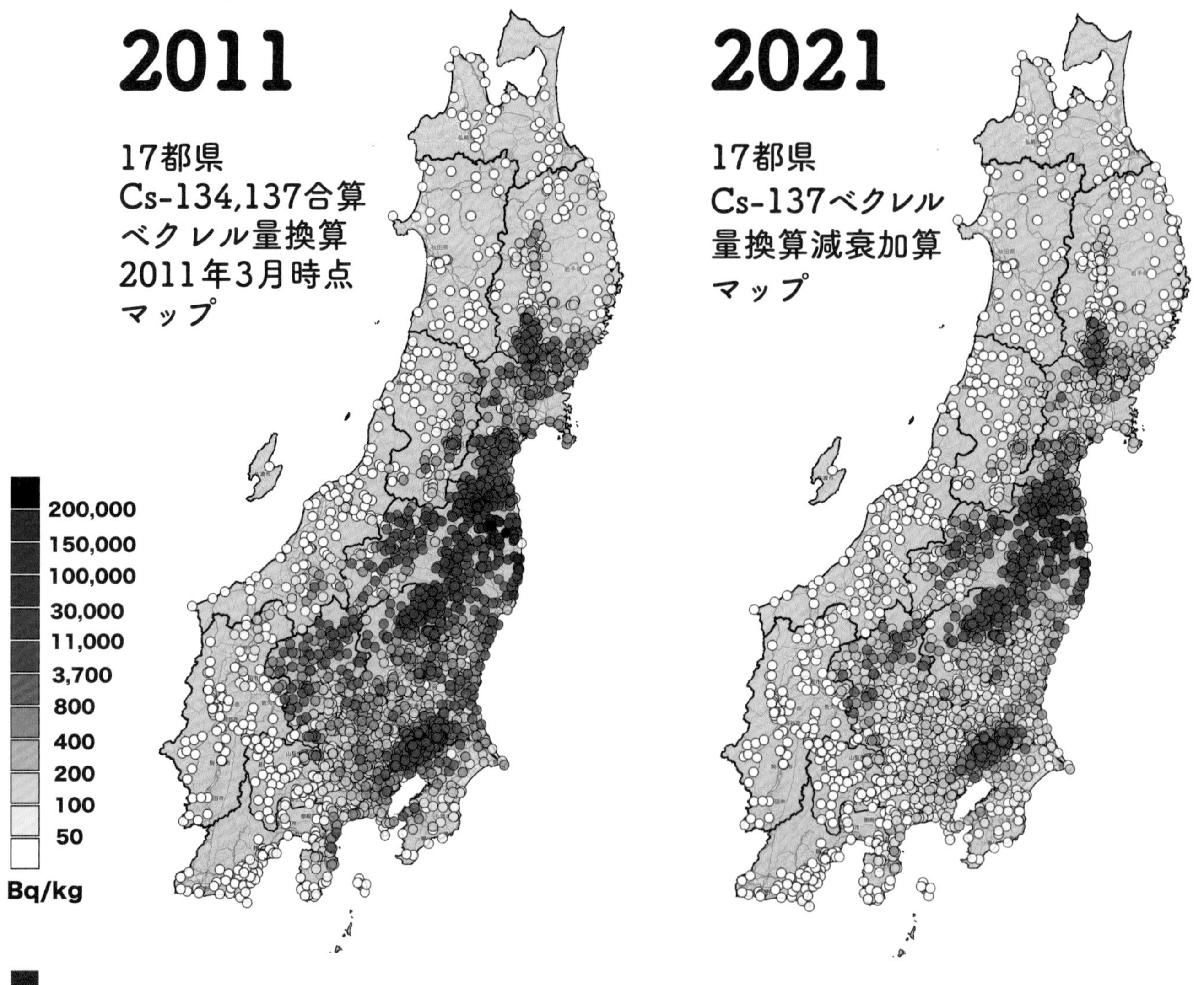

チェルノブイリ事故後に作られた「アトラス」に倣って

1986年チェルノブイリ原発事故で手ひどい汚染を被った旧ソ連3国（ロシア、ウクライナ、ベラルーシ）は、事故から5年後にチェルノブイリ法を制定し、実効線量とともに綿密な土壌中放射能の測定データをもとに、厳しい汚染地域区分を設定して人々の被ばくの低減を図ってきた。ベラルーシ・ロシア両政府の非常事態省が刊行した汚染地図帳（アトラス）には、州ごとに事故直後から70年後まで10年毎に8枚の地図が掲載され、住民が将来いつになったら故郷に帰還できるかを判断できるものとなっている。

ところが福島第一原発事故を起こした日本政府は、本格的な土壌調査を福島県と隣接域で一度行なっただけで、その後は空間線量率だけで汚染対策を進めてきた。しかも年間20 mSv（チェルノブイリ法では強制移住ゾーン）という過酷な基準を押し付けて、これより線量が下がれば帰還を強いている。

参考文献：「アトラス：ロシアとベラルーシにおける、チェルノブイリ原発事故が招いた現在および将来の放射能汚染予測」（2009年版）

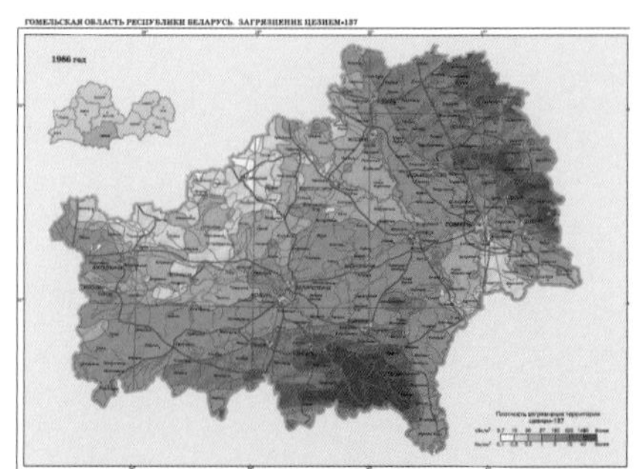

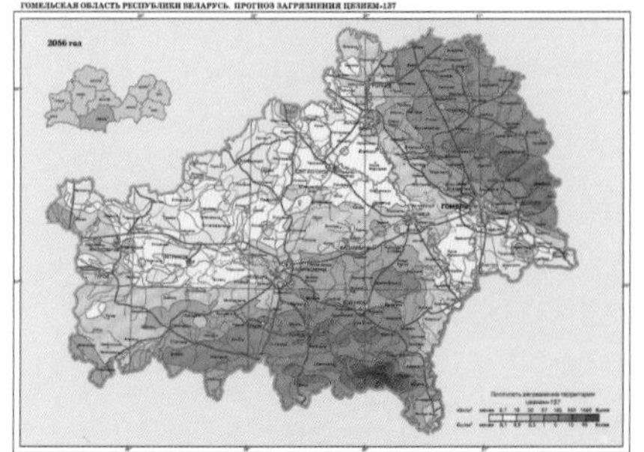

ベラルーシ・ゴメリ州：事故当時の1986年（上）、70年後の2056年（下）の汚染マップ↑

ム汚染　減衰推計100年マップ　2011-2111

2031

2041

2111

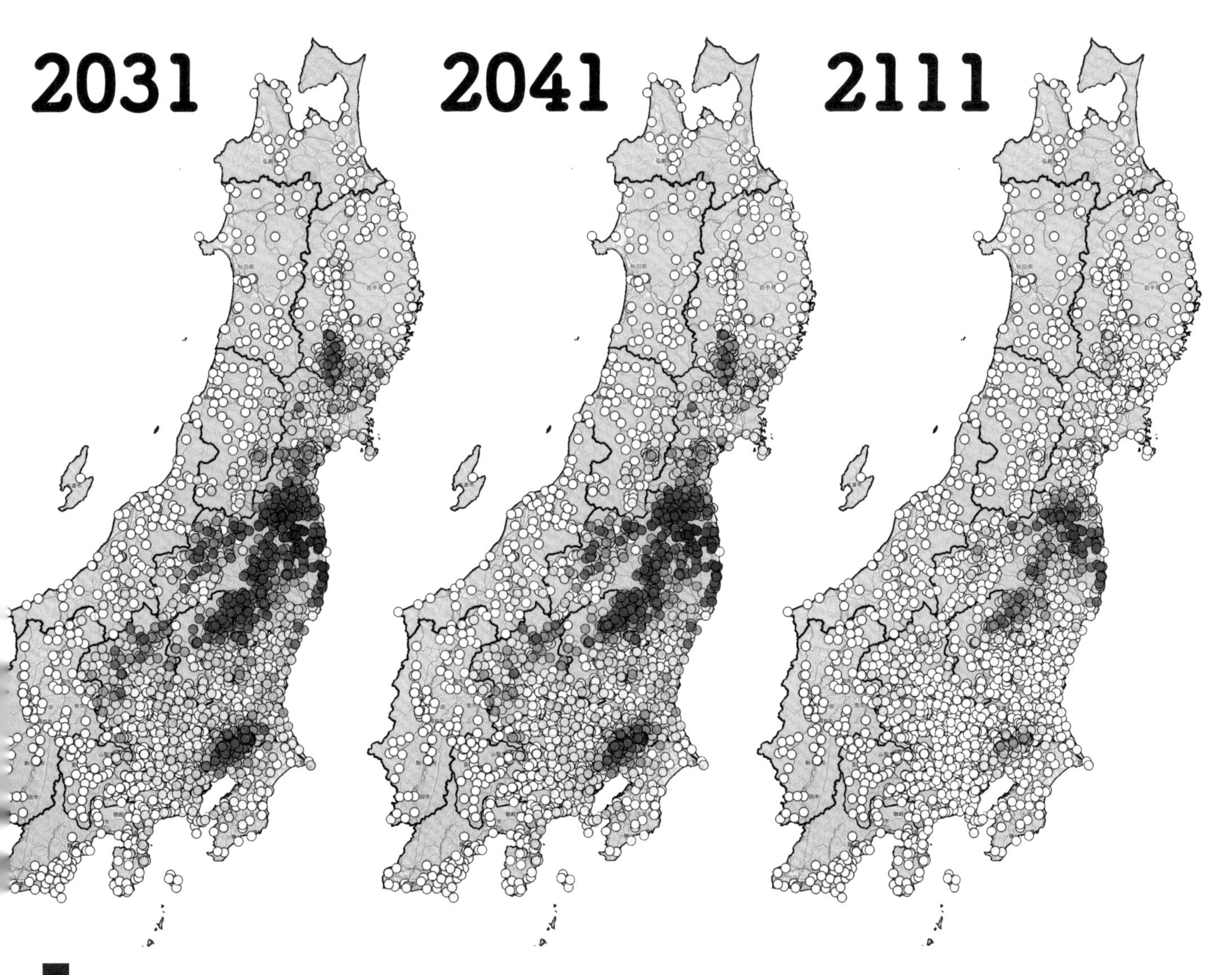

土壌のベクレル測定を行なったからこそできる100年後の未来予想図

上図はアトラスに倣って作成した東日本の放射能汚染将来予測図である。政府が行なっている航空機モニタリングによる空間線量率からの推計ではこうした予想図は描けない。半減期2年のCs-134は急速に減衰し、今後は半減期30年のCs-137の減衰曲線に沿ってしか低減しない。100年後でも人が住むべきでない地域が残っている。帰還困難区域は調査できなかったため、その汚染予測はこの図以上に深刻だ。

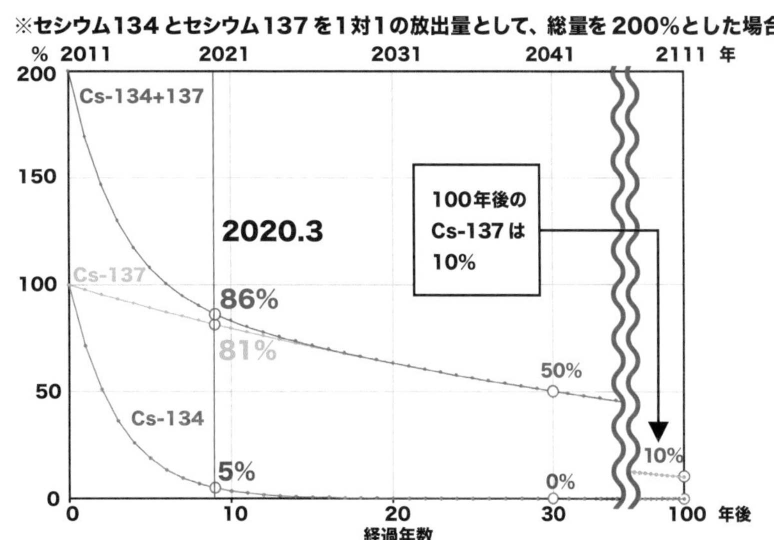

※ベラルーシ・アトラスはCi/km²(=370 億Bq/km²)で作図されているが、本図はBq/kgを採用している。放射性セシウムが土壌表層(0-5 cm)にとどまり、土壌の比重が1.3と仮定して面積に換算する方法は環境省も使用している。

※チェルノブイリ法は事故から5年後に制定されたために、あらかた消滅したCs-134を外して、Cs-137だけでゾーニングや作図を行なっている。本図の2021年図以降もCs-137だけで作図した。

※ 気象攪乱などで、本図よりも速く放射能低減が進む可能性はあるが、過度には期待出来ない。

帰還困難区域から流出する放射能の実態と、流出抑止装置としてのため池・ダムの意義

●解析：未来につなげる・東海ネット　市民放射能測定センター（C・ラボ）

福島第一原発事故後、政府が避難指示区域の境目としたのは、年間20 mSvという残酷な基準です。避難指示区域の中で最も汚染度が高いのが帰還困難区域です。浪江町の大柿ダムはその真っ只中に位置し、その集水域には1,000 万Bq/平方メートルを超える高濃度汚染域があります。ダムには降雨出水のたびに高濃度の放射能が濁水とともに流入します。この状況を観測した東北農政局および東大農学部の報告を参考にしながら、汚染地域における放射能の動きと流出抑制の役割を果たす「ため池・ダム」の意義を考察します。

1）帰還困難区域の過酷な汚染状況と減衰の見通し

①文科省による土壌汚染調査結果からの推定

文部科学省による放射線量等分布マップ（放射性セシウムの土壌濃度マップ～平成23年6月調査実施）[1]をベースにして大阪大学 核物理研究センターが作図した汚染マップ[2]によって、データサイトで調査できていない帰還困難区域の事故直後の土壌中放射能現存量（この図は、Cs-137のみ）を知ることができる(図1)。

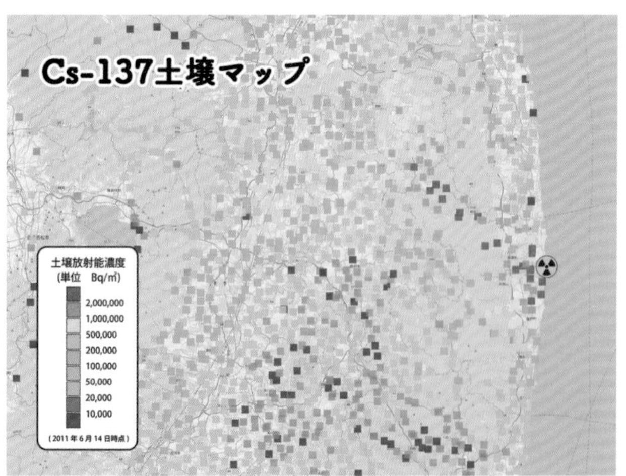

図1　福島土壌マップ（セシウム137）（2011年6月14日）

また、2 kmメッシュで行なわれた調査だったので、1プロット約4 ㎢としてプロットの数でおおよその面積を推定するとCs-137が200万 Bq/㎡以上の地点、60年後すなわちCs-137の物理的半減期が2回経過しても、50万 Bq/㎡以上の地点の面積は約80 ㎢と推計できる。これはチェルノブイリ法による汚染区分でいうと、退去対象地域に相当する。100～200万 Bq/㎡の地域は60年後には25～50万 Bq/㎡。面積は約120 ㎢と推計できる。チェルノブイリ法による汚染区分では移住の権利ゾーン相当である。すなわち、60年待っても帰還困難区域のうち約200 ㎢は、居住が困難な地域である。この汚染地図WEB版では、任意のプロットをクリックすると場所の名前と放射能濃度が示される。例えば、帰還困難区域北端である飯館村長泥地区と思われる地点では、75万 Bq/㎡なので、60年後は19万 Bq/㎡となる。60年も待ってこの濃度では居住は難しいところが多いことがわかる(P.211日本とチェルノブイリのゾーン比較表参照)。

②ため池等汚染拡散防止対策技術検討会（2016年12月16日）資料からの推定

農業農村工学会と農水省東北農政局によって開催された表記の検討会資料(図2)[3)4)]は、浪江町の大型農業用水ダムである大柿ダムに関する興味深い調査結果を示している。流域面積103.8 ㎢は、帰還困難区域のほぼ3分の1に相当する。ダム湖直近の赤く染められたエリアは1,000万 Bq/㎡を超える高濃度汚染域である。ダムから流出する放射能は、請戸川を経て太平洋に流出する。

表1には、東北農政局によって観測されている大柿ダムへの年間放射能流入量と、流域の放射能存在量(流域沈着量)3億9,300万 MBq(=393 TBq)から計算された、気象かく乱による年間放射能流出率(0.20〜0.46 %)が示されている[3)4)]。3年間の平均だと0.27 %になる。このペースで流出するとして、60年間では16 %が流出することになる。降雨出水のたびに間違いなく太平洋が汚染されている。ただし、物理的半減期による減衰(75 %)と比べると大きくはない。また、これがすべて太平洋に流出するわけではなく、大柿ダムによって80〜90 %がせき止められていることがわかる。高濃度汚染地域からの放射能流出を抑制する装置として、ダムやため池の有用性が同時に示されている。

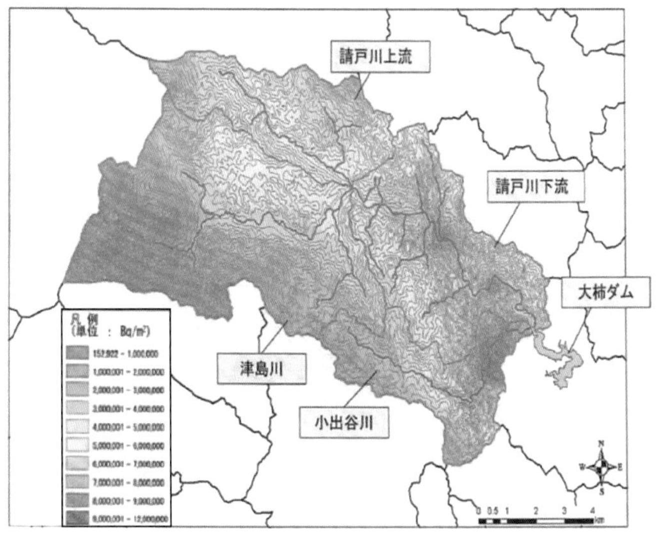

図2 航空機モニタリングによる大柿ダム流域のセシウム137沈着量分布

表1 大柿ダムの流域とダム湖のCs-137の動態

	流域沈着量:C (MBq)		3億9,300万	
年	流入量:D (MBq/y)	流出量:E (MBq/y)	年間流域流出率 :D/C (%/y)	ダム湖流出率:E/D (%)
2013	784,000	74,300	0.20	9.5
2014	573,000	47,300	0.15	8.3
2015	1,793,000	267,000	0.46	14.9

2015年は、9月記録的豪雨時に過去2ヶ月の年間値のDは2〜3倍、Eは1.4~1.7倍であった。

2) 台風などの豪雨によるダムへの放射性セシウムの流入と流出

2013年から2016年にかけて東北農政局によって行なわれた大柿ダム流入水中放射能濃度に関する観測結果を、図3[3)4)]に示す。台風などの豪雨によって大量の濁質粒子がダム湖に流入し、その粒子に付着した形で放射性セシウムが流入していることがわかる。

雨量(棒グラフの青)が多い時に放射性セシウム流入量(棒グラフのオレンジ)が増加することがわかる。一方流出水(棒グラフの黄色)の値は最大でも18 Bq/kg程度とさほど上がらず、流入したセシウムの多くは流出せずにダム内にとどまっていることが示されている。

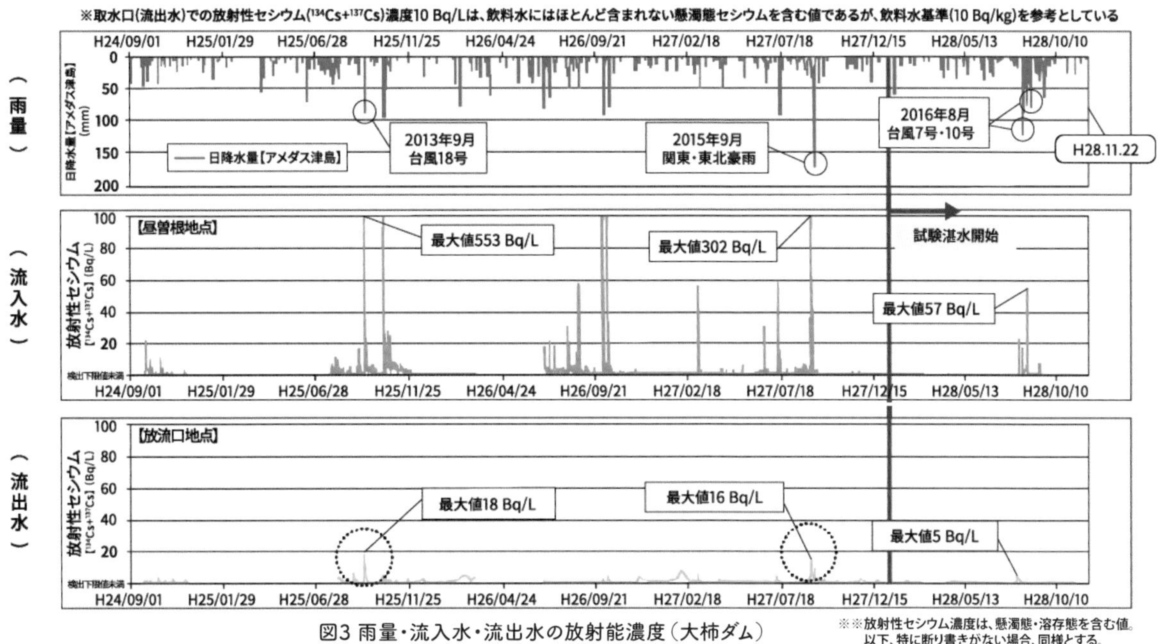

図3 雨量・流入水・流出水の放射能濃度(大柿ダム)

※※放射性セシウム濃度は、懸濁態・溶存態を含む値。以下、特に断り書きがない場合、同様とする。

2015年9月の関東東北豪雨と2016年8月の台風7号による出水について比較研究した東大農学生命科学研究科・塩沢昌氏らの調査結果から濁質粒子濃度と放射能濃度の関係を図4に示す[3)4)]。

2015年9月豪雨（赤線）と2016年8月の台風7号（緑色の線）を比較すると、回帰直線の傾きが10分の1に減少している。このことから塩沢らは、2015年までに流出した放射能は流出しやすい河床に沈着したものであり、河床以外の場所に沈着した放射能は気象かく乱によっては流出しにくいことが示されているとし、2016年の放射能流出量の急減は河床沈着放射能の流出がほぼ終わっていると結論している。この結論が正しいとすれば、2016年以降の濁質粒子と結合した放射性物質の流出率は減少し、気象かく乱による帰還困難区域からの沈着放射能は今後なかなか減少しない可能性が高い。しかし、森林域における土砂崩れを伴うような大規模出水があればこの限りではない。

図4　浪江町昼曽根における濁度とCs-137の相関
（2015年9月関東・東北豪雨と翌年2016年8月台風7号の傾き比較）

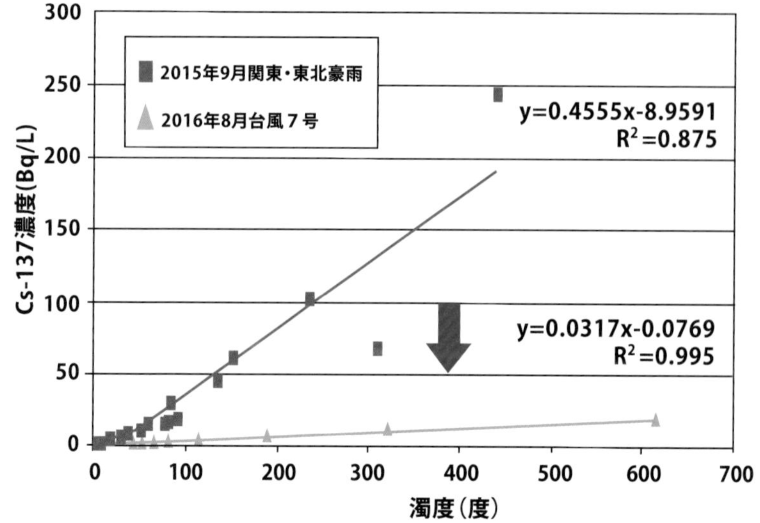

3）ため池による放射能流出防止策

図2、3から明らかなように、ため池やダムによる放射能流出抑制効果は極めて高い。これを積極的に活用し、さらに適切な管理を行なえば、さらなる流出抑止効果が得られるであろう。すなわち、大規模豪雨の予報が出た時は極限まで水位を下げて待機し、予報通りに大量の濁質粒子がダム湖に流入した時は、出来る限りそれを放流しないで湖内に停留させ、濁質粒子が十分に沈殿した後で上清を放流するのである。

環境省は福島県下のほとんどすべてのダム湖とため池の底質を年間3〜4回採取し、放射能濃度を測定して年次報告している[5)]。図5は浜通りの帰還困難区域を含めた避難指示区域に存在する32ヶ所のダム湖とため池について、2012年〜2018年データを取得し、各年度の最高値を示したものである。サンプリングはエクマンヴァージ型採泥器で行なわれているため、湖底泥の表層おおよそ0〜10 cmの採取ができている。90万 Bq/kgを超えているのは双葉町の沢入第1ため池である。40万 Bq/kg超の丈六ため池は浪江町にある。各種調査が行なわれている大柿ダムは浪江町である。10万 Bq/kg超の横川ダムは南相馬市、鈴内第4ため池は大熊町である。

図5　福島県浜通り地方ため池底質放射能濃度（年度別最高値の比較）

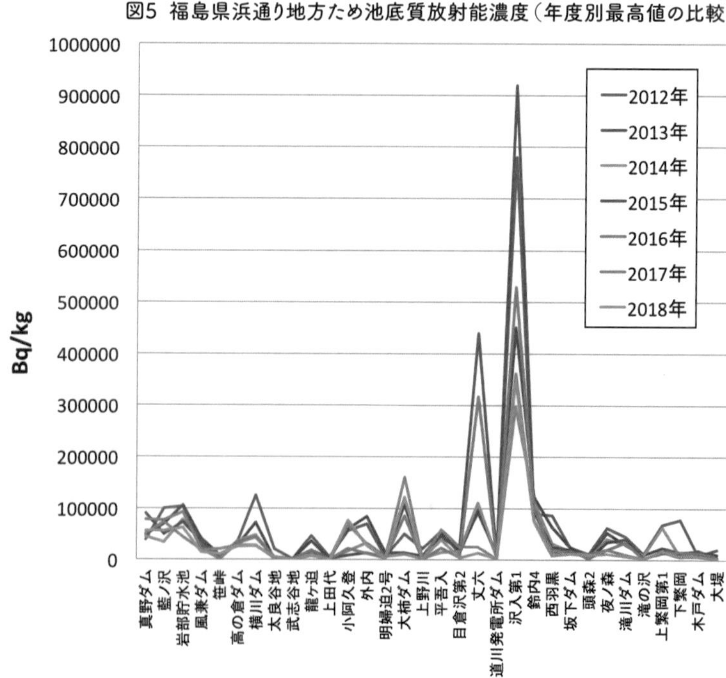

これらのため池のうち、下流域で農業用水としての利用が始まっている池では、利水者からの要求で湖底泥の浚渫（泥を取り除くこと）が行なわれている。しかし、現況で最も重要なのは、ダムとため池から放射能が流出しないように最も合理的な水位管理を行なうことではないだろうか。それが難しいため池では、堤防の強化などと合わせた樋門の改良が望まれる。

ため池とダムの間に明確な定義上の区分はないが、古い時代に築造されたため池の中には図6に示すように、土砂吐ゲートを開けると底泥も一気に排出される構造をとっているものが少なくない。一方、ダム湖では設計上、湖底に堆砂容量を見込んでいるので、湖底に堆積した土砂はそのままである。帰還困難区域のような高濃度放射能汚染地域では、ため池を放射能流出抑止装置と位置付けて、放流は取水栓を用いて行ない、土砂吐ゲートの開放をしないように管理することが肝要である。もし放射能を濃縮した底泥がいっぱいになった時には安全に配慮した浚渫除去を行なう必要がある。

図6　ため池とダムの大まかな構造の違い

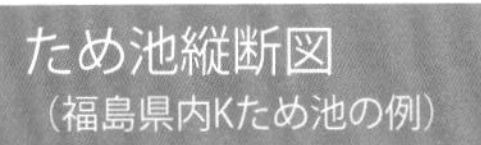

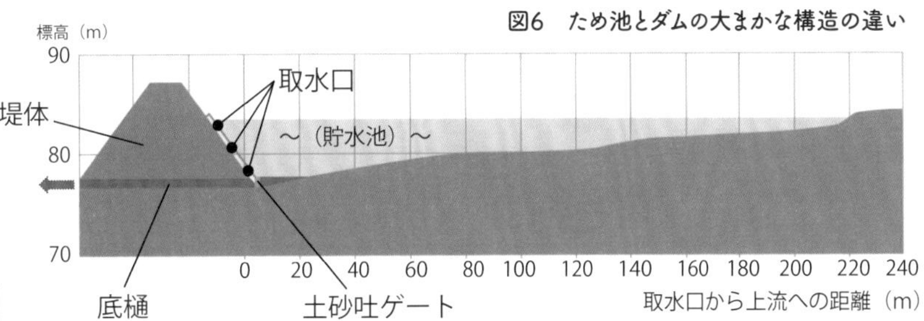

大柿ダム貯水池縦断図

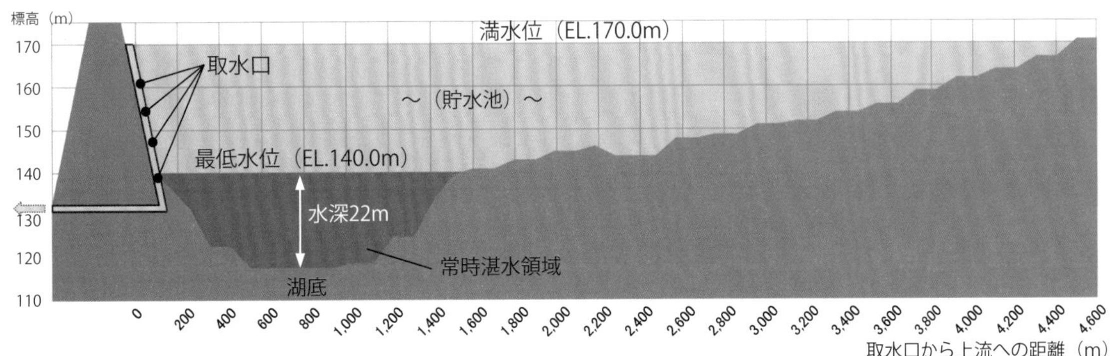

出典・参考文献

出典：
図1「福島土壌調査」（大阪大学核物理研究センター）のCs137土壌マップより一部改変
図2：ため池等汚染拡散防止対策技術検討会（2014年3月4日）資料
図3、図4：ため池等汚染拡散防止対策技術検討会（2016年12月16日）資料
図5：東日本大震災の被災地における放射性物質関連の環境モニタリング調査：公共用水域のデータから作成
図6：大柿ダムにおける放射性セシウムの調査結果の概要（平成27年10月30日 東北農政局農村振興部）
表1：「フクシマの森林流域河川を移動・流出する放射性セシウムはどこから来たのか」（塩沢昌ら）
参考文献：
1)「文部科学省による放射線量等分布マップ（放射性セシウムの土壌濃度マップ）の作成について」（文部科学省）
http://www.mext.go.jp/b_menu/shingi/chousa/gijyutu/017/shiryo/__icsFiles/afieldfile/2011/09/02/1310688_2.pdf
2)「福島土壌調査」（大阪大学核物理研究センター）　https://www.rcnp.osaka-u.ac.jp/dojo/
3)「フクシマの森林流域河川を移動・流出する放射性セシウムはどこから来たのか」（塩沢昌ら/H30農業農村工学会大会）
https://www.a.u-tokyo.ac.jp/rpjt/event/2017125slide03.pdf
4)「高濃度汚染流域における河川敷内の放射性セシウム表面濃度分布」（塩沢昌ら/H28農業農村工学会大会）
http://soil.en.a.u-tokyo.ac.jp/jsidre/search/PDFs/16cd/manuscript_pdf/[5-14].pdf
5)東日本大震災の被災地における放射性物質関連の環境モニタリング調査（環境省 水・大気環境局）
http://www.env.go.jp/jishin/monitoring/results_r-pw.html
6)「環境放射線データベース」から月間降下物を検索（原子力規制庁）
https://search.kankyo-hoshano.go.jp/servlet/search.top?pageSID=1235785
7)大柿ダムにおける放射性セシウムの調査結果の概要（～H26年度）
https://www.maff.go.jp/tohoku/osirase/higai_taisaku/hukkou/pdf/151030_gaiyou.pdf

2019年台風19号氾濫泥放射能測定調査結果

● 解析：未来につなげる・東海ネット　市民放射能測定センター（C・ラボ）（愛知県）

2019年の台風19号は、関東～東北に深刻な被害をもたらしました。放射能激甚汚染地である阿武隈川流域や那須山地を源流とする那珂川流域での越水や溢水が住宅地へ流れ込み、また乾燥した泥の微粉塵の舞い上がりなどで健康被害をもたらす可能性が危惧されたことから、みんなのデータサイトでは各地の市民放射能測定室に呼びかけて、緊急の台風19号氾濫泥放射能調査を行ないました。合計32検体の氾濫泥を採取し、含有放射能濃度を測定した結果を報告します。

原発被災地に大きな被害をもたらした台風19号

2019年10月に襲来した台風19号は、関東～東北に深刻な被害をもたらした。とりわけ、放射能激甚汚染地である阿武隈川流域および阿武隈山地から太平洋へと流下するいくつかの中小河川流域、那須山地を源流とする那珂川流域などでは、複数箇所で堤防決壊ないしは溢水・越水が起きた。堤防決壊箇所数だけでも、国管理の7河川12ヶ所、福島県管理23河川49ヶ所、宮城県管理18河川36ヶ所、栃木県管理13河川27ヶ所、茨城県管理4河川6ヶ所におよんだ。このことによって放射能含有泥が住宅地や耕作地を襲い、床上や床下浸水を被った家屋では高濃度放射能が屋内に侵入して健康被害をもたらす可能性が危惧された。また、災害復旧作業が始まると、泥が乾燥して微粉じんとなって舞い上がり、住民や災害ボランティアが放射性粉じんを吸入することによる内部被曝の増加が懸念された。

みんなのデータサイト、東京新聞と木村真三氏共同それぞれの緊急土壌調査結果から見えること

みんなのデータサイトによる調査結果

みんなのデータサイトでは各地の市民放射能測定室に呼びかけて、緊急の台風19号氾濫泥放射能調査を行ない、合計32検体の氾濫泥を採取し、含有放射能濃度を測定した。泥の採取方法は、17都県土壌調査と違って、道路や床などフラットな面に沈降堆積した泥をかき取ることにした。その結果を図1に示す。阿武隈川では本支流合わせて16地点で調査し、グラフの左端を下流側、右側を上流側となるようにプロットしてある。

最も高濃度だったのは、福島市の立田川（福島市・阿武隈川右岸）の1,230 Bq/kg（合算値）であった。泥の厚さが0.2~0.5 cmであり、その比重を1.3として計算すると、泥の重量は1平米あたり2.6～6.5 kg、すなわち1平米あたりの放射能存在量は3,200～8,000 Bqとなり、研究者や作業員が放射性物質を取り扱う空間である放射線管理区域の基準4万 Bq/平米よりは低いものの、一般市民が生活する屋内に侵入した場合は到底許容できないレベルである。その他の地点では、郡山市内の2地点（本流130 Bq/kgおよび逢瀬川40 Bq/kg）で低い値が出ているのを除けば、300~800 Bq/kgであった。

一方、福島県が行なった調査では、郡山市横塚（逢瀬川）で2,990 Bq/kgが出ている。サンプリング地点に堆積した泥土は、氾濫時の流速によって粒度分布が大きく異なる。流れの速いところでは砂が多い土砂が堆積し、流れの遅いところでは放射能を吸着した粘土成分の多いものが堆積する。逢瀬川下流（阿武隈川合流直前）で100倍近い違いが出ているのはこのためかと思われる。ただし、測定値が低い地区でも安心はできない。どこかにホットスポットが出来ている可能性を忘れないようにしたい。

いわき市の夏井川では、115〜350 Bq/kgであった。久慈川（大子町）では、120〜235 Bq/kgだった。那珂川の源流域（那須町）では280〜500 Bq/kgだったが、中流域の茂木町や下流域の水戸市では79〜142 Bq/kgと比較的低かった。上流に土壌汚染が高い日光市などがある鬼怒川中流域の真岡市で194 Bq/kgであった。荒川や多摩川では、100 Bq/kg未満であった。

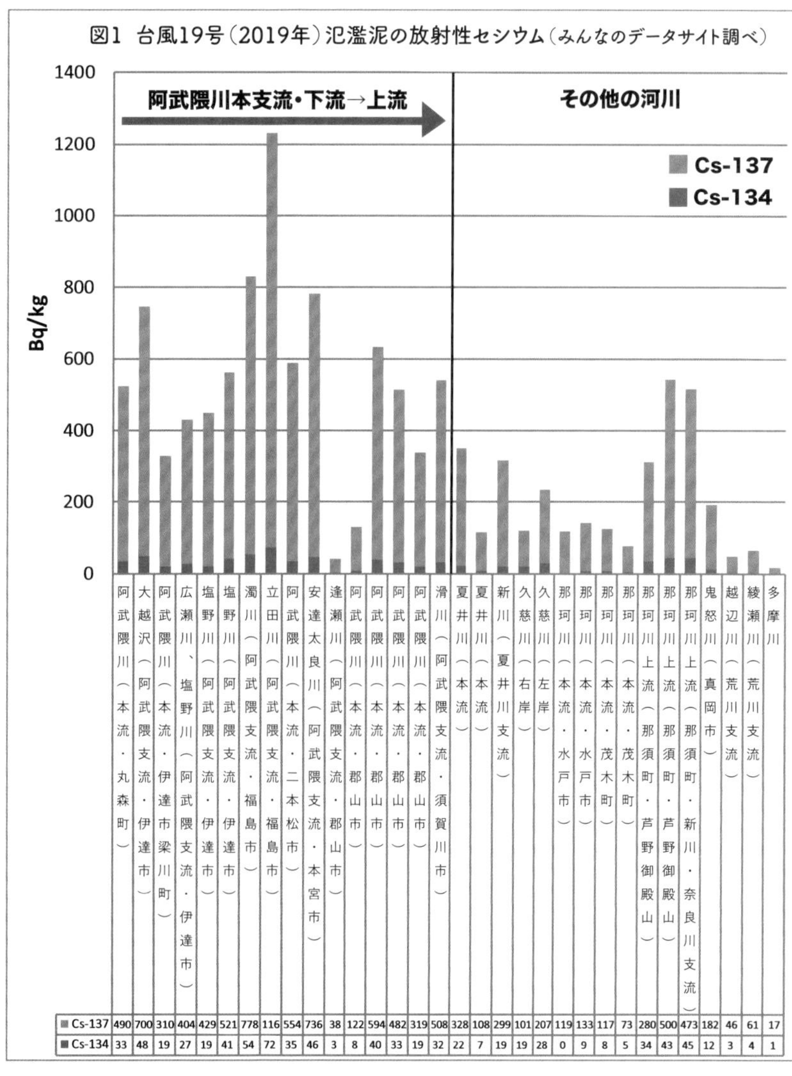

東京新聞と木村真三氏による合同調査結果

東京新聞と独協医科大学準教授・木村真三氏による合同調査結果では1）、南相馬市原町区で氾濫した新田川の泥で、462~2,040 Bq/kg、南相馬市小高区の山林から流出した泥で2,960〜5,060 Bq/kg、本宮市で1,470 Bq/kg、いわき市で96~233 Bq/kgと報告されている。

これらの調査結果を全体としてみると、南相馬市小高区の未除染山林から直接に流出した泥を除けば、河川の氾濫によって市街地や耕作地に侵入した泥の放射能濃度は2,000 Bq/kg程度以下である。室内に侵入された場合には決して放置できない濃度であるが、高濃度汚染域の土壌濃度（数千〜数万Bq/kg）と比較すれば高いとは言えない。しかし、福島事故以前の日本の土壌中Cs-137はせいぜい数10 Bq/kgであったこと（最大でも100 Bq/kgは超えない）、100 Bq/kgを超える物質は放射性物質としてドラム缶に入れて厳重保管が原子炉等規制法に定められていることを改めて確認しておきたい。現状は、放射性物質が泥水となって屋内に侵入するという恐ろしい事態なのである。

長期にわたる激甚汚染地域の放射性物質の動向と今後の気象災害に際しての提言

2011年6月〜2015年8月まで、阿武隈川下流域および川俣町山木屋地区を源流とし二本松市で右岸から阿武隈川に合流する支流・口太川における長期定点観測を行なった筑波大学・福島県環境創造センター・京都大学の共同研究「福島原発事故後の河川放射性物質長期モニタリング」結果[2) 3)]によれば、観測期間中に阿武隈川流域から太平洋に流出した全放射性セシウムは12 TBq（12 兆Bq）であり、その96.5 %が懸濁粒子（液体中に微粒子が分散している集合体）だったとしている。さらに、全流出量の85 %が流域面積の38 %にすぎない水田、耕作地、市街地など人間活動のある地域からであり、流域面積の60 %を占める山林からは15 %しか流出していないとしている（図2）。

図2「福島原発事故後の河川放射性物質長期モニタリング」の主要な成果を示した模式図　※2)より転載

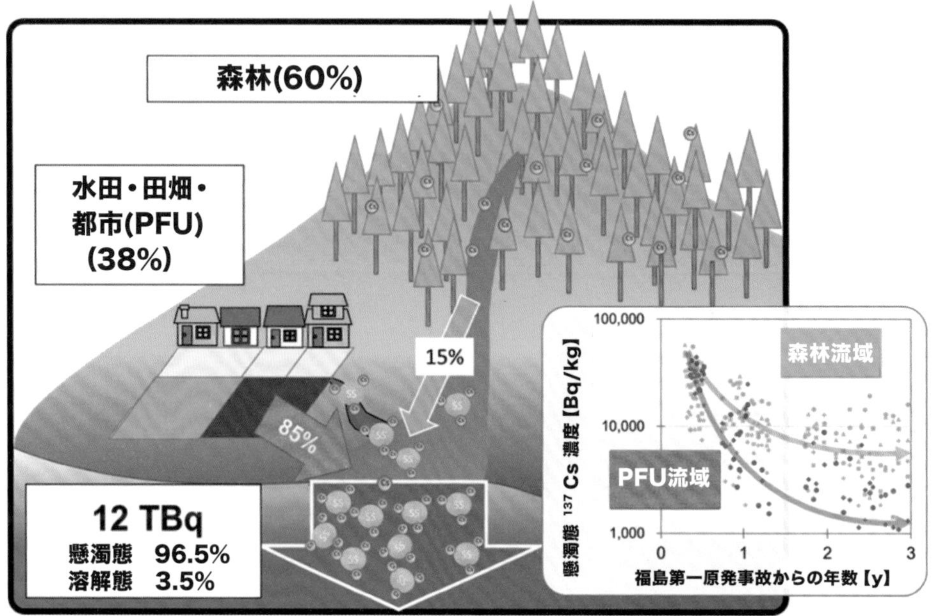

阿武隈山地から太平洋にそそぐ請戸川の上流域は、帰還困難区域の3分の1を占める激甚汚染地である。その中流に設置された大柿ダムに流入する台風や集中豪雨などによる洪水時の濁水の長期観測を行なった塩沢昌らの研究[4)5)]によれば、2015年9月豪雨と2016年8月の台風7号を比較すると、濁質粒子濃度と放射能濃度との回帰直線の傾きが10分の1に減少している（本書114ページ参照）。このことから塩沢らは、2015年までに流出した放射能は流出しやすい河床に沈着したものであり、河床以外の場所(山林)に沈着した放射能は気象かく乱によっては流出しにくいことが示されているとし、2016年の放射能流出量の急減は河床沈着放射能の流出がほぼ終わっていることを示していると結論している。

これら二つの報告書は、市街地や耕地と比べて山林からの放射能流出は多くないという点で、よく符合している。2015年までは、河床や農耕地、市街地から台風や集中豪雨のたびに高濃度放射能が濁質粒子に付着して大量に流下したが、山林からの流出は少なかった。2016年以降は流出しやすいエリアからの流出が減少・終息しつつあるために濁質粒子中の放射能が大幅に減少したというものである。この仮説に従えば、今回の氾濫泥調査結果が懸念された高濃度汚染泥をとらえなかったことを説明することができる。南相馬市小高区だけは高濃度汚染した山林の直接の流出泥だったために高濃度だったのであろう。

それにしても、今回のような大災害が起きた時に、政府も地方自治体も住民に対して感染症だけを取り上げ、放射能汚染泥に関する警鐘を鳴らさなかったことは大きな問題である。風評被害を恐れて、住民の被ばくによる健康被害を無視する姿勢は、即刻改めるべきである。

参考資料

1)「高濃度汚染度流出 福島山林 下流に拡散か」(東京新聞/2019年11月18日)
2)「人間の活動が河川の環境修復を促進する
～福島原発事故後の河川放射性物質長期モニタリング結果から～」
(恩田裕一ら/ 筑波大学・福島県環境創造センター・京都大学共同プレスリリース)
http://www.tsukuba.ac.jp/attention-research/p201909270000.html
3)「Transport and redistribution of radiocaesium in Fukushima fallout through rivers」
(K.taniguchi,Y.Onda, et.al / (「Environmental Technology and Science」)
https://pubs.acs.org/doi/10.1021/acs.est.9b02890
4)「フクシマの森林流域河川を移動・流出する放射性セシウムはどこから来たのか」
(塩沢昌ら/H30農業農村工学会大会)
http://soil.en.a.u-tokyo.ac.jp/jsidre/search/PDFs/18/5-30.pdf
5)「高濃度汚染流域における河川敷内の放射性セシウム表面濃度分布」(塩沢昌ら/H28農業農村工学会大会)
http://soil.en.a.u-tokyo.ac.jp/jsidre/search/PDFs/16cd/manuscript_pdf/[5-14].pdf

みんなのデータサイト受賞歴

● 2017年12月15日 「第5回 日隅一雄・情報流通促進賞」大賞を受賞

表現の自由や情報公開などに力を入れ、知る権利や情報通信分野で活躍するメディアやジャーナリスト、市民を顕彰する日隅一雄・情報流通促進賞の大賞を受賞した。
東京電力福島第一原発事故の影響で汚染した東日本17都県の土壌を広範囲に測定計測し、集積に取り組み、市民の立場で科学的データをわかりやすくまとめて公開していることが評価された。

● 2019年8月17日 「第62回 JCJ賞」を受賞

1958年以来、年間の優れたジャーナリズム活動・作品を選定して顕彰してきた「日本ジャーナリスト会議」(JCJ)より、『「図説」17都県放射能測定マップ+読み解き集』が「第62回 JCJ賞」を受賞した。名だたるメディア受賞の中、市民活動では唯一の受賞だ。受賞理由は以下。

「市民放射能測定室」のネットワークである「みんなのデータサイト」が、福島原発事故後、3,400カ所以上から土壌を採取・測定し、延べ4,000人の市民の協力で、2011年3月のセシウム推定値の「県別土壌マップ」(第1章)をまとめ、放射能プルームの動き、100年後の予測も入れた。第2章で食品についての不安を解消し、自分の"物差し"が持てる。第3章「放射能を知ろう」では、放射能の基礎知識、チェルノブイリとの比較などが深く学習できる。国はやらない、市民の市民による市民のためのA4判放射能必読テキスト。

国がやるべき調査がなされない中、市民がそれを実現したこと、そしてその結果をわかりやすく書籍という形にまとめて公開したことで、「メディア」としての役割を果たしたとの講評をいただいた。
原発事故による放射能汚染の記録を残したいという強い思いだけで走り始め、市民の小さな力がさざ波のように広がって出来たこの本は、まだ一部の心ある方々に読まれたに過ぎない。是非とも、この本の存在を広めて頂けるよう、ご協力を頂ければと願う。
地道に測定活動を続けている測定室の皆さん、そして、3,400ヶ所の土を採取してくださったのべ4,000人の採取者の皆さま、地道に食品の測定依頼をしてくださっている皆さま、資金面でここまで支援してくださった皆さまに、「この受賞は皆さまのものです！」とみんなのデータサイトからあらためてここに感謝を伝えたい。

第2章「食品」の解析ページを読み進めるにあたって学ぶ3つのこと

●解説：未来につなげる・東海ネット　市民放射能測定センター（C-ラボ）（愛知県）

①福島事故以前の放射能汚染を学ぶ

1950~1960年代の大気圏内核実験をきっかけに始まった日本の放射能汚染調査

これまでの地球規模の核惨事による放射性物質の総放出量は、国連科学委員会（UNSCEAR）報告によれば、大気圏内核実験で68万 PBq (2008報告)、チェルノブイリ原発事故1.1万 PBq（2008報告）とされている（P:ペタと呼び、10の15乗を示す）（福島第一原発事故 では 7.5千 PBq放出（2013報告）。

日本では、1945年8月6日の広島原爆、同年8月9日の長崎原爆を落とされた後、1954年3月1日の南太平洋マーシャル群島ビキニ環礁で行なわれた米国の水爆実験によって、日本のマグロ漁船第5福竜丸とその乗組員23名が被ばくし、内1名（久保山愛吉さん）が亡くなられたいわゆる「ビキニ事件」を契機に、これら人為的な放射能汚染に対する調査が開始された。

原子力規制庁が運営する「環境放射線データベース」（文献1）は、1957年以降の公的機関の環境放射能データの検索が可能である。ここでは、1957年から現在まで月間降下量のCs-137とSr-90について継続的な測定を実施している。

気象庁気象研究所（1979年までは東京都中野区、1980年以降は茨城県つくば市）のデータを取り出し、それら

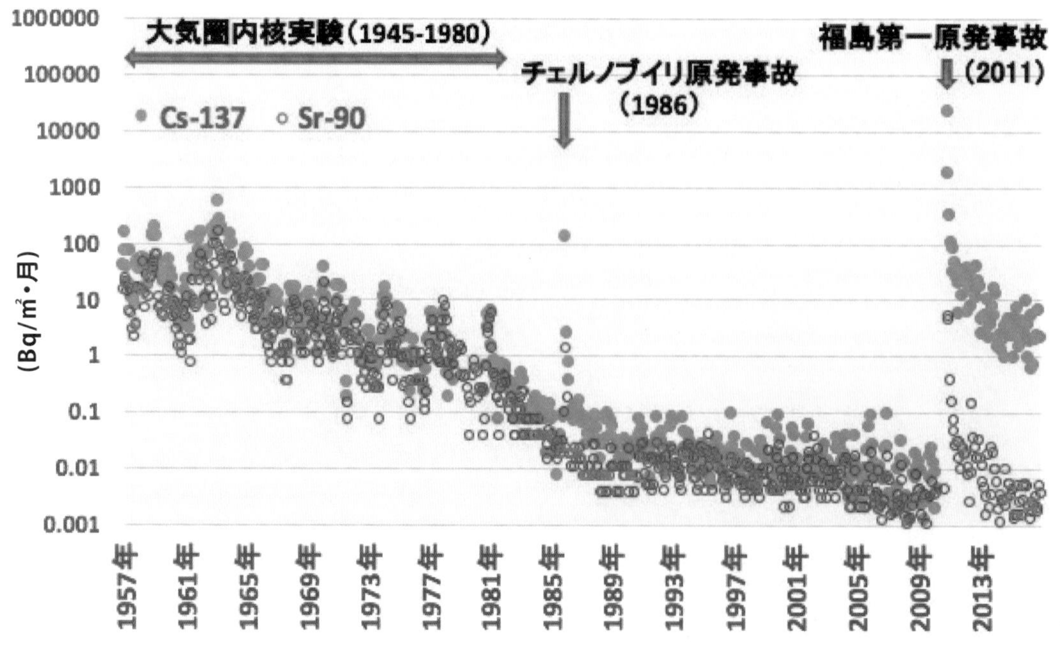

図1
気象研究所：月間降下物のCs-137とSr-90の濃度推移（1957年3月-2017年3月）（採取場所：1979年までは東京都中野区、1980年以降は茨城県つくば市）原子力規制庁が運営する「環境放射線データベース」(search.-kankyo-hoshano.go.jp)

放射性降下物の濃度推移を図1に示した。目盛が対数グラフ(=1目盛ごとに10倍を示す)であることに留意してご覧頂きたい。

図1で明らかなように大気圏内核実験の環境影響は1963年にピークを示し、最大値は550 Bq/㎡・月であった。また、中国の核実験がある度毎に、偏西風によって運ばれる放射性物質の直接的影響を受ける日本では、その都度汚染ピークが見られた。中国で最後の大気圏内核実験が行なわれた1980年より後はそうした汚染ピークは見られなくなったが、春先に成層圏から降下してくる放射性物質のピークはその後も見られ、「スプリングピーク」と呼ばれていた。

原子力発電所の登場と1986年のチェルノブイリ原発事故の影響

一方、原子力発電所は、「原子力の平和利用」として、1954年に旧ソ連で世界初のオブニンスク原発が稼働した。1979年3月28日に起こったアメリカのスリーマイル原発事故は、世界初の「炉心溶融(メルトダウン)」を伴った事故であった。原発の施設内及びその近傍では放射性ヨウ素や放射性希ガスの放出があったが、少なくとも日本への影響は観測されていない。

1986年4月26日に起こったチェルノブイリ原発事故によって放出された放射性物質は大気圏内核実験と同様に成層圏にまで達しており、偏西風に乗って8,000 km離れた日本にも数日後には到達した。チェルノブイリ原発からのCs-137は、図1で明らかなように、月間降下物において1960年代後半の大気圏内核実験由来の濃度と同等レベルで明らかなピーク(最大値131 Bq/㎡・月)を示したが、1年後には元の大気圏内核実験由来のC-137濃度の減少傾向にほぼ同調した。なお、チェルノブイリ原発からは、Cs-137:Cs-134:Sr-90は1:0.5:(0.2-0.1)で放出され、日本でもCs-134はCs-137の1/2量で観測されたが、半減期が短いために数年で観測されなくなった。また、Sr-90は、セシウムに比べて揮発性でないこともあって飛来量も少なく、図1で明らかなように、Cs-137より2桁低い濃度であった。

出典
文献1:「環境放射能データベース」 http://search.kankyo-hoshano.go.jp/
図1:原子力規制庁「環境放射線データベース」より、気象研究所「月間降下物中のCs-137とSr-90の濃度推移
(1957年3月～2017年3月)

②福島事故以前の食品・土壌への放射能汚染の影響を学ぶ

1960年代前半には大気圏内核実験の影響で土壌は最大400 Bq/kg、食品は最大10 Bq/kgの汚染があった!

福島事故以前に放射能で食品が汚染することが知られるようになったのは、前述の遠洋マグロ漁船だった第五福竜丸の事件が一般に報道された時だった。帰港した焼津で「原爆マグロ」がセンセーショナルに取り上げられ、これを契機に反核運動が盛り上がりを見せたものの、マグロを築地市場場内に埋めたことで食品汚染の幕引きが図られた。1986年にチェルノブイリ原発事故が起こると、地球を半周して放射能がやって来たことが即座に報じられ、農家の生産物の直接の汚染や、輸入食品の形で再度汚染した食品と向き合う事となった。

この期間の放射能汚染の影響を見るため原子力規制庁環境放射線データベースから、土壌と葉菜類についてCs-137とSr-90の濃度を取り出して、図1にそれらの濃度推移を示した。大気圏内核実験やチェルノブイリ原発事故の影響を受けて推移したCs-137の放射性降下物量に対して、土壌中のCs-137は1960年代前半に最大400 Bq/kgであったが、福島事故前には最大100 Bq/kgの濃度にまで減少していた。また、葉菜類は1960年代前半

に最大10 Bq/kg、福島事故前にはほとんどが0.1 Bq/kg未満であった。

他の食品については、同データベースに掲載された2003年の食品中Cs-137濃度を見てみよう(図2)。あくまでも調査された食品の範囲に限定されるが、過去(1989〜1998年)の食品中Cs-137濃度のうち高い方から品目とその最大値を列記すると、しいたけやヘーゼルナッツが10 Bq/kg前後、紅茶、ココア粉が1Bq/kg程度、マグロ類、さけが0.5 Bq/kg、そして、それより低いものにばれいしょ、ごま、豚肉、あじなどがあった。一方、2003年調査においては、最大値がヘーゼルナッツの2 Bq/kg付近で、他の食品は0.5 Bq/kg以下であった。同サイトのコメント欄には、「2003年は、過去のデータよりも低い傾向が見られ、これは、1980年まで行われた大気圏内核爆発実験や1986年のチェルノブイリ原発事故に伴い放出されたCs-137が、時間の経過に伴い減少している」とある。

図1　福島原発事故以前の土壌(草地)と葉菜類のセシウム-137濃度推移をみる

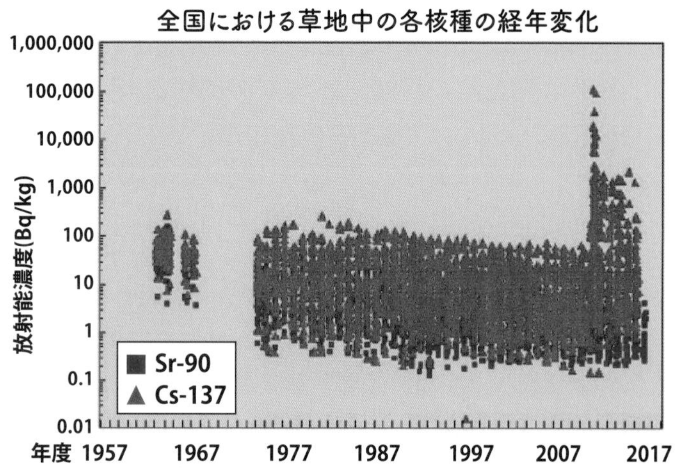

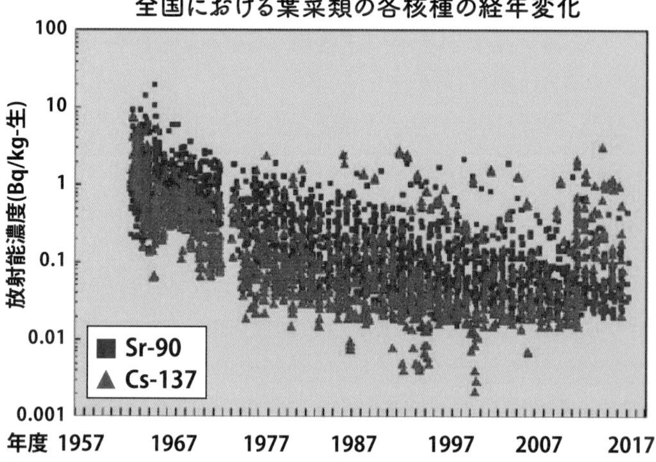

図2　福島原発事故以前(2003年)の食品中のセシウム-137濃度

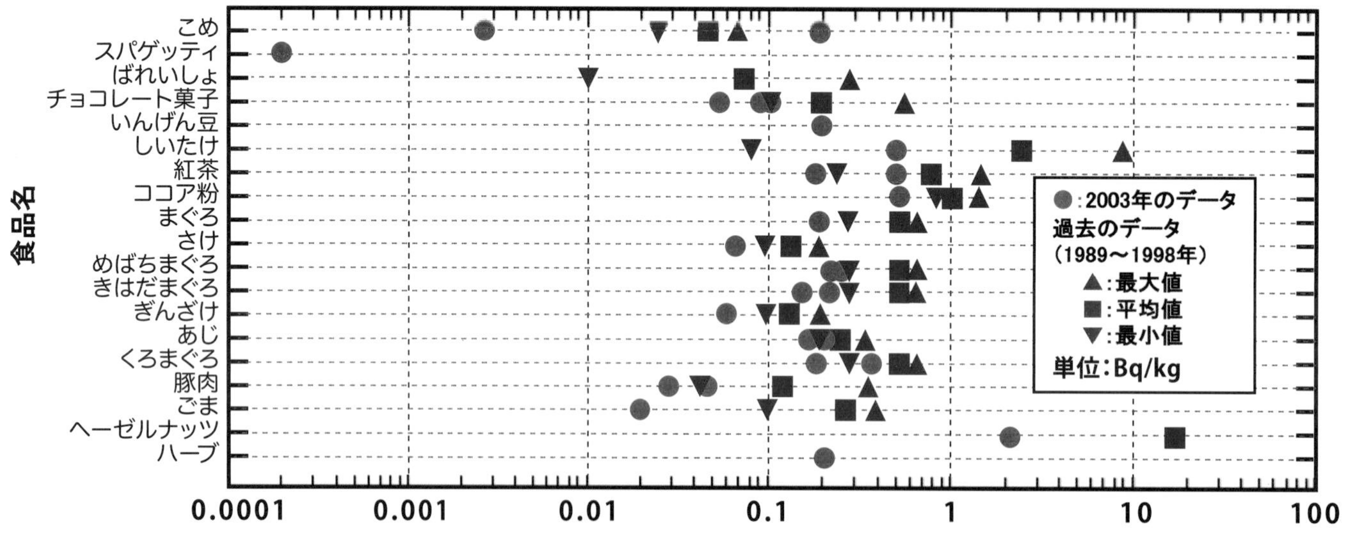

食品の基準値の変遷　370⇒500⇒100 Bq/kg

1986年11月、チェルノブイリ原発事故から7ヶ月後に厚生省(現厚労省)内に設けられた「食品中の放射能に関する検討会」によって輸入食品の放射能暫定限度が設けられた。1986年当時の日本の公衆被ばく線量限度は、国際放射線防護委員会(ICRP)の1977年勧告に基づく年間5 mSvであったことや、当時日本の食品に占める輸入食品の割合が重量ベースで35%(内5%はヨーロッパ産)であったこと、被ばく線量限度の1/3を特別な事態に対処するために配分することとしてそれを輸入食品にあてるなどして、輸入食品の放射能暫定限度をCs-137およびCs-134で370 Bq/kgとした。当時、世界中で放射能汚染に対する基準が設定された中で、タイでは穀物の規制値が6 Bq/kgと厳しかったことは印象的であった。

輸入食品の放射能暫定限度超えは事故から12年後の1998年にも存在し、品目はキノコであった。福島事故直後の暫定規制値設定時にも年間5 mSvが目安とされ、野菜類・穀物類・肉魚卵その他の放射性セシウムを500 Bq/kgとした。1年後の新基準設定時にはICRP 1990年勧告に基づく年間1 mSvを受け入れて、一般食品の放射性セシウムについて100 Bq/kgとした。この2012年の食品衛生法の改正によって、輸入食品の暫定限度(370 Bq/kg)も新規に設定された食品の放射能基準値(100 Bq/kg)に統合されることとなった(図3)。

出典

図1：原子力規制庁「環境放射線データベース」より
●http://search.kankyo-hoshano.go.jp/

図2：「日本の環境放射能と放射線」
●http://search.kankyo-hoshano.go.jp/food/download/cs137plot2004.pdf

図3：「食品中の放射性物質の新基準値及び検査について」厚生労働省医薬食品局食品安全部データより作成。
●https://www.mhlw.go.jp/topics/bukyoku/iyaku/syoku-anzen/iken/dl/120801-1-saitama_2.pdf

図3　食品の規制値の変遷

福島第一原発事故以前
輸入食品暫定限度 370 Bq/kg

↓

福島第一原発事故時・暫定規制値
(2011年3月17日〜2012年3月31日)
線量限度：年5ミリシーベルト
500 Bq/kg

↓

新基準値
(2012年4月1日〜)
線量限度：年1ミリシーベルト
100 Bq/kg

○放射性セシウムの暫定規制値 ※1

食品群	規制値
飲料水	200
牛乳・乳製品	200
野菜類 穀類 肉・卵・魚・その他	500

※1　放射性ストロンチウムを含めて基準値を設定

(単位：ベクレル/kg)

○放射性セシウムの新基準値 ※2

食品群	基準値
飲料水	10
牛乳	50
一般食品	100
乳児用食品	50

※2　放射性ストロンチウム、プルトニウム等を含めて基準値を設定

③福島事故後の食品へのセシウム移行と気になる食品について学ぶ

土から食品に放射能が移行する割合＝移行係数

はじめて人工放射性物質が地球環境に放出されて以降、すでに70年以上が経過している。食品は多くの元素から構成されているため、その生育過程や製造過程から、天然物であれ、人工物であれ、放射性物質が取り込まれる可能性がある。しかし、土壌が汚染していたら、そこにある植物・食品も等しく汚染するのかと言えば、そうではない。植物の性質により、土壌中の放射性物質を吸収する能力がそれぞれ異なるので、汚染度合いも異なる。この度合いを数値化したものを「移行係数」と呼ぶ。

農作物毎の土壌からの移行係数は、農作物中Cs-137濃度／その生育土中Cs-137濃度で計算され、放射性セシウムを取り込みやすいもの、取り込みにくいものが明らかにされつつある。

事故当初、米については、水田から米への移行係数を「0.1」として、当初の食品暫定規制値500 Bq/kgに対して水田土壌の放射性セシウム濃度が5,000 Bq/kgまでを耕作可能とした。2011年5月に農林水産省が示した移行係数(表1)によれば、移行係数上位3品目はサツマイモ、ジャガイモ、キャベツであった。移行係数が高いほど土壌からの放射性セシウムの移行が高い傾向にあると考えられるが、実際にはこのことと土質や水分を含む施肥条件、ゼオライトやカリウムの投入によって、作物中の放射性セシウム濃度は異なってくる。この表ではデータ数が5個未満のものでも参考値として採用されており、さらなる調査が必要である。

表1　農地土壌中の放射性セシウムの野菜類及び果実類への移行係数

分類名	農作物名	科名	移行係数	
			幾何平均値	最高値
1:野菜類				
葉菜類	ホウレンソウ	アカザ科	0.00054	
	カラシナ	アブラナ科	0.039	0.039
	キャベツ		0.00092	0.076
	ハクサイ		0.0027	
	レタス	キク科	0.0067	0.021
果菜類	カボチャ	ウリ科	–	0.023
	キュウリ		0.0068	
	メロン		0.00041*	
	トマト	ナス科	0.00070	
果実的野菜	イチゴ	バラ科	0.0015	
マメ類	ソラマメ	マメ科	0.012	0.012
鱗茎類	タマネギ	ユリ科	0.00043	
	ネギ		0.0023	
根菜類	ダイコン	アブラナ科	–	
	ニンジン	セリ科	0.0037	
	ジャガイモ	ナス科	0.011	0.13
	サツマイモ	ヒルガオ科	0.033	0.36
2:果実類				
樹木類	リンゴ	バラ科	0.0010	
	ブドウ	ブドウ科	0.00079*	
低木類	ブラックカラント	スグリ科	0.0032	
	グースベリー		0.001	

* 算術平均値

みんなのデータサイト食品データ20品目の解析

福島原発事故による食品への放射性セシウムの汚染について、みんなのデータサイトのデータベースから気になる食品20品目を取り出して、検出率を算出した。それらの検出値の最高値と測定年月日、生産地又は採取地、中央値を表2に示した（検出率順）。

最高値を示した生産地または採取地については、コシアブラの岩手県奥州市、茶の東京都青梅市、粉ミルクの宮城県大崎市をのぞく食品については、すべて福島県内のものが占め、地域的にはまさに帰還困難区域もしくはその周辺の地域で、福島第一原発の北西方向で採取されたものであった。

データサイトのデータは、測定所毎に、できる限り正確に、できる限り低い検出限界まで測定する努力がなされている[NaI（ヨウ化ナトリウム）検出器では1～5 Bq/kg前後まで、Ge（ゲルマニウム半導体）検出器では、0.05 Bq/kg程度まで]。したがって、食品の放射能基準値100 Bq/kg に対してその1/2、1/5、1/10などを検出下限値の目安にしている公的機関の測定結果と比較すると、検出率そのものはデータサイトのデータの方が高いことが予想される。例えばホウレンソウについて言えば、厚労省データベースでは6.8%（411/6,036件）に対して、データサイトでは12%（8/68件）であった。その他、データサイトにおける放射性セシウムの検出率は、測定件数は少ないが山野草のコシアブラが83%と最も高く、同じく山野草のタケノコ、フキノトウは58%であった。他に、果実類、茶類、穀類、豆類で検出率が高いことがわかる。

表2　みんなのデータサイトから気になる主な食品を抜粋
（2018年5月17日現在）

品名	件数	検出数	検出率	検出値の最大値、採取日又は測定日、産地又は採取地、中央値				全測定値
	（件）	（件）	（%）	最大値（Bq/kg）	採取日又は測定日	産地又は採取地	中央値（Bq/kg）	中央値（Bq/kg）
コシアブラ	23	19	82.6	19,409	2013/5/22	岩手県奥州市	54	31.2
クリ	56	37	66.1	427	2011/9/1	福島県伊達市保原町	6.1	2.1
梨	151	89	58.9	18.9	2011/12/1	福島県福島市笹木野	0.9	0.5
タケノコ	389	225	57.8	672	2014/5/31	福島県双葉郡葛尾村落合	6.9	3.3
シイタケ	585	337	57.6	16,740（乾燥*）	2012/4/15	福島県福島市大森	12.1	1.5
フキノトウ	40	23	57.5	16,879	2013/3/29	福島県双葉郡浪江町赤宇木	32.2	2.8
リンゴ	370	181	48.9	240	2011/12/15	福島県福島市田沢	2.8	ND
茶	311	120	38.6	900	2012/4/12	東京都青梅市	18.2	ND
米	2788	903	32.4	861	2011/10/30	福島県伊達郡川俣町飯坂	3.9	ND
ダイズ	181	55	30.4	688	2011/11/3	福島県福島市大森	5.2	ND
サツマイモ	218	56	25.7	113	2011/11/4	福島県福島市遠瀬戸	1.9	ND
サトイモ	26	5	19.2	17.2	2011/11/10	福島県福島市笹谷	3.1	ND
粉ミルク	60	11	18.3	6.13	2012/1/23	宮城県大崎市岩出山	0.7	ND
ジャガイモ	302	41	13.6	50.2	2011/9/1	福島県福島市山田	5.2	ND
牛乳	210	27	12.9	7.4	2012/1/24	福島県福島市置賜町	0.5	ND
ハクサイ	57	7	12.3	48.1	2012/4/14	福島県福島市山口	8.4	ND
ホウレンソウ	68	8	11.8	19.4	2014/3/11	福島県	4.2	ND
コマツナ	96	10	10.4	73.3	2012/11/13	福島県福島市山口御山	7.2	ND
タマネギ	49	1	2	4.2	2011/9/1	福島県福島市山口渡利	–	ND
ネギ	116	1	0.9	6.3	2012/5/1	福島県福島市南沢又	–	ND

図1に2018年5月までのシイタケ、タケノコ、米、リンゴ、についての経年的濃度推移を示した（検出下限値未満は非表示）。現在も、シイタケ、タケノコは10Bq/kg、米、リンゴは1 Bq/kg前後の放射性セシウムが検出される可能性のあることがわかる。今後も「測って判断」が肝要である。

図1　みんなのデータサイトデータベースから見たセシウム濃度経年推移（2018年5月17日現在）

Bq/kg)　シイタケの放射性セシウム[検出率58% (337/585)]

(Bq/kg)　タケノコの放射性セシウム[検出率58% (225/389)]

(Bq/kg)　米の放射性セシウム[検出率32% (903/2788)]

(Bq/kg)　リンゴの放射性セシウム[検出率49% 181/370)]

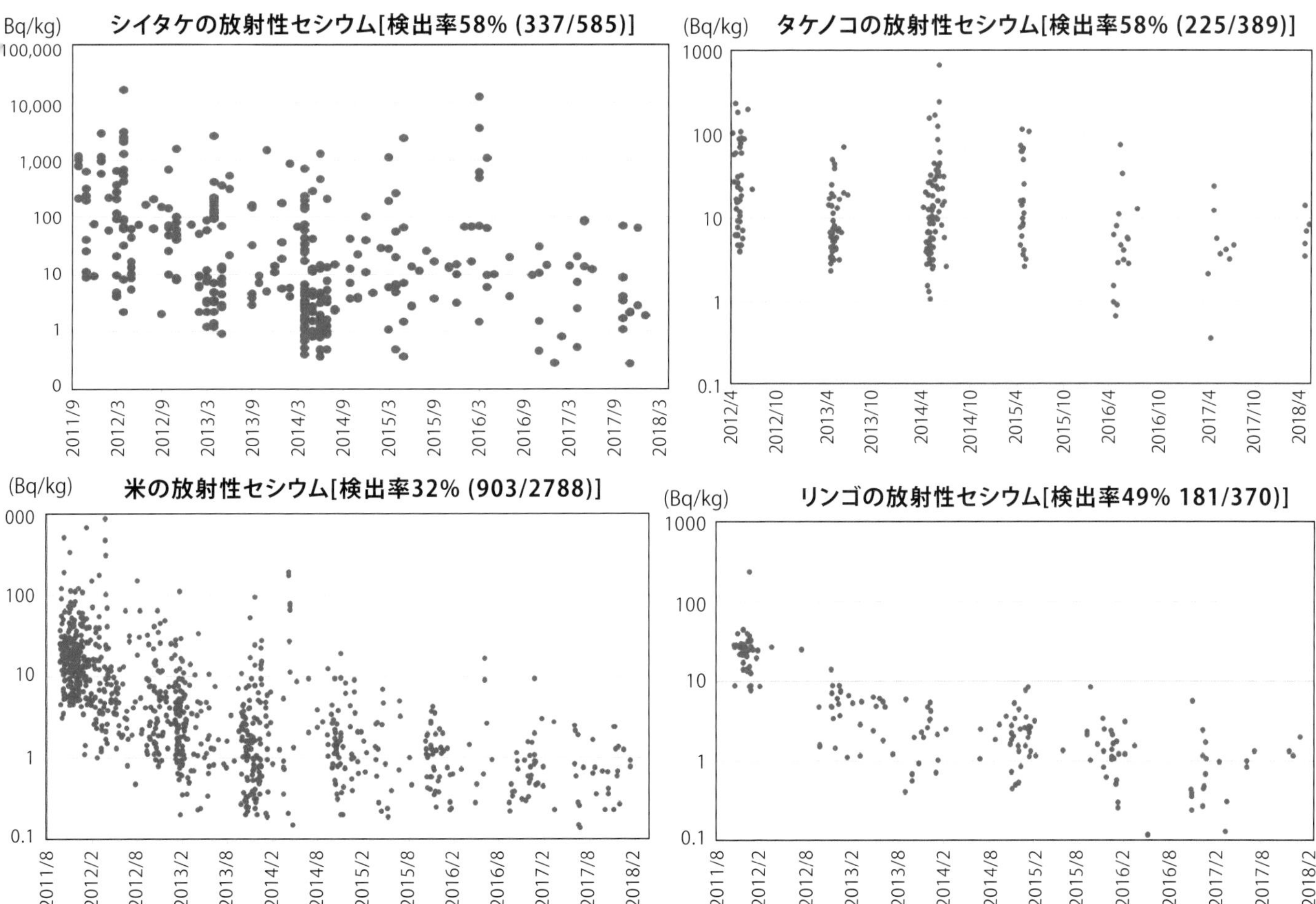

チェルノブイリ原発事故に学び、長期にわたり注意が必要な「内部被ばく」

図2はウクライナ医学アカデミーの放射線医学研究センターのデータで、成人と子どもの放射性セシウムによる体内被ばく線量の経年推移を示したものだ。ここから、ウクライナの人々の体内被ばく線量がチェルノブイリ原発事故から10年後に再び上昇していることが読み取れる。

事故からしばらくは汚染食品の摂取に気をつけていたものの、長い時間が経過した後では人々の注意も散漫になり、もう大丈夫であろうと、ウクライナの食文化である牛乳・キノコ・ベリー類・ジャガイモなどの摂取を再び始めたからであろうと考えられている。

半減期の長い放射性セシウムは長く環境中に残留するため、事故からの経過時間に安心することなく、油断せず、普段の注意が必要であることを訴えていた。日本も同様に山野草などへの食文化の回帰が起こっており、チェルノブイリ事故に学ぶ必要がある。

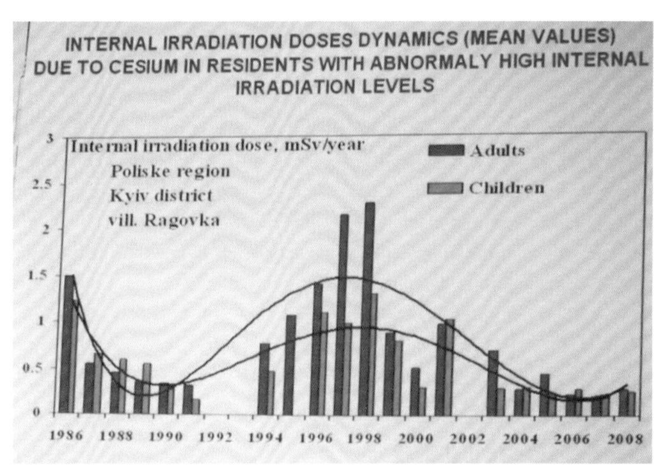

図2　食品からの放射性セシウムによって内部被ばくが異常に高いRagovka村における大人（赤）及び子ども（緑）の内部被ばく量（mSv/年）

【出典】表1：農林水産省「農地土壌中の放射性セシウムの野菜類及び果実類への移行の程度」
●http://www.maff.go.jp/j/press/syouan/nouan/pdf/110527-01.pdf
表2：みんなのデータサイト・食品データによる解析。　図1：みんなのデータサイト・食品データによる解析。
図2：ウクライナ医学アカデミー・放射線医学研究センター "V.V. Vasylenko＊, Aug. 26 2013 in Kiev, "NRCRM NAMS of Ukraine", Kyiv-city, Ukraine" による作成データ。

国の食品の放射能測定体制はどうなっているのか？

●解析：みんなのデータサイト事務局

これだけの原発過酷事故があった後なのだから、事故後は国が率先して放射能測定の指針を立て、系統立てて測定しているだろうと思っている方が多いでしょう。実際、国の測定に関する取り決めはどうなっているのでしょうか？ そして、その測定データは、どのようなもので、私たちはどのようにそれを知ることができるのでしょうか？ 原発事故前から定められていた測定体制、事故直後、そして現在までの国の検査体制について概要を報告します。

事故前・事故直後の測定体制の推移

福島原発事故前の2002年3月に出された「緊急時における食品の放射能測定マニュアル」（厚生労働省医薬局食品保健部監視安全課）（出典1）によれば、対象とする食品を事故時に2段階に分けてモニタリングすることになっていた。

① 第１段階モニタリング

食品は時季、地域、その他多くの要因によって異なるが、放射性物質の直接的沈着の可能性が比較的大きく、また摂取量も多い食品として、玄米、葉菜（キャベツ、ほうれん草、はくさい等）、果花菜（きゅうり、トマト等）、果実（柑橘類、りんご等）、生乳、生鮮魚介類、海草類、当該サイトでの日干し魚介類等、を主な対象とする。

② 第２段階モニタリング

第１段階モニタリングよりも正確な評価を行うため、第１段階モニタリングの対象品目に加えて、いも類、肉類、卵類等も対象とする。なお、評価対象地域に特産品等がある場合には、当該食品を個別の食品として評価する。

さらに「第１段階モニタリングの測定対象食品群である①穀類、②果実類、③野菜類、④海草類、⑤魚介類、⑥乳類、その他の７食品群のうち、その他の群をさらに再分類して、⑦いも類、⑧豆類、⑨きのこ類、⑩肉類、⑪卵類、⑫その他を加えた全12食品群を対象とする。さらに、それぞれの食品群ごとの品目を対象とする。＊地表面に沈着した放射性物質の地中での浸透拡散を考慮して、いも類や根菜の大根、にんじん、たまねぎ、また、摂取量を考慮して、精米、小麦類、魚介類、肉類、卵などを測定の対象とする。その他少量摂取の食品であってもきのこ類のように放射性セシウムを濃縮する傾向のある食品には留意が必要である。」との記述がされていた。

しかし、原発事故後、広範囲に降り注いだ大量の放射性物質を国が必要な範囲で検査する体制になってはおらず、事故後2週間の検査実績900件の結果をもとに、2011年4月4日の改定（文献1）で対象自治体の拡大を行なっている。また露地物の葉物野菜や原乳など、放射性ヨウ素で5,000 Bq/kg 超、放射性セシウムで1,000 Bq/kg超、また暫定基準値超えが見つかったものを対象品目に選定したのもこの時期で、事故直後に出荷されたものは市場に広く出回ってしまう結果となった。

同年8月4日にコメ、牛を追加するなど、測定結果を踏まえて複数回の改正が行なわれているが、特に牛については、放射性セシウムで汚染された稲わらにより飼育された牛が全国に流通し、基準値を大幅に超える事態になり、その後、2012年2月3日に飼料の暫定許容値の見直し（文献2）を行ないながら、現在まで続く全頭検査体制となった。事故当初に高濃度の稲わらが出回らないよう厳重に管理しなかったことや、本来食用に出荷しない前提の繁殖牛・種雄牛用の飼料では、肉牛用飼料の濃度より許容される放射性セシウム濃度が高く設定されており、その肉が出荷されたことで基準値超えが発生した例もあった。牛の対応は後手になり、市民の食生活への不安は払拭されることがなかった（文献3）。

2012年以降は放射性物質が表面に直接沈着した食品が減り、基準値超えがなくなったものについては、3回の測定で基準値を下回ったら出荷制限を解除するという考え方で、年に1回程度、検査計画は見直されている。2020年1月現在では、検査品目として乳、牛肉、原木きのこ類、海産魚種（サメ・エイ類）、内水面魚種（イワナ・ヤマメ・マス類、ギンブナ・コイ・ウグイ、ウナギ、アユ、ナマズ類）、当該自治体において出荷制限が前年に解除された品目、乾燥きのこ類、乾燥海藻類、乾燥魚介類、乾燥野菜類および乾燥果実類など乾燥して食用に供される加工品などが、具体的に上がっている。しかし、これら検査品目は各自治体に強制されるものではなく、あくまでもガイドラインであり、実際にどの品目をどの程度測定するかは、自治体によりばらつきが見られるのが現状である。

測定の際の規制値については、原発事故直後の2011年暫定規制値(Bq/kg) が設定され、野菜類・魚介類は放射性ヨウ素2,000 Bq/kg、放射性セシウム500 Bq/kgとされた。翌年からは、新基準値として一般食品は100 Bq/kgと変更され現在に至っている。測定の際の検出下限値については後述するが、例えば牛肉では25 Bq/kgが95 %以上を占めており、消費者の安心に必ずしも寄り添った測定体制とは言い難いのが実情である。

国の食品測定の80％は牛肉！

下記は、厚生労働省がデータの運営管理を委託している「国立保健医療科学院」が公開している「食品中の放射性物質検査データ」（出典2）から、2012年4月以降2019年12月25日までの検査データをグラフ化したものである（表1および図1）。

「畜産物」の割合が、食品全体の約8割を占めていることがわかる。さらに、この8割の「畜産物」の中身をみると表2のようになっている。

実に畜産物の99%以上が「牛肉」であることがわかる。私達の食卓に毎日牛肉が並ぶことはないのに、牛肉のみが全頭検査となったことで、国の食品測定体制が市民の生活に寄り添うものではなくなっている。しかも、よく見ると、ここには畜産物ではないものが含まれている。一体なぜこのようなことが起こるのか？

カテゴリー	件数
畜産物	**1,908,555**
農産物	237,453
水産物	150,645
その他	66,010
牛乳・乳児用食品	27,274
野生鳥獣肉	12,227
飲料水	5,846

表1 カテゴリー別検査件数

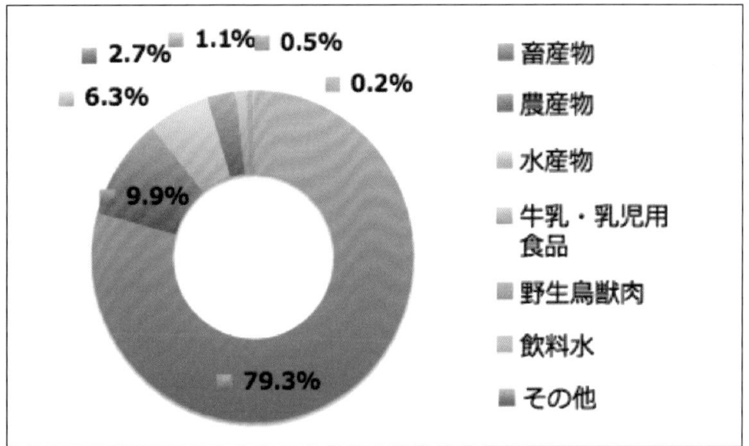

図1 カテゴリー別検査数割合

種類	件数	%
牛肉	1,896,605	99.3739%
豚肉	4,525	0.2371%
鶏卵	2,890	0.1514%
鶏肉	2,582	0.1353%
馬肉	1,455	0.0762%
めん羊肉	162	0.0085%
卵	97	0.0051%
豚骨	61	0.0032%
羊肉	52	0.0027%
アイガモ肉	40	0.0021%
山羊肉	16	0.0008%
ハチミツ	12	0.0006%
合ミンチ肉	1	0.0001%
原乳	8	0.0004%
うずら卵	7	0.0004%
鴨肉	6	0.0003%
合挽肉	5	0.0003%
鶏ガラ	5	0.0003%
牛挽肉	4	0.0002%
牛乳	4	0.0002%
鶏皮	3	0.0002%
アヒル肉	1	0.0001%
イノシシ肉	1	0.0001%
イノブタ肉	1	0.0001%
味付食肉	1	0.0001%
牛肉、豚肉	1	0.0001%
羊の肝臓	1	0.0001%
豚ミンチ	1	0.0001%
豚肉（内臓肉）	1	0.0001%
豚脂	1	0.0001%
鶏ささみ	1	0.0001%
鶏挽肉	1	0.0001%
ニンジン	1	0.0001%
ネギ	1	0.0001%
二条大麦	1	0.0001%
大麦	1	0.0001%
合計	1,908,555	

表2 畜産物カテゴリーの内訳

自治体任せの食品測定

国は、食品測定を47都道府県にある測定施設（環境研究所など、177ページ参照）と各自治体（県単位～市町村単位）に任せており、例えば分類間違いや、間違ったデータ登録が行なわれるケースがこれまでにも見られてきた。発表されたデータを見た市民が「検出になっている！」と問い合わせてみたら、実は「不検出」を示す不等号の記載落ちだった、というケースもままあった。

100 Bq/kg以上の基準値超えの検体があった場合、出荷制限がかかるが、その制限区域は野生動物など動き回るものは県単位、野生キノコや山菜など移動しないものは市町村単位である。隣接した自治体について、同様の汚染があるのではと自治体同士が連携して調査するような仕組みは見られない。当該品目から基準値の1/2を超える放射性セシウムを検出した地域において、市町村ごとに3検体以上測定を実施する。その他の市町村では1検体以上測定を実施するとあり、基準超過のない市町村はたとえ隣の自治体であっても、たった1検体検査すればよいことになっている。そのため、164ページの「出荷制限マップ」にみられるように、出荷制限の非連続性や飛び地のような現象が起きている。

放射性物質の拡散に、人間が設定した境界線はまったく無意味であるにも関わらず、管理が自治体単位であるため、放射能汚染の監視や規制は穴だらけであるのが現状だ。

海外から私達データサイトが多くのメディア取材を受けた際も、国が指導的な役割を示していないことが驚きをもって捉えられた。

『安全』でなく『安心』のための全頭検査

2019年3月に、岩手、宮城、福島、栃木の4県のみに指示されていた『飼養されている牛の県外への移動および、と畜場への出荷制限』（出典3）が全面解除された。しかし、当面の間は、上記の4県に限らず全国で牛肉中の放射性セシウム全頭検査が継続されるようである。

牛の出荷制限が解除される前にも「特定の地域だけ検査すれば、その地域の牛は危険と思われかねない。」として4県以外の県でも横並びに全頭検査が強行されていた。その結果「食品測定の80%は牛肉」というバランスを欠いたおかしな結果を招いている。牛肉検査費用は税金や牛肉価格に上乗せされ、最終的に消費者の負担となっている。全頭検査は『安全』でなく『安心』のための対策であって、風評被害対策の側面が強い。汚染の傾向が見え、検出になる場合のセシウム濃度がある程度低いことがわかった現在でもなお、検査の下限値は25 Bq/kgと設定されたスクリーニング検査が主である（表3）。

原発事故から9年を経た今、より下限値を下げた精密な測定が求められる。

不検出のデータ　4998件の検出下限値内訳		
下限値（単位：Bq/kg）	件数	%
＞13	3	0.06%
＞14	10	0.20%
＞15	21	0.42%
＞16	37	0.74%
＞17	16	0.32%
＞18	14	0.28%
＞19	7	0.14%
＞20	81	1.62%
＞25	**4,809**	**96.22%**
合計	**4,998**	

検出のデータ　2件の検査結果	
生産地	結果（セシウム合計）
福島県二本松市	8.8 Bq/kg
栃木県大田原市	11 Bq/kg

表3　牛肉の検査（2019年12月25日までのデータから抽出できる直近のデータ5,000件による統計）

国の検査データはどこで確認できるか

国の検査データがどこで見られるか知っている人は意外に少ない。データの「概要」は、下記のサイトにある（表4）。市民に食品から受ける内部被ばくリスク情報を知らせる目的で行なわれている検査にも関わらず、このような縦割的な情報公開ではわかりにくく、検査自体の目的にも疑問が残る。

表4 国の検査データの確認できるサイト

水産物	水産庁	https://www.jfa.maff.go.jp/j/housyanou/kekka.html
		福島県及び近隣県の主要港における週1回のサンプリング調査の結果を公開。地図なども公開。
畜産物	農林水産省	https://www.maff.go.jp/j/kanbo/joho/saigai/seisan_kensa/index.html
		厚生労働省の発表を基にまとめたものを公開
きのこ・山菜	林野庁	https://www.rinya.maff.go.jp/j/tokuyou/kinoko/kensakekka.html
		各都道府県等が発表したきのこ・山菜等の放射性モニタリング検査結果（基準値超過分）を公開。
食品全般	厚生労働省	https://www.mhlw.go.jp/stf/kinkyu/0000045250.html
		各都道府県などの検査結果を取りまとめて公開。 なお、このデータをデータベースにしたものが以下である。
		http://www.radioactivity-db.info/
		厚生労働省が国立保健医療科学院に委託「食品中の放射性物質検査データ」食品ごとに過去の統計をグラフで件数・基準値越え件数の推移などを確認できる。詳細な情報については、1つの食品に対して直近5000件分だけを閲覧・ダウンロードすることができるようになっており、全部のデータを詳細に確認することはできない。

そもそも100 Bq/kgという一般食品の基準値について

本来、その値を超えるものは「低レベル放射性廃棄物」として黄色いドラム缶に密封し隔離保管しなくてはいけないレベルが、「100 Bq/kg」である。この値が、事故から９年を経た今でも「食品の基準値」として設定され、その値未満であれば「安全な食品」として流通してしまう仕組みであることが、消費者の根強い不安の元となっていることを忘れてはいけない。福島原発事故前の食品測定の値をいま一度思い起こす必要がある (参照 122 ページ)。

そうした中、25 Bq/kg という検出下限値は、それより低い「検出」を見逃していることも明らかであり不安の払拭には役立たない。本来は、詳細に測定したデータを公開し、消費者が自ら判断できるようにするべきである。牛肉以外でも、検出下限値が10〜25 Bq/kg と高い測定が多く、国の測定ではセシウムの含有率の経年変化を詳しく知ることは不可能だ。

対して、市民放射能測定室では、測定したい品目を詳細に (数ベクレル〜1 Bq/kg 程度) 測定している。毎年同じ生産者の農産物を測定し経年変化を調べる、土との関連性を調べるなど、科学的に放射能の挙動や存在を追求し、人々の内部被ばく防護を目指している。行政の検査体制が縮小傾向にある今、市民放射能測定室の役割は、今後ますます重要になると言えよう。

出典・文献

出典1：福島原発事故前の2002年5月に出された「緊急時における食品の放射能測定マニュアル」(厚生労働省)
https://www.mhlw.go.jp/stf/houdou/2r9852000001558e-img/2r98520000015cfn.pdf
出典2：「食品中の放射性物質検査データ」(国立保健医療科学院)　http://www.radioactivity-db.info/
出典3：「原子力災害対策特別措置法第20条第２項の規定に基づく食品の出荷制限の解除」(厚生労働省)
https://www.mhlw.go.jp/stf/houdou/0000211929_00016.html
文献1：「農畜産物等の放射性物質検査について」(厚生労働省医薬食品局食品安全部監視課/2011年4月4日)
https://www.mhlw.go.jp/stf/houdou/2r98520000017txn-img/2r98520000017ze4.pdf
文献2：「放射性セシウムを含む飼料の暫定許容値の見直しについて」
(農林水産省 消費・安全局/2012年2月3日)
https://www.maff.go.jp/j/syouan/soumu/saigai/shizai_2.html
文献3：「家畜用飼料の暫定許容値設定に関するQ&A」(農林水産省 消費・安全局/2012年3月26日)
https://www.maff.go.jp/j/syouan/soumu/saigai/siryou_faq.html
【参考文献】
●「東日本大震災関連情報/食品中の放射性物質への対応」(厚生労働省)
https://www.mhlw.go.jp/shinsai_jouhou/shokuhin_qa.html#ans02
●「地方自治体における検査計画について/農畜水産物等の放射性物質検査について」(厚生労働省)
https://www.mhlw.go.jp/stf/houdou/2r9852000002xqoq-att/2r9852000002xqxc.pdf
●「検査計画、出荷制限等の品目・区域の設定・解除の考え方」(原子力災害対策本部/2019年3月22日)
https://www.mhlw.go.jp/content/11135000/000493342.pdf

牛乳・粉ミルクの汚染度解析

● 解析：あがの市民放射線測定室「あがのラボ」（新潟県）

原発事故直後に、人工放射性核種が混入した「牛乳」や「缶入り粉ミルク」が確認されました。乳児や子どもが口にする機会の多い乳製品の汚染は子を持つ母親たちを不安にさせ「牛乳」「粉ミルク」への忌避意識が一挙に高まりました。さらに、「粉ミルク」の汚染発見が公的検査やメーカーによるものではなく民間の市民測定所の検査によるものであった事から、国の検査体制への不信感も高まりました。
あれから、７年余が経過して牛乳・粉ミルクの汚染は改善されたのでしょうか。
また国やメーカーがどのような対策を取ってきたのかを探るために公的検査、市民測定所のデータを集めて解析を試みました。なお、この解析では、公的機関データ、みんなのデータサイトのデータに加え、好意により提供いただいた「NPO 法人新宿代々木市民測定所」のデータを用いています。

そもそもの始まりは「牧草」の汚染

牧草汚染は土壌汚染の激しかった県を中心に、東北から関東に広く分布している。放射性セシウム濃度の高い汚染牧草の多くは、牛の飼料としての使用が自粛され、現在も処分法が決まらないため酪農家が保管している状況にある。これ以後に収穫された牧草の汚染は年々減少し、現在では大部分が50 Bq/kg 以下となった。牛への粗飼料中の暫定許容値（100 Bq/kg）を下回ってはいるが、土壌汚染が残っているため牧草にも少なからず放射性セシウムが混入しているのが実情である。

図１　原発事故後に収穫された牧草の汚染度を県別にグラフ化

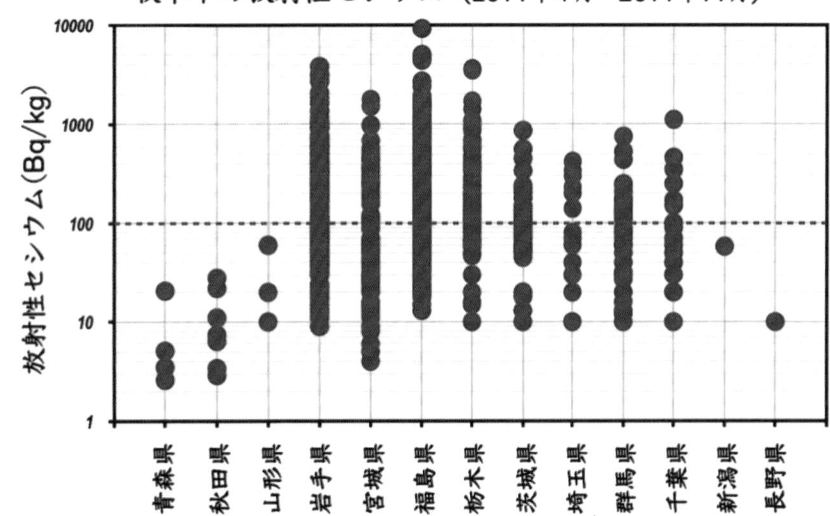

協力：データ提供
NPO 法人　新宿代々木市民測定所
http://www.sy-sokutei.info/

一般食品に加えて大気浮遊じん・尿・母乳・水道水などを継続的に測定調査して、内部被ばくによる被害を未然に防止して、健康を守ることを目的に活動。ゲルマニウム半導体検出器を用いて、精密測定を行なっている。

原材料である「原乳」が汚染

農林水産省のデータによると、牛乳、粉ミルクや乳製品の原材料となる「原乳」の検査は、酪農家から集荷された後に CS（クーラーステーション）ごとに1週間に1回の頻度で行なわれている（検出下限値約 2〜5 Bq/kg）。2014 年以降は放射性セシウム検出例が激減していたが、2017 年に宮城県での 2.42 Bq/kg の検出があったことから、原乳の汚染は現在も継続し、約 1〜2 Bq/kg 程度の濃度以下で推移していると考えられる（図2）。なお、初期に見つかった高濃度汚染原乳はすべて廃棄されている。

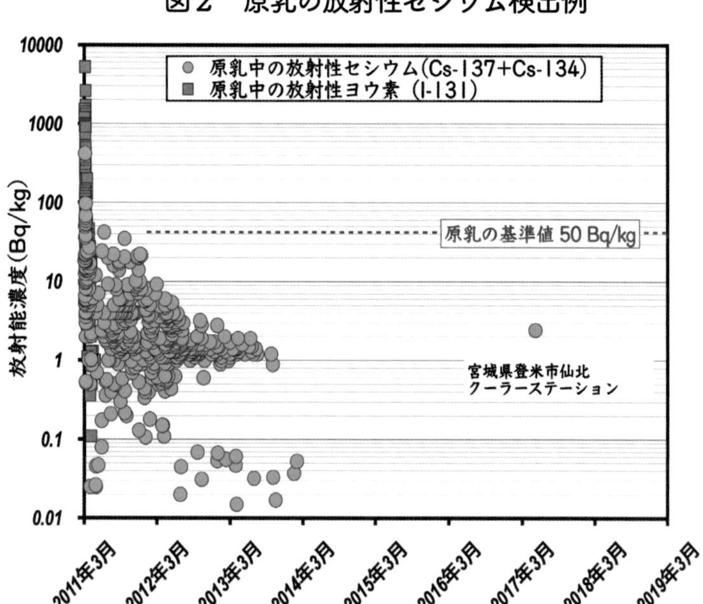

図2　原乳の放射性セシウム検出例

怖れていた「市販牛乳」の汚染

厚生労働省データ、みんなのデータサイトおよび新宿代々木市民測定所の検査結果から「市販牛乳」中の放射性セシウム濃度の経年変化を示す（図3）。

牛乳・乳製品の基準値は、原発事故後、2012 年 3 月まで暫定規制値で 200 Bq/kg、4 月以降は基準値とされ 50 Bq/kg である。2011 年〜2012 年にかけて規制値以下ではあるが、10 Bq/kg 以上の汚染牛乳が市場に流通していたことがわかる。この時期には NaI シンチレーション検出器でも測定できるほど放射性セシウムの濃度が高かった。その後は徐々に減少し、2014 年以降では約 1 Bq/kg 以下で推移している。現在では何らかの濃縮操作をしない限り NaI では検出できず、みんなのデータサイトでは、もっぱら「認定 NPO 法人ふくしま 30 年プロジェクト」と「小さき花 市民の放射能測定室（仙台）」のゲルマニウム半導体検出器がこの任にあたっている。なお、新宿代々木市民測定所では検出下限値 0.05 Bq/kg と低いレベルの測定を実現し、メーカーに詳細な原乳産地聞き取り調査を実施するなど、牛乳汚染の監視を進めている。

図3　牛乳中の放射性セシウム濃度の経年変化

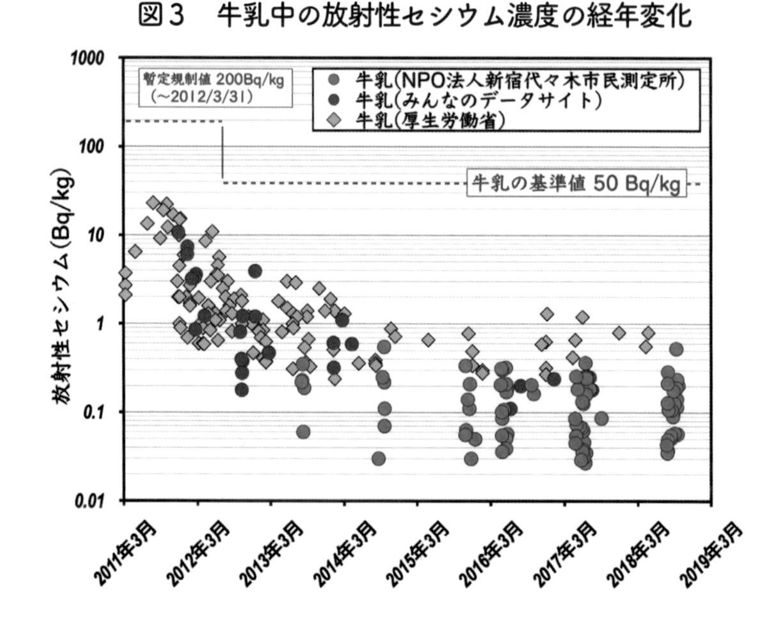

「粉ミルク・スキムミルク」にまで及んだ汚染

生後から代用母乳としての役割の「レーベンスミルク」と離乳期に与える「フォローアップミルク」の乳児用粉ミルクと「スキムミルク」（脱脂粉乳）に分けて、それぞれに含まれる放射性セシウム濃度の経年変化を調べた（図４）。横軸は製造年月日が不明のため、賞味期限とした。

乳児用粉ミルクに関しては約0.5 Bq/kg 以下の低い濃度で推移しているが、スキムミルクは濃度が高く変動幅も大きい。さらに、賞味期限 2016年〜2017年の製品には原発由来の Cs-134 も確認されている。

スキムミルク・乳児用粉ミルクのメーカー別の濃度分布を調べた（図 5）。

図４

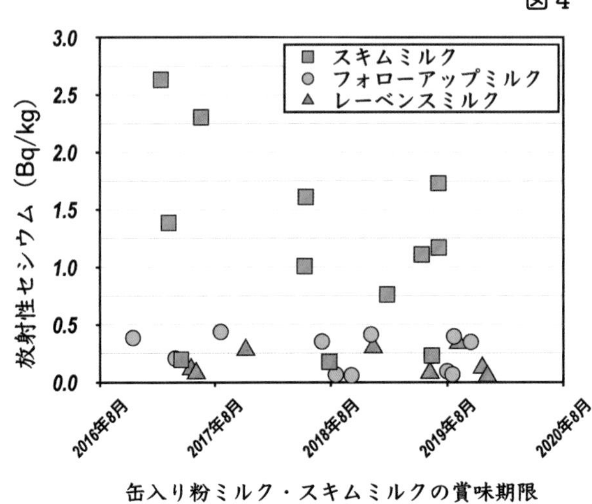

図５

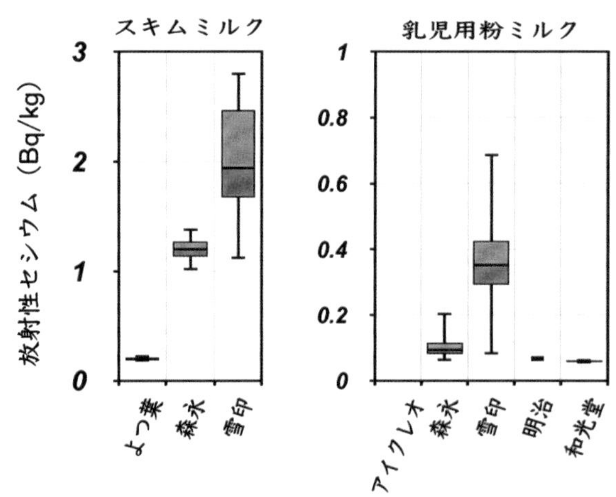

まったく検出例がないメーカーが存在する一方で、含まれる放射性セシウム濃度が他社より明らかに高いメーカーも存在する。そのメーカーが共通しているので原乳段階での混入が疑われる。

毎年粉ミルク・牛乳の精密測定やメーカーへの産地聞き取り調査を進めている新宿代々木市民測定所の試算によると、Cs-137 が 400 m（ミリ＝1,000 分の1）Bq/kg 含まれる粉ミルクを1日 5 回授乳（10 さじ 26 g/1 回を 5 回 / 日）すると、3.11 前の日本人の 1 日の食事からの Cs-137 の摂取量 20 mBq/ 日（日本分析センターによる）の倍以上（52 mBq/ 日）を摂取することになる。

現状の粉ミルク・スキムミルクの汚染状況を見ると、暫定的に設定された乳児用食品・牛乳の基準値 50 Bq/kg は技術的にも充分達成できているので、そろそろ現状に見合った数値まで引き下げるべきであろう。一方、特定のメーカーが未だに他社よりも汚染されている乳児用食品を流通させているのは怠慢でしかなく企業姿勢が問われる。

出典

図 1：飼料作物のモニタリング調査結果（農林水産省）より作成
http://www.maff.go.jp/j/chikusan/sinko/shiryo/001.html#monitaring

図 2：原乳の放射性物質の検査結果について（農林水産省）より作成
http://www.maff.go.jp/j/seisan/milk_inspect/milkinsp.html

図 3：みんなのデータサイト（https://minnanods.net）、NPO 法人新宿代々木市民測定所（http://www.sy-sokutei.info）、食品中の放射性物質検査データ（厚生労働省）（http://www.radioactivity-db.info）より作成

図 4、図 5：NPO 法人新宿代々木市民測定所のデータより作成
http://www.sy-sokutei.info

米の汚染度解析（玄米と白米）

● 解析：おのみち-測定依頼所-（広島県）

近年米食が減少傾向にあるとはいえ、米は年間を通じて多くの日本人がたくさんの量を摂る主食です。それだけに米の汚染は、一番気にして欲しいところでもあります。米は「糠」部分に放射性物質が溜まる傾向があります。健康に良いということで、玄米食や糠漬け、食べる糠などが流行っていますが、いつどこで採れたものか留意が必要です。

なぜ糠に放射能が溜まるのか？

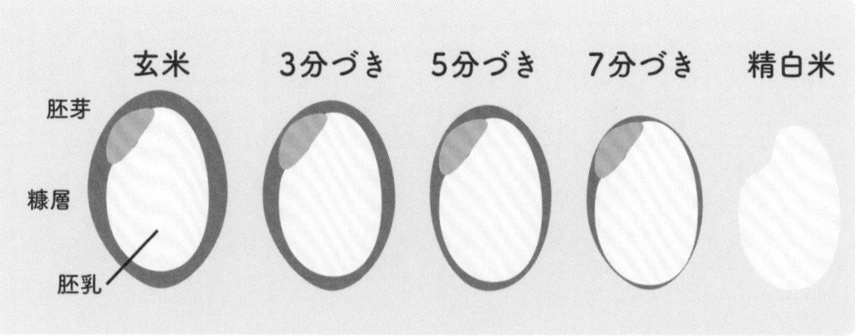

米は、籾（もみ）に包まれており、籾殻を取り除いたものが「玄米」である。玄米は、胚乳に胚芽、そのまわりを糠の層が覆っている。この糠の層と胚芽を取り除いていく割合で呼び名が替わり、すべてを取り除き胚乳のみのものを「精白米」と呼ぶ。

米に含まれる主な栄養成分は炭水化物、タンパク質、ミネラル分（カルシウム、鉄、マグネシウム、亜鉛）、ビタミンB1・B2、食物繊維など。放射性セシウム（Cs-137とCs-134の合算値）はカリウムと似た性質を持ちミネラルと同様の挙動をするため糠の部分に溜まる。

補足だが、日本酒は、極限まで糠と胚芽を削った白米を原料にして作るため、福島第一原発事故以降においても、日本酒から放射性セシウムがごくわずかでも検出されたという測定結果は確認されていない。

玄米の放射性セシウム経年変化

土壌から玄米への放射性セシウムの移行率は当初は10％程度と考えられていた。このため、2011年当時の食品の暫定規制値が500 Bq/kgだったので、水田土壌の基準が5,000 Bq/kgとされたのである。しかし、放射性セシウムについては、福島原発事故後、経年変化により順調な減少傾向が認められる。図1の「玄米の放射性セシウム経年変化」の最大値を見ていくと、2015年産からは4 Bq/kg程度、2016年産からは3 Bq/kgを下回る値となっている。

原因として放射性セシウムが、水田の土壌に吸着されたまま作物などに移行しにくくなり、値がほとんど変動しなくなったと考えられる。粘土質土壌を構成する成分の一つである雲母にはセシウムを一旦吸着すると離さないという性質があるためだ。また、数千Bq/kgの土壌においても5 Bq/kg以下の玄米を収穫出来るのは、農家の方の並々ならぬ努力（カリウム、ゼオライト、プルシアンブルーの投入などによる放射性セシウムの吸着）の結果でもあると思われる。ただ、あまり安心しないことも大切である。カリウムなどの施肥を怠りはじめた時にどうなるのかが不確実だからである。なにしろCs-137の半減期は30年なので、今後30年経っても水田土壌中の放射性セシウムは現状の半分程度にしかならないことを忘れてはならない。

みんなのデータサイトによる玄米の測定結果

データサイトのデータ「玄米」の放射性セシウム経年変化から順調な減少傾向が認められる。ここ数年間は市場レベルでは「玄米」で最大でも2～3 Bq/kgで推移。国立研究開発法人農研機構の報告によれば、精米後の白米で40%（最大0.8～1.2 Bq/kg）、水分が加わる炊飯米では同10%（最大0.2～0.3 Bq/kg）と推測される（注1）。

厚労省データでは検出下限値の高い出荷前のスクリーニングデータも記載されているため、全体的に濃度が高くなっており、減少傾向も明確ではない。濃度の高い玄米については出荷制限や出荷自粛がかけられるため、流通品ではデータサイトのデータと同じような傾向を示すかもしれない。しかし、厚労省データには低濃度まで検出下限値を探求したデータが極めて少ないため、低い濃度レベルの推移を数値ではっきり捉えることはできない。

玄米の放射性セシウムの経年変化

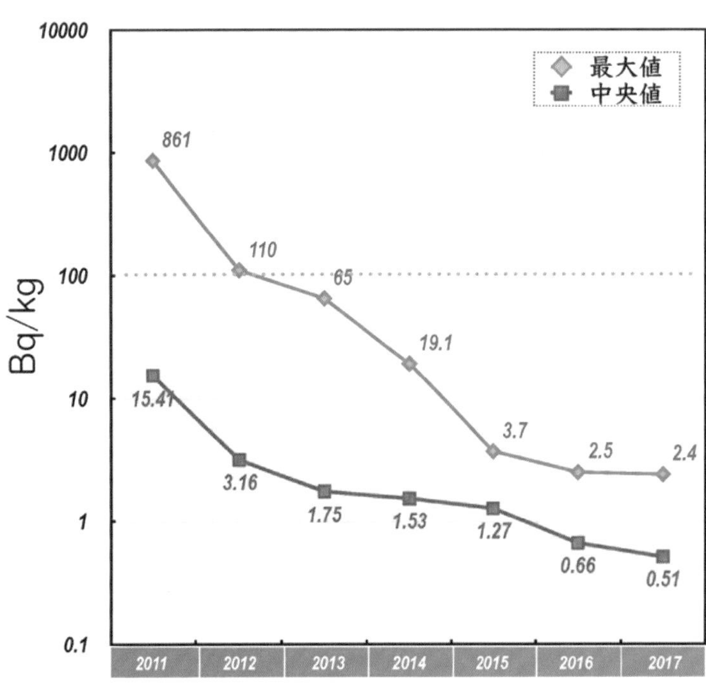

米にまつわる出来事

沖縄県産の米糠で放射能を検出?!

2014年8月、当測定室で沖縄県産と表示されていた米糠を購入し測定してみると、放射性セシウムが検出された。Cs-134の含有比率から、福島事故による影響であると推測出来た。調査してみると沖縄県産のみではなく他県産も混合している可能性が浮上。同販売所敷地内に設置されていた、精米機に蓄積された米糠を販売していたとの事で、産地偽装になる可能性の認識はなかったとの話だった（ちなみに昨年度の沖縄県産米出荷量は約3,000トン）。

測定試料名：米糠（沖縄県うるま市）
測定日：2014年8月30日
測定時間：64800秒（18時間）
重量：568.7g
解析精度：3σ
Cs-137：2.00 ± 0.905 Bq/kg
Cs-134：0.732 ± 0.687 Bq/kg
K(カリウム)-40：500 ± 109 Bq/kg

タイ米、カリフォルニア米に人々が殺到！

福島事故当初の2011年頃は、米の汚染不安から2010年産の国内米か、海外の米（タイ米やカリフォルニア米）需要が急増した。チェルノブイリ原子力発電所の事故の教訓があるにも関わらず、福島事故当初、政府は食品測定の即応体制を整えることは出来ず、チェック機能も不明だった。特に検査を行なって公表していた17都県の産地のものでも、数値を鵜呑みにするしかない状況であり、福島県産米の全量検査が始まるも、周辺の隣県ですら全量検査はなく不安の声があった。

その中で全国の市民放射能測定室による測定およびクロスチェックの実施体制は、数値で安心を確認出来、その果たした役割は大きかった。

市場に流通していない自家消費米の汚染

データサイトで集められたデータを分析すると、福島事故後2013年頃まで、市場に流通していない検査米（自家消費米、縁故品など）については、放射性セシウムで100 Bq/kgを超えるものが見受けられた。その後の数値は思っていたほど高くないことが確認できたが、なかなか測定に持ち込まれなかった当時の自家消費米が、出荷制限に相当する汚染米だったケースもあったことを注記しておきたい。

一方、2013年当時市場に流通していた玄米では、福島県産の高い数値のものでも放射性セシウムで10 Bq/kg前後のものが多くなってきていた。2017年産では1 Bq/kgあるかどうかまで数値は落ちついてきた。農家の努力とともに放射性セシウムの減衰による影響も大きいと言える。

放射能測定のメリットと不確定要素

放射能測定では、福島事故当初測定された放射性セシウムの値により、産地偽装であるかどうか、ある程度判断が出来た。また、セシウム比 (Cs-134/Cs-137)を見ることにより、過去のチェルノブイリ原子力発電所の事故や大気圏内核実験の影響か、福島事故の影響による放射性セシウム汚染なのかの見極めもできた。

2018年現在では、Cs-134の減衰により、低い値の測定においてはCs-137しか検出されなくなり、福島事故由来であるかどうかの判別が難しくなってきている。

それでも測定が必要な理由

2018年になっても、特定の食品ではいまだ非常に高い汚染のものがある。内部被ばくは蓄積による影響が大きいため、これらについては今後も注意喚起を行なっていく必要がある。また今日までに地域住民に与えた影響や福島事故当初に「食べて応援」で拡散した影響がどのように出てくるのかはこれからでもある。影響がなかったと判断出来るまでは、今後も可能な限り測定を続け、データを蓄積していく必要がある。

出典

注1:国立研究開発法人農研機構 「玄米、白米、炊飯米の放射性セシウム濃度の解析」
● http://www.naro.affrc.go.jp/org/tarc/seika/jyouhou/H23/suitou/H23suitou012.html

福島県における、米への放射性セシウム対策のこれまでとこれから

●解析：認定NPO法人 ふくしま30年プロジェクト（福島県）

福島県内で生産される米への放射性セシウム対策として行なわれていた「カリ施肥」のためのカリウム無料配布について、福島県は2019年を最後に打ち切ることを発表しました。2011年の原発事故以降、福島県の米をめぐる出来事を振り返りながら、いわゆる「カリ卒」について考察します。

注：塩化カリウムを土壌表面に施肥すると、施肥していない土壌と比べ、作物中の放射性セシウム濃度が低減する傾向が見られることから、福島県が対策を講じていた。

米の規制基準の変遷

2011年3月17日、厚生労働省より一般の食品に対する放射性セシウムの濃度として、暫定規制値500 Bq/kg(以下、規制値)が設定された。しかし、農林水産省から放射性セシウムを含んだ 土壌での農作物の作付基準の目安が出たのは同年4月8日であり、規制値が発表されてから23日という期間が空いたことは、緊急事態に置かれた生産者を混乱させた。

そして、米の作付基準については、全国17ヶ所で得た564件のデータを踏まえて、土壌のセシウム濃度が5,000 Bq/kg未満であれば作付可能というものだった(※1)。また、福島県が2回行なった土壌放射能調査によって、「緊急避難準備区域」から「避難区域」に分類された以外の、その他の地域であれば作付が可能であるとの結論が出された。だが、この判断は福島県の農産物のブランドイメージをさらに棄損することとなった。

同年10月12日、佐藤雄平福島県知事(当時)はサンプル検査で規制値超がなかったことから米の安全宣言を出した。しかし、福島県は11月16日に一転して福島市大波の米から規制値超となる、630 Bq/kgの放射性セシウムが検出されたと発表した。「安全宣言」を出した1ヶ月後に規制値超の米が検出されたことで、原発事故後に行政が行なった農産物のダメージコントロールとしては最悪のものになった。

福島県による「カリウム施肥」の指示

福島県はこの規制値超の原因究明のため、同年12月に農水省などと合同調査を行なった。また、2012年2月24日には独立行政法人農研機構中央農業総合研究センターから、「玄米の放射性セシウム低減のためのカリ施用」とのプレスリリースが出された(※2)。福島県を含む関係機関と栽培試験を行なった結果、交換性カリ含量を25 mg/100 g程度に土壌改良することで、放射性セシウムが米へ移行する割合を低減できるというものだった。

このことを踏まえ、2012年度以降は福島県内各自治体の農政部や農林水産部などから各地域のJAに

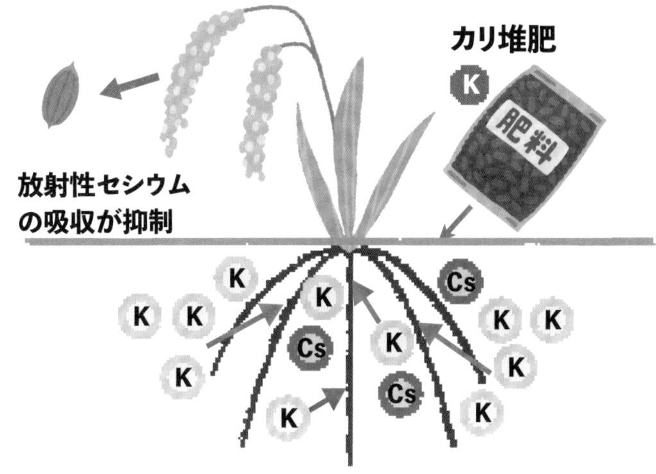

カリ肥料を配布、次にJAから各生産者へ、そして生産者はカリ肥料を追肥するのが必須となった。生産者にとっては、それまでの作付け作業以外にひと手間増えることになったのだが、カリ肥料追肥の効果は高く、2012年度から放射性セシウムが米へ移行する割合は劇的に低下した。そして、2015年度以降、福島県の米の全袋検査では基準値100 Bq/kgを超過するものはなくなった。

セシウムを含まない稲の開発とカリ肥料無料配布打ち切り通達

ところが、基準値超がなくなったことで、今度は高齢の生産者が多い現状から、カリ肥料の追肥が農作業の負担として認識されるようになっていった。そのような状況で、2017年5月31日に独立行政法人農研機構岩手生物工学研究センターから「放射性セシウムを吸収しにくい水稲の開発に成功」とのプレス発表があった(※3)。研究経緯には、「生産現場からのカリ肥料の追肥の省力化とコスト削減に応えるため」とある。説明では、イオンビーム照射による突然変異法で、放射性セシウムを吸収しにくいコシヒカリの開発に成功したとのことで、外観や食味についても通常のコシヒカリとほぼ同等であるという。

しかし、せっかく開発された放射性セシウムを吸収しにくいコシヒカリは仇花になる可能性が高い。なぜなら、いわき市などの福島県内自治体では、2019年度からカリ肥料の無償配布を打ち切る通達を出しているからだ(※4)。いわき市の場合、2017年度、2018年度を通じて全検査米が検出下限値25 Bq/kgを下回ったこと、実験的にカリ肥料を追肥しなかったほ場の米でも検出下限値(0.5〜1.6 Bq/kg)を下回ったということで、福島県から「カリ卒」(※5)の通知が出たと説明している 。

生産者の不断の努力によって、米から検出される放射性セシウムは2011年度とは比較にならないほど微量となった。そして、それを受けて放射能測定も、全量全袋検査からサンプル抽出検査に移行という流れになっている。これまでの膨大な測定データを踏まえて、福島県は前述の対策事業や測定事業の縮小に舵を切っている。しかし、今後、土壌のカリ肥料の管理を個人任せにすることには不安がある 。

例えば、2015年6月に福島市の自家消費農産物放射能測定の米から195 Bq/kgの放射性セシウムが検出されたことがある。その生産者は2006年以来8年ぶりに作付けを再開した兼業農家で、その立場上、放射性セシウムの米への移行対策を知らなかった。そして、福島市へ作付け申告をしなかったことで、移行対策の指導からも漏れてしまった一例である。

また、福島県は台風19号等の被害により浸・冠水、土砂流入、稲わらの流失があった水田については、交換性カリ含量が不明または低いと考えられることから、「カリ卒」水田でも必ず土壌分析を行なった上で必要に応じて塩化カリの施用を推奨している(※6)。このことからも時期を境に対策を変更することには疑問が残る。

今回の原発事故のセシウム137が最初の半減期を迎えるまで、まだ21年もある。そして、人間の行なうことではどうしてもヒューマンエラーが発生する。前述したように基準値超の米が検出される可能性がゼロというわけではないことからも、米から検出される放射性セシウムの数値には今後も注視していくべきである。

出典

※1 「稲の作付に関する考え方」(農林水産省)　https://www.maff.go.jp/j/kanbo/joho/saigai/ine_sakutuke.html
※2 「玄米の放射性セシウム低減のためのカリ施用」(農研機構)
http://www.naro.affrc.go.jp/publicity_report/press/laboratory/carc/027913.html
※3 「(研究成果)放射性セシウムを吸収しにくい水稲の開発に成功　コメの放射性セシウム低減対策の新戦力」(農研機構)
https://www.naro.affrc.go.jp/publicity_report/press/laboratory/niaes/075645.html
※4 「いわき市から水稲生産者の皆様へのお知らせ」(いわき市)
http://www.city.iwaki.lg.jp/www/contents/1551087763290/files/suitou.pdf
※5 「農作物のセシウム対策に係る除染及び技術対策の指針(第3版追補)土地利用型作物(水稲)」(福島県)
https://www.pref.fukushima.lg.jp/uploaded/attachment/317563.pdf
※6 「令和2年産米の放射性セシウム吸収抑制対策」(福島県農林水産部)
http://www.pref.fukushima.lg.jp/uploaded/attachment/363547.pdf

川魚（淡水魚）の汚染度解析

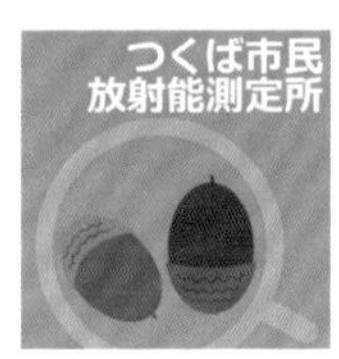

● 解析：つくば市民放射能測定所（茨城県）

湖や沼は水の交換が起こりにくいため、一度入り込んだ放射性物質が蓄積・停滞してしまいます。そして、そこに棲む淡水魚は、海水魚と比べると、体内の塩分濃度を保つために放射性セシウムを含む塩類を排出しにくい魚です。また、汚染された昆虫やプランクトン、藻などを餌として摂るため放射性セシウムを取り込みやすいです。流域、魚種ごとにどの程度の汚染があるのか、厚労省のデータを使って見てみましょう。

出荷規制されている淡水魚の名称と地域

2018年6月13日現在、出荷が規制されている淡水魚は、ヤマメ（宮城県、福島県、群馬県）、ウグイ（宮城県、福島県）、ウナギ（福島県、茨城県、千葉県）、アユ（宮城県、福島県）、イワナ（岩手県、宮城県、福島県、群馬県）、コイ（福島県、千葉県）、フナ（福島県）、アメリカナマズ（茨城県）、ギンブナ（千葉県）である（注1）。また、ここにあがった魚種に限らず、県から採捕・摂取・出荷の自粛が要請されているものもある。

ここでは2017年までに厚労省が公表した測定データが比較的多いアユ、イワナ、ヤマメ、ウナギ、ワカサギを選んでその汚染状況を確認する。

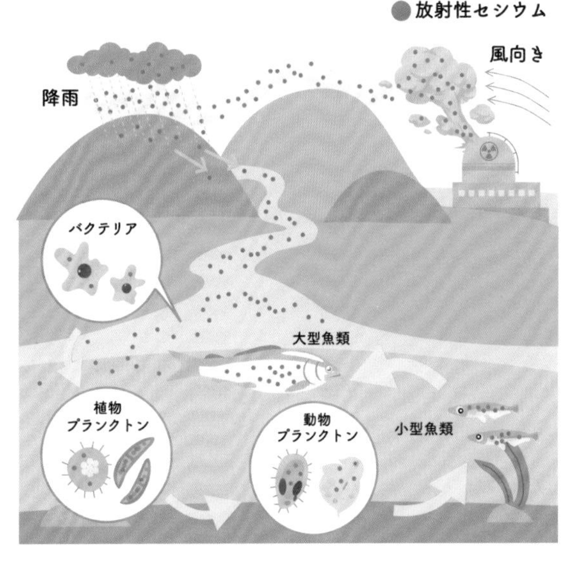

アユ

アユは、500 Bq/kg超が2011年に福島県産で検出されたが2012年以降はない。100 Bq/kg超は、宮城県産（阿武隈川水系）では2013年まで、福島県産では2015年まで見られたがそれ以降はない。

ただし2017年になっても、福島県産では50 Bq/kg超、宮城県産（阿武隈川水系）でも25 Bq/kg超の検出が続いており、出荷規制がなされている。それ以外の地域では大幅に低減している（表1）。

表1　濃度段階別の放射性セシウムの検査結果　（アユ）（単位はBq/kg）

年	検体総数	うち福島県	内訳									
			25以下		～50以下		～100以下		～500以下		500超	
			全体	福島	全体	福島	全体	福島	全体	福島	全体	福島
2011	148	78	39	16	17	10	27	12	44	19	21	21
2012	578	63	502	42	41	11	30	6	5	4	0	0
2013	324	51	285	35	23	6	12	9	4	1	0	0
2014	286	63	253	43	18	11	14	8	1	1	0	0
2015	240	56	210	40	15	5	14	10	1	1	0	0
2016	299	91	268	69	28	20	3	2	0	0	0	0
2017	321	147	289	121	26	20	6	6	0	0	0	0
計	2,196	549	1,846	366	168	83	106	53	55	26	21	21

※ 25ベクレル/kg以下＝0～25の範囲＝ND(検出できなかったもの)も含む

イワナ

イワナは、500 Bq/kg超が群馬県産では2012年まで、福島県産では2014年まで検出された。100 Bq/kg超は福島県産では2017年まで、それ以外でも2016年まで検出されている。

イワナは渓流に棲む肉食性の魚だが、福島県や群馬県の山間地では餌とする水生および陸生の昆虫の汚染の影響を受けやすいと考えられる（表2）。

表2　濃度段階別の放射性セシウムの検査結果　（イワナ）（単位はBq/kg）

年	検体総数	うち福島県	内訳									
			25以下		～50以下		～100以下		～500以下		500超	
			全体	福島	全体	福島	全体	福島	全体	福島	全体	福島
2011	94	88	68	64	6	6	7	7	10	10	3	1
2012	522	273	333	182	45	23	48	30	91	35	5	3
2013	588	275	453	209	62	34	42	16	30	15	1	1
2014	718	445	575	364	79	51	48	22	15	7	1	1
2015	561	231	495	204	29	12	27	11	10	4	0	0
2016	460	241	381	190	58	40	18	11	3	0	0	0
2017	501	229	423	191	56	25	18	9	4	4	0	0
計	3,444	1,782	2,728	1,404	335	191	208	106	163	75	10	6

※ 25ベクレル/kg以下＝0～25の範囲＝ND(検出できなかったもの)も含む

ヤマメ

ヤマメも渓流に棲む魚である。500 Bq/kg超の検出は福島県産に限られ、それも2013年までであるが、50 Bq/kg超は2016年まで群馬県産（四万川、沼尾川）でも検出された。2017年に福島県産の他に100 Bq/kg超が検出された1検体は群馬県の上沢渡川産である（表3）。

表3　濃度段階別の放射性セシウムの検査結果　（ヤマメ）（単位はBq/kg）

年	検体総数	うち福島県	内訳									
			25以下		～50以下		～100以下		～500以下		500超	
			全体	福島	全体	福島	全体	福島	全体	福島	全体	福島
2011	67	56	36	27	2	2	7	7	13	11	9	9
2012	600	152	359	69	87	26	78	21	67	27	9	9
2013	707	179	582	125	81	19	17	12	25	21	2	2
2014	532	174	448	122	42	18	27	21	15	13	0	0
2015	501	143	463	112	23	17	11	10	4	4	0	0
2016	334	133	302	107	21	17	7	5	4	4	0	0
2017	350	155	317	124	15	14	13	13	5	4	0	0
計	3,091	992	2,507	686	271	113	160	89	133	84	20	20

※ 25ベクレル/kg以下＝0～25の範囲＝ND(検出できなかったもの)も含む

ウナギ

ウナギは、福島県より南の茨城県や千葉県の河川や湖沼での持続的な汚染が問題になってきた。2011年でも500 Bq/kg超の検出はなく、100 Bq/kg超の検出も2014年以降はほとんどないが、利根川、霞ヶ浦、牛久沼、手賀沼では25 Bq/kg超の検出が2017年まで続いている。

これら河川や湖沼では底泥に放射性セシウムが蓄積ないし停滞しているため、底魚のウナギも持続的に汚染されると考えられる（表4）。

表4　濃度段階別の放射性セシウムの検査結果　（ウナギ）（単位はBq/kg）

年	検体総数	うち福島県	内訳									
			25以下		～50以下		～100以下		～500以下		500超	
			全体	福島	全体	福島	全体	福島	全体	福島	全体	福島
2011	7	3	3	1	1	0	1	0	2	2	0	0
2012	91	3	24	0	19	1	29	0	19	2	0	0
2013	670	2	613	0	27	0	25	1	5	1	0	0
2014	329	4	294	2	25	0	9	2	1	0	0	0
2015	206	0	156	0	44	0	6	0	0	0	0	0
2016	121	1	114	1	3	0	3	0	1	0	0	0
2017	122	5	117	5	4	0	1	0	0	0	0	0
計	1,546	18	1,321	9	123	1	74	3	28	5	0	0

※ 25ベクレル/kg以下＝0～25の範囲＝ND(検出できなかったもの)も含む

ワカサギ

ワカサギは、福島県以南の湖沼での持続的な汚染が問題になってきた。群馬県の榛名湖と赤城大沼のワカサギの出荷自粛要請は2015年9月に解除されたが、規制値未満での検出は続いており、2016年の50 Bq/kg超の4検体と2017年の25 Bq/kg超の7検体はすべて赤城大沼産である。栃木県の中禅寺湖産や茨城県の霞ヶ浦産のワカサギでも、2017年において10 Bq/kg超の検出は続いている（表5）。

表5　濃度段階別の放射性セシウムの検査結果　（ワカサギ）　（単位はBq/kg）

年	検体総数	うち福島県	内訳									
			25以下		～50以下		～100以下		～500以下		500超	
			全体	福島	全体	福島	全体	福島	全体	福島	全体	福島
2011	78	28	20	1	9	1	15	0	26	23	8	3
2012	195	31	95	3	61	7	17	10	21	11	1	0
2013	157	20	109	9	20	7	14	4	14	0	0	0
2014	161	11	130	8	10	3	19	0	2	0	0	0
2015	185	12	101	9	29	3	55	0	0	0	0	0
2016	100	3	82	3	14	0	4	0	0	0	0	0
2017	101	8	94	8	7	0	0	0	0	0	0	0
計	977	113	631	41	150	21	124	14	63	34	9	3

※ 25ベクレル/kg以下＝0～25の範囲＝ND（検出できなかったもの）も含む

淡水魚は生息地・流域に要注意

特に福島県、北関東では渓流の周囲の山林は高濃度に汚染されている。閉鎖性の高い湖沼では湖水の交換が悪く、入り込んだ放射性物質が蓄積ないし停滞しやすい。これら周辺環境の汚染は、魚の餌となる藻、プランクトン、昆虫を汚染する。しかも、淡水魚は海水魚に比べ、体内の塩分濃度を保つために放射性セシウムを含む塩類を排出しにくい。これらを含む複数の要因から、ここで取り上げた淡水魚では規制値未満とはいえ、10～25 Bq/kgでの検出は当分持続する可能性がある。淡水魚を食べる際には、生息地、流域を参考に傾向を掴んでほしい。油断せず、忘れず、測ってから食べるという習慣も持続したい。

図1　魚体内での塩類の流れの模式図

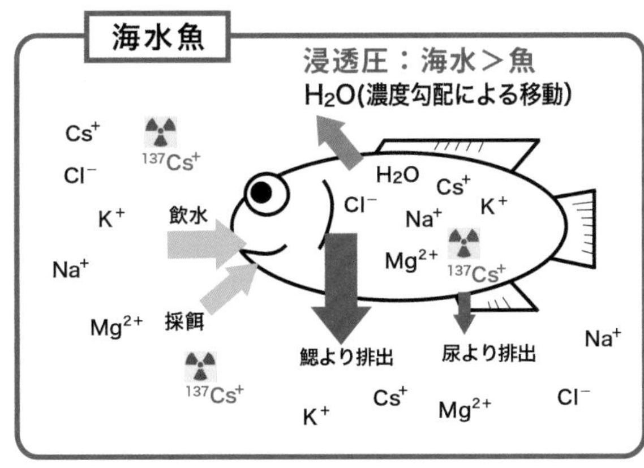

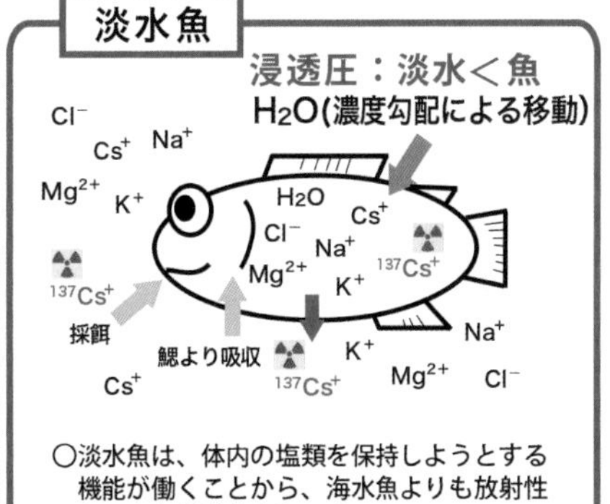

出典

注1：詳しくは「現在の出荷制限・摂取制限の指示の一覧」https://www.mhlw.go.jp/file/01-Kinkyujouhou11135000-Shokuhinanzenbu-Kanshianzenka/0000186805.pdf　を参照。

図1：水産庁　(2)水産物の放射性物質調査の状況　コラム：環境中の放射性物質と水産物に含まれる放射性物質の関係

海水魚の汚染度解析

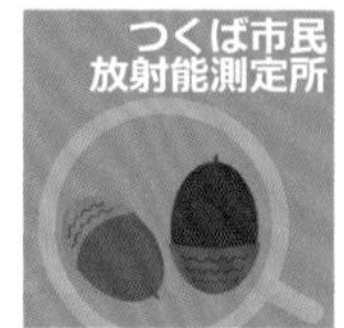

● 解析：つくば市民放射能測定所（茨城県）

「海の魚は食べても大丈夫ですか？」は、最もよく聞かれる質問のひとつです。放射能による汚染度は、その魚の棲む海域・棲む深さ・なにを餌にしているか（食物連鎖のどこに位置するか）・回遊魚かそうでないか・いつ獲れたものかなどによって変わり、その実態をつかむのは容易なことではありません。厚労省データから導かれる解析を見ていきましょう。

2014年以降の検出率は減少しているが、検出下限値を下げれば検出も

福島事故で放出された放射性物質の多くは東側の太平洋に降り注いだ。汚染された青森、岩手、宮城、福島、茨城、千葉の沖合は、寒流の親潮と暖流の黒潮がぶつかるため漁業資源が豊富な世界三大漁場の一つとされる。

2011年から2013年にかけてこの漁場の魚から100 Bq/kgはおろか500 Bq/kgをはるかに超える放射性セシウムの検出が続出したが、2014年頃からは100 Bq/kg超の検出は激減し、また多くの魚種の多くの検体が不検出となっている。

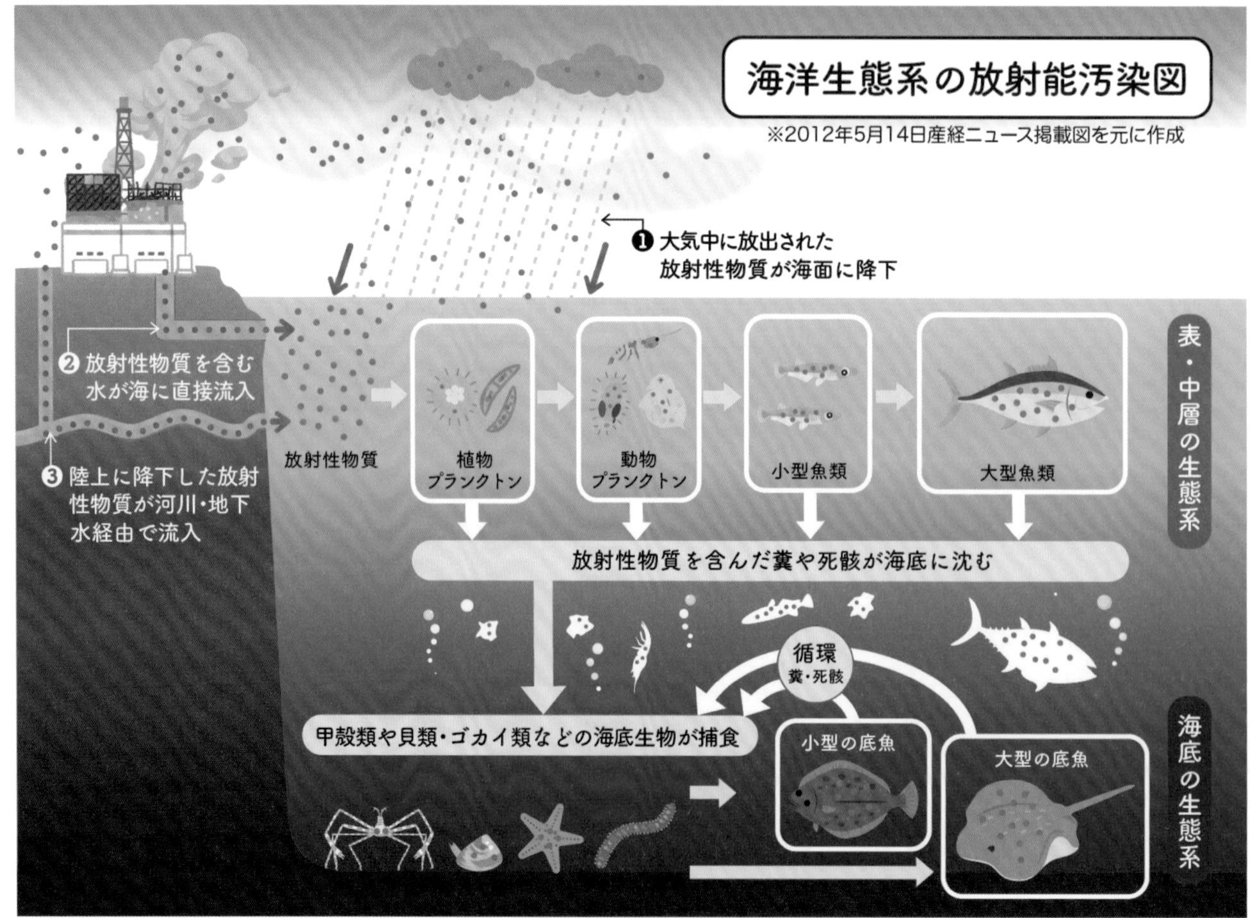

2018年6月13日現在、出荷が規制されている海水魚は、クロダイ（岩手県、宮城県、福島県）、ウミタナゴ、カサゴ、サクラマス、ヌマガレイ、ムラソイ、ビノスガイ（以上6種、福島県）であるが（注1）、これらも必ずしも今も100 Bq/kg近くが検出されるというわけではない。それでも、福島県の沿岸漁業では操業自粛が続いており、試験操業が少しずつ拡大されているところである。同時に、確かに不検出のものが大多数とはいえ、検出下限値を下げれば検出されるものもある。その点も注意しつつ、以下、2011年から2017年の厚労省公表のデータから、いくつかの魚種を選んで海水魚の汚染状況を確認する（注2）。

大型雑食魚

現在も規制対象になっているクロダイは大型の雑食魚であり、食物連鎖の上位にあるため汚染が濃縮されやすいと考えられる。2012年以降に500 Bq/kg超の検出が相次いだが、2015年以降は大きく減少して100 Bq/kg超はない。2017年にはほとんどが不検出になったが、その際の検出下限値は福島県産が13～20 Bq/kg(Cs-134と137の合算。以下同)、その他県産が4.9～16 Bq/kgであり、最大8.9Bq/kgが検出されている(表1)。同じく大型雑食魚であるスズキの汚染もクロダイと似たような推移を示しているが、2017年に50 Bq/kg超が複数検出されるなど、25 Bq/kg超の汚染はむしろクロダイよりも持続傾向にある(表2)。スズキは2018年4月までに全地域で規制解除されている。

表1　濃度段階別の放射性セシウムの検査結果（クロダイ）（単位はBq/kg）

年	検体総数	うち福島県	内訳									
			25以下		～50以下		～100以下		～500以下		500超	
			全体	福島	全体	福島	全体	福島	全体	福島	全体	福島
2011	7	7	1	1	0	0	2	2	4	4	0	0
2012	67	30	26	9	8	2	15	11	12	7	6	1
2013	115	44	77	23	17	9	13	10	7	1	1	1
2014	107	35	98	29	5	3	0	0	3	2	1	1
2015	79	24	78	23	0	0	1	1	0	0	0	0
2016	100	31	97	30	2	1	1	0	0	0	0	0
2017	134	31	134	31	0	0	0	0	0	0	0	0
計	609	202	511	146	32	15	32	24	26	14	8	3

※ 25ベクレル/kg以下＝0～25の範囲＝ND(検出できなかったもの)も含む

表2　濃度段階別の放射性セシウムの検査結果（スズキ）（単位はBq/kg）

年	検体総数	うち福島県	内訳									
			25以下		～50以下		～100以下		～500以下		500超	
			全体	福島	全体	福島	全体	福島	全体	福島	全体	福島
2011	68	32	23	0	4	1	16	10	24	20	1	1
2012	491	98	209	12	114	16	102	31	59	34	7	5
2013	637	107	491	57	102	22	27	14	14	12	3	2
2014	729	139	691	114	17	9	9	6	12	10	0	0
2015	620	130	607	124	12	5	1	1	0	0	0	0
2016	376	128	366	127	8	0	2	1	0	0	0	0
2017	357	124	353	124	2	0	2	0	0	0	0	0
計	3,278	758	2,740	558	259	53	159	63	109	76	11	8

※ 25ベクレル/kg以下＝0～25の範囲＝ND(検出できなかったもの)も含む

底生魚

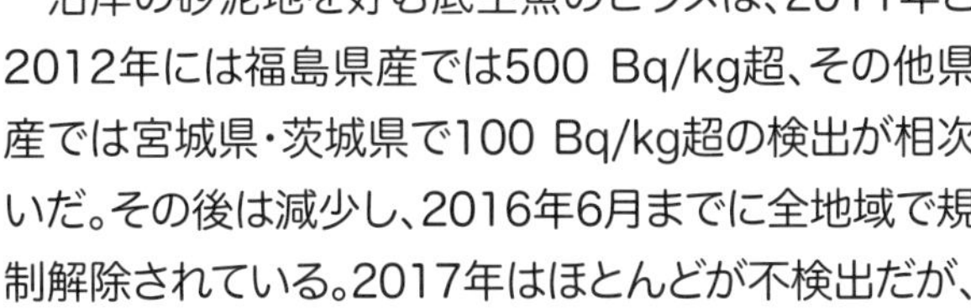

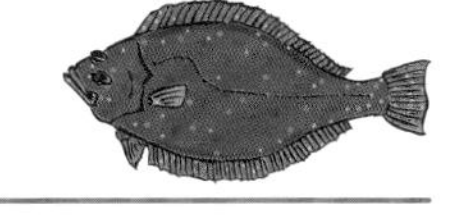

沿岸の砂泥地を好む底生魚のヒラメは、2011年と2012年には福島県産では500 Bq/kg超、その他県産では宮城県・茨城県で100 Bq/kg超の検出が相次いだ。その後は減少し、2016年6月までに全地域で規制解除されている。2017年はほとんどが不検出だが、その際の検出下限値は福島県産が6.6～25 Bq/kg、その他県産が0.63～25 Bq/kgである。検出されたものの最大値は福島県産で15 Bq/kg、その他県産で1.6 Bq/kgである(表3)。

同じく砂泥地を好むマガレイは、ヒラメの半分以下の濃度で推移してきたが、2017年に至っては検出される値に違いがなくなっている(福島県産の最大は15 Bq/kg 茨城県産の最大は5.9 Bq/kg)。

底生魚でもマダラは、夏の産卵期以外は深場にいる魚で、2011年から2012年にかけて北海道産から茨城県産までの広い範囲で100 Bq/kg以上を検出した。しかし2015年以降は顕著に減少し、同2月までに全地域で規制解除された。2017年には福島県産は検出下限値8.9〜25 Bq/kgですべて不検出、その他県産では検出値の最大値が0.92 Bq/kgで1 Bq/kgを下回っている（表4）。

当初は福島県産で100 Bq/kg超、その他県産でも50 Bq/kg超が検出されたマアナゴも、2016年以降は福島県産以外で検出されることはあっても1 Bq/kg未満である（福島県産は下限値11〜20 Bq/kgで不検出）。

表3　濃度段階別の放射性セシウムの検査結果　（ヒラメ）（単位はBq/kg）

年	検体総数	うち福島県	内訳									
			25以下		～50以下		～100以下		～500以下		500超	
			全体	福島	全体	福島	全体	福島	全体	福島	全体	福島
2011	324	176	87	4	64	23	65	46	103	98	5	5
2012	1,087	359	665	75	187	77	118	97	111	104	6	6
2013	1,329	426	1,175	299	85	64	57	52	12	11	0	0
2014	1,182	443	1,151	412	22	22	8	8	1	1	0	0
2015	1,194	528	1,185	519	7	7	2	2	0	0	0	0
2016	943	512	942	511	1	1	0	0	0	0	0	0
2017	888	591	888	591	0	0	0	0	0	0	0	0
計	6,947	3,035	6,093	2,411	366	194	250	205	227	214	11	11

※ 25ベクレル/kg以下＝0〜25の範囲＝ND(検出できなかったもの)も含む

表4　濃度段階別の放射性セシウムの検査結果　（マダラ）（単位はBq/kg）

年	検体総数	うち福島県	内訳									
			25以下		～50以下		～100以下		～500以下		500超	
			全体	福島	全体	福島	全体	福島	全体	福島	全体	福島
2011	123	23	65	2	13	3	26	7	19	11	0	0
2012	1,550	205	1,136	78	249	41	113	48	52	38	0	0
2013	2,201	257	1,980	181	161	50	54	22	6	4	0	0
2014	1,719	264	1,703	257	13	5	3	2	0	0	0	0
2015	1,248	293	1,247	292	1	1	0	0	0	0	0	0
2016	1,148	265	1,148	265	0	0	0	0	0	0	0	0
2017	780	190	780	190	0	0	0	0	0	0	0	0
計	8,769	1,497	8,059	1,265	437	100	196	79	77	53	0	0

※ 25ベクレル/kg以下＝0〜25の範囲＝ND(検出できなかったもの)も含む

表層魚

2011年にはイカナゴの稚魚（コウナゴ）やシラスといった表層性で食物連鎖の下位にいる魚から極めて高い濃度の検出があったが、その後は急速に減少した。例えばシラスは、2011年には福島県産で850 Bq/kg、茨城県産で180 Bq/kgを検出したが、2012年以降は、福島県産のほとんどは不検出であり、2012年の6.9 Bq/kgと7.9 Bq/kg、および2017年の11 Bq/kgだけが検出例となっている。不検出の際の下限値は11〜20 Bq/kgである。茨城県産は2012年以降ほとんどが不検出であり、検出される場合の値は、2015年以降は1 Bq/kg未満である。

回遊魚

回遊魚では、2011年に千葉県産で33 Bq/kg超を検出したカツオは2012年以降の検出値は低く、福島県産以外では0.3〜3.3 Bq/kgである（福島県産は下限値13〜19 Bq/kgで不検出）。同じ回遊魚でもマサバやマアジは、2011年に100 Bq/kg超の検出があったが、その後は大きく減少し、検出される場合はほとんどが1 Bq/kg未満である。サンマは、2012年以降は1 Bq/kg未満の検出下限値でも検出例がない。

その他

一般的に貝の汚染は極めて低いと考えられる。事実、例えばホタテガイの検出例は、2011年福島県産の19 Bq/kgを除けば、他は2014年の0.45 Bq/kg(青森県産)、2016年の0.71 Bq/kg(北海道産)のみである。ただし福島県産のデータはそれ以外にはない。また、1 Bq/kg未満の検出下限値による検査の実施を含むようになるのは、北海道産が2011年であるのに対し青森県産は2014年からであり、岩手県産と宮城県産は含まないなどの違いがある。

ヤリイカは2011年に茨城県産の69 Bq/kg、千葉県産の31 Bq/kgを検出したが、2012年以降は検出下限値を1 Bq/kg未満に下げても検出されることはほとんどなかった。

福島原発事故以前からあった、1 Bq/kg未満の放射能汚染

2018年現在、大型雑食魚のスズキと一部の底生魚を除けば、産地を問わず海水魚からの25 Bq/kg超の検出は見られなくなった。さらには、10〜20 Bq/kgの下限値であればほとんどは不検出である。しかしクロダイでは10 Bq/kg、福島県産の底生魚では5 Bq/kg程度に下限値を下げれば検出される場合がある。1 Bq/kg未満まで検出下限値を下げた場合には検出される魚種は少なくない（表5）。しかし、1 Bq/kg未満の放射能汚染は、2011年以前から海水魚に広く見られたものでもある（注3）。海水魚のセシウム値を見るときにはこの点にも留意する必要がある。

表5　2018年1〜6月に放射性セシウムが検出された魚種

検出された最大値	福島県産	福島県産以外
25 Bq/kg超	ナガレメイタガレイ	スズキ
〜25 Bq/kg以下	マコガレイ、コウナゴ、カナガシラ、キツネメバル、ゴマソイ、カサゴ、カナガシラ、コモンカスベ、ナメタガレイ（ババガレイ）	クロダイ
〜10 Bq/kg以下	イシガレイ、クロソイ、ムラソイ、アイナメ、ヒラメ、マガレイ、ヤナギムシガレイ、シロメバル、マコガレイ	
〜5 Bq/kg以下	データなし	ホウボウ、イラコアナゴ、ナガヅカ
1 Bq/kg未満	データなし	マトウダイ、チダイ、キンメダイ、カナガシラ、ブリ、ムシガレイ、ヒラメ、マサバ、マダラ、マコガレイ、マダイ、マガレイ、マアジ、ヤナギムシガレイ、シログチ、イシガレイ、ヒラマサ、サワラ、アナゴ、アイナメ、アンコウ、ウスメバル

＊2018年1〜6月に採取された検体のデータ7,701件から作成。ただし5月1日公表の319件にはなぜか測定結果が記 載されていない。
＊この期間の福島県産のデータには、ババガレイ1検体を除けば、Cs-137の検出下限値が5 Bq/kg未満のものはない。

出典

（注1）詳しくは「現在の出荷制限・摂取制限の指示の一覧」を参照のこと。
https://www.mhlw.go.jp/file/01-Kinkyujouhou-11135000-Shokuhinanzenbu-Kanshianzenka/0000186805.pdf

（注2）厚労省の公表データはすべて国立保健医療科学院が運営・管理している以下のページから入手した。
http://www.radioactivity-db.info/
いつのデータかは採取日で判断した。厚労省の公表データには青森、岩手、宮城、福島、茨城、千葉以外のものも含まれるが、全体としてみれば9割近くがこの6県産である（2011年から2017年の全131,948データ中115,156）。

（注3）「日本の環境放射能と放射線」のサイトで「食品と放射能」のページに進み、「魚介」を選び、さらに気になる魚種を選んで調べてみてください。
http://www.kankyo-hoshano.go.jp/kl_db/servlet/com_s_index

深掘り！測定室eyes

福島沖および東京湾の海産物調査

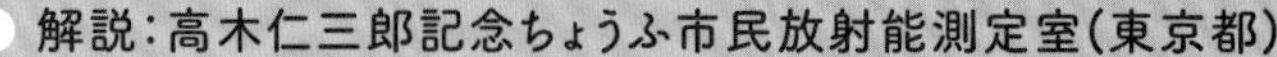

● 解説：高木仁三郎記念ちょうふ市民放射能測定室（東京都）

みんなのデータサイトに参加している全国の測定室は、それぞれが様々な測定・解析に取り組んでいます。ここでは、東京都の「高木仁三郎記念ちょうふ市民放射能測定室」が同じ多摩地区を中心に活動する「NPO法人R.I.La」と協力して取り組んだ「東京湾を中心とした海産物調査」について紹介します。調査結果から、事故当時と現在の汚染とを数値から冷静に見ていくこと、福島県沖での操業自粛などの情報に引き続き注意して欲しいことなどを提唱しています。

すぺじい

福島県沖の海産物の一般状況

膨大な量の放射性物質を海に放出させた過酷な東京電力福島第一原発事故では海産物の汚染も心配された。事故直後にコウナゴなどの海面近くにいる魚から放射性セシウムが100 Bq/kgを超える物が発見され、魚についての関心が一挙に高まった。汚染水の流出が続く中で、海底に棲む魚を心配する声も高まった。福島県漁連は現在でも「操業自粛」を続けており、「試験操業」で水揚げした海産物をモニタリングしながら安全が確かめられたものと外洋で漁獲した魚だけを販売している。2018年6月に福島県は200種(海産魚142、イカ・タコ類12、貝類21、エビ・カニ類15、ウニ・ナマコ類4、海藻6)の海産物について安全宣言を出しているが、モニタリングをしながらの「試験操業」は続いている。

水産庁が発表している水産物の放射能調査結果(図1)では、2015年(平成27年)の第1四半期を最後に、食品基準値(100 Bq/kg)を超過したものはない。ここで注意しておくべきは、2011年(平成23年)の基準が500 Bq/kgだったことである。はじめから100 Bq/kgだったら、超過率を示す緑の折れ線はずっと高いところを走ったはずである。検査検体数も2014年(平成26年)第2四半期をピークにして、その後は減っているのも問題である。

次に心配されるのは、基準以下とされた検体の汚染レベルである。食品基準は安全基準ではないからである。当測定室では「試験操業」で福島県新地町に水揚

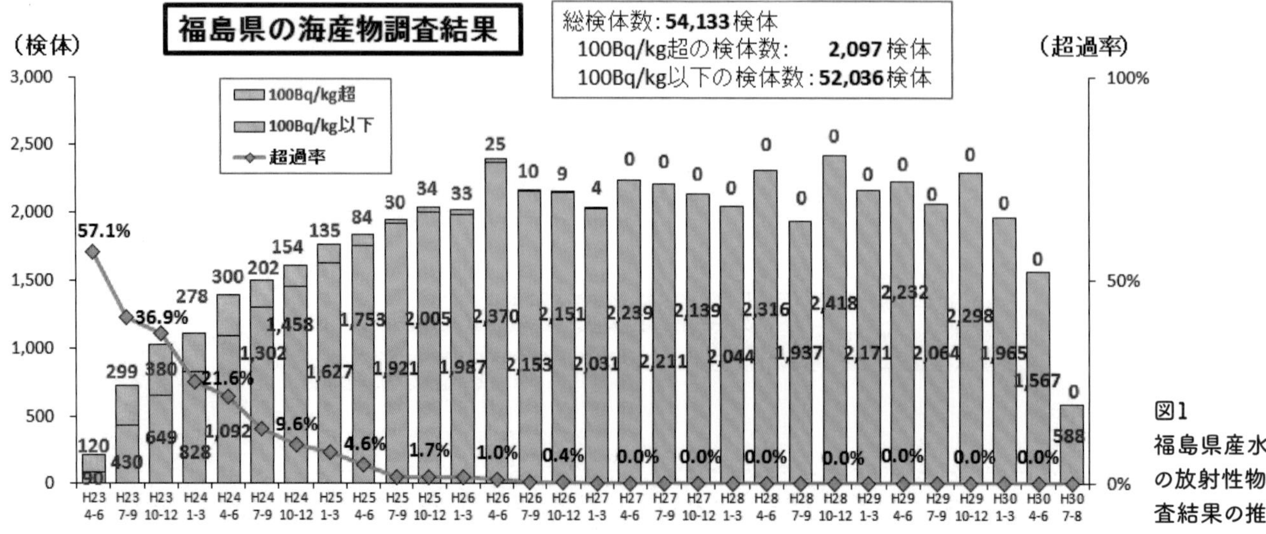

図1 福島県産水産物の放射性物質検査結果の推移

げされたタラを測定したことがあり、7.25 Bq/kgを検出している。Cs-137とCs-134の両方を検出しており、この比率が測定した2016年2月時点での理論比率の範囲にあって、微量の検出とはいえ福島原発由来であることが確認できる。また千葉県の2016年のデータにも銚子・九十九里沖でとれたマダイが0.772 Bq/kg、スズキが2.43 Bq/kg、ショーサイフグが0.78 Bq/kgと、微量ではあるが放射性セシウム汚染の記録があり、海洋の汚染は福島沖だけではなく海流に乗って広がったことを示している。水産庁の同じ報告書を見ていくと、図2を見つけることが出来た。福島県産の底魚では2018年（平成30年）現在でも、基準未満とはいえ10 Bq/kgを超えるようなものがあることを示している。「汚染水による影響は、福島第一原発の港湾内の、0.3平方キロメートルの範囲内で完全にブロック」（2013年9月7日アルゼンチン・ブエノスアイレスで開催されたIOC総会における安倍総理の発言）されてはいない。

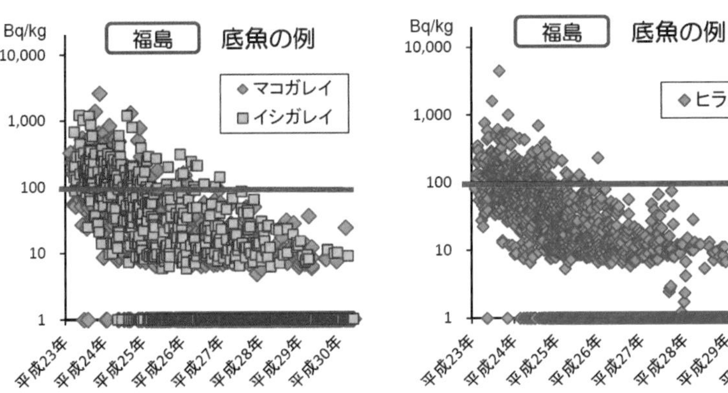

図2　福島県産底魚の放射性物質検査結果の推移（食品基準値未満の動向に注意）

調査試料の東京湾のタイ（写真提供NPO法人R.I.La）

東京湾はいま

山崎秀夫・近畿大元教授が2018年6月に発表した東京湾の放射能汚染調査（出典参照）によると、旧江戸川河口の海底堆積物への放射性セシウム蓄積量は事故当初に20,000 Bq /㎡だったのに対し、2016年には100,000 Bq/㎡に達しているとした。Cs-134の物理的減衰があるにも関わらずこのような蓄積量の増大がみられるということは、現在でも東京湾に恒常的に放射性セシウムの流入が続いていることを示唆しているという。旧江戸川集水域の放射性セシウム推定沈着量6.2兆 Bqのうち、すでに27%が流下しているが、まだ年間0.12兆Bqの流入が続いていると推定している。また重金属類が比較的小さな粒子に付着して湾央部へと運ばれるのに対して、放射性セシウムは大きな粘土粒子に吸着して河口部に堆積する傾向があるとしている。なお、同調査によると多摩川や隅田川については、旧江戸川河口よりも明瞭に低濃度を示し、東京湾への放射性セシウムの流入は少ないとしている。

東京湾における放射性物質の蓄積を心配する立場から「NPO法人R.I.La」は2012年から現在まで、東京湾内で釣った魚類や東京湾奥の干潟で採取した貝類の放射能調査を続けており、その多くの測定を当ちょうふ市民放射能測定室が行なった。現在まで13種の魚介類についてのべ44回測定したが、放射性セシウムを検出したのは、2015年に江戸川放水路でとれたハゼの1.23 Bq/kgが1回のみである。現在のところは東京湾内の魚介類に激しい汚染は見つかっていないが、今後も調査を続けていく必要があると考えている。アナゴについては、これまでに2回測定していずれも不検出（検出下限値1 Bq/kg）であった。

時折インターネットで見られる「江戸前は終わった、アナゴ、70,000 Bq/kg」などという高い汚染の魚はこれまでの調査で見つかっておらず、情報源の明記されていないデマには注意が必要である。

なお海産物の産地は、漁獲された海域ではなく「水揚げされた港」になってしまうので、微量の汚染がある魚が販売される可能性は否定できない。消費者は海産物の安全性についての情報に、引き続き注意していく必要がある。

出典
図1、図2：水産庁「水産物の放射性物質調査について」（平成30年7月）
引用文献：「東日本大震災による東京湾の放射能汚染とそれをトレーサーに用いた物質動態の解明」（近畿大学・山崎秀夫）
● http://jairo.nii.ac.jp/0066/00029655

協力：検体提供　NPO法人R.I.La／主に東京都下多摩エリアを中心に、放射能汚染から子ども達の健康を守ることを目的として立ち上げ。2013年8月にNPO法人として登記。東大和市内を流れる空堀川、残堀川の土壌と空間線量調査、多摩川の中流域の土壌と空間線量調査、そして東京湾奥の魚介類について調査を実施している。info@rilabo.com

野生鳥獣肉(ジビエ)の汚染度解析

● 解析：あがの市民放射線測定室「あがのラボ」(新潟県)

イノシシ、鹿、熊など日本の山々には広範囲にわたって野生動物が暮らしています。家畜と異なり、野山のキノコ、木の芽、ドングリなどを餌とするため、その山の汚染が直に体内に取り込まれ、100 Bq/kgを超える検体も広い範囲で多くみられます。近年「ジビエブーム」もあり、一般にも身近になりつつある野生鳥獣肉について考えてみましょう。

創生された「ジビエブーム」

イノシシ、ニホンジカ、クマなどの大型哺乳類は日本の主要な狩猟対象動物であり、野生動物保護の観点から捕獲数や狩猟期間などがコントロールされてきた。近年、ニホンジカなど一部の鳥獣においては、急激な生息数の増加や生息地の拡大が生じ農林業被害が増加してきたことに加え、捕獲の担い手の狩猟者の減少や高齢化が深刻な状況にあったが、福島第一原発事故による野生獣肉の汚染が狩猟意識減退に拍車をかける結果となった。

これまでの「鳥獣の保護」から「鳥獣の管理（有害鳥獣は積極的に捕獲する）」へと方針転換された「鳥獣保護管理法」が平成27年（2015年）に施行され、捕獲野生鳥獣肉の流通・利活用が図られた結果として、政府主導の「ジビエブーム」が創生された。その結果、国内のレストランや旅館、地域の特産品、インターネット販売などを通じて野生鳥獣肉が流通している。一番よく食べられているのはイノシシ肉で、次にシカ、カモが続く。

一方、「と畜場法」で衛生的なと殺・解体や検査が義務づけられている家畜とは異なり、「と畜場」を経ずに野外でと殺された後に食肉加工施設に直接持ち込まれる野生獣では、E型肝炎ウイルス・寄生虫・腸管出血性大腸菌・カンピロバクター等の人への感染の危険性も危惧されている。

野生鳥獣肉(ジビエ)の出荷制限地域と流通の現状

自治体が実施する野生鳥獣肉検査では、含有放射能としては食品衛生法上の基準値（放射性セシウムとして100 Bq/kg）が適用されており、汚染調査状況によって出荷制限地域の指定が行われている（図1）。2018年6月時点で、ツキノワグマ肉は岩手、宮城、山形、福島、群馬、新潟の6県、イノシシは宮城、福島、茨城、栃木、群馬、千葉の6県、ニホンジカ肉は岩手、宮城、栃木、群馬の4県全域と長野県軽井沢町・富士見町の2町、ヤマドリ肉は岩手、福島、群馬の3県で出荷制限が指示されている。奇妙なことに群馬県のみ4種肉とも規制されているが、岩手県のイノシシ、栃木県

図1

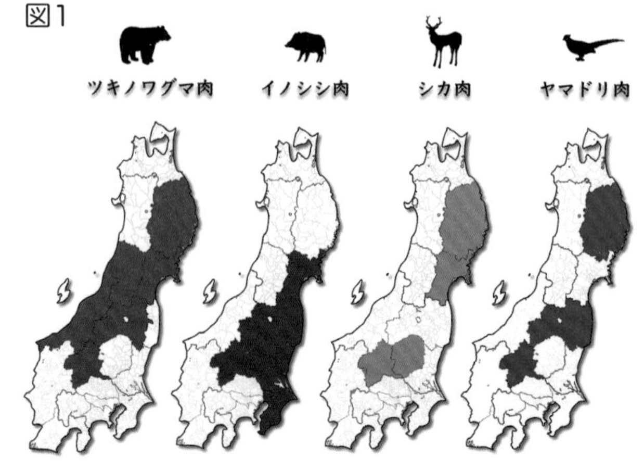

原子力災害対策特別措置法に基づく食品に関する出荷制限（2018年6月7日現在）

と茨城県のツキノワグマ、福島県のニホンジカなどは、汚染地域であっても出荷制限が指示されておらず、自家消費を控えるよう呼びかけているのみである。

野生鳥獣に関しては広域に移動することから地域的に広がっているとみなされ、出荷制限が県単位で指示される（長野県のニホンジカ肉出荷制限は例外）。さらに出荷制限を解除するためには「直近1ケ月以内の検査結果が、すべて基準値以下」になる必要があるため、一度出荷制限が指示されると解除には高いハードルがある。ひとたび出荷制限が指示されると、県全体で狩猟者や観光地場産業への長期にわたる影響が避けられないことから、自治体が積極的に捕獲し汚染状況を確認しようとする姿勢に乏しい。全県の出荷制限指示を免れている例として、埼玉県秩父地域がある。基準値を超えるニホンジカ肉が確認された後に、食肉処理業者が全頭検査を実施し、県が安全性を確認することで出荷が可能になっている。また山形県小国地域のツキノワグマ肉や栃木県那珂川町と茨城県石岡町のイノシシ肉などでは、県内で出荷制限が指示されていても、特定の解体処理施設において、県の定める出荷・検査方針に基づき管理され全頭検査を実施することで、出荷・流通しているという現実がある。

野生鳥獣肉（ジビエ）のセシウム汚染の実態

厚労省の「食品中の放射性物質検査データ」から野生鳥獣肉の検査結果を抽出し、放射性セシウム濃度の経年変化を調べた。検査されている野生鳥獣肉の大部分は福島事故によるセシウム沈着量の多い関東・東北地方で捕獲されたもので、西日本の野生鳥獣肉の汚染状況は厚労省データには集約されていない。測定件数の少ない鳥類のヤマドリ、カモ、キジは「野生トリ肉」としてまとめてある（図2）。

大型野生獣肉の中でイノシシ肉の放射性セシウム濃度はツキノワグマ、ニホンジカ肉と比較して高いレベルで推移し、季節変動も大きいように見える。この傾向はチェルノブイリ事故後のヨーロッパのイノシシ調査でも見られ、イノシシの雑食性を反映しているものと考えられている。日本でもイノシシ肉中のセシウム濃度が高い原因と季節変化の要因をイノシシが食べるエサとの関係から解き明かす試みがなされているが、明確な答えは得られていない（文献1,2,3）。

福島事故後7 年間の短期間の検査結果からは、野生鳥獣肉中の放射性セシウム濃度が緩やかに減少しているようにみえる。概算でセシウム濃度がいずれも3～7年で半減している。これは福島事故後に半減期2年のCs-134が減少することに伴う見かけ上の変化であって、中長期には半減期30年のCs-137が支配的となるので、今後は濃度の減少がより緩やかとなりジビエ肉汚染は長期に渡り継続するものと予想できる。

図2

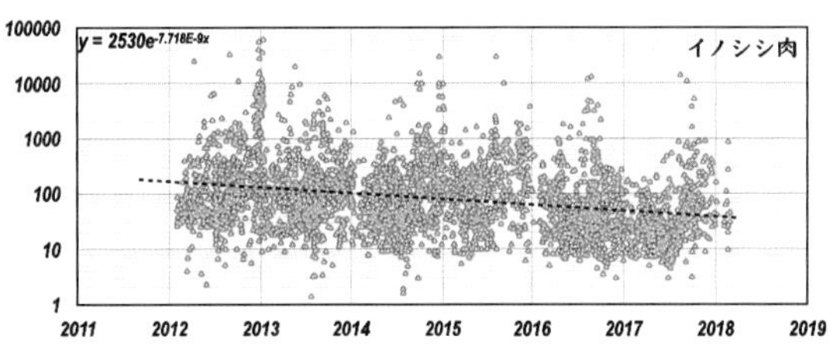

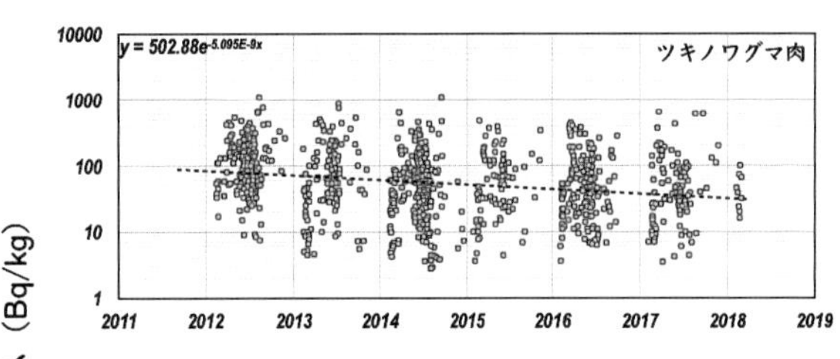

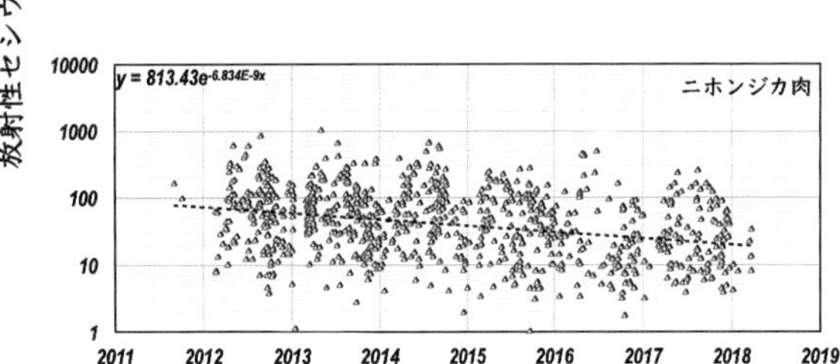

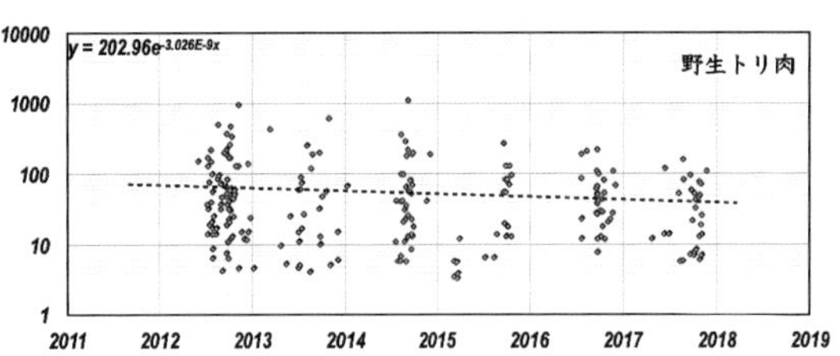

野生鳥獣の汚染は、土壌汚染度に影響されている！

野生鳥獣肉中の放射性セシウム濃度が「捕獲地(生息地)の土壌汚染度」と強く関係していると推測されるので、両者間の相関を調べた。厚労省食品検査データには捕獲した自治体名は記載されているが、捕獲地の土壌汚染度の情報はない。そこで、データサイトの土壌汚染データから各自治体の平均的なセシウム濃度を算出し、野生鳥獣捕獲時点に減衰補正を加えた土壌中セシウム濃度を用いて関係を調べた。

その結果、野生イノシシ肉中の放射性セシウム濃度とイノシシ捕獲地の土壌汚染度の間には明らかな正の相関が認められた(図3)。土壌中放射能が200 Bq/kgを超えれば基準値の100 Bq/kg超の可能性があることもわかる。土壌中10 Bq/kg程度でも、数10 Bq/kgの可能性があることもわかる。すなわち、17都県のすべてにおいて基準値超過の可能性があることを知っておいた方が良いだろう。土壌汚染と野生獣肉汚染との同様の相関はツキノワグマ肉、ニホンジカ肉でも認められる。汚染された土壌環境で生育する木の実、ドングリ、タケノコ、笹の葉、木の芽、キノコなどは、残念ながら程度の差こそあれすべて汚染されていると考えられ、それらを日常的に餌として摂取する野生鳥獣の肉(筋肉)も汚染されてしまうという必然的な結果である。

図3

$y = 0.5966x^{0.7064}$
$R^2 = 0.4681$

イノシシ肉中の放射性セシウム (Bq/kg)

1 10 100 1000 10000 100000

イノシシ捕獲地の土壌汚染度 (Bq/kg)

環境省は国際放射線防護委員会(ICRP)の定めた「標準動物及び植物」の考え方に基づいて選定した動植物種を中心に、福島事故による周辺地域の野生動植物への影響を把握するために調査しているが、哺乳類では「ネズミ類」のみ調査され大型哺乳類に関しては詳しく調査されていない。汚染地域における野生ニホンザルへの影響研究は、最も近縁の哺乳類動物であるためヒトのモデルとして注目されている。これまでに筋肉中の放射性セシウム濃度と血液学的検査が行われ、筋肉中セシウム濃度と捕獲地の土壌汚染との間に相関があること、血球数や血色素濃度などが有意に低下していることから放射性セシウム摂取による影響が示唆されている(文献4、5)。ヒトでは、流通する食品中の放射性セシウム濃度が低くコントロールされているので、里山の自生キノコや山菜、自家栽培の作物を検査せずに摂取することを避けていれば、野生ニホンザルのような影響は発生しないだろうと推測されている。

学校給食にもジビエ料理

農林水産省は「捕獲鳥獣のジビエ利用は大きな可能性を秘めており、外食や小売等をはじめ農泊・観光や学校給食、更にはペットフードなど様々な分野においてジビエの利用拡大が加速するよう全力で取り組む」とした方針を発表し、「目標として、30年度にジビエ利用のモデルとなる地区を17か所程度整備し(選定済み)(文献6)、ジビエ

※この写真はイメージです

利用量を31年度に倍増させる。」としている。この「ジビエ倍増モデル整備事業」のモデル地区には、東日本では唯一長野市が選ばれており、シカ・イノシシ肉の利用が予定されている。捕獲野生鳥獣肉の流通・利活用にのみ重点が置かれ、感染症による危険性や放射性物質による野生獣肉汚染を軽く見る姿勢には辟易とするばかりだが、少なくとも長期にわたる野生鳥獣への放射性物質の影響調査を継続し情報公開することは必要であろう。

ジビエを食べるか？ 避けるか？

福島事故後に野生鳥獣肉の検査によって深刻なセシウム汚染が確認された。その結果に基づき、出荷制限地域が指示されて制度的には流通が規制されているが、自治体の検査体制は一様ではなく、秋田県のように食品の検査計画に野生鳥獣肉が含まれていない場合もある。検査しないからデータの蓄積がなく、出荷制限も指示されず自由に流通する状況がある。一方、出荷制限地域では全頭検査を条件に100 Bq/kg未満のジビエ肉が出荷されてしまう不思議な状況も生まれている。背景には、捕獲野生鳥獣肉の流通・利活用の名のもと「ジビエ倍増モデル整備事業」として推進される、国主導の「ジビエブーム」がある。

消費者のジビエ肉の喫食意向調査では、6～7割の人が「機会があれば食べる」、あるいは「積極的に食べたい」との意向を示している（文献7,8）。野生鳥獣肉の懸念点として「衛生面の不安」はある程度浸透しているが「放射能汚染」を意識している割合は少ない。「福島県産牛肉」は避けるが「ジビエ」は好んで食べるといった奇妙な嗜好傾向も見える。すでに述べたように、土壌中濃度が200 Bq/kg程度でも基準値を超える可能性があるわけだから、17都県全域において、まずは放射能を測ってから食べることが大切である。野生鳥獣肉の「放射能汚染」状況を確認し、正しい判断をしていただきたいと考える。

※この写真はイメージです

文献

(1)野生イノシシの放射性セシウム(Cs)の 体内分布、Isotope News 741、50-53(2016)

(2)栃木県，茨城県および福島県にまたがる八溝山地域に生息するイノシシの放射性セシウムによる汚染状況の評価、哺乳類科学 9-18(2017)

(3)栃木県奥日光および足尾地域のニホンジカにおける放射性セシウムの体内蓄積、森林立地 99-104(2013)

(4)「福島第一原発事故による周辺生物への影響に関する研究会」報告書 (2015)

(5)「福島第一原発事故による周辺生物への影響に関する研究会」報告書 (2016)

(6)ジビエ利用モデル地区の選定について(農林水産省 2018)

(7)「野生鳥獣食肉の安全性確保に関する 報告書」(厚生労働科学研究班 2014)

(8)「食肉に関する意識調査」報告書(日本食肉消費総合センター2017)

野生（自生）キノコの汚染度解析

● 解析：あがの市民放射線測定室「あがのラボ」（新潟県）

キノコは、セシウムを取り込みやすい食品です。スーパーなどで売られている菌床栽培のキノコは、培地に汚染のない材料を使うことでほとんど心配要りません。販売者がしっかりと測定をしているケースも多いです。他方、野生キノコは、現在でも基準値超えとなるものが広い地域で散見され、検査されずに人の手から手へ渡り消費されることが多いのが特徴です。1960年代の大気圏内核実験時代の放射能汚染の痕跡を今でも見ることができるキノコもあります。そのセシウム取り込みのメカニズムに迫ります。

キノコはなぜそんなに汚染するのか？

福島原発事故によって広い範囲の森林が放射能で汚染された。森林の樹幹や葉が汚染され、降雨や落葉により放射能は地表面へ移動し、森林土壌表面の腐食層が汚染され、樹木による経根吸収を経て樹幹や葉への再移動を繰り返し、セシウム循環が成り立っているとされる。いまのところ、森林土壌の深いところまでは移動せずに落ち葉などの腐植層（リター層）と表層土壌にとどまっている。

野生キノコの中でも共生樹木にミネラルを供給し、代わりに樹木の根から養分をもらう関係にある「菌根菌」は、広範囲の腐植層に「菌糸」を上下左右に100mにもわたって拡げることがあるとされ、そのためセシウムを効率的に吸収し濃度が高くなる。一方、「腐生菌」は倒木や切り株、動物の死骸などに寄生して養分を吸い取るため、菌根菌ほど広範囲に菌糸を拡げる必要がなく、セシウム濃度が低いと考えられている。

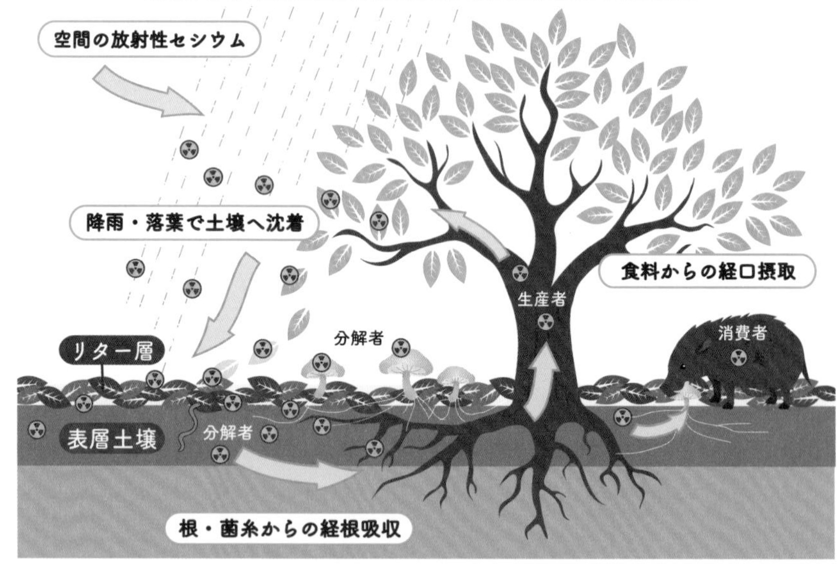

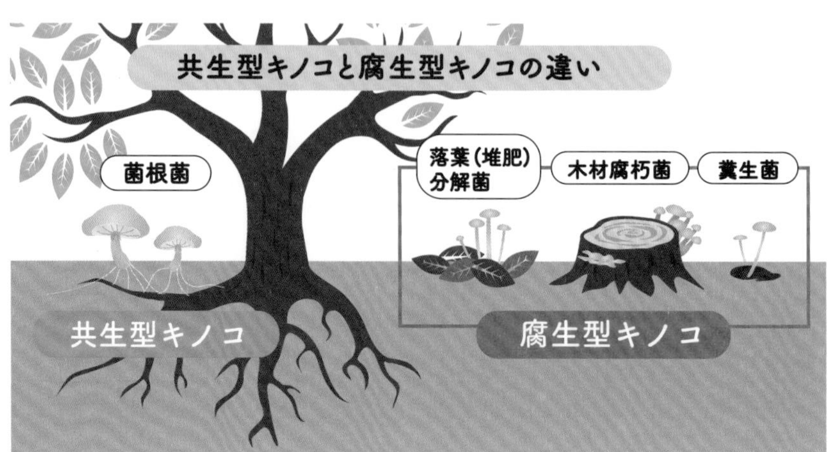

核実験由来の汚染と原木の汚染

野生キノコは同一種であっても採取した場所や地域によってセシウム濃度に幅がある。森林中における放射性セシウムの分布が不均一であることや、菌糸の分布が異なることなどが大きく影響していると考えられる。さらに、野生キノコの中には放射性セシウム比が福島原発事故のみの影響で説明できないものが存在することも明らかになっている。地域的には福島原発事故の影響が少なかった低汚染地域で、何らかの理由で過去の核実験による放射性セシウムが残存・蓄積されている場所と推測される。富士山周辺、軽井沢・佐久地域に加えて、青森県にも同様な事例が報告されている（文献5）。

また、栽培キノコのセシウム濃度は野生キノコに比べ低く管理されているが、「原木栽培」では培地として用いる原木自体の汚染があり、また「菌床栽培」ではオガ粉の原材料となる樹木汚染が継続しているため、現状からの大幅な改善は望めない。栽培キノコの中でもシイタケ、ナメコ、マイタケのような栽培期間の長いキノコではセシウム濃度が高くなり、エノキタケやヒラタケのように栽培期間の短いキノコでは低くなる傾向があるようだ。

食品からの放射性セシウム経口摂取の3割はキノコ類から

過去の核実験やチェルノブイリ原発事故の影響を調べる目的で日本国内の市販キノコ類のセシウム汚染が1989〜1991年に調査され、食品全体からの放射性セシウム経口摂取量の約3割がキノコ類からの摂取（約6Bq）と報告されている（図1、文献1より改編し作成）。

福島原発事故直後には、キノコ類に対する忌避意識があり食べるのを避けていたが、現在ではその意識も薄らぎ以前と同様な食生活に戻っている。このことを考えると、「キノコ類」の放射性セシウム濃度を把握しておくことは、経口摂取による内部被ばくを推定するためには大切なことである。

図1　食用キノコの年間摂取量とCs-137年間摂取量（1）

	kg/年・人	Cs-137 Bq/kg	年間摂取量Bq/年
エノキタケ	0.84	0.12	0.10
生シイタケ	0.76	2.83	2.14
ブナシメジ	0.39	0.08	0.03
ヒラタケ	0.19	0.12	0.03
ナメコ	0.18	1.96	0.36
ツクリタケ（マッシュルーム）	0.15	0.08	0.01
乾シイタケ	0.13	22.7	2.92
マイタケ	0.08	1.94	0.15
キクラゲ	0.02	2.24	0.04
マツタケ	0.02	8.96	0.17
合計	2.76		5.96

福島原発事故後のキノコ類の汚染状況

原子力災害対策特別措置法に基づき、基準値超過が確認され出荷制限が指示されている食品でキノコに関連するものは、「野生キノコ」と栽培キノコの「原木シイタケ」「原木ナメコ」「原木クリタケ」である（図2）。いずれも広範囲の地域に広がっており、今もなお深刻な汚染が継続していることがわかる。明らかに高濃度汚染している市町村でも規制がかかっていないところも散見されるが、理由は測っていないがゆえにデータがないからである。とりわけ縁故品が多い野生キノコではその傾向がある。自治体や政府による一層の測定努力を望むとともに、例え基準超過が測定値として出ていなくとも、野生キノコ食に関する警告を流すべきである。

図2　出荷制限の地域

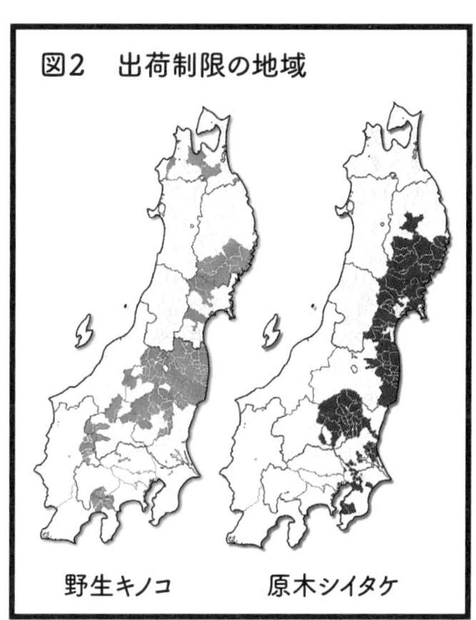

厚生労働省の「食品中の放射性物質検査データ」から30種の野生・栽培キノコの2012年〜2017年検査データを抽出して、キノコ種ごとに含まれる放射性セシウム濃度の分布と経年変化を調べた（図3、図4）。「野生キノコ」については検査数が比較的多いキノコ種を選び、「菌根菌」と「腐生菌」に分類した。「栽培キノコ」については生産量の多いキノコ種を選択してある。栽培・天然を区別できないものは明示した。

野生キノコの放射性セシウム濃度は、栽培キノコより少なくとも10倍以上の放射性セシウムを含んでいることがわかる。枯れ木や枯れ葉を腐らせて生育する「腐生菌」よりも樹木の根と共生している「菌根菌」の方が汚染が高く、アカモミタケ、キハツタケ、ショウゲンジ、チチタケでは中央値で74〜160 Bq/kgと突出して高い。チャナメツムタケは「腐生菌」の中でも濃度が高く（中央値100 Bq/kg）経年変動幅も大きい。

野生キノコ中にみられる濃度幅や経年変動幅の大きさは、検査数と地域差にあると考えられる。マツタケのような価値が高いキノコは採取地域も広範で検査数も多いのに対して、高濃度汚染が認められたキノコについては、採取が控えられるためデータ蓄積が少ない。また、採取された野生キノコ種には地域差があるため、野生キノコの現状を反映しているとは言えないので、より一層のデータ蓄積が望まれる。

一般人が、野生キノコを口にするのは稀で、大部分がスーパーなどで市販されている栽培キノコを食べている。その経年変動を見ると、栽培キノコ中のセシウム濃度は2013年以降は低く落ち着いているが、原木シイタケの濃度は高止まりしている。これは原発事故時に原木自体が汚染されてしまったためで、農林水産省はキノコの培地となる原木や樹木のオガ粉から作られる菌床中の濃度を制限し（文献2）、栽培農家は汚染の少ない原木に交換し、栽培管理の徹底をおこなっているが効果は限定的となっている。

図3　キノコ種別濃度分布　※「天然」は野生(自生)、「n」は検体数を示す

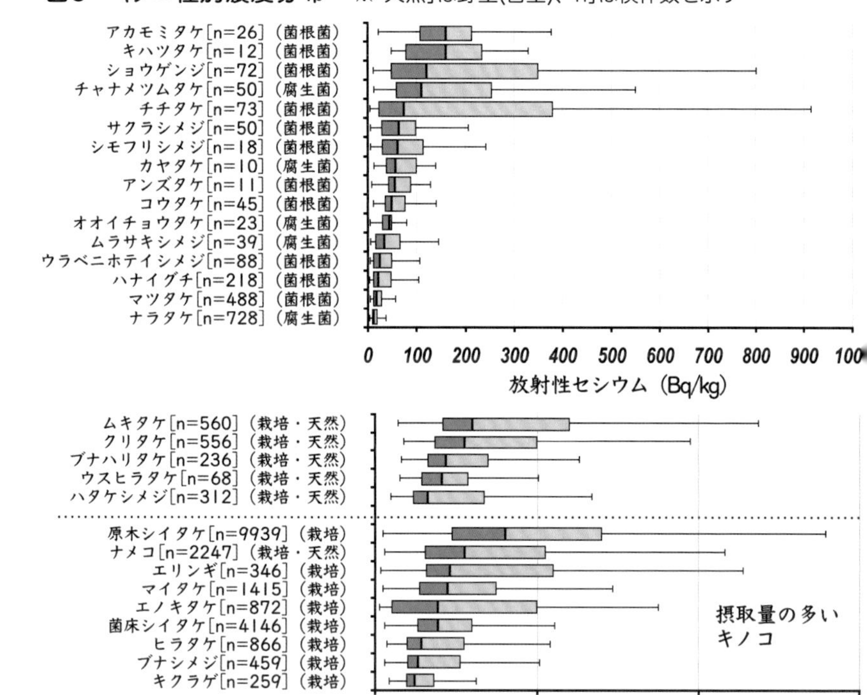

アカモミタケ[n=26]（菌根菌）
キハツタケ[n=12]（菌根菌）
ショウゲンジ[n=72]（菌根菌）
チャナメツムタケ[n=50]（腐生菌）
チチタケ[n=73]（菌根菌）
サクラシメジ[n=50]（菌根菌）
シモフリシメジ[n=18]（菌根菌）
カヤタケ[n=10]（腐生菌）
アンズタケ[n=11]（菌根菌）
コウタケ[n=45]（菌根菌）
オオイチョウタケ[n=23]（腐生菌）
ムラサキシメジ[n=39]（腐生菌）
ウラベニホテイシメジ[n=88]（菌根菌）
ハナイグチ[n=218]（菌根菌）
マツタケ[n=488]（菌根菌）
ナラタケ[n=728]（腐生菌）
0 100 200 300 400 500 600 700 800 900 1000
放射性セシウム（Bq/kg）

ムキタケ[n=560]（栽培・天然）
クリタケ[n=556]（栽培・天然）
ブナハリタケ[n=236]（栽培・天然）
ウスヒラタケ[n=68]（栽培・天然）
ハタケシメジ[n=312]（栽培・天然）
原木シイタケ[n=9939]（栽培）
ナメコ[n=2247]（栽培・天然）
エリンギ[n=346]（栽培）
マイタケ[n=1415]（栽培）
エノキタケ[n=872]（栽培）
菌床シイタケ[n=4146]（栽培）
ヒラタケ[n=866]（栽培）
ブナシメジ[n=459]（栽培）
キクラゲ[n=259]（栽培）
摂取量の多いキノコ
0 20 40 60
放射性セシウム（Bq/kg）

●「箱ひげ図」と「中央値」の説明

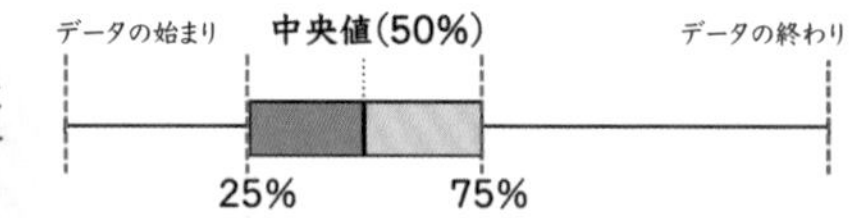

「箱」（長方形）と「ひげ」（棒）でつくられた箱ひげ図は、データのばらつき具合を示すのに用いる。箱の真ん中の線が「中央値」で、データを順に並べた時に「個数で見て真ん中に位置」し、データの集まりの「中心」を表す。箱の一方の端は25%を、もう一方の端は75%の位置を示す。「ひげ」の端と端はデータの始まるところと終わるところを示す。ひげの範囲が狭ければ、より真ん中に近いデータが集まっていることを示し、範囲が広ければデータが散らばっていることを示す。

図4　キノコ経年変化

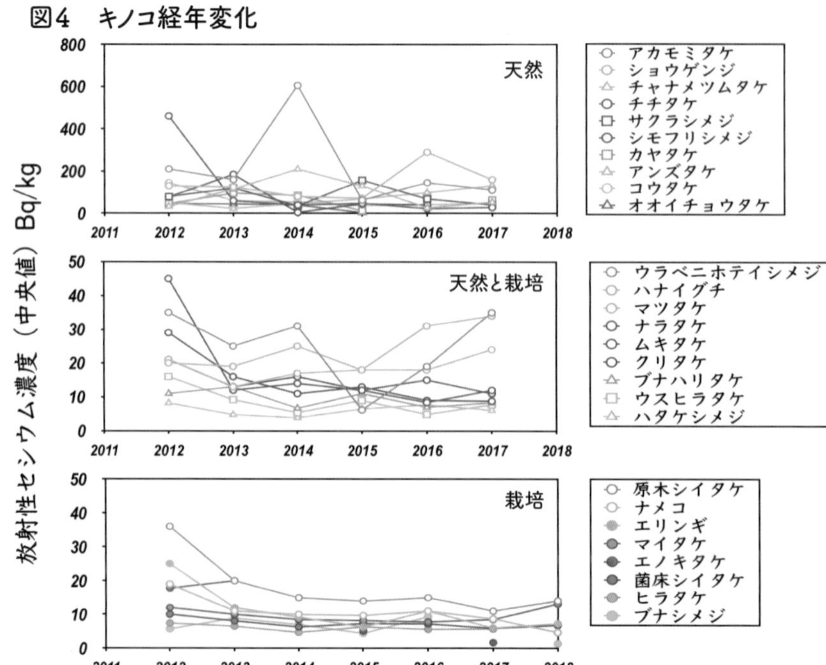

原木シイタケ中の放射性セシウムの由来を確かめるために、放射性セシウム比（Cs-134/Cs-137）の経年変化を調べてみた。厚労省データに記載されているそれぞれの放射能濃度には測定誤差が含まれているので、セシウム合算で40 Bq/kg以上でCs-134、Cs-137が有意に検出されているものを抽出し解析を加えた（図5）。その結果、放射性セシウム比の経年変化はセシウム比=0.94の場合の変化と一致した。原発事故時に放出された放射性セシウムは等量でセシウム比（Cs-134/Cs-137）=1とされているので、原木シイタケ中の放射性セシウムは福島原発事故による原木の汚染が原因であることが確かめられた。

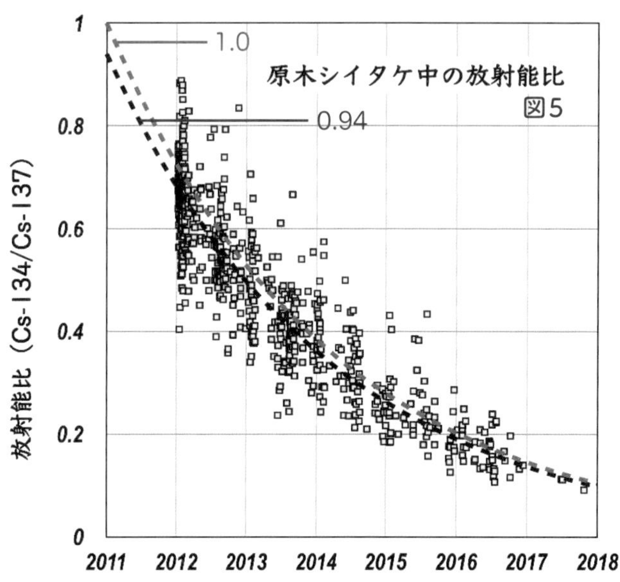

野生キノコに見られる放射性セシウム比のバラツキの要因

厚労省データから抽出した野生キノコデータを用いて、2011年3月15日を基準日とした減衰補正を実施した。この際に測定誤差を考慮して合算40 Bq/kg以上データのみを取扱い、Cs-134とCs-137濃度の相関を調べた（図6）。野生キノコ中の放射性セシウムが原発事故由来とすれば、放射性セシウム比（Cs-134/Cs-137）＝1のライン近くに分布するはずだが、そこからズレている野生キノコが一定数存在することがわかった。この場合Cs-134に対してCs-137が過剰存在することを意味し、「過去の核実験やチェルノブイリ原発事故によるCs-137」が残っていて野生キノコに吸い上げられていると考えられる（文献3）。キノコ種によるものか採取地域によるものかを検討したところ、富士山周辺の山梨県（富士河口湖町・富士吉田市・鳴沢村）、静岡県（富士宮市・富士市・御殿場市）、長野県（軽井沢町・小海町・小諸市）で採取されたショウゲンジ・ハナイグチ・チャナメツムタケ・キハツタケ・シモフリシメジ・アカモミタケなどであり、地域的な影響が強いと考えられた。これらの野生キノコ中のセシウム比は2011年3月15日基準で（Cs-134/Cs-137）＝0.5となり、過去の核実験の影響が30%含まれていると推定された。

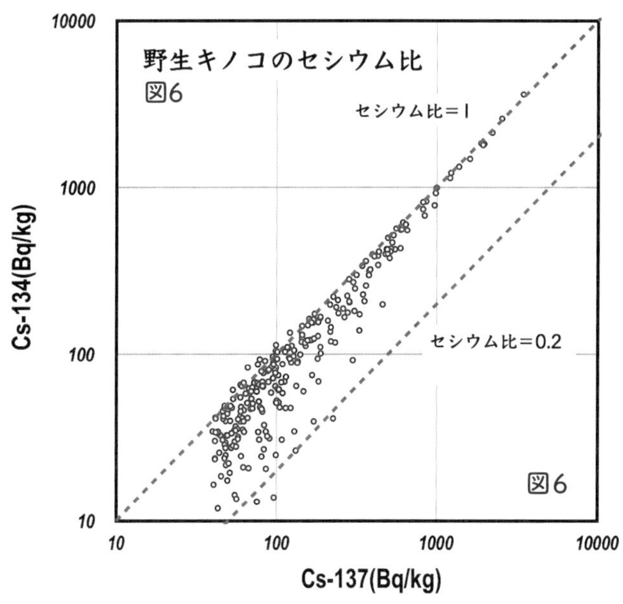

富士山周辺の野生キノコについて山梨県森林総合研究所のグループが福島原発以前から調査しており、福島事故以前には同一キノコ種でも高海抜地域で放射性セシウム濃度が高く、福島事故後には低海抜地域で採取したキノコの方が高くなったことを報告している（文献4）。福島原発事故による放射性プルームが、主に低い標高に放射性セシウム沈着をもたらしたとすると、キノコを採取した標高によりセシウム比が大幅に変動することになるが、厚労省データには標高データが存在しないのでこれ以上の検証はできない。厚労省データには上記の地域とは別に福島原発事故のみでは説明できないデータが散見され、日本の各地には富士山と同様に過去の核実験の影響を強く受けている地域が存在することは想定され、詳細な植生調査・土壌調査とセットでの解析が必須と考える。

同地域で採取されてもセシウム比率が異なるキノコと山菜類

長野県（軽井沢町・小海町・小諸市）で観察されたショウゲンジ・ハナイグチ・シモフリシメジなどの野生キノコの放射性セシウム比のズレから推定されるCs-137の過剰存在は、同地域の山菜（コシアブラ・タラの芽）では認められなかった。これは、カラマツなどの針葉樹と共生して生育する野生キノコが、事故以前から長きにわたりセシウム循環する環境の中にいることの現れかもしれない。実際の採取場所を目で確認することができないため詳細な理由を探ることは難しいが、野生キノコからなんらかの要因で核実験時代からのセシウムを未だに検出できるケースは広い地域で散見されている。

野生キノコを含めたキノコからの放射性セシウム摂取量の推定

栽培キノコ摂取量は文献(1)に従い、野生キノコの摂取量を年間100gと仮定して、2017年時点でのキノコ類からの放射性セシウム摂取量を推定した（図7）。年間摂取量の65%は生・乾シイタケからの摂取で、一般的な人は野生キノコから10%を摂取することになるが、キノコ好きで自ら奥山に分け入り野生キノコを食べる生活をしている方は、「秋には数値が跳ね上がる」ことを認識していただきたい。この推定では年間摂取量が1989～1991年の調査と比較して、4倍ほどに増加していることになる。経口摂取に伴う内部被曝に関しては、あえて計算結果を示さない。2017年での放射能比（Cs-134:Cs-137=0.1:1）と預託実効線量係数を用いて計算にチャレンジして欲しい（文献6）。

図7　キノコからの放射性セシウム年間摂取量（推定）

	kg/年・人	中央値 Bq/kg＊	年間摂取量Bq/年
エノキタケ	0.84	1.7	1.43
生シイタケ	0.76	11.0	8.36
ブナシメジ	0.39	1.4	0.55
ヒラタケ	0.19	5.7	1.08
ナメコ	0.18	8.7	1.57
ツクリタケ（マッシュルーム）	0.15	1.8	0.27
乾シイタケ★	0.13	62.7	8.15
マイタケ	0.08	8.5	0.68
キクラゲ	0.02	3.8	0.08
マツタケ	0.02	23.0	0.46
野生キノコ※	0.10	25	2.50
合計	2.86		25.12

※野生キノコは年間100g摂取と仮定
＊放射性セシウム濃度は厚労省2017年検査データの中央値を使用
★乾シイタケ中の濃度は生しいたけからの濃縮度5.7倍を仮定

線量測定と計算　**実効線量への換算係数**　預託実効線量係数（μSv/Bq）（経口摂取の場合）

	ヨウ素 131	セシウム 134	セシウム 137	ストロンチウム 90	プルトニウム 239
3か月児	0.18	0.026	0.021	0.23	4.2
1歳児	0.18	0.016	0.012	0.073	0.42
5歳児	0.10	0.013	0.0096	0.047	0.33
10歳児	0.052	0.014	0.01	0.06	0.27
15歳児	0.034	0.019	0.013	0.08	0.24
成人	0.022	0.019	0.013	0.028	0.25

内部被ばくの線量評価では、核種・化学形ごとに摂取量を推定し、それに線量係数を乗じて線量を計算する。線量係数とは、1ベクレルを摂取したときの預託等価線量又は預託実効線量のことで、国際放射線防護委員会（ICRP）によって、核種、化学形、摂取経路（経口あるいは吸入）、年齢ごとに具体的な値が与えられている。預託の期間、すなわち線量の積算期間は、成人で50年、子供では摂取した年齢から70歳までとなっている。

出典

（1）きのこと放射性セシウム（Radioisotopes 46, 450-463（1997））
（2）平成23年度安全な「キノコ原木」の安定供給対策事業報告書（森林総合研究所）
（3）自然環境下において放射性セシウム濃度が低いキノコの種類の推定（Radioisotopes 66, 277-287（2017））
（4）福島第一原子力発電所事故前後の富士山野生きのこ子実体中の放射性セシウム濃度（日本菌学会会報 54, 47-53(2013)）
（5）放射性Csのキノコへの取込機構と環境中での動態の研究（入澤歩/博士論文/東北大学）
（6）環境省　第2章 放射線による被ばく2.4 線量測定と計算
●https://www.env.go.jp/chemi/rhm/h28kisoshiryo/h28kiso-02-04-12.html

深掘り!測定室eyes

静岡県および隣県のお茶の汚染について

● 解析:未来につなげる・東海ネット　市民放射能測定センター(C-ラボ)(愛知県)

みんなのデータサイトに参加している全国の測定室は、それぞれが様々な測定と解析に取り組んでいます。ここでは、愛知県の未来につなげる・東海ネット　市民放射能測定センター(C-ラボ)が取り組んだお茶の汚染についての考察を紹介します。福島第一原発から300kmも離れた静岡県でも、お茶の汚染を通じて伊豆半島東側や箱根山地の東側などに顕著な汚染があったと認められるとしています。

深刻だったお茶の汚染

2011年静岡県の一番茶に深刻な汚染が見られたことは、第1章の静岡県解説ページで述べた。この時期、フランスに輸出された一番茶3検体(3工場)からも310〜981 Bq/kgが検出されている。しかし、二番茶になると20検体すべてが100 Bq/kg以下となり、秋冬番茶19検体でも、伊豆市産で123 Bq/kgだった以外は、すべてが100 Bq/kg以下となった。

急速にセシウム濃度が下がった理由は、土壌に降下沈着した放射能は少なかったが、茶葉の表面が直接に放射能を沈着させたためとみられる。土壌はさほど汚染していなかったために、二番茶以降では急速に茶葉のセシウム値は減少したのであろう。同様のことが西隣の愛知県でも起きている。西三河地方の茶葉産地である西尾市や岡崎市でも100 Bq/kgを超える茶葉が出たのである。そして静岡茶と同様に、汚染は急速に減少していった。しかし、その後も静岡茶から放射能がまったく検出されなくなったわけではない。2012年産では数10 Bq/kg超の検出が続き、

図　静岡茶(仕上げ茶)出荷量シェアの経年変化
(2015年、静岡県経済産業部発表「茶業の現況」)

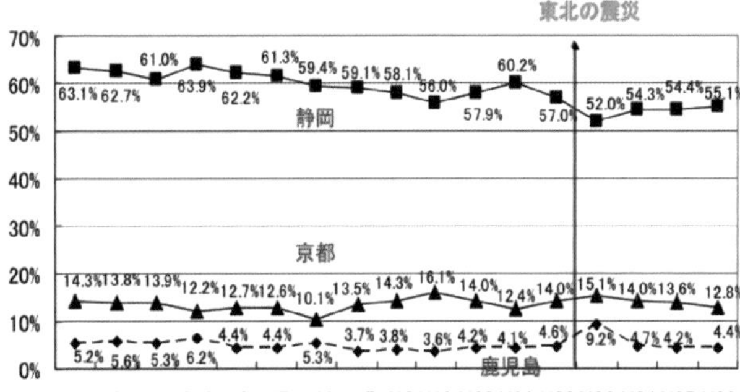

2017年でさえも香典返しの静岡茶から10 Bq/kgが検出されている。静岡茶にとって少し幸運だったのは、汚染が強い伊豆半島東岸でお茶の栽培がほとんど行なわれていないことであった。わずかに伊豆半島東側の山脈の西側に位置する伊豆市で、山脈の低いところを越えてきたプルームによる汚染があったようである。静岡茶(仕上げ茶)出荷量シェアの図は震災後の落ち込みと、その後の緩やかな回復を示している。

空間線量率で描いた汚染地図とも一致、箱根山地東側の茶葉で長期汚染

事故後早い時期に空間線量率による汚染マップを描いた静岡大学防災総合センターの火山学者・小山真人氏(文献1)によって調査された空間線量率による汚染マップは、今回の土壌汚染マップとよく似た汚染分布を示している。

小山氏によれば、富士川の東側は伊豆・小笠原弧の火山フロント付近に分布するカリウム(K)含有量の低い火山岩類が主要な土壌成分であり、空間線量率のバックグラウンドは低い。それに対して西側は西南日本の非火山性地域に分布するカリウム(K)、ウラン(U)、トリウム(Th)などの含有量の高い岩石があるために、バックグラウンドが高いとしている。このため、福島原発事故後の空間放射線量率実測値から事故前のバックグラウンドを引くと、伊豆半島東側の汚染が顕著に見えてくると述べている。また、静岡茶の二番茶、秋冬番茶の放射能が低くなったにもかかわらず、箱根山地の東側の茶葉生産地である神奈川県南足柄市と山北町の「足柄茶」の放射能が下がらなかったのは深刻な土壌汚染があったためであるとしている。第1章の神奈川県土壌マップを見ると、箱根山地の東側の真鶴、小田原、南足柄を結ぶ南北に走る汚染の道筋が見てとれるだろう。

参考文献●文献1:小山真人「静岡県周辺で詳細放射線量 マップを描く意義(科学2012年8月号)

山菜の汚染度解析

● 解析：あがの市民放射線測定室「あがのラボ」（新潟県）

山の恵み、山菜は、地方独自の風土や文化に深く結びついた季節の食材ですが、残念ながら原発事故後は野生キノコに次いで放射性セシウムの汚染が心配されるようになってしまいました。その上、栽培品でないものはほとんどが公的検査には乗らないので、これまで実態がつかみづらい状況にありました。ここでは福島県内の自治体に持ち込まれた「自主検査」データも用いて山菜の種類や放射性セシウムの傾向を解析しました。検査動向からは、出荷制限や出荷自粛にかかわらず、事故以前のように山の恵みを楽しみたいという人々の心も透けて見えます。今後も長期に渡る汚染が見込まれるため、どうしたら被ばくを防ぐことができるか、着目してみましょう。

住民持ち込み自家消費食品の検査から山菜の消費動向を探る

流通食品に関しては自治体による公的検査が実施され、170万件の厚労省データとして取りまとめられている。一方、家庭菜園での栽培品や住民が採取した野生の山菜・キノコ類は公的検査の対象とはならなかったため、自家消費野菜類に対する不安が高まった。この不安を軽減するために、国は自家消費食品を測定するためのNaIシンチレーション核種分析装置を自治体へ貸与し検査体制を強化した。これまでに汚染度が高い地域で約70万件以上の検査結果が蓄積されていると推定されるが、県を跨いだ集計もされていないし、住民へのフィードバッグ等の有効活用もされていない。多くの農林水産物に出荷制限や出荷自粛が指示されている福島県内で実施された検査は累計64万件で、県の公的検査26万件と比べ2倍以上のデータが蓄積されている(文献1)。幸いにも、福島県は検査件数等の概数を集計し公表しているので、持ち込み食品数の年変動や大分類食品ごとの変動を見ることができる(図1)。

持ち込み自家消費食品の数は年々減少しているが、殆ど持ち込まれなくなった他県の落ち込みと比べると、福島県は一定数の持ち込みは維持されている。これは、県民の不安が他県と比べても大きいこと、長年の測定を通じた学習により汚染の可能性の高い食品を選択できるようになってきたこと、非破壊検査が可能な測定器が導入されたことなどが影響していると考えられる。非破壊検査機器では住民が「予め食品を切り刻む前処理が不要」であり「食品を検査後に持ち帰ることが可能」であることから簡単に検査でき、結果によっては持ち帰って食べることもできる点で広く受け入れられたのかもしれない。

持ち込まれる食品類として春には「山菜類」「春野菜」「果実」が多く、秋には「野菜」「キノコ類」「果実」が多くなっていることから明確な季節変動が見える。福島県全体を網羅した持ち込み食品種は集計できていないが、郡山市のみの検査データ(67,000件)(文献2)から食品別集計を試みると、「キノコ類」の多くは家庭菜園で育てた原木シイタケや野生キノコが持ち込まれており、「果実」は春には青梅(梅酒・梅干し用)、秋に柿(干し柿用)、クリ、ユズなどが多数を占めていた。

持ち込み食品数の減少にもかかわらず、「山菜・キノコ類」において50 Bq/kgを超える放射性セシウムが検出された割合は減少せず、山菜で20〜30%、キノコ類で50〜60%も確認される。

一方、「野菜」からは殆ど検出されておらず、「果実」では秋から冬にユズなどの柑橘類の汚染が確認されている。

自家消費食品に関しては「検査の結果50 Bq/kg超〜100 Bq/kg以下となった食品の摂取については、慎重に判断するなどしてください。100 Bq/kg超となった食品については、摂取は控えてください。」との指導がなされているが、食べるか摂取を避けるかはすべて個人の判断に委ねられている。

持ち込み検査の窓口アンケート調査結果(文献3)から、持ち込んだ住民の年齢層は50歳以上の方が多く、検査目的は孫・子ども・家族・知人への配慮が多数を占めている。これらのことから、公的検査に基づいた出荷制限や出荷自粛にかかわらず、住民は原発事故前と同様な食文化を維持しようとしている消費動向が見えてくる。

図1　持ち込み食品数の年変動や大分類食品ごとの変動

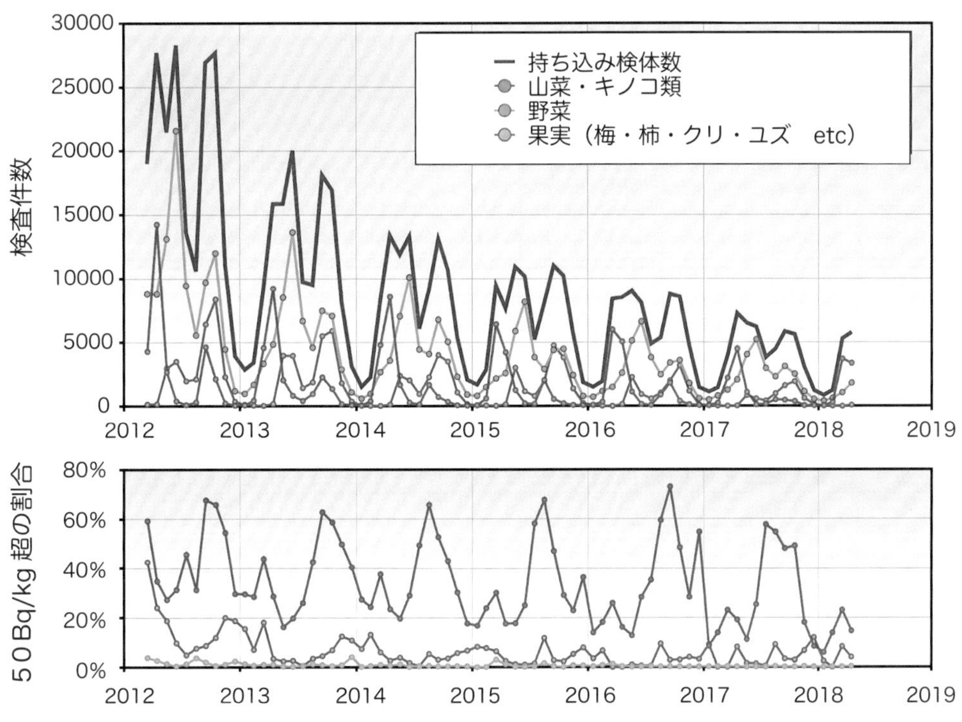

山菜類の生産量と産地を知ろう

「キノコ」に次いで食品汚染が心配される「山菜」に関して流通状況を確認するため、国内の生産量と主な生産県（産地）を林野庁の統計「山菜の生産量」（文献4）から集計した(表1、表2)。生産量ではタケノコ・フキ・ワラビが突出して多く、タケノコ・ウワバミソウ(ミズ)・ゼンマイ・モミジガサ(シドケ)・コシアブラは殆ど天然品が流通している。その他の多くの山菜は3割〜7割が露地栽培やハウス内で促成栽培されていて栽培山菜の市場に占める割合も大きい（表1）。

表1　主な山菜の生産量（トン）

	栽培	天然	計	天然の割合
タケノコ	―	35619	35619	100%
フキ	11500	1353	12853	11%
ワラビ	296	589	880	67%
ツワブキ	127	49	175	28%
タラの芽	126	45	171	26%
ウワバミソウ（ミズ）	5	160	165	97%
クサソテツ（コゴミ）	42	43	85	50%
フキノトウ	31	38	69	55%
ゼンマイ	6	28	33	83%
モミジガサ（シドケ）	2	11	14	84%
コシアブラ	1	10	11	94%

これまでに、栽培ワラビや天然タケノコでセシウム吸収抑制の研究（文献 5､6）も行なわれているが、いまのところ稲作と同様に、カリウム施肥の他にセシウム吸収抑制の有効策が無く、コスト面からも吸収抑制対策は実施されていない。セシウム汚染度が高い地域では、土壌中の放射性セシウムが作物へ移行するため、山菜の産地情報は放射性セシウムの経口摂取を避ける観点から知っておくべき大切な知識である。林野庁の統計から生産県ランキングを作成すると、多くの山菜が原発事故による土壌汚染が確認されている東日本の17都県(表中の色付き県)で生産されていることがわかる(表2)、すなわち山菜の大供給地域が原発事故で汚染されてしまったことになる。タケノコの主な産地は西日本だが、九州産や京都産のタケノコが関東圏で流通することは殆どなく、季節物の山菜は地産地消が基本となっている。

表2　生産量の多い都道府県

	タケノコ	フキ	ワラビ	ツワブキ	タラの芽	ミズ	コゴミ	フキノトウ	ゼンマイ	シドケ	コシアブラ
1	福岡	愛知	山形	宮崎	山形	青森	秋田	群馬	高知	東京	山形
2	鹿児島	群馬	新潟	鹿児島	群馬	山形	山形	新潟	新潟	宮城	秋田
3	熊本	北海道	青森	高知	新潟	秋田	新潟	山形	山形	山形	長野
4	京都	大阪	秋田	大分	山梨	石川	長野	秋田	愛媛	秋田	新潟
5	静岡	徳島	福島	長崎	秋田	宮城	島根	千葉	秋田	岩手	群馬
6	香川	福岡	石川	熊本	島根	新潟	福島	長野	福島	青森	岩手
7	石川	秋田	山梨	山口	青森	岩手	茨城	青森	長野	福島	青森
8	宮崎	岩手	長野	福岡	徳島	福島	石川	福島	山口	茨城	愛知
9	愛媛	愛媛	岩手	佐賀	福島	福井	群馬	福岡	熊本	宮崎	奈良
10	三重	石川	高知	新潟	宮城	富山	宮城	熊本	徳島	新潟	島根

■ 東日本（17 都県）

山菜汚染の状況

山菜の汚染状況を知るために、厚生労働省データから2012年～2018年春までに検査された15種類の山菜検査データを抽出し、放射性セシウム濃度の経年変化を調べた(図2)。なお、厚労省検査データに収載されている山菜データは殆どが東日本の都県で採取されたものであり、九州地方で大部分が生産され東日本では食習慣が無い「ツワブキ」のデータはなかった。

15種の山菜の中でミヤマイラクサ（アイコ）を除く14種で食品基準値(100 Bq/kg)を超える放射性セシウムが検出されたことがある。原発事故から7年経過した2018年春でも、コシアブラ、タケノコ、タラの芽、コゴミ、ネマガリタケ、ワラビで基準値を超えるものが確認されている。ウド、フキノトウ、フキ、サンショウ、ウワバミソウ（ミズ）、セリでは明らかな減少が認められるが、コシアブラ、タケノコ、タラの芽、コゴミ、ネマガリタケ、ワラビ、ゼンマイ、モミジガサ（シドケ）では僅かな減少傾向が認められるものの、放射性セシウム濃度は高止まりしている。

上記の15種類の山菜の経年変化は東日本全域における全体の変化を見たものであるため、生産県の情報は得られない。そこで、6種の代表山菜(タケノコ・ゼンマイ・ワラビ・タラの芽・コゴミ・コシアブラ)について生産県ごとの放射性セシウム濃度分布を調べた(図3)。山菜種によっては検査件数が少ない県があるが、土壌汚染度の強い福島・栃木・宮城・岩手と群馬・茨城で採取されたものから基準値を超過する高濃度の放射性セシウムが検出されており、土壌汚染と山菜汚染は密接に関連している(2018年現在でも、コシアブラを筆頭とする山菜の出荷制限が指示されている地域が広範囲に広がっていることを、『山菜類の出荷制限マップ』で確認してください)。

図２　放射性セシウム濃度の経年変化

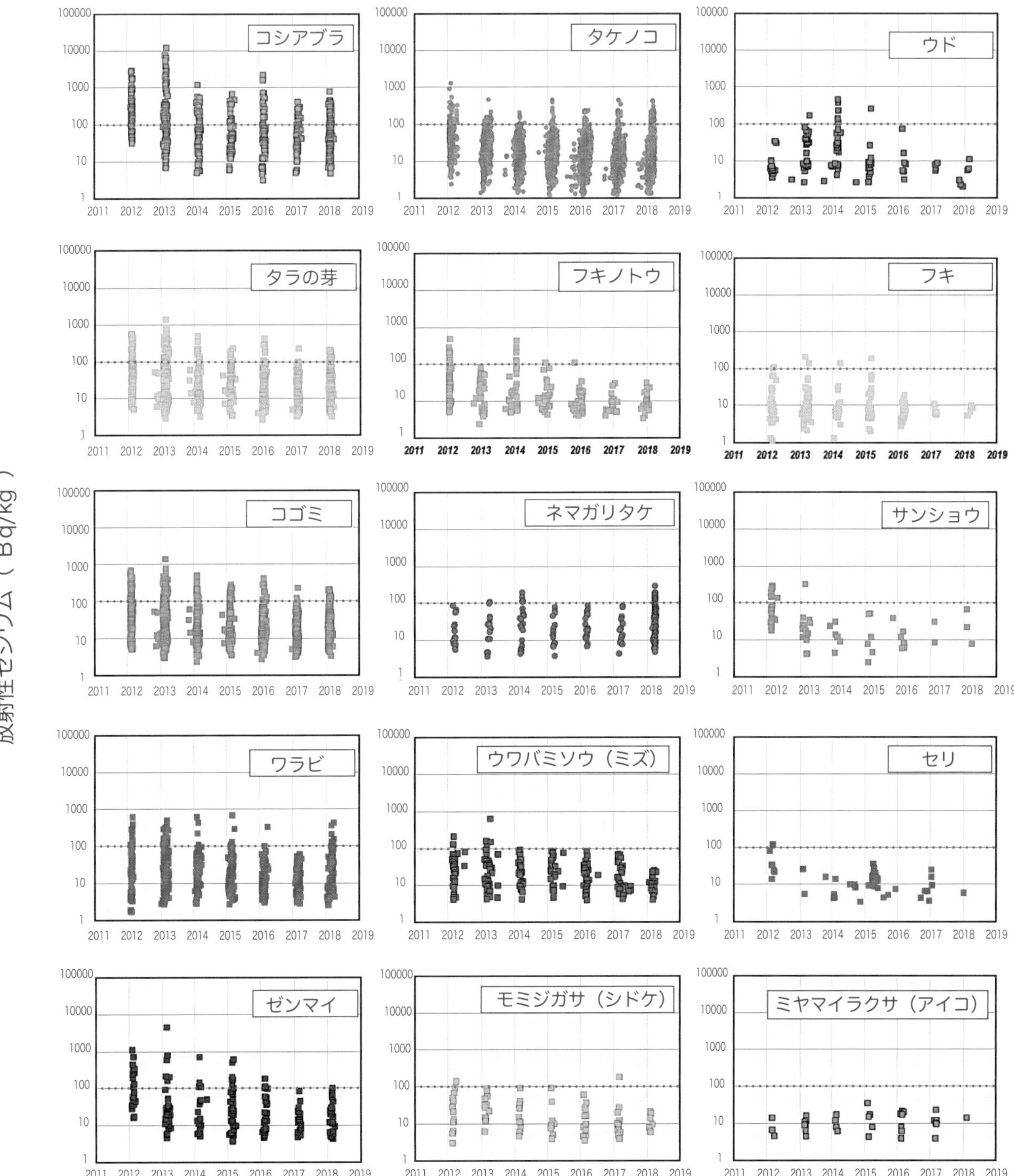

タケノコで検出された放射性セシウムの最大値は1,300 Bq/kg、ゼンマイ4,500 Bq/kg、ワラビ690 Bq/kg、コゴミ700 Bq/kg、タラの芽1,300 Bq/kgであった。タラの芽と同じウコギ科のコシアブラからは、他の山菜より遥かに高濃度の放射性セシウムが検出されている（最大12,000 Bq/kg）。

コシアブラはレアメタルのマンガンを特異的に吸収し、樹皮や葉に蓄積することが知られており、「ハイパー・アキュムレータ植物（重金属蓄積性植物）」とされ、その吸収メカニズムが研究されている。放射性セシウムの吸収に関しては、生育する土壌のpH（ペーハー）が低いこと、分布する根が浅いこと、根と共生する菌根菌の関与、特殊なセシウム輸送系の存在が推測されているが詳しいことはわかっていない。

土壌汚染が殆ど無く低汚染地域と考えられていた地域でもコシアブラから放射性セシウムが検出され、基準値を超えることもあるという事実は、豊かな山の恵を利用していた方々にとって衝撃であった。同一県内において土壌の汚染度が異なるように、山菜の生育環境の土壌汚染度は異なり、時間の経過に伴って放射性セシウムの移動・蓄積が進むことで、窪地などにホットスポットが生じ、今後も思わぬ地域でセシウム濃度の高い山菜が採れてしまうことが否定できない（文献7）。残念ながら広大な里山・奥山の土壌汚染の実態を知るための調査、および個々の山菜種のセシウム吸収特性に関する研究は進んでいない。

図3　主な山菜生産県ごとの放射性セシウム濃度分布

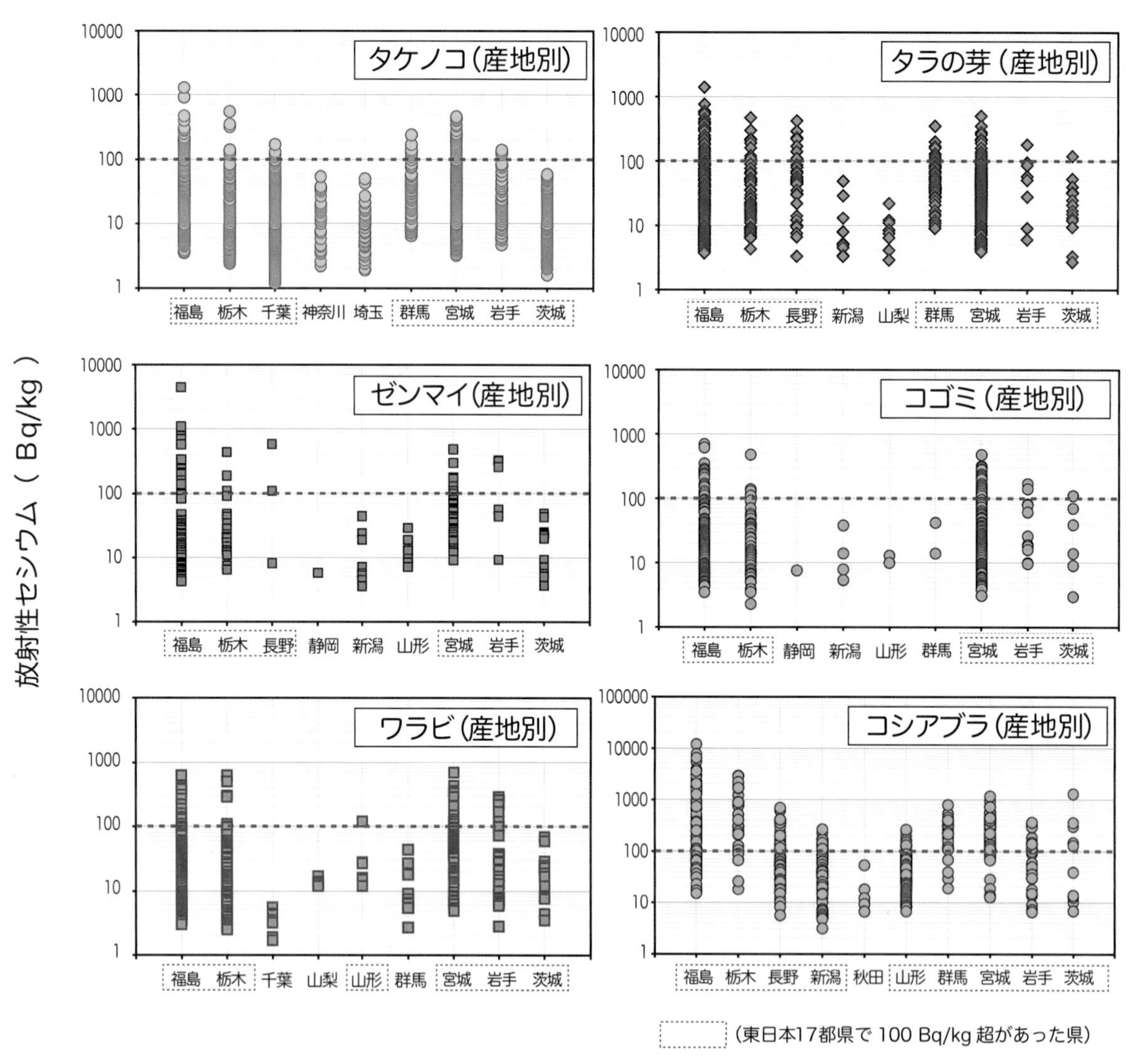

参考文献（その1）

(1) 県内における自家消費野菜等の放射能検査実施状況（福島県）
(2) 自家消費野菜等の放射能検査結果について（郡山市）
(3) 自家消費野菜等の放射能検査についての窓口アンケート調査結果（福島県）
(4) 特用林産物生産統計調査 2016（林野庁）
(5) 竹林の施業がタケノコの放射性セシウム濃度に及ぼす効果（福島県林業研究センター研究報告 2016）
(6) 山菜類の放射性物質による汚染実態調査と汚染低減法の検討（福島県林業研究センター研究報告 2016）
(7) 津南町に自生するコシアブラ及び生育地土壌の放射性セシウム濃度調査，新潟県放射線監視センター年報　15, 51-56, (2017)

農産物直売所の山菜

販売目的で生産される山菜類やキノコ類については、自治体のモニタリング検査を市町村ごとに実施し、基準値を超えた場合には直ちに出荷自粛等の要請を行ない、基準値を超えるものが生産・流通されないよう対応している。

一方、全国で約13,000ヶ所あると言われる農産物直売所は、経営形態も農家から農業協同組合(JA)、自治体との第三セクター等多岐にわたり、生産者や個人が中間業者を経ずに農産物を直接持ち込むため、自治体のモニタリング検査ではカバーされていないのが実情である。県や自治体は、直売所の巡回指導をして基準値を超えるものを販売しないように指導しているがこれにも限界がある。経営規模の大きな直売所では測定機器導入による自主検査で農産物の放射能汚染に対応しているが、中小の直売所では費用の問題で実施されず、ひとえに「生産者や採取者のモラル」に依存している部分が大きい。

このため、放射能を検査せずに集められた山菜類や野生キノコが農産物直売所や「道の駅」で販売され、購入者が念の為に測定したら基準値を超えていたという事件が多発している。中には出荷制限のかかっている地域から採取したものを、制限がかかっていない地域のものとして偽装販売していた例もある。

春先には一般スーパーでは取り扱わないレアな山菜を求めて農産物直売所に客が殺到するため手っ取り早く「お小遣い」を稼ぐために個人が出所不明の山菜を持ち込むことは良くあることで、「販売されているから安全」「7年も経過しているから大丈夫」といった根拠のない先入観は持たないほうが良い。

山菜を食べるための飽くなき戦い

チェルノブイリ原発事故後に、ヨーロッパではキノコ類・ベリー類や野生鳥獣肉中の放射性セシウムが測定されており、汚染地域で伝統的な食生活を捨てられない人々に対して、高濃度に汚染された食品でも食べられるように放射性物質を低減する調理法が考案されている。日本独自の山菜食文化で伝承されてきた調理法 ” アク抜き ” が、ワラビ、ゼンマイ、タケノコなどの独特の苦みやえぐみを取り除き、同時に放射性セシウム低減にも効果があるのは確認されている(文献 8~12)。ただし盲信は禁物で、完全に取り除くことは困難であり、香りや苦味を堪能するために丸ごと天ぷらにして食べるコシアブラ、タラの芽、フキノトウ、コゴミなどにはまったく通用しない。あれやこれやと汚染食品を食べるため飽くなき努力で悩むよりも、汚染の可能性のある食品種の学びを通じて取捨選択する方が効率的で賢い消費者の対応策であると考える。

参考文献(その2)

(8) 調理による牛肉・山菜類・果実類の放射性セシウム濃度及び総量の変化 RADIOISOTOPES, 65, 45-58(2016)

(9) 国内農畜水産物の放射性セシウム汚染の年次推移と加工・調理での放射性セシウム動態研究の現状　日本食品科学工学会誌 62(1), 1-26, 2015

(10) 環境パラメータ・シリーズ 4「食品の調理・加工による放射性核種の除去率」原環センター (1994)

(11) 環境パラメータ・シリーズ 4 増補版 (2013 年)「食品の調理・加工による放射性核種の除去率―我が国の放射性セシウムの除去率データを中心に―」2013 年 12 月改訂版, 原環センター (2013).

(12) 土壌 - 植物系における放射性セシウムの挙動とその変動要因 , 農業環境技術研究所報告 31, 75-129, (2012)

野生鳥獣肉(ジビエ)・キノコ類・山菜類の出荷制限マップ

● 解析:あがの市民放射線測定室「あがのラボ」(新潟県)

多くのキノコ類や山菜類、それらを餌としている野生鳥獣の肉から基準値超過の放射性セシウムが検出され、「原子力災害対策特別措置法」に基づき原子力災害対策本部長名で出荷制限が指示されています。「出荷制限地域」が「土壌汚染地域」と密接に関係していることを理解していただくために、みんなのデータサイト「土壌汚染マップ」と「出荷制限マップ」を並べて表示しました。野生鳥獣については、広域に移動するため基本的に出荷制限が「県単位」で指定されています。一方、キノコ類・山菜類は広がりを確認した上で「市町村単位」で指定されています。表示されている出荷制限地域は2018年6月7日時点のもので、検査データの蓄積状況によって追加・解除されることがあるので、最新の指定状況を確認してください。

野生鳥獣肉(ジビエ)の出荷制限

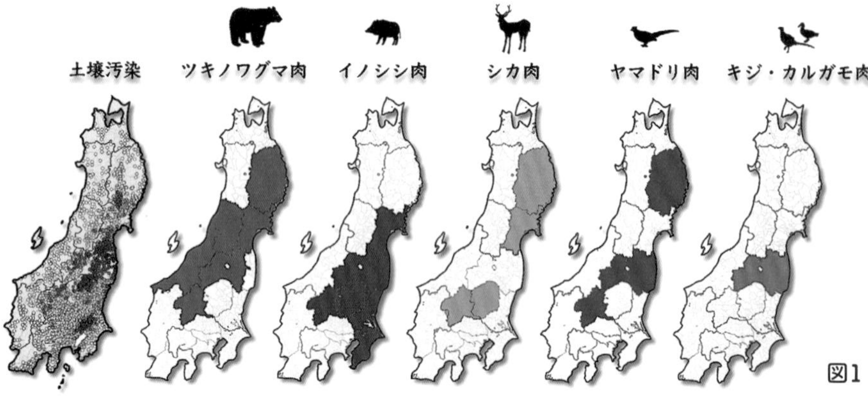

図1

(1) 秋田県では、2012年〜2013年に6件の野生鳥獣肉検査以後は、検査を実施していない。

(2) 栃木県のツキノワグマ肉は、2011年8月に日光市で捕獲された1頭から727 Bq/kgを検出したが、それ以後は検査していない。

(3) 埼玉県秩父市で加工されたシカ肉は基準値超過したが、条件付きで出荷が許可されている。

(4) 長野県のシカ肉は軽井沢町と富士見町で出荷制限が指示されているが、富士見町は唯一の飛び地状の指定地域となっている。

(5) 福島県のシカ肉は、2011年11月に西郷村で捕獲された1頭から573 Bq/kgを検出。以後2012年、2016年〜2018年に毎年基準値超過しているが、出荷制限が指示されていない。

(6) 栃木県・宮城県のヤマドリ肉は、検査されていない。

キノコ類の出荷制限

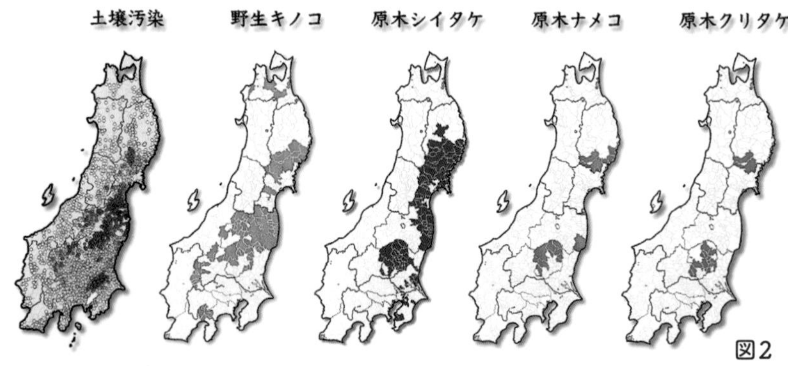

図2

(1) 青森県の野生キノコでは、ナラタケに限って解除されている。

(2) 長野県の野生キノコでは、小諸市・佐久市・佐久穂町・小海町・南牧村のマツタケに限って解除されている。

(3) 原木シイタケ・原木ナメコ・原木クリタケの露地栽培・施設栽培の一部の地域では、生産者単位や区域単位で出荷制限が解除されている場合がある。

山菜類の出荷制限地域

(1) コシアブラは岩手県(7市1町)・宮城県(4市3町)・福島県(13市26町12村)・茨城県(3市1町)・栃木県(8市6町)・群馬県(5市5町3村)・新潟県(2市2町)・長野県(2市1町2村)と広い地域で出荷制限が指示され、指示地域が拡大傾向にある。

(2) フキノトウ・フキ・ウド・ウワバミソウ(ミズ)の4山菜は、福島県内の市町村のみで出荷制限が指示されている。

(3) セリは2012年5月に岩手県一関市と奥州市で120 Bq/kgを検出したため、両市で出荷制限が指示された。一関市は翌年以降の継続検査により解除されたが、奥州市では以後まったく確認のための検査を未実施のため、現在でも出荷制限が解除されていない。

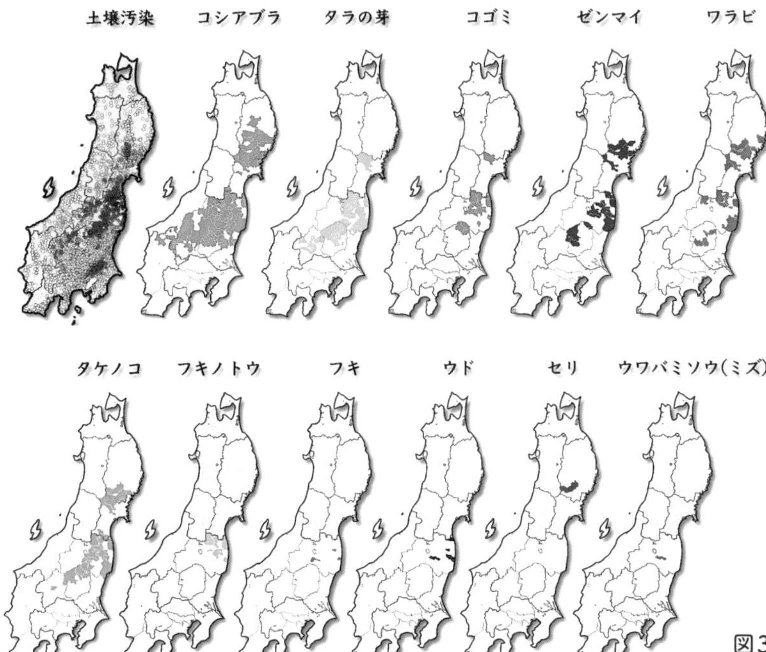

図3

2018年現在の出荷制限品目(県単位)

2018年6月現在、出荷制限の出ている品目を、県毎に表1に示した。17都県のうち、秋田県・東京都・神奈川県以外、現在もなお何らかの食品について出荷制限の指示が出ていることは、事故の重大さを示している。日本の国土の70%が、除染が不可能な森林である。今も山野草や野生獣肉には多くの県にわたって出荷制限がかかっており、日本の庶民の食文化に深く根ざした野生の食材に、もっとも注意が必要である。

なお、シイタケについては当初露地栽培や施設栽培の原木シイタケに基準超えの検出が多く見られたが、原木の基準値を50 Bq/kgとして汚染原木を使用しないなど、その後の栽培法の改良によって改善されつつある。現在は「野生のキノコ類」への注意が必要である。

表1　原子力災害対策特別措置法に基づく食品に関する出荷制限の指示の実績(2018年6月7日現在)

県名	野菜類	穀類	水産物	肉
福島県	非結球性葉菜類(ホウレンソウ・コマツナ等)、結球性葉菜類(キャベツ等)、アブラナ科の花蕾類(ブリッコリー、カリフラワー等)、カブ、原木シイタケ、露地原木ナメコ、野生キノコ類、タケノコ、ワサビ、野生ウド、クサソテツ、コシアブラ、ゼンマイ、野生ウワバミソウ、野生タラノメ、フキ、野生フキノトウ、ウメ、ユズ、クリ、キウイーフルーツ	米(除県管理米)	野生ヤマメ、ウグイ、ウナギ、野生アユ、野生イワナ、野生コイ、野生フナ、ウミタナゴ、カサゴ、クロダイ、サクラマス、ヌマガレイ、ムライソ、ビノスガイ	牛肉(除県管理肉)＊、イノシシ肉＊、カルガモ肉＊、キジ肉＊、熊肉、野ウサギ肉＊、山鳥肉＊
青森県	野生キノコ			
岩手県	露地原木シイタケ、露地原木クリタケ、露地原木ナメコ、野生キノコ類、タケノコ、コシアブラ、ゼンマイ、野生セリ、野生ワラビ		クロダイ、野生イワナ	牛肉(除県管理肉)＊、シカ肉＊、クマ肉＊、ヤマドリ肉＊
宮城県	露地原木シイタケ、野生キノコ類、タケノコ、クサソテツ、コシアブラ、ゼンマイ、野生タラノメ、野生ワラビ		クロダイ、野生イワナ、野生アユ、野生ヤマメ、ウグイ	牛肉(除県管理肉)＊、イノシシ肉＊、クマ肉＊、シカ肉(除県管理肉)＊
山形県				クマ肉(除県管理肉)＊
茨城県	原木シイタケ、タエノコ、野生コシアブラ、		野生アメリカナマズ、ウナギ	イノシシ肉(除県管理肉)＊
栃木県	原木シイタケ、露地原木クリタケ、露地原木ナメコ、野生キノコ類、タケノコ、野生クサソテツ、野生コシアブラ、野生サンショ、野生タラノメ、野生ワサビ			牛肉(除県管理肉)＊、イノシシ肉(除県管理肉)＊、シカ肉＊
群馬県	野生キノコ類、野生コシアブラ、野生タラノメ		野生イワナ、野生ヤマメ	イノシシ肉＊、クマ肉＊、シカ肉＊、ヤマドリ肉＊
埼玉県	野生キノコ類			
千葉県	原木シイタケ		ギンブナ、コイ、ウナギ	イノシシ肉(除県管理肉)＊
新潟県	野生コシアブラ			クマ肉＊(除佐渡市・栗島浦村)
山梨県	野生キノコ類			
長野県	野生キノコ類、コシアブラ			シカ肉(除県管理肉)
静岡県	野生キノコ類			

＊：県内全域に対して出荷規制。無印は市町村指定して出荷制限

【出典】図1：「自治体における食品検査計画(厚生労働省)」●https://www.mhlw.go.jp/stf/houdou/2r9852000002e6ib.html
図2：「出荷制限等の品目・区域の設定(厚生労働省)」●https://www.mhlw.go.jp/stf/kinkyu/2r9852000001dd6u.html
図3：「きのこや山菜の出荷制限等の状況について(林野庁)」●http://www.rinya.maff.go.jp/j/tokuyou/kinoko/syukkaseigen.html
表1：厚生労働省から随時発表される「原子力災害対策特別措置法第20条第2項の規定に基づく食品の出荷制限の設定」より作成。

深掘り！測定室eyes

農地と農産物の測定からみえた土壌汚染のばらつき

● 解説：高崎市民測定所クラシル（群馬県）

みんなのデータサイトに参加している全国の測定室は、それぞれが様々な測定・解析に取り組んでいます。ここでは、群馬県の「高崎市民測定所クラシル」の報告による、農地と農産物の測定調査について紹介します。同じ畑・田んぼでも位置によって汚染の様子が変わることがあること、原因がわかれば対策もできるという貴重な事例をご覧ください。

ルッコラ畑の調査

震災の年の11月、群馬県内の山林に隣接した畑で生産されたルッコラからCs-137が26 Bq/kg検出された（NaIシンチレーション測定器による分析であり、Cs-134はその検出下限から不検出）。それは約800㎡のちいさな畑（写真）で生産されたもので、ルッコラのほかホウレンソウ等の葉物計５種（軟弱野菜）も作付されていたが、ルッコラ以外の品目はすべて不検出だった。その後、同じ畑のルッコラを再び計測したがそれも不検出だった。

なぜルッコラ１サンプルだけから検出されたのか。NaIシンチレーション測定器の検査だったので、天然放射性核種を誤検出してしまった可能性もある。だが、他にも理由は考えられる。ひとつは一枚の畑の中でもセシウム濃度が異なっているのではないかということで、畑の5ヶ所（図1）から土壌を採取して、高崎市民測定所でセシウム濃度とミネラル濃度を計測してみた（図2）。その結果、最大値/最小値の比は放射性セシウムで約1.5倍、ミネラル３種合計で約1.8倍の開きがあることが分かった。この開きは水の流れや腐植含量のばらつきが原因と考えられる。ちなみにセシウム濃度が高いのは、傾斜地

ルッコラの畑

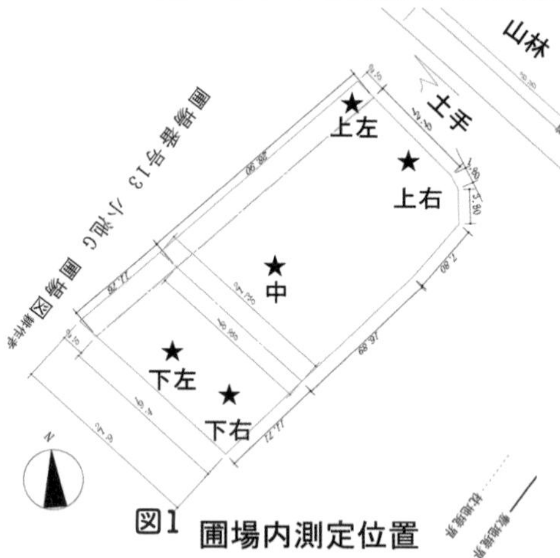

図1　圃場内測定位置

図2　セシウムとミネラルの測定値

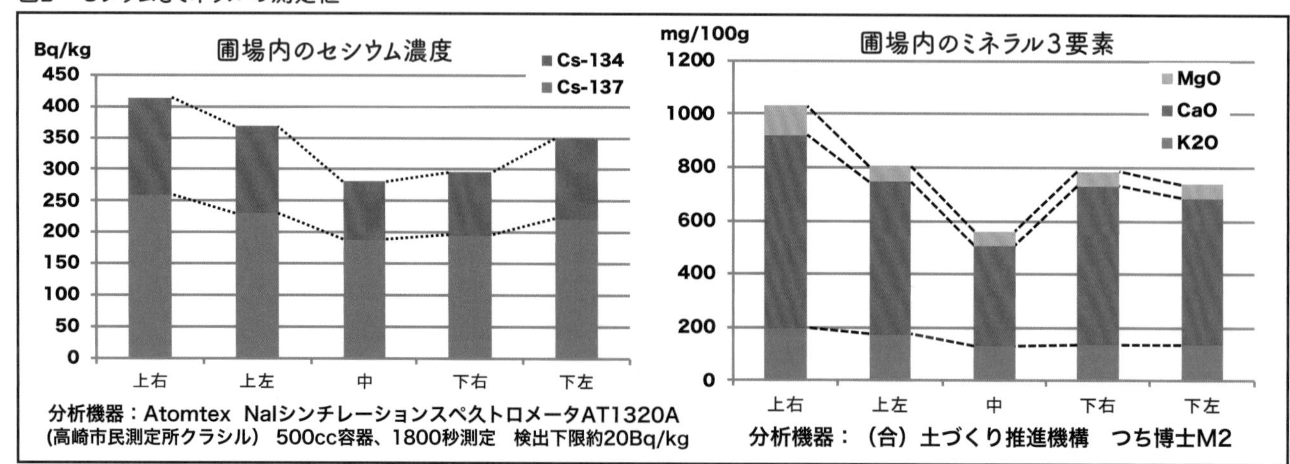

である畑の上流側、山林や生活道路から土手を伝わって水が流れ込みやすい場所と、下流側の少しくぼんでいて水が集まりやすい場所である。セシウム濃度だけでなく、ミネラル、特にカリウム濃度はセシウム吸収に深く関与しているといわれている。

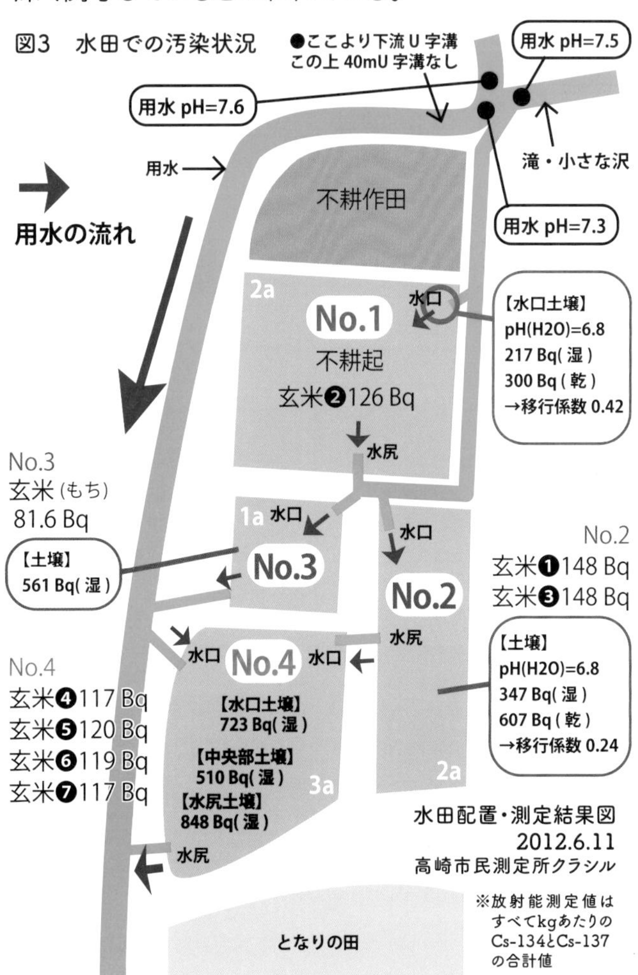

図3　水田での汚染状況

水田と玄米の調査

もうひとつ、高崎市民測定所に持ち込まれた玄米の例をご紹介したい。中山間地の一部不耕起の4枚の水田から収穫された2011年産の玄米から、放射性セシウムが81.6〜148 Bq/kgが検出された(図3)。水田土壌2サンプルの乾重量当たりの放射性セシウム濃度を測定して、米への移行係数を計算すると、0.42、0.24というびっくりするような高い値である。福島第一原発事故後に農水省が保守的な(=安全を重視した)数値として移行係数0.1を仮定し、当時の食品基準500 Bq/kgを超えないように耕作可能な土壌の基準を5,000 Bq/kgとしたことから考えると、異常な高さである。

一方、隣接する水田の玄米は、まったく同じ水を利用する下流側で20.6 Bq/kg、一部用水を共有する上流側で不検出または46.6 Bq/kgだった。土壌においては、畑でもバラつきがあるので、水の影響が桁違いに強い水田で放射性セシウム濃度や移行係数にバラつきがあるのは当然かもしれない。田んぼ一枚一枚違いがあるし、一枚の中でも測ってみれば水口と水尻で違うことは普通である。このサンプルで高い移行係数が出たのは、耕起状態と腐植やミネラルの含有量などが複合的に関係した結果であるものと思われる。

以上の事例から、地域で行政が測っているからウチも大丈夫、とは必ずしも言えない状況であることがわかる。また、土壌中セシウム濃度が低いからと言って作物も低いとは限らない。この水田の生産者の方は翌年耕作をあきらめず、手厚い対策を施した。具体的には、

❶ 元肥として、鶏糞堆肥(170 kg/10a)および粒状草木カリ(K:30%)(20 kg/10a)を投入し、しっかり耕起した。

❷ 追肥として粒状草木カリを投入した(20 kg/10a×2回)。

❸ 昨年利用していた森林からの沢水の利用をやめた。

❹ 各田圃の水口にセシウム吸着材としてゼオライトを設置した。

そして、その作のうるちの玄米を、天日干しで3日間乾燥後と17日間乾燥後の2回検査した結果Cs-137、Cs-134とも「不検出」(検出下限は各5-8 Bq/kg)となった。

放射性セシウムは水や風に乗って動いている。だから昨年大丈夫だったから今年も大丈夫だとは限らない。しかし、対策をとれば効果は出る。専門家の試算によれば、福島第一原発1〜3号機から大気中に放出された放射性セシウムの総量は3.3京 Bq(原子力安全保安院発表)というとてつもない量だが、重量にしたらわずか5 kgだという。たとえば、それを10アールあたり数十キロとか百キロクラスが標準であるカリウムで抑え込むのはいかにもできそうなことのようにも思える。

一方、これらの土壌測定結果からわかることは、地形の急峻な日本ではセシウムはとにかく動く、ということだ。水に溶けないセシウムボールのことが明らかになり、それに対する新たな注意も必要だが、土壌粒子に吸着されているセシウムは土とともに日々動いていると考えられる。農地でも生活環境でもさまざまなところでホットスポットは消長していることだろう。忘れがたい災厄からまもなく8年経とうとしている今も、それに対する注意を私たちはもっとすべきではないだろうか。

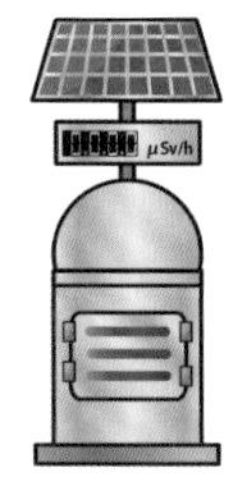

空間線量率が変動する要因

● 解説：あがの市民放射線測定室「あがのラボ」（新潟県）

「空間線量率が上昇した！高いぞ！」「放射能が漏れている？」......空間線量率の変化があるたびに何か異常が起きたのではないかと早合点しツイートする人を見かけます。一刻も早く誰かに知らせたいという気持ちはわかりますが、空間線量率は様々な要因で変動していることをしっかりと理解し、正しい判断力を身につけましょう！

いーえむくん

空間線量率を正しくみるコツは「定点」と「継続」

モニタリングポスト（MP）や手持ちの簡易線量計で空間線量率を観察する際には、ある時点での瞬間的な線量を見るだけでは間違った判断をしてしまうことが多い。空間線量率は「平常時」と比べることが肝心なので、可能な限り継続的な定点測定をすることが望ましい。また参照するMPは空間線量率だけではなく、降水量や風向等も同時に測定・表示している地点を選ぶとよい。常日頃から数値の動きを観察して自然現象でどのように変化するのかを掴んでおこう。

★チェックポイント
1) 平常時の空間線量率の変動幅を超えているか？
2) 変化が降雨等の自然現象由来ではないか？
3) 簡易線量計の場合、付近のMPでも線量が変動しているか？
4) 簡易線量計は正常に作動しているか、電池切れはないか？ など。

空間線量率の変動要因　自然現象によるもの(1)〜(5)

空間線量率は、日変動、季節変動がある。その主な原因は、大気中を浮遊するラドン（Rn-222）及びその崩壊生成物である鉛（Pb-214）やビスマス（Bi-214）の濃度が変化することによる。

(1)日変動
朝方に高く、日中に低くなる線量率変動を示す。日没から日の出前の時間帯に、地表付近に大気逆転層が形成され、自然界に存在する放射性核種であるラドン（Rn-222）とその崩壊生成物（Pb-214、Bi-214）が拡散せず地表面近くに溜まるために起こる。空間線量率への影響は0.002〜0.003 μSv/h 程度で極めて小さい（図1）。

図1

(2)温度変動
検出器の温度特性による変動。温度制御装置を装備していない可搬型モニタリングポストでは、NaI検出器の温度特性で表示線量が変動し、温度の上昇にともなって表示される線量率が増加する。気温に加えて日照による測定器自体の温度変化で表示される空間線量率が変動することがある。温度制御された固定型モニタリングポストでは温度変動が抑えられている(図2)。

図2

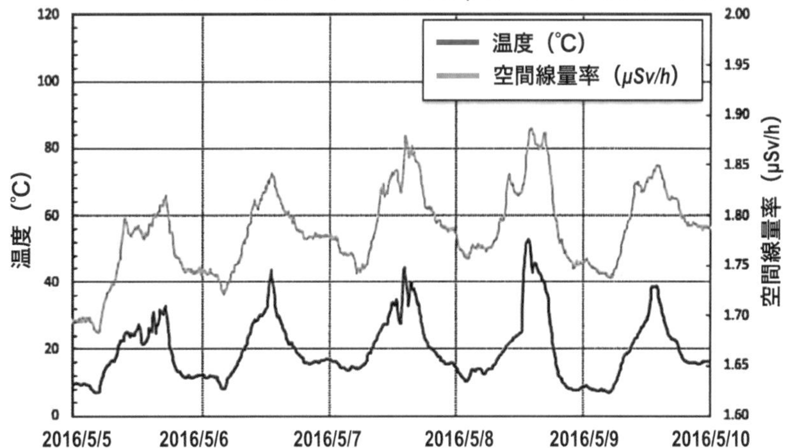

(3)季節変動
冬場に高く、夏場に低い傾向がある。冬場には、ユーラシア大陸で発生したラドン(Rn-222)やその崩壊生成物(Pb-214、Bi-214)が、北西の季節風によって日本に吹き込み、夏場にはラドンが発生しない海上を通過してくる南よりの季節風が吹くためである。冬場と夏場の差は、0.002～0.003 μSv/h 程度で小さい(図3)。

図3

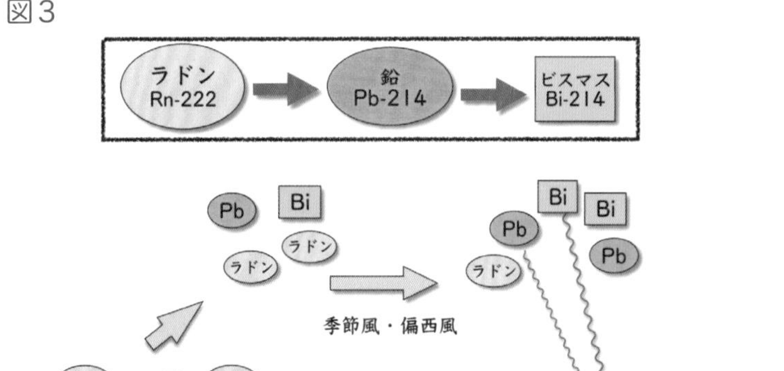

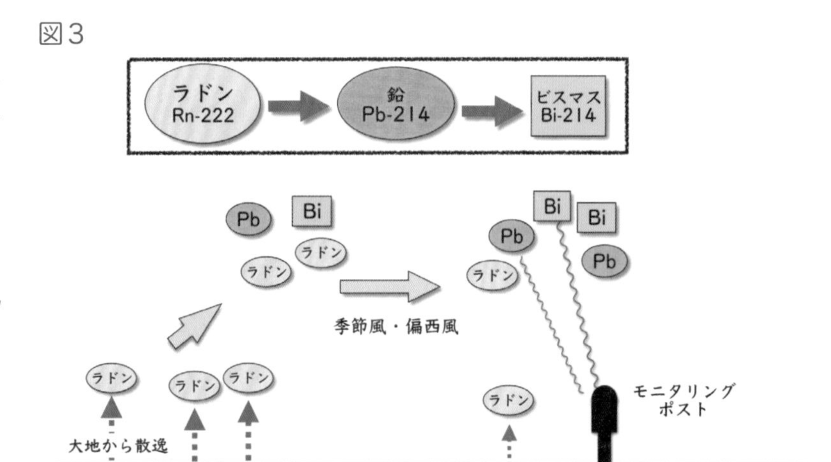

(4)降雨変動
雨が降ると、大気中で塵や埃に付着していたラドン(Rn-222)の崩壊生成物(Pb-214、Bi-214)が雨粒と共に地表面に落ちて溜まるため、空間線量率が上昇する(ウォッシュアウト/湿性沈着)。ラドンの崩壊生成物の見かけ上の半減期は約30分と短いので、一旦上昇した空間線量率は短時間で低下し降雨前のレベルに回復する。降雨変動は最大0.04～0.06 μSv/h 程度で日変動や季節変動より大きく、スパイク状の変動を示す(図4、図5)。

図4

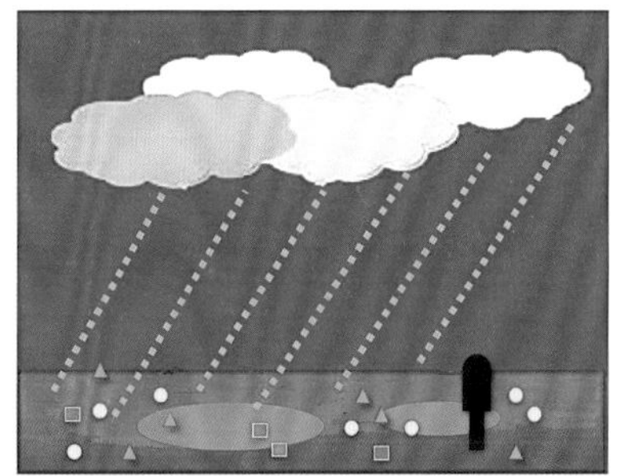

図5

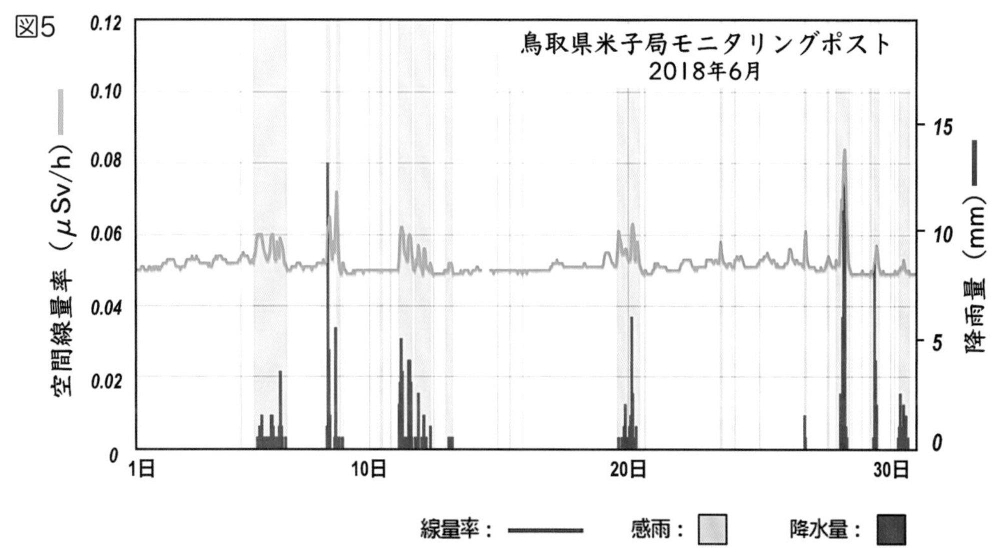

(5)積雪変動

降雪により地表面が雪で覆われた場合の変動。降雨変動と同様な一時的な空間線量率上昇に続いて、積雪による地表からの放射線の遮蔽効果により空間線量率が低下し、消雪に伴って元のレベルに回復する。東北地方や日本海側の豪雪地帯では長期にわたる線量低下が観察されるが、関東地方でも数センチの積雪が発生すると一過的な積雪変動が見られる（図6）。

図6

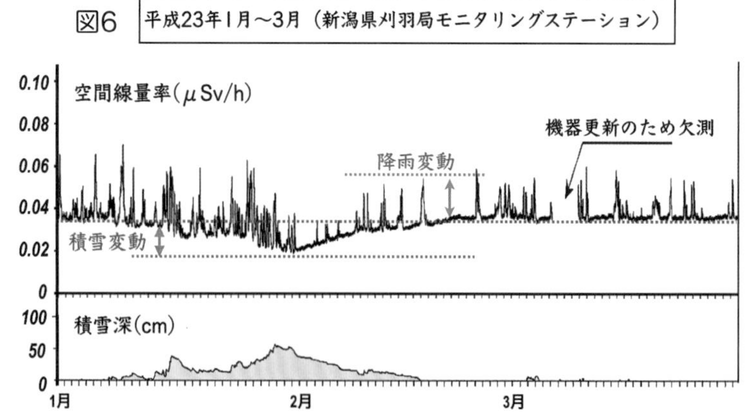

自然界の変動より はるかに大きい放射性プルームによる変動(6)

空間線量率は、放射性物質を含む大気（放射性プルーム）が到来した際に大きく変動し、降雨・降雪等の自然現象によって放射性物質が地表に降下・沈着・濃縮されることにより増強される。図8の千葉県市原市の実変動グラフを見ながら、下記を読み進めてほしい。

(6)-1：放射性プルーム通過時による変動

●クラウドシャイン

原発事故以前は降雨変動（ウオッシュアウト）のみ観察されている。3月15日に空間線量率の①急上昇に続く、②急減少が観察された。この時、降雨は観察されていないので放射性プルームがモニタリングポスト（MP）に①接近し、②遠ざかった場合の変動を表している（放射線の発生源が大気中に存在）。線量は完全には元に戻っていないので僅かな③乾性沈着が発生している（おそらく放射性ヨウ素等がMP自体や周辺に付着したと思われる）（図7）。

図7

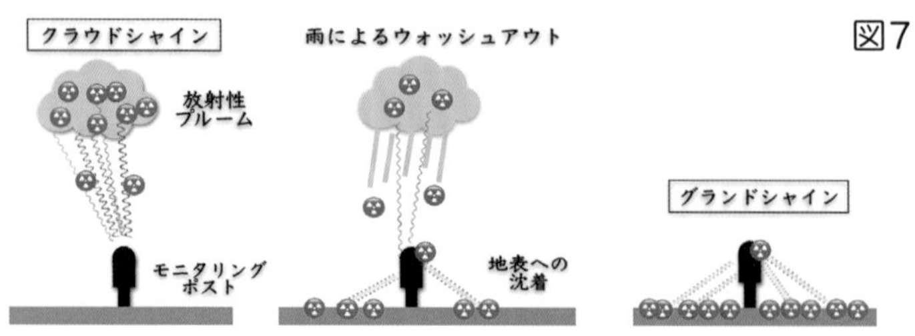

放射性プルーム通過時には、大気中からの放射線や衣類・体表面への放射性物質付着（体表面汚染）による外部被ばくより、呼吸を介した放射性物質の体内取り込みによる内部被ばくが深刻となる。

図8

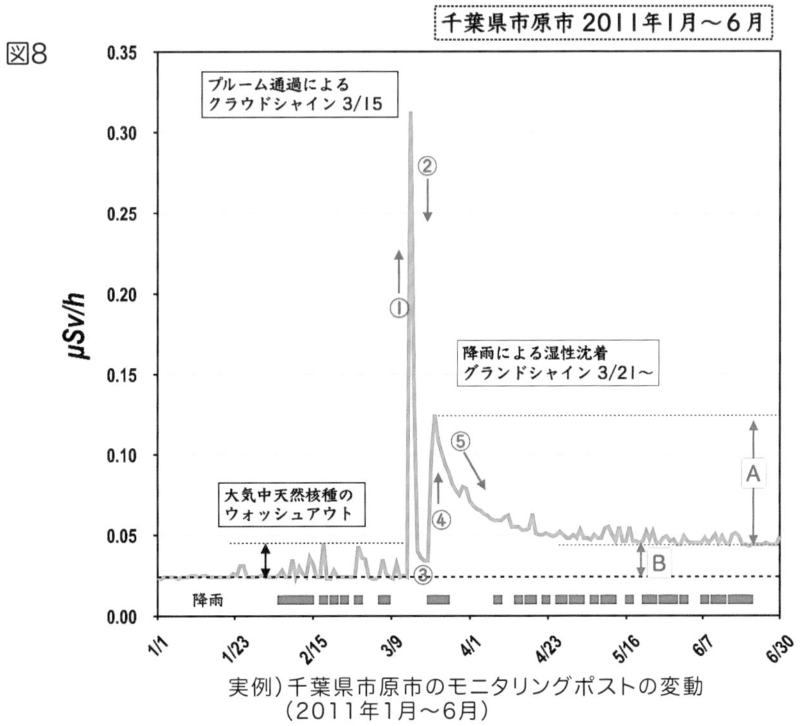

実例）千葉県市原市のモニタリングポストの変動
（2011年1月～6月）

(6)-2: 人工放射性核種の地表沈着による変動

●グランドシャイン

3月21日に降雨に伴ってプルーム中の人工放射性核種が地表に沈着し、線量が④上昇（湿性沈着）、その後に線量がゆっくりと⑤減少し、平常時より高いレベルで推移（放射線の発生源が地表に存在）。この時、短半減期核種による線量寄与分（A）と長半減期核種による線量寄与分（B）に大まかに分ける事ができるが、地表に落ちた人工放射性核種の種類と正確なベクレル数（放射能量）を知るには、降下物の中身を核種分析により詳細に調べる必要がある（図8）。

地表沈着（グランドシャイン）時には、地表に高い濃度で降下沈着した放射線発生源により、外部被ばくが増強し長時間継続する。屋外で雨に打たれると体表面汚染による外部被ばくが深刻となるため、第３者への２次的被ばくを避けるためにも着衣の交換や除染が必須となる。

福島原発事故からの経験則

福島原発事故時に空間線量率変動に大きく寄与した主な人工放射性核種は、

放射性キセノン	（気体）	（Xe-133/半減期=5.2日）
放射性ヨウ素	（気体&粒子状）	（I-131/8日、I-132/2.3時間、I-133/20.8時間）
放射性セシウム	（粒子状）	（Cs-137/30年、Cs-134/2年、Cs-136/13日）
放射性テルル	（粒子状）	（Te-132/3.2日）

ア）事故初期には、大量に放出された放射性キセノンと放射性ヨウ素が空間線量率変動に寄与した。放射性ヨウ素の半分以上は、気体状で大気中に浮遊していた。

イ）時間が経過すると半減期の短い人工放射性核種は消滅し、半減期の長い放射性セシウムが空間線量率変動の主役となった。

ウ）大気中に粒子状で存在するものは、降水に取り込まれて大気中から取り除かれる場合が多い（湿性沈着）。

エ）大気中に気体で存在するものは、粒子状のものより物質の表面へ付着しやすい（乾性沈着）。

食品や土壌の単位ベクレル、空間線量率の単位シーベルトを理解するために

● 解説：未来につなげる・東海ネット　市民放射能測定センター（C-ラボ）（愛知県）

放射能汚染を考える時、単一の事象で状況を捉えるのでは全体像が見えてきません。環境中に取り込まれてしまった放射性物質およびそれによる被ばくの関係などについて、あらためて全体像を捉え直すための基礎知識を解説します。

「自然放射性物質」と「人工放射性物質」

地球誕生の時から地球上に存在する放射性元素を「自然放射性物質」と呼ぶ（「元素」や「物質」を「核種」と書き換えることもよくある）。人類は、この自然放射線のレベルが下がって一定の値に安定し、耐えられるようになってから存在することができるようになったと考えられている。

一方、人類の核開発によって作られた放射性元素を「人工放射性物質」とよぶ。人工放射性物質は第二次世界大戦中に始まった原爆の開発と広島長崎への実戦投下、その後の核兵器開発競争のための大気圏内核実験（1945-1980）によって、大量に地球上に放出された（参照120ページ）。さらに20世紀後半より「原子力の平和利用」として原子力発電所の建設が行なわれ、1979年スリーマイル原発事故、1986年チェルノブイリ原発事故、2011年福島原発事故によって、多くの人工放射性物質が生活環境中に放出されることとなった。

放射能を表す単位について

1）ベクレルってなあに？

放射性物質が放射線を出す能力のことを放射能と呼ぶ。その「放射線量」すなわち「放射能の強さ」を表わす単位がベクレルである。1ベクレルは1秒間に1個の原子核が崩壊すること（この時放射線が出る）を表わす。このベクレルという単位は、放射線を発見したフランスの物理化学者、アンリ・ベクレル（1952-1908）にちなんでつけられた。「Becquerel」、または、一般に「Bq」と表す。

ベクレルが使用される前は、1953年に、ポーランドの物理・化学者、マリー・キュリー（1867-1934）にちなんでキュリー（Ci）という単位が使用され、ラジウム1 gが1キュリーとされていた。1978年、1キュリーは3.7×10^{10} Bq（=370億 Bq）という換算がなされることとなり、ベクレルが公式表記となった。このため、ベクレル表記では、37の倍数を見ることがしばしばある。チェルノブイリ原発事故（1986年）の頃は、まだ考え方としてキュリー単位が残っていたので輸入食品の基準が370 Bq/kg（1億分の1 Ci）とされた。その後ベクレル単位が定着し、測定試料の重量や容量や面積に応じて、Bq/kg（キログラムあたりのBq）、Bq/L（リットルあたりのBq）、Bq/㎡（平方メートルあたりのBq）が使われている。

単位の前に、k（キロ：10の3乗）、M（メガ：10の6乗）とか、m（ミリ：10の3乗分の1）、μ（マイクロ：10の6乗分の1）などの接頭記号がつくことがあるので、正しく読み取ってほしい（参照21ページ：単位の接頭記号）。

2）シーベルトってなあに？

放射線によって人体をはじめとした物体に与えられたエネルギーを表す吸収線量の単位は「グレイ（Gy）」である。放射線が人体にあたった時は、吸収線量（Gy）に線質係数（放射線の種類によって変わる係数）と生体組織ごとに設定された係数を掛け算して、身体への影響度を表す。その単位が「シーベルト(Sv)」である。皮膚や眼など人体組織単位で被ばくの影響を知るために計算されるのが「等価線量（Sv）」で、全身への影響を平均化して計算されるのが「実効線量(Sv)」である。どちらも単位が同じシーベルトなのでややこしい。

空間線量計には、臓器・組織の感受性や放射線のエネルギーに合わせて人体が放射線によって受ける影響を数値化する換算回路が組み込まれており、測定器の種類によって表示される線量が異なる。吸収線量をグレイ(Gy)、Gy/時で表示したり、実効線量としてシーベルト(Sv)、Sv/時単位で表示するものもある。さらに、皮膚の表面から1 cmの深さでの被ばくの影響を示すように補正計算した「1 cm線量当量（Sv）」がある。皮膚の下1cmには人体にとって大事な臓器があるからである。個人線量計や空間線量率を計測するサーベイメーターで表示されるシーベルトはこの実効線量が表示される機種が一般的である。

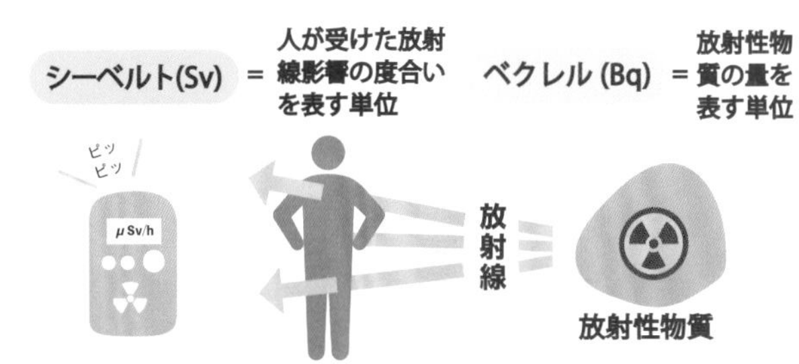

みんなのデータサイトは、なぜ「ベクレル」で測るのか？

「日本政府が空間線量率（シーベルト）で測定すれば事足りるとしているのに、なぜみんなのデータサイトは土壌中放射能濃度Bq/kg（ベクレル）で測っているのか」と、度々質問を受ける。その理由を簡潔に述べておこう。

1)「シーベルト」の利点と欠点

空間線量計で測定・表示されるシーベルト(Sv/時)は、緊急時にどれだけの放射能がやって来たか、また自分のいる空間は今どれくらいの汚染度で、どれだけ被ばくしているのかを知るためには、唯一重要なモノサシである。その場に留まれるか、避難するか、移住するかの判断基準になる。

しかし、この汚染がいつまで続くのか、避難したとしていつ帰れるのかといった先の見通しをつける判断材料にはならない。政府や自治体が汚染対策や住民避難や移住の施策を立てる時にも、先の見通しを予測することが難しい指標である。また、事故直後に遡って、あの時どれだけの被ばくをしてしまったのかを計算することも出来ない。シーベルトでは福島原発事故由来の様々な放射性核種に加えて、過去の核実験やチェルノブイリ事故由来の核種、さらにはウランやトリウムとその娘核種など天然核種から出る放射線の「合計値」が表示されるので、福島原発事故による被害を正確に把握できない。

特に、空間線量計では土壌や食品に含まれる放射能がかなり高くないと検知されないことを知っておいて欲しい。数百 Bq/kg程度の汚染では、1mの高さで計測されるシーベルト値ではほとんど変化は見られず、土壌の汚染は見逃されてしまう。このことは後で詳しく述べる。

2)土壌中放射能濃度を知る「ベクレル」の重要性

放射性物質が沈着した土壌の中に、どんな核種がどれだけ含まれているか、専用の測定器を用いてベクレルで測定し、核種ごとの半減期を用いて減衰計算をすることによってはじめて、福島原発事故由来の放射能がどれくらいあるかを正しく知ることができる。

「東日本土壌ベクレル測定プロジェクト」(以下、土壌プロジェクト)では、半減期が2年のセシウム-134のベクレルを測定しておくことが急務であった。半減期30年のセシウム-137だけでは、過去の核実験由来と福島原発事故由来の放射能の区別が難しくなるからだ。時間的制約の中で、広大な面積の採取と測定を行ない、すべての地点のベクレルを減衰補正計算して同一時刻に合わせることで、より正確な汚染地図を描くことが実現したのである。

みんなのデータサイトが、3年という期間をかけ土壌プロジェクトを実施したのは、後世に福島原発事故の「過去の実態や未来の予測」としての放射能の拡散状況を記録として遺すためでもあった。日本政府が発表できない100年後のセシウムマップをデータサイトが公表できたことは、このベクレルによる測定の最も大きな成果の1つである。

そして、汚染された地域でやむなく暮らさざるをえない方には、吸入や摂取による無用な内部被ばくを出来るだけ回避するために必須の情報である。

食品基準に見るベクレルからシーベルトへの換算

2012年4月1日から施行された現在の食品中放射性物質の基準は、一般食品で100 Bq/kgである[1]。厚労省は、福島原発事故で放出された放射性物質のうち、半減期が1年以上のすべての放射性核種（セシウム-137、セシウム-134、ストロンチウム-90、プルトニウム、ルテニウム-106）を考慮したとしているが、セシウム以外は分析に化学的な分離操作が必要で、測定に長い時間がかかること、および、セシウムに比べて放出比率が小さく被ばくの負荷が小さいことを理由に、あまり測定していない。その結果、セシウム-137とセシウム-134の合算値である放射性セシウムを主な測定対象としている。

〜（厚労省説明文）この基準は「食品の経口摂取による年間の内部被ばく線量の上限を1 mSv」として、「飲料水」による線量0.1 mSvを除いた残りの線量0.9 mSvを「一般食品」（乳児用食品や牛乳を含む）に割り当てて、100 Bq/kgとしている。その上で、乳児用食品と牛乳はその半分の50 Bq/kg、飲料水については10 Bq/kgとした。〜

表1に、1 Bqを経口または吸入摂取した場合の成人の実効線量係数を主な核種について示した[2]。体内への摂取による被ばくの影響を見る時には、この係数を用いて計算を行なうのである（放射線感受性の高い子どもの係数は別途定められていて、これより大きい）。

表1　1Ｂｑを経口 または 吸入摂取した場合の成人の実効線量係数

(mSv/Bq)

核種（半減期）	経口摂取	吸入摂取
トリチウム（水）（12.33年）	1.8×10^{-8}	1.8×10^{-8}
ストロンチウム-90（28.74年）	2.8×10^{-5} 1)	1.6×10^{-4}
ヨウ素-129　@（1.57×10^{7}年）	7.2×10^{-5}	6.6×10^{-5}
ヨウ素-131　@（8.021日）	1.6×10^{-5}	1.5×10^{-5}
セシウム-134（2.065年）	1.9×10^{-5}	2.0×10^{-5}
セシウム-137（30.04年）	1.3×10^{-5}	3.9×10^{-5}
カリウム-40（1.277×10^{9}年）	6.2×10^{-6}	2.1×10^{-6}

@　ヨウ素が体液中から甲状腺へ達する割合を0.2とした。

例えば、すべての食品のセシウム-137が100 Bq/kgで、一日に2 kgの食品を摂るとした時の年間内部被ばく量は、100 (Bq/kg)×2（kg/日）×1.3×10-5 (mSv /Bq)×365（日）＝0.95 mSv/年と計算される。このように一日に食べた食品別重量とその食品ごとに含まれる放射性核種濃度、そして表1に示した核種毎の実効線量係数を掛け合わせて、すべてを足し合わせたものがその一日の内部被ばく線量となる。内部被ばくには、この他に経皮吸収や傷口からの取り込みも考える必要があるがここでは省略する。

土壌や廃棄物の放射性セシウム濃度（Bq/kg）と被ばく線量（mSv/年）の関係から見たベクレルとシーベルト

1）被ばくの健康影響について

国際放射線防護委員会(ICRP)は、放射線による健康影響についてLNT（しきい値なし直線）モデル（参照212ページ）を勧告している。被ばく線量とガン死リスクが直線関係にあり、その直線は原点を通るとするもので、被ばく線量が低くても健康リスクはゼロにはならない考え方である。この考え方はアメリカ科学アカデミーも支持しており、しきい値があるとするフランスの科学アカデミーのような例外もあるが、現状では最良のモデルだと考えて良い。ところが福島事故が起きた後、国内の政府機関の専門家から「100 mSv未満」では健康影響が統計誤差に隠れて確認されないというLNTモデル否定論が出ている。福島の子どもたちに甲状腺がんが多発している（参照214〜217ページ）にも関わらず、政府の検討委員会は原発事故の影響だと認めようとしていない。一方、世界的には100 mSv未満の被ばくによるガン死確率の増加を報告する論文がたくさんある。低線量被ばくの健康リスクについて未だ科学的に完全に解明されていないとしても、予防原則を適用して人々を無用の被ばくから守り、被害者の救済を図っていくことが、政府がとるべき施策である。

2)「年間1 mSv」問題

年間1 mSvは、ICRP 1990年勧告に示された公衆の被ばく実効線量限度である。外部被ばくと内部被ばくを合計してもこの限度を超えないことが保障されなければならない。しかし、すでに述べたように経口摂取するすべての食品が食品基準の100 Bq/kgであった時の被ばく線量が年間1 mSvになってしまったら、外部被ばく分が過剰になってしまう。一方、指定廃棄物の基準は8,000 Bq/kg超とされているが、これは、福島原発事故によって排出された放射性廃棄物で放射性セシウム濃度が8,000 Bq/kg以下のものの処理であれば、作業員および周辺住民の被ばくは年間1 mSvの許容限度内の被ばく線量相当だとするものである[3、4]（参照196〜198ページ）。これでは内部被ばくと外部被ばくを足し算して年間2 mSvになってしまう。政府はこのように過剰被ばくリスクを国民に押し付けているのである。この不条理の根底には、非常事態宣言を根拠に設定された被ばく限度年間20 mSvがある。安倍首相が東京オリンピック招致で「Situation is under control」と事実とかけ離れた演説をした時、少なくともこの非人道的基準も改められなければならなかった。

3)データサイトの測定結果から見た土壌放射能濃度と空間線量率の相関性

さて、みんなのデータサイトでは土壌プロジェクト実施の際に、採取地の空間線量率の測定も実施した。27種類の線量計が用いられ、高さ1 mと高さ5 cmで2,200ヶ所ほど測定されている。

表2-1に、空間線量率と土壌中放射性セシウム濃度の相関性がよく、多用された5機種について、それらの直線回帰式(空間線量率と土壌中セシウム濃度が比例関係にあることを仮定して求めた直線方程式y=ax+b。相関係数はこの直線からのばらつきの程度を示す。1に近いほど相関性が高いことを示す)を示した。

空間線量率がどの程度であれば、土壌中の放射性セシウム濃度はどれ程か、相関性が気になるところだが、それを正確につかむのはなかなか難しい。例え透過性が高いといわれるガンマ(γ)線であっても、土壌の中に入ってしまうと、土壌を構成する物質との衝突によってそのエネルギーが消滅したり拡散したりして減衰するからだ。「地表」で土壌中の放射性物質からの放射線量を線量計で測定しようとすると、地中での減衰分だけ線量計に届かず、結果として低い測定値になってしまう。このため、放射線物理学的には、このことを考慮した係数が決められており、単位は[空間線量率(μSv/時)]/[面積当たりの放射性核種濃度(Bq/cm^2)]で示される[5]。実際にこの換算係数を用いた議論をするには、「面積を考慮した土壌の試料採取」が必要である。

データサイトの土壌プロジェクトでは、原発事故によって放出された放射性セシウムの大部分は地表から深さ5 cm以内のところに留まっているとして、土壌を5 cmの深さで直方体の弁当箱状に約1 L超を採取して、重量当たりのBq数、すなわちBq/kg単位について測定をした。したがって、正確な面積当たりのBq数の算出は出来ない。本誌やウェブサイトにおいてマップや表などに面積当たりのBq数を使用して解説している箇所があるが、測定時の密度で換算した場合と、国が用いていた土壌の密度一律1.3で換算した場合とがあり、いずれもBq/kgをBq/m^2に換算したおおよその値であることをご了解いただきたい(参照13ページ)。

しかしながら、プロジェクトで得られた空間線量率と土壌中放射性セシウム濃度の回帰式は、2014年から2017年にかけて東日本の「地表面付近」に存在した放射性セシウムに関するものである限定はつくが、各地で実測された貴重なデータである。機種毎の特性によって回帰式が異なるが、表2-2に気になる「被ばく」線量について、高さ1 mの空間線量率との回帰式から土壌中の放射性セシウム濃度を算出した。

表2-1　「東日本土壌ベクレル測定プロジェクト」において使用された線量計
—土壌中放射性セシウム濃度と空間線量率の回帰式—

製造・販売	型名	検出器	地点数	5 cm高			1 m高		
				a*1	b*1	相関係数*2	a*1	b*1	相関係数*2
堀場製作所	Radi	ヨウ化セシウム	706	12373	-711	0.860	17051	-915	0.844
日立アロカ	TCS172*3	ヨウ化ナトリウム	386	19158	-1364	0.926	25403	-1302	0.936
ポリマスター	PM1703	ヨウ化セシウム	160	21245	-1068	0.998	28223	-1485	0.997
日本遮蔽技研	HSF	ヨウ化セシウム	127	22502	-1491	0.891	27420	-1149	0.758
アトムテックス	AT6130C	GM 管	91	19868	-1389	0.813	24426	-1500	0.798

*1：空間放射線量率(x μSv/時)と土壌中放射性セシウム濃度(y Bq/kg)の回帰式（y=ax+b）
*2：いずれの相関係数も有意（p<0.01）であった
*3：ALOKA PDR111のデータを2%程度含む

年間1 mSvを時間あたりの空間線量率にした0.114 μSv/時、家の中の被ばく線量を低く見積もって決められた除染目安の0.23 μSv/時、帰還を迫る年間20 mSvの除染目安3.8 μSv/時（注）についての算出である。線量毎の土壌濃度が最大で1.9倍異なっているが、あくまでも誤差の多い推定計算から求めた目安として参考にしていただきたい。例えば、高さ1 mの空間線量率を測ったときに、0.114μSv/時という測定値が出たら、その場の土壌中には放射性セシウムが1,000〜2,000 Bq/kg含まれていると推測できる。そして、0.23μSv/時の空間線量率以下に除染された土壌にはまだ3,000〜5,000 Bq/kg程、年間20 mSvの地には土壌中に60,000〜100,000 Bq/kg程の放射性セシウムが存在していることになる。国はその上で生活しろと、迫っているのである。

表2-2　空間線量率と土壌中放射性セシウム濃度の回帰式より、被ばく線量の基準や目安に相当する放射性セシウム濃度を求める

1m高	土壌中放射性セシウム濃度（Bq/kg）（土壌深度5 cm）					
空間線量率（μSv/時）	Radi	TCS172	PM1703	HSF-1	AT6130C	平均
0.114　*1	1,029	1,594	1,732	1,977	1,284	1,523
0.23　*2	3,007	4,540	5,006	5,157	4,118	4,366
3.8　*3	63,879	95,229	105,762	103,047	91,319	91,847

＊1：年間1 mSvを時間当たりに換算したもの。
0.114 μSv/時 ×24 時間/日×365日/年＝1 mSv/年
＊2：年間1mSvの除染基準の目安。
（バックグラウンドは、0.04 μSv/時、1日のうち16時間は屋内、8時間は屋外とする）
＊3：年間20 mSvの除染基準の目安（同上）、除染後は帰還政策を推進（2017年4月1日〜）

福島第一原発事故後を生きるために

ベクレルとシーベルトの関係を、放射能関係の規制値や土壌測定の結果から見てきたが、両者の関係は、使用される線量換算係数も含めて複雑である。

食品に関しても土壌が汚染しているからと言って、そこで生育する作物もすべて等しく汚染される訳ではない。放射性物質の土壌から作物への移行係数や、カリウムの施肥など栽培方法の工夫などにより、濃度には差がある（参照123、137ページ）。今後も「測って判断」を原則にすべきである。

また、日本における被ばく線量の規制値、ICRP1990年勧告の「公衆の被ばく実効線量年間1 mSv」は、本来、前述した「食品摂取」によるものの他に「吸入」による内部被ばく線量と、生活環境における「空間線量率から受ける外部被ばく」線量をあわせて、年間1 mSvが担保されるべきであることをいま一度強調しておきたい。

福島原発事故によって環境中に放出された放射性セシウムは、現在も事故前の状況には戻らず、雨水や降下じんを集めた月間降下物で3桁から5桁、大気浮遊じんで2桁から3桁高い状況に高止まっている地域がある（参照178〜183ページ）。本誌を活用して、福島原発事故後の世界を認識し、無用な被ばくを避けてほしいと願う。

参考資料および出典

1）「食品の放射性物質の新たな基準値」（厚生労働省/2012年4月1日施行）
https://www.mhlw.go.jp/shinsai_jouhou/dl/leaflet_120329.pdf
2）「環境放射線モニタリング指針」（原子力安全委員会/2008年3月/2010年4月一部改訂）
https://www.nsr.go.jp/data/000168451.pdf
3）「放射能濃度が8000Bq/kg 以下の廃棄物の処理について」（環境省/第9回指定廃棄物処分等有識者会議・資料3/2016年3月16日）　http://shiteihaiki.env.go.jp/initiatives_other/conference/pdf/conference_09_04.pdf
4）「福島県内除去土壌の再生利用に関する検討状況について」（環境省環境再生・資源循環局/2019年6月）
https://www.nsr.go.jp/data/000273526.pdf
5）「土壌に分布した放射性セシウムによる外部被ばく線量換算係数の計算」（日本原子力開発機構）
https://jopss.jaea.go.jp/pdfdata/JAEA-Research-2014-017.pdf
表1：1）より作成
表2-1：みんなのデータサイト土壌調査の結果より作成
表2-2：みんなのデータサイト土壌調査結果より計算して作成

注）2011年4月〜8月、福島県内の学校・保育園幼稚園などの校舎や校庭を利用する際の放射線量の基準を、3.8 μSv/時と設定した。

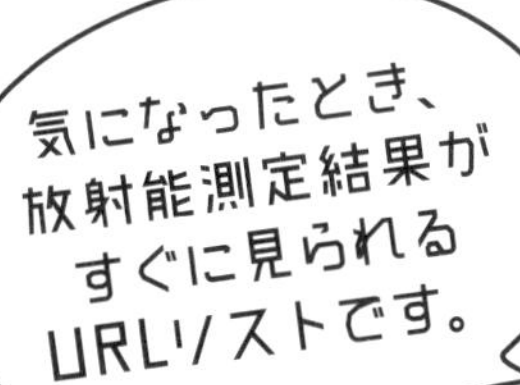

47都道府県測定施設・URL一覧

47都道府県	大気浮遊塵・月間降下物 降水・陸水・土壌・空間線量など　※1 都道府県別測定施設名	URL ※放射能測定結果が、出来るだけすぐに見られるURLを掲載しました。
北海道	北海道立衛生研究所	http://www.iph.pref.hokkaido.jp/eiken_housyanou/eiken_housyanou.htm
青森県	青森県原子力センター	http://gensiryoku.pref.aomori.lg.jp/atom1/index.html
岩手県	岩手県環境保健研究センター	http://www.pref.iwate.jp/houshasen/
宮城県	宮城県環境放射線監視センター　※2	http://miyagi-ermc.jp/
秋田県	秋田県健康環境センター	https://www.pref.akita.lg.jp/pages/archive/5063
山形県	山形県衛生研究所	http://www.pref.yamagata.jp/houshasen/
福島県	福島県原子力センター	http://www.atom-moc.pref.fukushima.jp/old/top.html
茨城県	茨城県環境放射線監視センター	http://www.pref.ibaraki.jp/soshiki/seikatsukankyo/kanshise/index.html
栃木県	栃木県保健環境センター	http://www.pref.tochigi.lg.jp/kinkyu/houshasen.html
群馬県	群馬県衛生環境研究所	http://www.pref.gunma.jp/05/z8700007.html
埼玉県	埼玉県衛生研究所	https://www.pref.saitama.lg.jp/kurashi/kankyo/hoshasen/index.html
千葉県	千葉県環境研究センター	https://www.pref.chiba.lg.jp/cate/baa/housha/f1/index.html
東京都	東京都健康安全研究センター	http://monitoring.tokyo-eiken.go.jp/
神奈川県	神奈川県衛生研究所	http://www.pref.kanagawa.jp/docs/yt2/cnt/f300618/
新潟県	新潟県放射線監視センター	http://www.pref.niigata.lg.jp/houshasen/
富山県	富山県環境科学センター	http://www.eco.pref.toyama.jp/mp/p_housha/index.html
石川県	石川県保健環境センター	http://www.pref.toyama.jp/sections/1706/housyanou/
福井県	福井県原子力環境監視センター	http://www.houshasen.tsuruga.fukui.jp/
山梨県	山梨県衛生環境研究所	http://www.pref.yamanashi.jp/taiki-sui/environmentalradioactivity.html
長野県	長野県環境保全研究所	http://www.pref.nagano.lg.jp/kurashi/shobo/genshiryoku/hoshasen/index.html
岐阜県	岐阜県保健環境研究所	http://www.pref.gifu.lg.jp/kurashi/kankyo/kankyo-hozen/c11264/hosyasen-kekka.html
静岡県	静岡県環境放射線監視センター	http://www.hoshasen.pref.shizuoka.jp/radiation/home.html
愛知県	愛知県環境調査センター	http://www.pref.aichi.jp/kankyo/katsudo-ka/housyanou.html
三重県	三重県保健環境研究所	http://www.pref.mie.lg.jp/KOHO/HP/tohoku/62274043186.htm
滋賀県	滋賀県衛生科学センター	http://www.pref.shiga.lg.jp/bousai/gensiryoku/housyasenmonitoring.html
京都府	京都府保健環境研究所	http://www.pref.kyoto.jp/taiki/1300350752126.html
大阪府	大阪健康安全基盤研究所　※3	http://www.iph.osaka.jp/s012/050/020/010/030/20180109030000.html
兵庫県	兵庫県立健康科学研究所　※4	http://www.kankyo.pref.hyogo.lg.jp/jp/taiki/大気環境/空間放射線量等の測定結果/
奈良県	奈良県保健研究センター　※5	http://www.pref.nara.jp/23486.htm
和歌山県	和歌山県環境衛生研究センター	https://www.pref.wakayama.lg.jp/prefg/031801/houshanou.html
鳥取県	鳥取県危機管理局・生活環境部原子力環境センター ※6	https://www.pref.tottori.lg.jp/254048.htm
島根県	島根県原子力環境センター	http://www.pref.shimane.lg.jp/infra/kankyo/kankyo/houshanou/
岡山県	岡山県環境保健センター	http://www.pref.okayama.jp/page/detail-40652.html
広島県	広島県立総合技術研究所保健環境センター	https://www.pref.hiroshima.lg.jp/soshiki/25/houshanou.html
山口県	山口県環境保健センター	http://www.pref.yamaguchi.lg.jp/cms/a15500/monitor/kukanhousyasen.html
徳島県	徳島県立保健製薬環境センター　※7	https://www.pref.tokushima.lg.jp/ippannokata/kurashi/shizen/2011031500153
香川県	香川県環境保健研究センター	http://www.pref.kagawa.lg.jp/content/dir3/dir3_5/dir3_5_3/index.shtml
愛媛県	愛媛県原子力センター	http://www.pref.ehime.jp/h15105/genshiryoku/
高知県	高知県衛生研究所	http://www.pref.kochi.lg.jp/soshiki/130120/2015120400164.html
福岡県	福岡県保健環境研究所	http://www.fihes.pref.fukuoka.jp/~hoshano/
佐賀県	佐賀県環境センター	http://www.pref.saga.lg.jp/kiji00313822/index.html
長崎県	長崎県環境保健研究センター	https://www.pref.nagasaki.jp/bunrui/kurashi-kankyo/kankyohozen -ondankataisaku/kankyokanshi/houshasen-houshano/
熊本県	熊本県保健環境科学研究所	http://www.pref.kumamoto.jp/kiji_6093.html
大分県	大分県衛生環境研究センター	http://www.pref.oita.jp/soshiki/13350/kukan-housyasen.html
宮崎県	宮崎県衛生環境研究所	https://www.pref.miyazaki.lg.jp/kankyokanri/kurashi/shizen/20180329101443.html
鹿児島県	鹿児島県環境放射線監視センター	http://www.env.pref.kagoshima.jp/houshasen/
沖縄県	沖縄県衛生環境研究所	http://www.pref.okinawa.jp/site/kankyo/hozen/taiki/26506.html

※1 すべての測定を行なっている訳ではありません。　※2 「宮城県原子力センター」が東日本大震災の津波で全壊。移転して再建された。
※3 「大阪府立公衆衛生研究所」と「大阪市立環境科学研究所」が合併。　※4 「兵庫県立健康生活科学研究所」から改称。
※5 「奈良県保健環境研究センター」から改称。　※6 「鳥取県生活環境部衛生環境研究所」から業務移管。　※7 「徳島県保健環境センター」から改称。

大気浮遊じん観測結果からみえる土壌汚染との関連性と内部被ばくリスク

解析：あがの市民放射線測定室「あがのラボ」（新潟県）

福島原発事故以後に各地に増設されたモニタリングポストが示す空間線量は、リアルタイムで公表され、住民に外部被ばくのリスクを教えてくれています(1)。一方、空気中の放射性物質を迅速に捉え、内部被ばくのリスクを推定するための「放射性大気浮遊じん」（放射性ダスト）の観測点は少なく、大気汚染物質広域監視システム(2)のようなリアルタイムの公開システムも存在しません。
ここでは、大気中の放射性物質の量に関連した「放射性大気浮遊じん」（放射性ダスト）と「放射性降下物」（フォールアウト）の経年変化から現状の大気環境をまとめて見ることにしましょう。

大気中の放射性物質濃度の推移

大気圏内核実験が盛んに実施されていた1950～60年代頃から始まった「環境放射能調査」(のち環境放射能水準調査に名称変更)の結果が、「環境放射線データベース(3)」にまとめられている。その中に「大気浮遊じん」のデータが蓄積されている。放出量が多く半減期が長いため、環境中に残存し、人への長期影響が懸念される放射性セシウム(Cs-137)の大気中濃度の経年変化を図1に示した。

1963年に欧米の大気圏内核実験が禁止されたが、中国での大気圏内核実験が継続されたため、その都度上昇ピークが見られたものの、ゆっくりとした減少が続き、1986年のチェルノブイリ原発事故による一過性の濃度上昇(～10 mBq/㎥)が日本全国で観察された。2011年の福島原発事故前までには0.001 mBq/㎥まで低下していたが、原発事故に伴う大きな濃度上昇(～1,000 mBq/㎥=1 Bq/㎥)が東日本で観測された。このグラフ中で最高値を示したのは神奈川県茅ヶ崎市で、3/14～3/30に採取された大気浮遊じんからCs-137(870 mBq/㎥)が検出され、千葉市稲毛区日本分析センターでは、3月1日～3月30日収集ダストから、Cs-137(340m Bq/㎥)が検出されたと記録されている。すなわち、福島原発事故前後に6桁・100万倍もの濃度増加が起きた地域があることになる。この増加は海外での核実験やチェルノブイリ原発事故とは異なり、減少過程がゆっくりとしていて、なかなか低下しない特徴を持つ。

図1　大気浮遊じん中のCs-137(環境放射能調査)　出典(3)

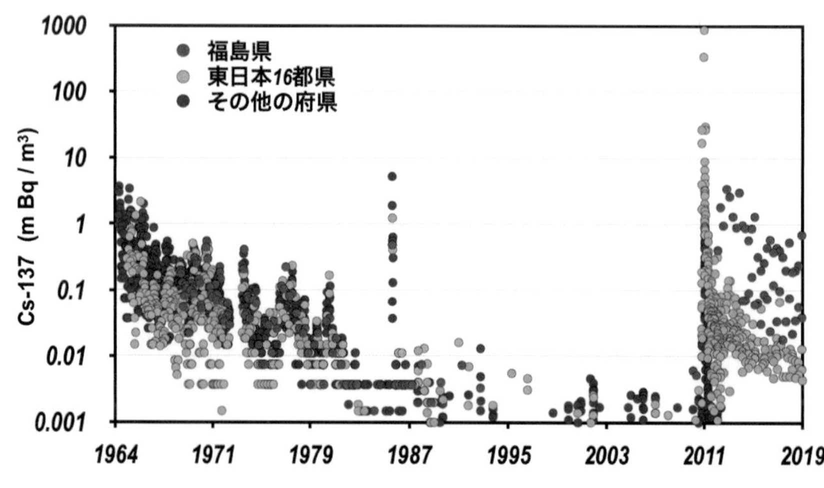

事故直後の大気中放射性セシウム濃度

水準調査の福島県内観測点は、福島市と大熊町の2ヶ所しかなく、事故直後の停電や機器の不調によって長期間（1ヶ月間）のダスト収集ができなかったため、事故直後の水準調査データとしては残されていない。しかし、3月18日以降に福島県の原発から20km圏外の市町村数ヶ所に、急遽設置されたエアーサンプラーを用いた短時間吸引（10分〜40分）で貴重な検体が集められていた[(4)]。混乱の中、福島県が収集し日本原子力機構と日本分析センターで分担測定されたが、即時公表は行なわれなかった。残された記録によると、福島原発事故に伴う大きな濃度上昇が福島県の20km圏外の広い範囲で観察され、地域によっては、事故後に100万倍の増加に留まらず、さらにその1,000倍（〜1,000,000 mBq/㎥）の濃度まで到達していた(図2)。2011年4月末には急激に減少（1,000 mBq/㎥）した。この時期は、20km圏内からの避難者や地元住民は、充分な防護もせずに不安な日々を過ごしていた時期である。

図2　原発事故後に観察された大気浮遊じん中の放射性セシウム
出典(4,5,6)

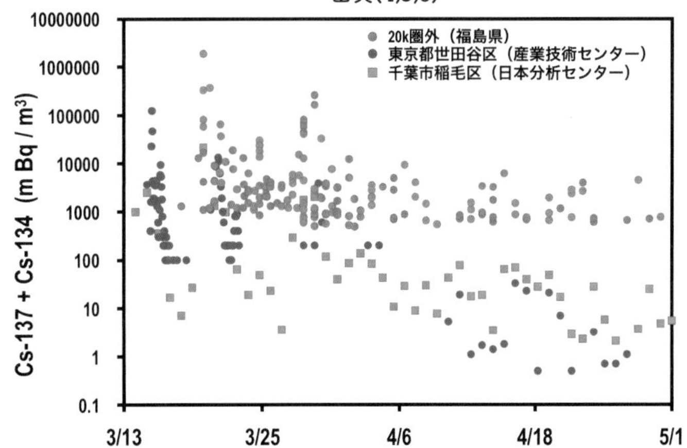

東京都内[(5)]や千葉市[(6)]でも原発事故直後の大気浮遊じんを3月13日から収集し測定していた。初動が早かったので3月15日に関東圏に到達した空気中の放射性セシウムを見事にとらえている。関東でもプルーム通過時に、浮遊じん中の放射性セシウムが100,000 mBq/㎥を超える時もあったが、4月に入ると急激に濃度が低下している点で、福島県の減少過程と大きく異なる。

ここで示したように、放射性大気浮遊じんを連続的に測定し、リアルタイムで公表できていれば初期の吸引被ばくからの防護や、避難行動にも役立っていただろうと思うと残念でたまらない。

原発に近い20 km圏内での大気浮遊じん測定

原発立地自治体における大気浮遊じん測定は「原子力発電所周辺環境放射能測定[(7)]」の一環として長年実施されている。大気じんの収集期間は1ヶ月で、観測地点毎に年12回実施されているが、あくまでも環境把握の測定であって、新たな放射性物質の放出を迅速に捉える目的の測定ではない。原発に近接した浜通りの自治体では、初期の一次プルームが減少するに従って、大気じん中の放射性セシウム濃度が2011年の夏までに急激に低下し、その後、増減を

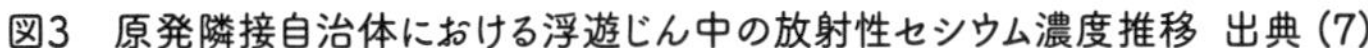
図3　原発隣接自治体における浮遊じん中の放射性セシウム濃度推移　出典（7）

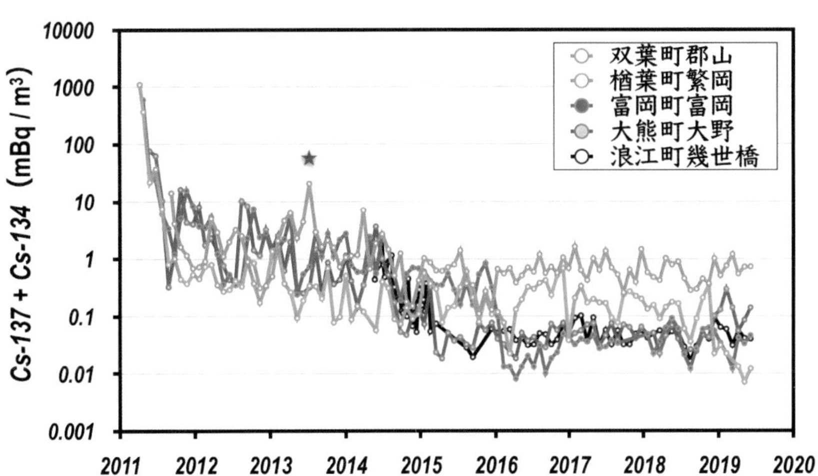

繰り返しながら緩やかに低下している。2016年以降は市街地の部分的な除染効果と思われる落ち込みが富岡町、大熊町、浪江町で観察されているが効果は部分的で、～1 mBq/㎥のレベルで下げ止まっている(図3)。図3中の双葉町郡山★印では、2013年8月の大気じんデータで前月と比べて大きな濃度増加が発生した。この時期に福島第1原発3号機原子炉建屋のガレキ撤去作業が行なわれ、原発構内のダストモニターの警報ならびに作業員の汚染被ばく事故が発生した(8)。同時期に風下にあたる飯舘村伊丹沢、宮城県丸森町の大気中濃度が通常濃度より増加した。

さらに、南相馬市内で収穫された2013年産米から国の基準値を超える放射性セシウムが検出され、農林水産省による詳細な検討報告(9)や、ガレキ処理に伴う粉塵飛散が原因とする多くの報告(10,11)が出された。この事例以後に東京電力は粉塵飛散対策を強化し、南相馬市独自の大気浮遊じん監視(12)が開始されたが、原子力規制庁はガレキ処理作業原因説をいまだに認めようとしていない。

大気中の放射性セシウム濃度は土壌の汚染度に左右される

ここで、福島原発事故以後の大気中浮遊じん中の放射性セシウム濃度の減少過程がゆっくりとしていて、なかなか低下しない原因は何かを考えてみる。事故から4年以上も経過した時点で観察される大気浮遊じん中の放射性セシウム濃度のレベルおよび変動(7,12,13)を見てみると(図４)、長期的な季節変動を繰り返し、全体としてはゆっくりと減少しているように見える。さらに明確な地域差が認められる。原発から離れた宮城県角田市(13)や東京都新宿区(13)では低く、原発に近い市町村では大気に含まれる放射性セシウム濃度が依然として高いままである。この差が原発からの追加的放出に基づくとは考えにくく、むしろ地上からの再浮遊にあるのではないかとの仮設を立てた。

図4　直近の推移：大気浮遊じん中のセシウム濃度レベル　出典(7,12,13)

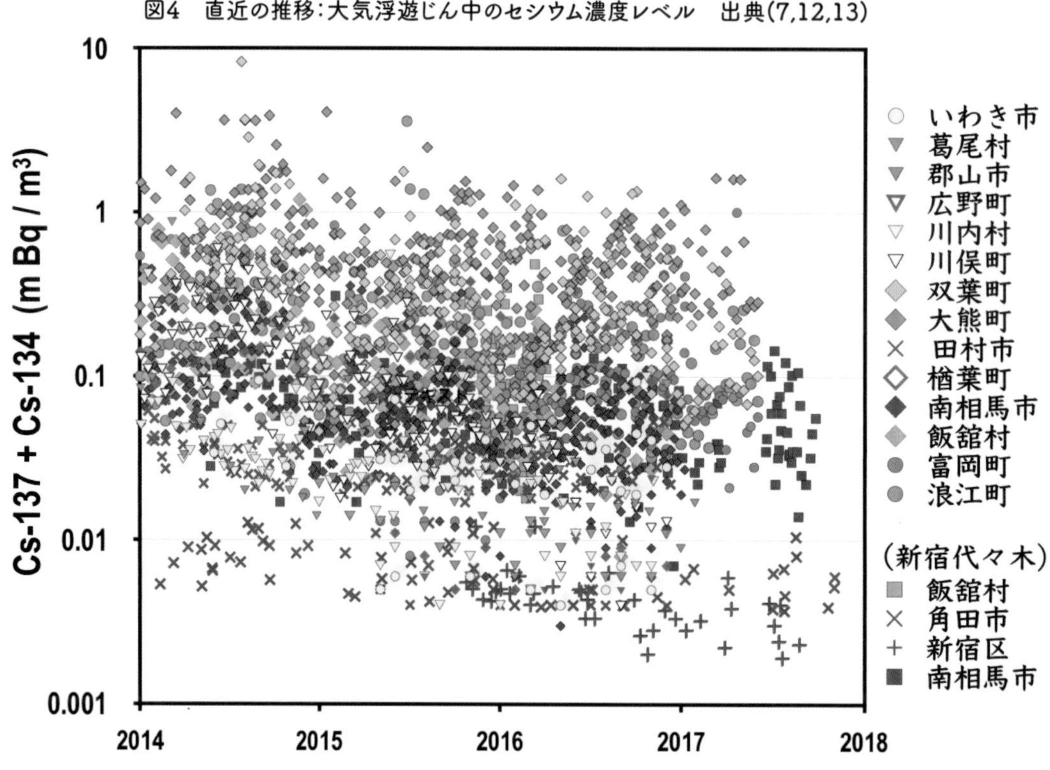

定量的な取り扱いはできないが、「土壌が汚染されている地域では大気中の濃度も高くなるのではないか」との考えで、2016年以後の各市町村の大気じん平均濃度（mBq/㎥）とその時点での各自治体の平均的な土壌汚染度（Bq/kg）を求め、両者の関係を定性的に見てみると正の相関があることがわかった(図5)。すなわち、時間が経過し、たとえ空間線量が低下しても、その土地の土壌に依然として放射性セシウムが残っていれば、空気中の濃度も高くなり、呼吸を介した吸引被ばくのリスクも低下しないということになる。この事実は、避難先から故郷に戻ろうとしている人々へ充分に伝えられていない。

図5　土壌の汚染度と浮遊じん中の放射性セシウム濃度の相関
※P183.参考資料参照

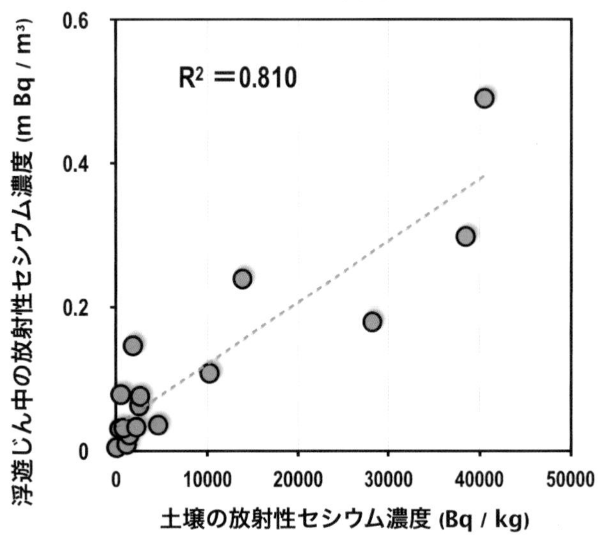

帰還困難区域は降下物の供給源

図6に1967年から観測されてきた福島県の月間放射性降下物量の推移[(3)]を示した。観測地点は初期には福島市であったが、原発が立地したため1975年から大熊町に移され測定されるようになった。2011年の福島原発事故後には福島市での観測が再開されて、以後2地点観測になっている。

大気圏内核実験由来の降下物が漸減してきた中で、1986年にチェルノブイリ原発事故由来の降下物が約200 Bq/㎡/月の鋭いピークを作っている。その後すぐに落ち着いて従来からの漸減傾向を続け、福島原発事故直前には0.1 Bq/㎡/月未満まで低下していた。それが福島事故によって大熊町では一気に約400万 Bq/㎡/月まで上昇した。その後次第に低下してきたが、前記の大気浮遊じんと同様に高止まりの傾向がある。福島原発事故由来の放射性降下物が観測された東京都、千葉市、宇都宮市など多くの都市では2017年5月までの時点で、1 Bq/㎡/月のレベルまで減少してきているが、大熊町では数1,000 Bq/㎡/月、福島市では数10 Bq/㎡/月が続いている。

原発から直接大気中に放出された放射性セシウムは、大部分が空気中のホコリや塵に付着した状態で移動し、やがて重力によってゆっくりと沈降、雨が降ると短時間で地表に沈降し放射性降下物となる。降下物が高止まりしている原因は、高濃度汚染地域からの再浮遊と再降下が恒常的に発生しているからと思われる。すなわち、帰還困難区域は区域外に対して放射性浮遊じんおよび降下じんを「供給」し続けているのである。これらを吸い込めば内部被ばくの原因となる。帰還困難区域をはじめとする高濃度汚染地域からの大気を経由する放射能流出については、防止策の強化とともに、周辺住民への警鐘も重要である。

図6　福島県の月間放射性降下物質量の推移(1967年～2019年)　出典(3)

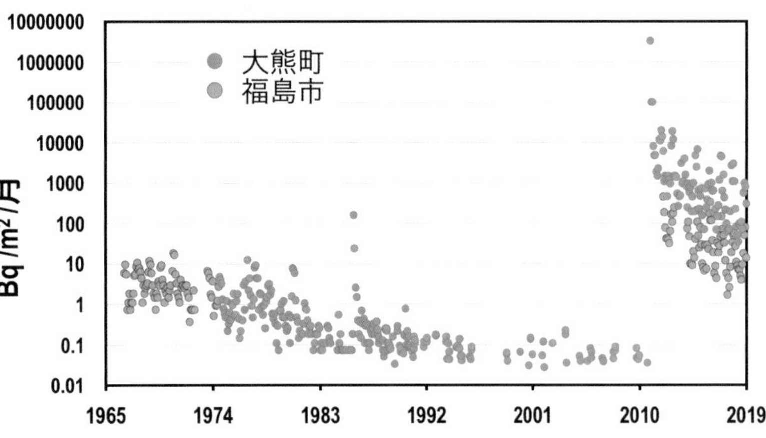

水害後に大気中の放射性セシウムが20倍増加した？

2019年10月に日本各地に被害をもたらした台風19号により、福島県中通りを流れる阿武隈川も氾濫し、多くの泥水が市街地や農地に流れ込み、水が引いたあとに大量の泥土が残された。泥土は乾燥した後に、風によって粉塵となり舞い上がり、水害の片付け作業中に粉塵を多く吸い込んで、感染症にかかるリスクを防止する意味で多くの警鐘が出された。図は2019年（令和元年）に原子力発電所周辺環境調査[7]の一貫として報告された原発周辺の大気浮遊塵中の放射性セシウム濃度のうち、各市町村で観察された最大値と、福島県中通りの水害被災地で測定された大気浮遊塵中の放射性セシウム濃度[14]を比較したものである(図7)。

台風19号の水害被災地の大気中には、原発に近く土壌が激しく汚染されている大熊町、双葉町で発生しているダストと同様なレベルの放射性セシウムが含まれていたことがわかる。前年の2018年の伊達市の大気じんで観測された0.034 mBq/㎥[7]、福島市の最高値0.056 mBq/㎥[7]と比べると、水害後の0.31〜0.99 mBq/㎥の濃度は約20倍にも増加していた。フィルター上に収集された粉塵重量が不明なので、ダスト自体の放射能濃度（Bq/kg）はわからないが、氾濫水によって運搬堆積した泥土自体の放射性セシウム濃度が、水害被害を受けなかった部分の表面土壌と比べセシウム濃度が低いので、おそらくセシウム濃度が薄まった泥土から、風により大量に空気中を漂っていたものがエアーサンプラーで集められたと推測できる。

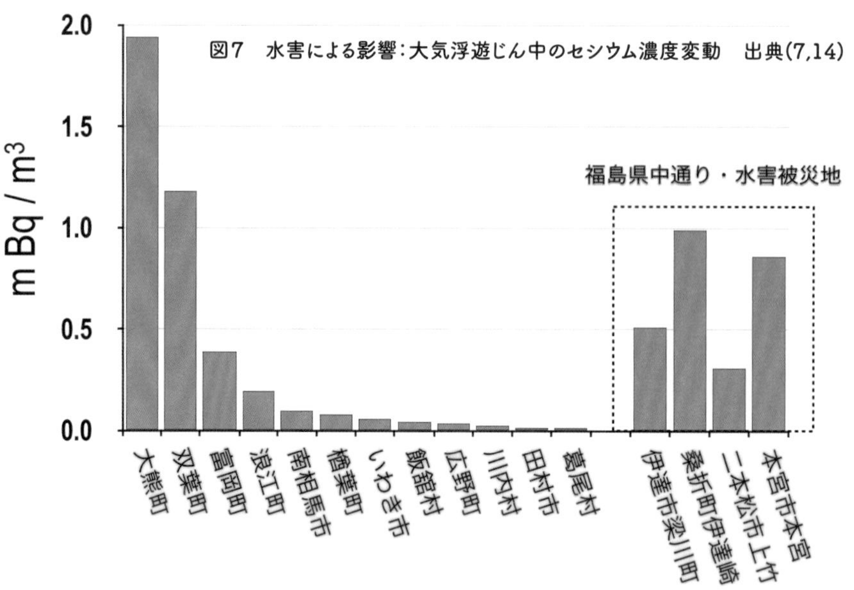

図7　水害による影響：大気浮遊じん中のセシウム濃度変動　出典(7,14)

森林もまた大気浮遊じんと降下物の供給源

福島県浪江町での季節ごとの大気浮遊粒子の粒径別の放射能濃度と電子顕微鏡による観察から、放射性セシウムが付着して漂っている主な物質が季節によって異なることが明らかになってきている。春季（3月〜5月）には、比較的乾燥した地表から放射性セシウムを含む土壌粒子が飛散しているのに対し、夏季（6月〜9月）には森林から植物破片や花粉、胞子などの形で放出される有機性粒子にも、放射性セシウムが付着していることがわかってきた[15,16]。多くの森林が除染されないまま取り残され、汚染された土壌とともに放射性大気浮遊じんと放射性降下物の発生源となっている事実をあらためて突きつけられ、深刻さを再認識せざるを得ない。

放射性セシウムは、降水や風、山火事、土壌侵食、水害等の自然現象で、また建設工事、除染作業、農作業、自動車の通行などの人為的行為により2次的移動し、大気を介して我々の体に取り込まれてしまう。最近の研究により、事故直後の大気中浮遊じんには不溶性の放射性粒子が多量に含まれていたことが明らかとなっている(P.184セシウムボールのページ参照)。当然のことながら、この不溶性の放射性粒子は降下物として土壌にも混入している。放射性セシウムすべてが水溶性であるとする、古典的なICRP体内動態モデルによる内部被ばく評価に多くの疑問が投げかけられており、依然として空気中には放射性物質が漂っていることから、繰り返し被ばく防護について警鐘を鳴らし続ける必要がある。

【謝辞】
各地の大気浮遊じんの測定結果を快く提供していただいた
NPO法人新宿代々木市民測定所の皆さんに感謝いたします。

参考資料

※図5中の土壌汚染度は、「みんなのデータサイト土壌データ」(https://minnanods.net/soil/)および「文科省土壌の核種分析結果 」(https://www.mext.go.jp/b_menu/shingi/chousa/gijyutu/017/shiryo/__icsFiles/afieldfile/2011/09/02/1310688_1.pdf)から2017年4月に減衰補正後の該当市町村平均汚染度を使用。

(1) 「放射線モニタリング情報」(原子力規制委員会) https://radioactivity.nsr.go.jp/map/ja/index.html
(2) 「環境省大気汚染物質広域監視システム(そらまめ君)」(環境省) http://soramame.taiki.go.jp
(3) 「環境放射線データベース」(原子力規制庁)
https://search.kankyo-hoshano.go.jp/servlet/search.top?pageSID=1378323
(4) 「ダストサンプリングの測定結果(平成23年5月31日まで)」(原子力規制委員会/放射線モニタリング情報)
https://radioactivity.nsr.go.jp/ja/contents/8000/7572/view.html
(5) 「都内における大気浮遊塵中の核反応生成物の測定結果について」(東京都産業労働局)
http://www.sangyo-rodo.metro.tokyo.jp/topics/measurement/past/
(6) 「日本分析センターにおける空間放射線量率等について：事故直後の調査結果」(日本分析センター)
https://www.jcac.or.jp/site/senryo/kako.html
(7) 「原子力発電所周辺環境放射能測定結果」(福島県) https://www.pref.fukushima.lg.jp/site/portal/genan225.html
(8) 「平成25年8月に発生した免震重要棟前のダスト濃度上昇を踏まえた対応」(東京電力/農林水産省説明資料)
http://www.tepco.co.jp/nu/fukushima-np/handouts/2014/images/handouts_140819_04-j.pdf
(9) 「福島県南相馬市の25年産米の基準値超過の発生要因調査について」(農林水産省)
https://www.maff.go.jp/j/kanbo/joho/saigai/fukusima/
(10) 「Post-Accident Sporadic Releases of Airborne Radionuclides from the Fukushima Daiichi Nuclear Power Plant Site」(G.Steinhauser,K.Shozugawa, et.al /「Environmental Technology and Science」)
https://pubs.acs.org/doi/pdf/10.1021/acs.est.5b03155
(11) 「つくばと飯舘における福島第一原発事故由来の大気中放射性セシウム濃度の変化と高濃度現象の要因 」(「RADIOISOTOPES」68号 2019年)
https://www.jstage.jst.go.jp/article/radioisotopes/68/3/68_680302/_pdf/-char/ja
(12) 「大気浮遊じんの放射能濃度測定結果」(南相馬市)
https://www.city.minamisoma.lg.jp/portal/shi_joho/shinsaikanrenjouhou/houshasenmonitaringukekka/kankyo_monitoring/6343.html
(13) 「各地の大気浮遊塵の測定結果」(NPO法人新宿代々木市民測定所) https://www.sy-sokutei.info/wp/air-sample/
(14) 「令和元年台風19号及び豪雨災害に伴う環境放射能モニタリング結果について(最終報)」(福島県危機管理部放射線監視室)
https://www.pref.fukushima.lg.jp/uploaded/attachment/359427.pdf
(15) 「大気中への再飛散等による放射性セシウムの移行状況調査」(原子力規制委員会)
https://radioactivity.nsr.go.jp/ja/contents/10000/9735/37/2-1_air.pdf
(16) 「浪江町林野火災に伴う放射性物質の環境影響把握のための調査結果について(中間報告)」(福島県)
https://www.pref.fukushima.lg.jp/uploaded/attachment/245261.pdf

セシウムボールとは何か

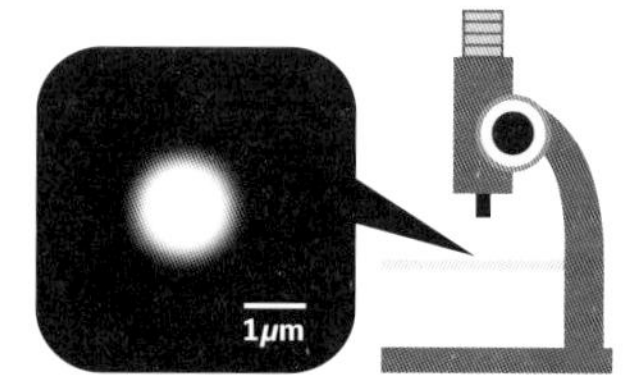

●解説:吉田千亜(フリーライター)

原発事故では、これまでの研究で明らかになっている(とされる)ものが管理や判断の指標として用いられます。しかし、福島原発事故により「セシウムボール」という未知の物質があることが明らかとなりました。現在、さまざまな研究者がこの「セシウムボール」と呼ばれる不溶性の放射性物質の研究を進めています。今回、増補版では、この問題を追い続けているフリーライターの吉田千亜さんに原稿を寄せていただきました。

セシウムボールとは何か

2013年、気象庁気象研究所の研究チームの一人である足立光司氏が発表したセシウムボール(文献1)。水に溶けない性質を持ち、1粒子あたりのセシウムの濃度は、汚染土壌粒子などに比べかなり高く、過去に研究のない「未知の領域」として、多くの学者が研究を進めている。そのひとり、九州大学の宇都宮聡准教授(理学博士)は、米国、英国、フランスと国内の学者と共同研究チームを組み、これまでに7本の論文を発表している。

その論文の中には、原発から230 km離れた東京都内の大気エアフィルターから採取された大気エアロゾルサンプルを分析した結果が報告されているものがある。東京都で放射能のピークが観測された3月15日のエアフィルターだ。写真の黒い粒が放射性物質の存在を示している。分析の結果、飛散したセシウムの約9割がセシウムボールであると判明した(2016年に受理されながら、2019年に他の媒体で発表された論文より※文献2)。

また、セシウムボールの構造分析により、溶けた核燃料がコンクリートと反応したことも突き止めている。圧力容器を破損し突き抜け、格納容器の底のコンクリート部分に溶け落ち、急激に冷やされ、その時に空気中に浮遊していた放射性物質なども取り込んでできたと推測されている。それを踏まえると、この微粒子を「『セシウム』ボール」とセシウムに限定して呼ぶことは、被害の過小評価につながる懸念がある。実際に、微粒子に原発事故由来のウラン酸化物(核燃料成分と同じ)が含まれていることも、宇都宮氏の研究では明らかになっているからだ(文献3)。

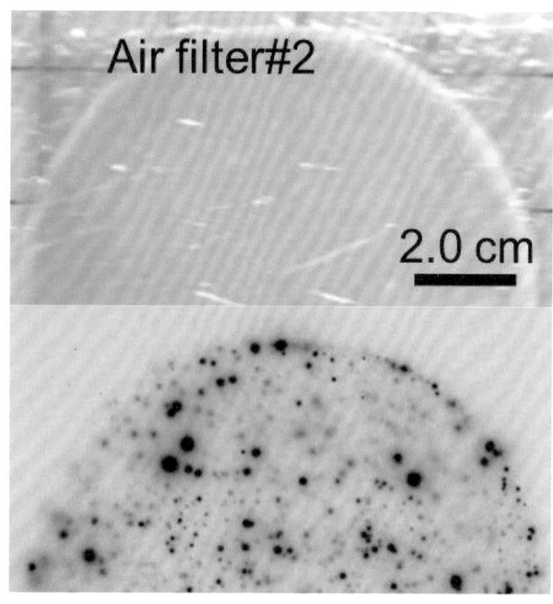

「Imoto et al. (2017)」

宇都宮氏は「二次イオン質量分析」という手法で詳細な分析を行ない、取り込まれた物質の比率、揮発・放出の状況、原発の何号機から放出されたのかなども推定している(文献4)。つまり、セシウムボールは原子炉の中で起こった反応の直接的な証拠をもち、現在進行中の廃炉作業において、高線量のためもっとも課題となっている「燃料デブリ」の破片も取り込んで環境中に飛んで来ていたことになる。

セシウムボールの何が問題か

微粒子の大きさは、0.5〜数ミクロンで、呼吸により体内に取り込まれる可能性がある大きさである。宇都宮氏による東京の大気エアフィルターの分析では、1立方メートルあたり、129個のセシウムボールが含まれていた。仮に25 m程度の空気の厚みと東京23区の面積（627 km²）で考えると、2×10の12乗（2兆）個のセシウムボールが飛来した（もしくは通過した）と推測できるという。

呼気による取り込みの推算では、ピーク時には1時間あたり17個ほど吸い込む可能性があり、そのうちの20〜40%（数個）が沈着すると考えられる。もちろん、微粒子を排出するプロセスがあることも考慮しなければならないが、宇都宮氏らは、肺胞液（肺と同じ環境の液体）にセシウムボールを浸す研究も行ない、溶けるまでにかかる時間は、2ミクロンの大きさで35年以上かかり、条件によってはもっと長い期間になると推定している（文献5）。

過去の知見からは、放射性セシウムの生物学的半減期（体内に取り込まれた場合に体外に排出されて半分に減少するまでの期間）は乳児で9日、50歳で90日とされているが、それは水溶性であることが前提である。

2017年3月に開かれた原発事故の内部被ばく影響に関するシンポジウム（文献6）では、セシウムボールによる内部被ばくの影響について、日本原子力研究開発機構の佐藤達彦氏は、局所被ばくの可能性も示唆しながら「従来の被ばくと応答（影響）は異なる可能性がある」と発表。放射線医学総合研究所の松本雅紀氏も「従来の可能性を仮定した吸入による被ばく線量評価と異なる可能性」を前提に、シミュレーションや生体内挙動モデルを検討。両者とも過去の知見が適用できないという点で共通している。また、大分県立看護科学大学・国際放射線防護委員会（ICRP）の甲斐倫明氏もセシウムボールを扱った番組（文献7）の中で「内部被ばくの影響は見直していく必要がある」と話しており、核や原子力を推進する組織の学者ですら、このセシウムボールの影響については、これまでの知見を適用できない慎重論を述べているのである。

事故直後から、被ばくを恐れると、特に国の避難指示のなかった地域では「過剰反応だ」と叩かれる風潮もある。そして、今、原発事故はもう終わったことのように語られている。しかし、これまでに示したように「健康への影響がこれまでの知見では語れない」未知の物質が、生活環境に潜んでいることを、私たちは決して忘れてはならない。

吉田千亜【フリーライター】
出版社勤務を経て、フリーライターとなる。原発事故被害者・避難者の取材を続け、『ルポ母子避難 消されゆく原発事故被害者（岩波新書）』『その後の福島 原発事故後を生きる人々（人文書院）』などの著書がある。2020年、原発事故時に最前線で奮闘した消防士の聞き取りを書き綴った実話『孤塁 双葉郡消防士たちの3.11（岩波書店）』を出版。

文献

1:「Emission of spherical cesium-bearing particles from an early stage of the Fukushima nuclear accident」 K.adachi,M.Kajino ,et.al(「Nature」sientific report 2013年8月30日) https://www.nature.com/articles/srep02554
2:「Formation of radioactive cesium microparticles originating from the Fukushima Daiichi Nuclear Power Plant accident: characteristics and perspectives」 T.Ohnuki,S.Utsunomiya, et.al(「Journal of Nuclear Science and Technology」(2019年9月) https://www.tandfonline.com/doi/abs/10.1080/00223131.2019.1595767?journalCode=tnst20
3:「Uranium dioxides and debris fragments released to the environment with cesium-rich microparticles from the Fukushima Daiichi nuclear power plant」 Asumi Ochiai,Junpei Imoto,Satoshi Utsunomiya,et.al. (「Environmental science & technology 」/52(5), 2586-2594)
4:「Isotopic signature and nano-texture of cesium-rich micro-particles: Release of uranium and fission products from the Fukushima Daiichi Nuclear Power Plant」 Junpei Imoto, Asumi Ochiai, Satoshi Utsunomiya, et.al.(「Scientific reports 」7(1),1-12
5:「Dissolution of radioactive, cesium-rich microparticles released from the Fukushima Daiichi Nuclear Power Plant in simulated lung fluid, pure-water, and seawater」 Mizuki Suetake, Yuriko Nakano, Satoshi Utsunomiya, et.al.(「Chemosphere」233, 633-644)
6:日本保健物理学会シンポジウム「福島事故を内部被ばくから考える 体外計測に関する標準計測法の策定に関する専門研究会 内部被ばく影響評価委員会」配付資料(日本保健物理学会/2017年3月24日) http://www.jhps.or.jp/pdf/20170324-symp.document.pdf
7:「原発事故から6年 未知の放射性粒子に迫る」(NHK クローズアップ現代/2017年6月6日放送) https://www.nhk.or.jp/gendai/articles/3986/

深掘り！測定室eyes

オートラジオグラフでみられる宮城県内の汚染の地域差について

解説：みんなの放射線測定室「てとてと」（宮城県）

みんなのデータサイトに参加している全国の測定室は、それぞれが様々な測定に取り組んでいます。ここでは、宮城県のみんなの放射線測定室「てとてと」が取り組んだ「オートラジオグラフィー」という手法による放射線の測定とその結果に基づく考察を紹介します。「てとてと」では、この手法を用いて県内複数箇所の放射能汚染の可視化を試み、その結果から「宮城県北と県南の汚染は異なる放出による別々の汚染だったのではないか？」と推察しています。

オートラジオグラフィーとは？

試料に含まれる放射性物質からの放射線を画像に撮影して観察するもので、試料にフィルム乾板やイメージングプレートを密着させた後、現像やレーザー光照射等によるデジタル画像化などで可視化する手法。その画像を「オートラジオグラフ」と呼ぶ。

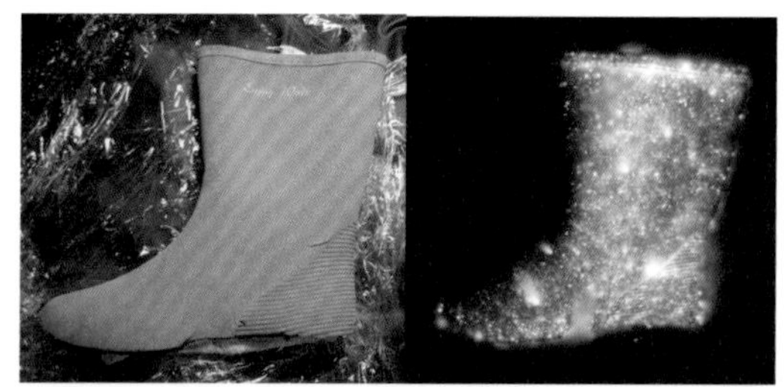

【写真提供】東京大学 森敏名誉教授、映像作家 加賀谷 雅道氏

明らかにされた「セシウムボール」の存在

2013年の気象研（気象庁気象研究所）の報告により、関東や東北を強く汚染した3月15日と3月20日〜3月21日の2回の放出のうち、3月15日に放出された放射性セシウムには気象研により「セシウムボール」と名づけられた高濃度の放射性セシウム凝集粒子が多数含まれていたことが明らかにされた。この粒子は1μm（マイクロメートル＝0.001ミリメートル）程度の直径のガラス状の球体で、非水溶性、強酸にも溶けない性質を持っている。放射性セシウムは数ベクレルに達し、放射性セシウムの重量は粒子の重量の数％を占め、放射性セシウムの粒子中の比放射能は数100兆Bq/kgになる。

このような放射性セシウムの超高密度状態はそれまで考えられていた水溶性のセシウム化合物が大気中のホコリ、エアロゾルに吸着しているというモデルからはまったく考えられないもので、今回の事故に特有であることが指摘されている。

大学等専門の研究機関によりその後もこのセシウムボールについての分析は進められており、成分や原子炉からの放出の際の生成メカニズムもかなり明らかにされてきている。3月15日に東京を覆ったプルーム中の放射性セシウムの9割は、セシウムボールであったと指摘する発表もある。非水溶性、超高濃度微粒子という形態は水溶性、組織内均一分布モデルに基づくICRP健康影響評価法にはあてはまらないので、健康影響の面も根本から見直す必要がある。

市民レベルで取り組んだオートラジオグラフィーの手法

“てとてと”では宮城県各地で採集した汚染試料のオートラジオグラフ写真をとることに挑戦してきた。オートラジオグラフを撮るために一般的な方法はイメージングプレート（IP）によるものだが、このための機材は高価であり市民測定室レベルでは簡単に手が届かない。そこで、市販の写真用の汎用フィルム1本（120

ブローニフィルム、6 cm×70 cm）を試料に密着して放射線による感光像を撮るというもっともお金のかからない方法で挑戦した。

放射性セシウム原子が崩壊する際にはベータ線とガンマ線を放出するが、ガンマ線は物質との相互作用は弱く、フィルムを感光させるのは主にベータ線である。しかし放射性物質から放出された放射線は物質内での相互作用によって外に出るまでに減衰し、フィルムを感光できるのは試料の表面近くにある放射性セシウムのみとなってしまう。このため食品試料のように体積全体に広く薄く放射性セシウムが分布しているような場合、表面から出るベータ線の割合は非常に少ないと考えられ、オートラジオグラフには不向きである。

“てとてと”で対象にした試料は、かなり高濃度の汚染の残っているものを拭き取った薄い布である。図1に示すように木製の板の上に5.5 cm×10 cm程度に切った布試料を6枚ほど並べ、ラップをかけて固定する。この上にフィルムを展開し上から抑え板で挟んで固定し、7～14日間ほど暗所に置いて放射線による感光を待つ。その後回収したフィルムを現像するのである（カメラ店に依頼）。

図1　オートラジオグラフィー用試料

オートラジオグラフから見えてきた「地域差」について

図2には比較のため、もっとも鮮明に輝点の見られた、17年4月に避難指示が解除された福島県富岡町のバス停内のホコリを拭いた布のオートラジオグラフを示す。雨のあたらない場所のホコリであることから、このホコリの汚染は空気中から直接乾性沈着したものと考えられる。拭き取り布のガンマ線スペクトルとホコリ重量の計測からこのホコリの放射性セシウム濃度は200万Bq/kg以上であった。ホコリ重量は拭き取り前後の布の乾燥重量の差から求める。現像フィルムからは多数の黒点と、布全体に一様に分布しているとみられる感光が認められる。黒点は気象研で見出されたセシウムボールによるものと考えられる。取り出した粒子を含む部分の放射能の強さ（Bq）はNaI測定器のガンマ線スペクトルから確認でき、粒子によって1 Bq～10 Bqの範囲の数値を得ている。24時間水浸後の布からも黒点が得られることで、非水溶性であることも確認できた。

次に宮城県内の試料のオートラジオグラフを示す。図3は丸森町内の橋の歩道部分の欄干を拭いた布で、放射性セシウム濃度は10万Bq/kg以上あった。図4は大河原町の橋のらんかんの拭き取り布である。図5は事故当時蔵王町に立てられていたのぼり旗の布、図6は村田町の事故当時から生えていた孟宗竹の表面の拭き取り布で、放射性セシウム濃度は約2万Bq/kg。ここで得られた黒点はかなり強いもので、分離後のガ

図2　福島県富岡町屋内ホコリ

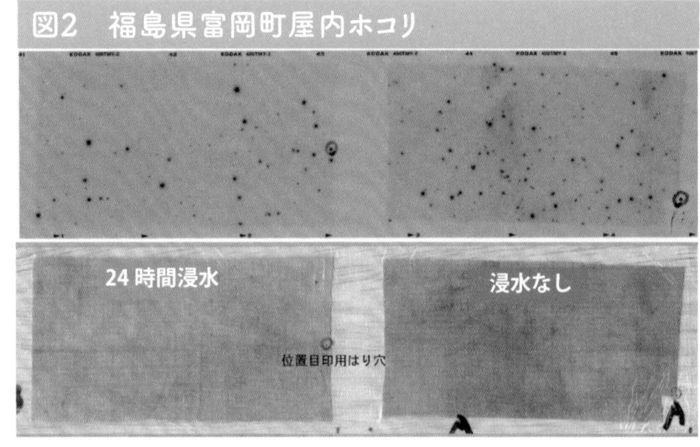

図3　宮城県丸森町　橋欄干表面拭き

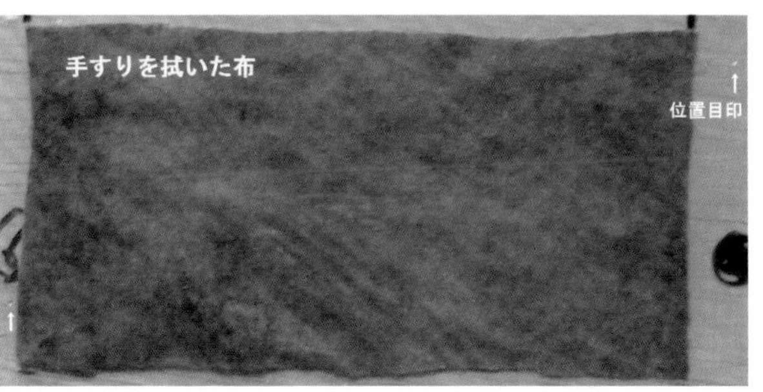

ンマ線スペクトル測定の結果はCs-137で約1.6 Bq程度だった。

宮城県内では図2の福島県富岡町のホコリほど強く感光する試料はなかったが、このように県南で採取した試料からはスポット状の輝点が見られる。この地域の空間線量率は3月15日に急上昇後高止まりしたことからも、気象研が用いた試料同様の発生源からのものと推察される。

続いて県北・栗原市で採取した試料と県南との比較を示す。てとてと方式のブローニフィルムオートラジオグラフでは一度に6検体を並べて撮影するので、栗原市採取の3試料と黒点が現れる県南の2試料、そして福島県福島市の屋根下のホコリ拭き布試料を図1のように並べた。最初にこれら試料表面から5㎜の位置でのベータ線のカウント値を表1に示す。測定はアロカTGS-1146で行なった。数値は1分間のカウントを5回測定した平均値である。バックグラウンドは58カウント/分で、いずれの試料からも有意なカウント値が得られており、栗原の3試料とそれ以外の3試料はそれぞれ100カウント/分前後が2試料、200カウント/分以上が1試料となっている。撮影の結果、栗原の3試料からは黒点は確認できなかったが、他の3試料、県南と福島市のものにはいずれも複数の黒点が観測できた。

ここでは表1で比較的カウント値の大きかった2試料、① 栗原路傍集積土と⑤蔵王町ハウス雨どい集積物のオートラジオグラフを図7に示す。布全体からの感光は、ぼんやりとだが両者とも認められる。ベータ線のカウント値は栗原が200/分、蔵王が271/分と蔵王の方がやや大きい程度だが、写真を比べると「黒点については栗原の方は確認できない」という顕著な差が見られる。蔵王の方は濃いものや薄いものなど多数の黒点がみられる。

このことから両者の放射性物質の形態には顕著な差が認められる。県北・栗原の汚染と県南の汚染は、異なる放出による別々のプルームであったのではないかと推察される。あるいは3月15日のプルームとそこに含まれる粒子状物質が県北まで到達しなかった可能性もある。なお、現在、黒点に対応した布の微小部分からセシウムボールを取り出し、顕微鏡像で確認することにも挑戦している。

図4 宮城県大河原町 橋欄干拭き　図6 宮城県村田町 竹表面拭き

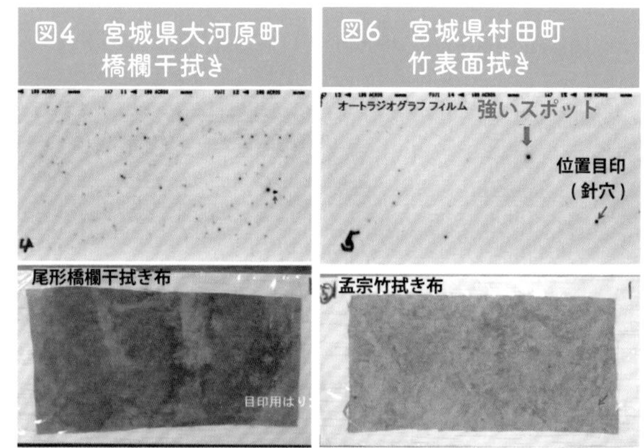

図5 宮城県蔵王町 のぼり旗

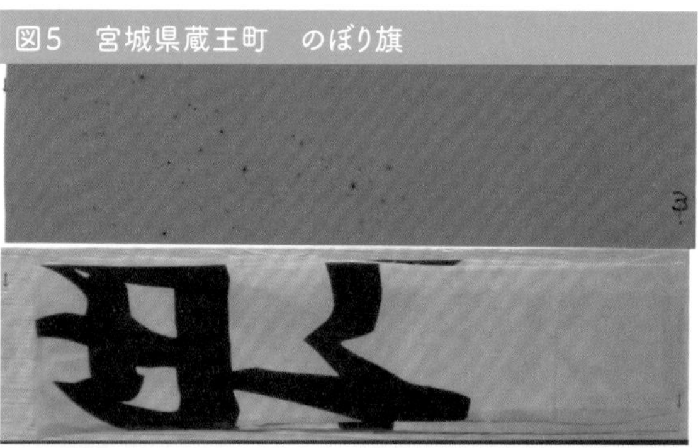

図7 蔵王雨どいと栗原成田土の写真比較

布2枚重ね

⑤蔵王雨どい集積 β線カウント 271/分　①栗原路傍土集積 β線カウント 200/分

図8
緑の枠は黒点がない県北・栗原エリア。青の枠はオートラジオグラフで黒点（輝点）が確認された県南エリア。

Map data© OpenStreetMap contributors

表1

	汚染試料名	放射能濃度（Cs137, Bq/kg）	写真用試料表面ベータ線カウント（/分）
①	**栗原路傍集積土**	**38000**	**200**
②	ガードレール表面拭き取り物	18000	90
③	バス停内ホコリ	7200	82
④	村田町雨どい堆積物	49000	89
⑤	**蔵王町ハウス雨どい堆積物**	**52000**	**271**
⑥	福島駐輪場ホコリ	11000	105

放射性降下物を観測・測定するには

未来につなげる・東海ネット
市民放射能測定センター（C-ラボ）（愛知県）

放射性物質は、目にも見えずにおいもないので、漏洩・放出されても科学的な手法で手順を踏んで測定をする以外にその実態をつかむことは不可能です。測定方法は、放射線を測る目的（シーベルトまたはベクレル）や核種（Cs-134、Cs-137、I-131、Sr-90など）によって異なります。基本の測定方法を紹介し、福島第一原発事故での測定体制がどのようであったかを検証していきます。

放射性プルームを捉える方法

放射性プルームがやって来た時に、それを捉えるためにはいくつかの方法がある。

①モニタリングポスト

モニタリングポストに設置された空間線量率計が、線量率の増加をリアルタイムで捉えることができる。ヨウ化ナトリウム(NaI)シンチレータータイプと、電離箱タイプがあり、その両方が装備されているポストもある。線量率の上限が違うので、両方ある方が望ましい。しかし，核種まで知ることはできない。

②ハイボリュームエアサンプラーとローボリュームエアサンプラー

どんな核種がどれだけやって来たかを捉えるためには、浮遊塵の大容量連続捕集装置（ハイボリュームエアサンプラー）で捕集して、ろ紙上の放射能を核種分析装置で測定する。しかし、放射性物質がガス状だった場合には、この方法では捉えられない。活性炭入りの特殊なフィルターも併用して、ガス中の放射性物質を連続的に捕集（こちらはローボリュームエアサンプラー）して核種分析装置にかける必要がある。毎時のデータがあるということは1時間ごとにろ紙やフィルターの交換があるので、大変な仕事である。

③水盤による放射性降下物量の捕集・観測

プルームが運んできた核種を捉えるには、もう一つの方法がある。それが放射性降下物量の観測である。右図中央下段に示したような捕集装置（0.5

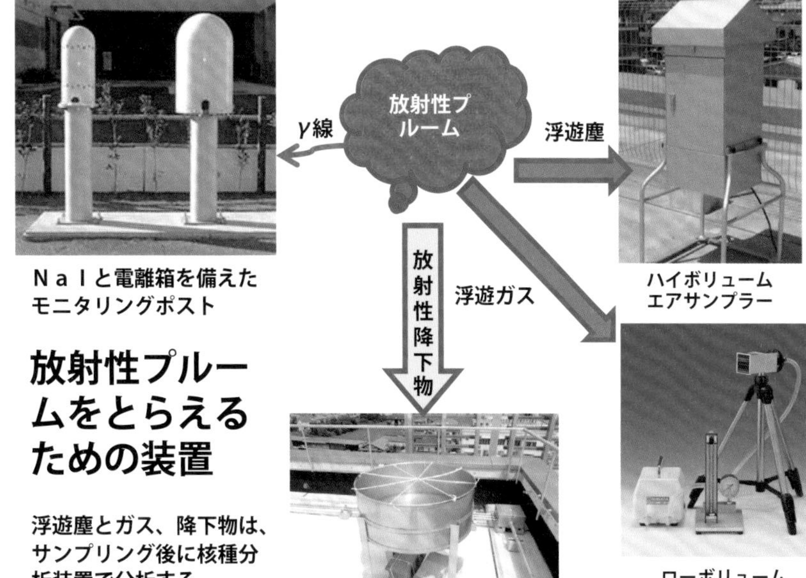

㎡）に常時水を張って、雨水や降下塵を捕集し、1ヶ月ごとにそれを濃縮乾固して核種分析装置にかける。気象研究所は大気圏内核実験が行なわれていた1954年4月に放射性降下物（フォールアウト）の全β観測を開始している。核種分析は1957年に始まり、以降現在に至るまで50年を超えて途切れることなく継続されている。その貴重な観測結果が図1と図2である。大気圏内核実験の頃と比べて、今回の福島第一原発事故による降下物量は2ケタ高かったことがわかる。図2でわかるように、同時にストロンチウム（Sr-90）もちゃんと測定されてきている。今よりはるかに困難だった時代に、ベータ線しか出さない核種であるSr-90を測っていたのである。ところが、福島事故が起きた後、政府は、骨に沈着して長い間骨髄を被ばくさせるこの核種をほとんど測っていない。

図1　気象研究所により観測された月間放射性降下物量の経年変化（Cs-137とSr-90）

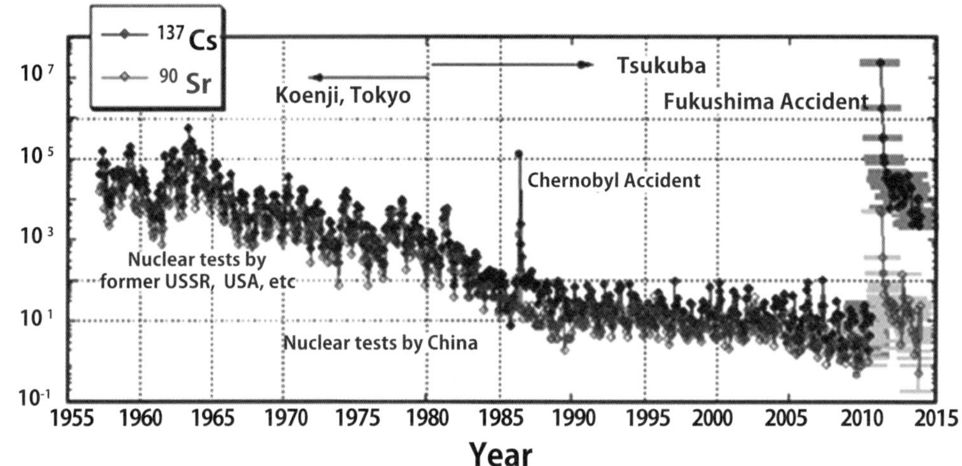

図2-1

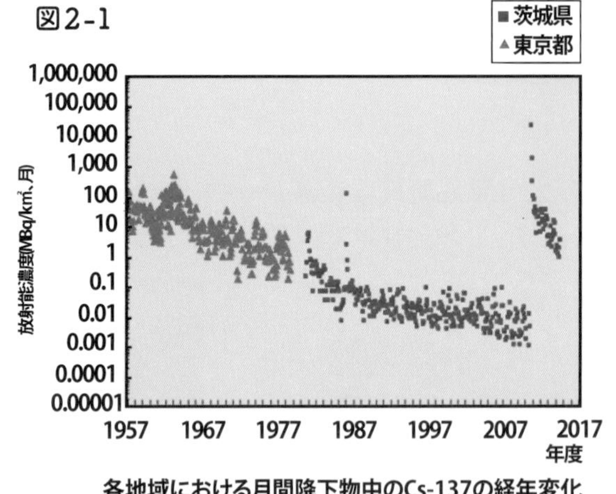

各地域における月間降下物中のCs-137の経年変化

図2-2

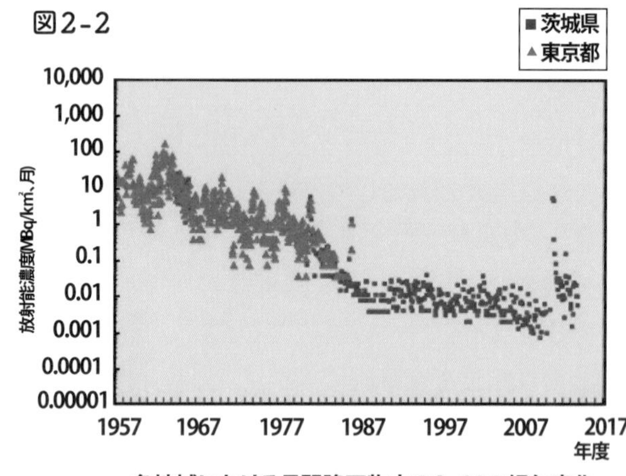

各地域における月間降下物中のSr-90の経年変化

■上記グラフは、以下の条件で作成されたものです。

調査対象	放射能調査（気象庁）	調査試料	降下物　月間降下物
調査年度	1957年度～2016年度まで	調査核種	Cs-137　Sr-90
調査地域	茨城県 東京都	濃度単位	MBq/km²、月

福島事故時にどこで何が捉えられたか？

福島第一原発事故が起きた時に浮遊塵と浮遊ガスを同時に捉えたのは日本分析センターだけだったと言われている。浮遊塵については、東海村の日本原子力研究開発機構JAEA（旧原研）や放射線医学総合研究所(千葉市)、気象研究所(つくば市)、東京都立産業技術研究センター(当時世田谷区：2011年10月に江東区へ移転)などが24時間定時観測を行なっている。放射能の専門研究機関は福島事故の一報があった時から臨戦態勢になることは当然であるが、都産業技術研究センターが12日からこの態勢をとったというのは特筆に値する。

福島事故直後のプルームを捉えきれなかった「日間放射性降下物量」観測の遅れ

1961年10月の閣議決定により放射能対策本部が設置され、関係省庁、都道府県そして放射線医学総合研究所、日本原子力研究所(現JAEA)などの諸研究機関等も参加し、「環境放射能水準に関する調査」の一環として全国規模の月間放射性降下物量観測が行なわれてきている。この調査は、関係32都道府県に対して当時の科学技術庁が委託して実施されてきたが、1986年のチェルノブイリ原発事故を踏まえて、1990年度から順次47のすべての都道府県で実施されるようになった。ほとんどの場合、県庁所在地の都道府県衛生研究所などで、主に屋上で試料採取が行なわれている。

これらの研究所は福島事故発生の報を受けて、月間と併行して日間定時降下物の観測を開始するも、残念なことにどの都道府県でも観測開始が3月18日だった。どこもが18日にしか観測を開始しなかったのは、国からの観測指示があったからだと考えられる。歴史的にみて国からの委託事業として行なわれてきた観測だからやむを得なかった側面もあるが、自治体研究所の主体的判断で県民を守るための観測を一刻でも早く始めて欲しかった。また、測定指示をした国の判断の遅れも悔やまれる。18〜19日以後のデータしかないために、15〜16日に襲来したプルームを捉えられていないのである。

現在原子力規制庁は、モニタリングポストではプルームの流れを十分に捉えることができないという理由でこれを撤去し、原発周辺に連続測定可能な「大気モニター(β線のみ)」(SPM観察網の応用版)を蜘蛛の巣状に配置しようとしている。事故後の避難行動に利用しようと計画しているのだ。しかし、初期被ばくで最も警戒が必要とされる肝心の連続測定可能な「ヨウ素モニター」の設置は、コストの面で立ち遅れているのが現状なのである。

みんなのデータサイトが今回、降下物量の推算ができた訳

日間定時降下物調査は3月18日開始だったが、継続観測されてきた月間放射性降下物量のデータを使って、なんとかこの欠落を埋めることが出来た。半減期が8日のI-131は捕集容器の中でどんどん減衰してしまうので使えないが、Cs-137とCs-134は1ヶ月ではほとんど減衰しないからである。汚染マップの都県別解説ページでは、このデータを駆使してプルーム襲来時の放射性物質の降下沈着と土壌中放射能濃度について解析を行なった。

出典

図1　気象研究所地球化学研究部環境・応用気象研究部：環境における人工放射能の研究 2013 (1980年までは東京都高円寺、それ以降はつくば市で観測されている)

図2　原子力規制庁「環境放射線データベース－日本の環境放射能と放射線」(管理：日本分析センター)から作図。

深掘り！測定室eyes

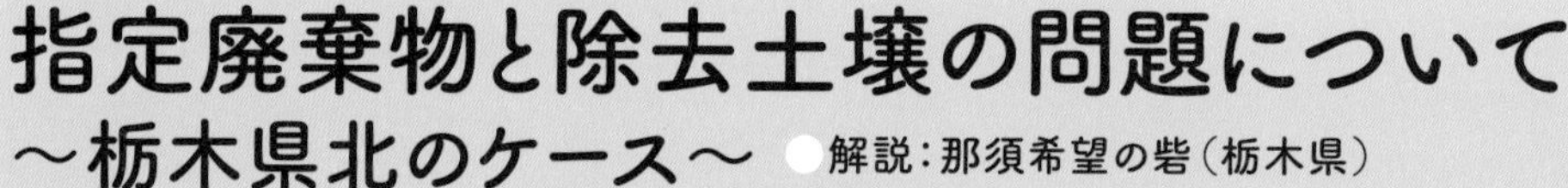

指定廃棄物と除去土壌の問題について
～栃木県北のケース～

解説：那須希望の砦（栃木県）

みんなのデータサイトに参加している全国の測定室は、それぞれが様々な測定・解析に取り組んでいます。ここでは、栃木県の「那須希望の砦」が取り組んだ栃木県北の高濃度に汚染された土壌および指定廃棄物となった農業資材などの汚染物についての報告を紹介します。予算がつかずに除染されない、除染しても除染土壌の持って行き場がない、8,000 Bq/kg未満の廃棄物は普通ゴミの扱い、8,000 Bq/kg超の指定廃棄物も県内保管とされて保管施設計画地の地元住民の反対にあってとん挫、福島県内の指定地域とされた11市町を除けば「汚染土壌は指定廃棄物にはならない」など、環境省および放射性物質汚染対処特措法をめぐる不条理と矛盾が栃木県北で渦巻いています。

栃木県北の放射能汚染の状況

栃木県北は福島県に隣接し、福島第一原発事故による放射能の被害が深刻な地域である。土壌が汚染され、山菜やキノコ、タケノコ等の出荷が制限されている。また、指定廃棄物や除染で発生した土壌等も多く保管されている。

土壌の汚染状況は、栃木県のマップページでもわかるように、福島県と変わりない高汚染状況である。2012年2月に「那須希望の砦」で栃木県北の表土（表面だけをかき取った土）の調査を行なった（表1）。

栃木県北67地点の平均が20,380 Bq/kg、67地点中55地点が8,000 Bq/kg以上であり、栃木県北の表土の大部分が指定廃棄物と同じ汚染状態であることがわかった。2018年2月時点では、減衰により約半分になっているが、それでも平均濃度は10,000 Bq/kgを超えていることになる。

栃木県北の除染は、福島県外ということで十分な除染が行なわれていない。大部分が未除染の状況である。つまり、極端な言い方ではあるが、栃木県北は「指定廃棄物に囲まれて生活している」と言える。このような状況は異常であり、適切な放射能対策を進める必要がある。原発事故から7年経過した現在では、表土が水や風で移動してホットスポットができ、新たな問題となっている。ホットスポットの除染は、「フォローアップ除染基準」が、3.8 μSv/h以上と高いため進んでいないのが現状である。

表1 栃木県北の表土放射能汚染状況（2012年2月）

	測定点数	平均濃度	最高濃度	8,000Bq/kg超地点数
那須塩原市	39	20,399Bq/kg	77,900Bq/kg	34
那須町	22	24,888Bq/kg	63,600Bq/kg	21
大田原市	6	3,729Bq/kg	4,800Bq/kg	0

「那須希望の砦」調査結果

調査方法
1．地表の2mmを目処に土を採取
2．福島原発事故以後に手を加えた場所、雨水のたまる場所等の特異場所、砂地等以外で採取

食品においては、山菜、タケノコ、栗などから放射能が検出されており、特にコシアブラは100年経っても楽しむことができないレベルの汚染状況である（図1）。またストーブの灰は汚染した薪が材料であり、濃縮係数が200倍（燃やすと、燃やす前の汚染値の200倍になる）となるため、指定廃棄物レベルとなっているものが多い。灰は、本来自治体が保管することになっているが、栃木県北の那須町は仮置場がないため、個人宅での保管となっている。

図1

最大(Bq/kg)　平均(Bq/kg)

クリ　タラノメ　コシアブラ　畑の土　タケノコ　木灰

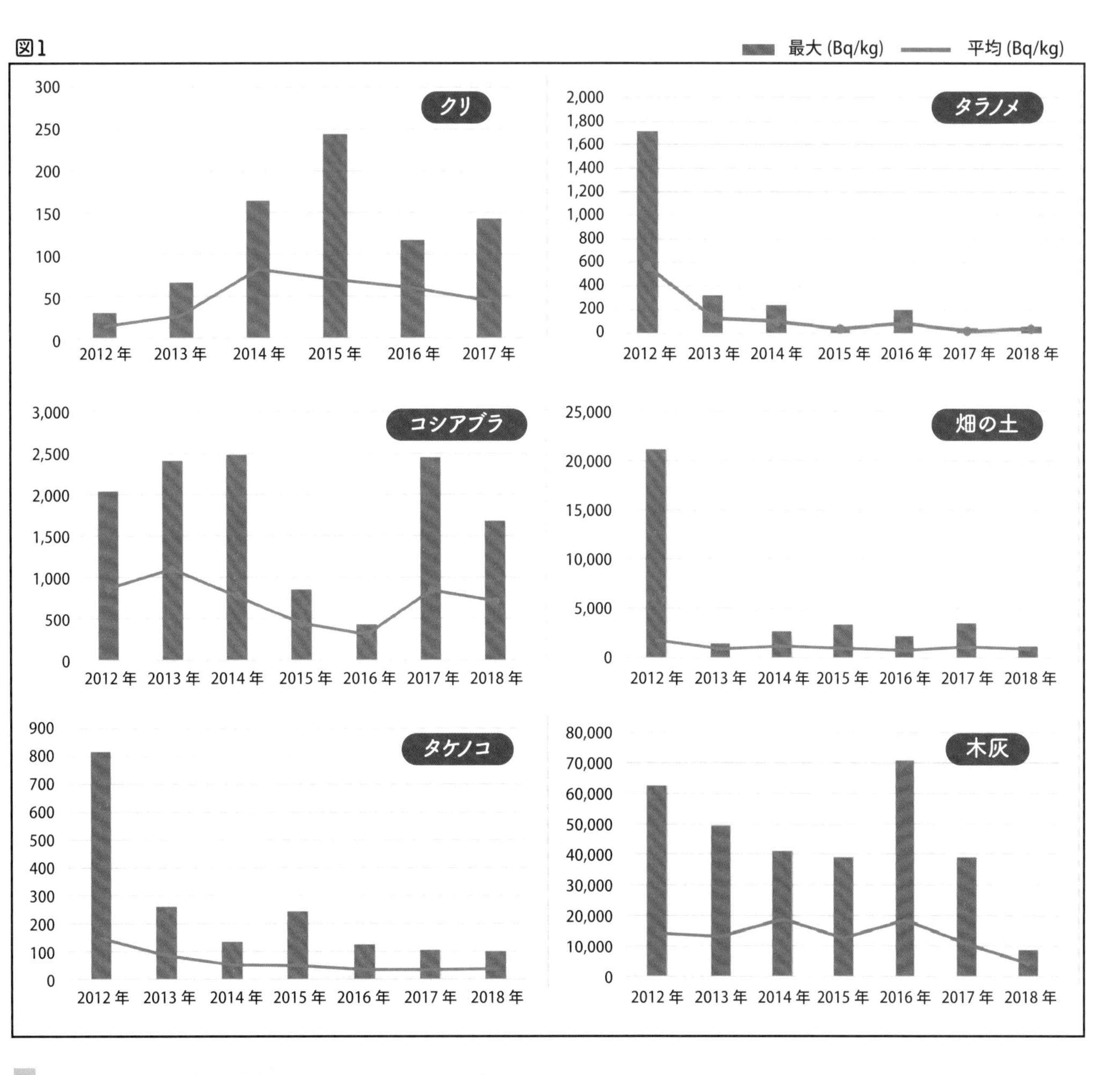

「指定廃棄物」とは　栃木県の現状

指定廃棄物とは、「焼却灰」、「汚泥」、「農林関係副産物」(稲わらなど)などで8,000 Bq/kg以上の汚染廃棄物を指す。「土壌」は廃棄物でないため8,000 Bq/kgを超える汚染があっても指定廃棄物に含まれない。また、「除染で除去した落葉等」も、放射能測定をしていないという理由で、指定廃棄物とされない問題がある(図2)。

全国の指定廃棄物は、環境省の報告によると、2018年3月末時点で208,521 t (トン)あり、福島県が180,707 t (86.7%)、栃木県が12,533 t (6.5%)、前記2県以外の9県の合計が14,276 t

図2　主な指定廃棄物の種類

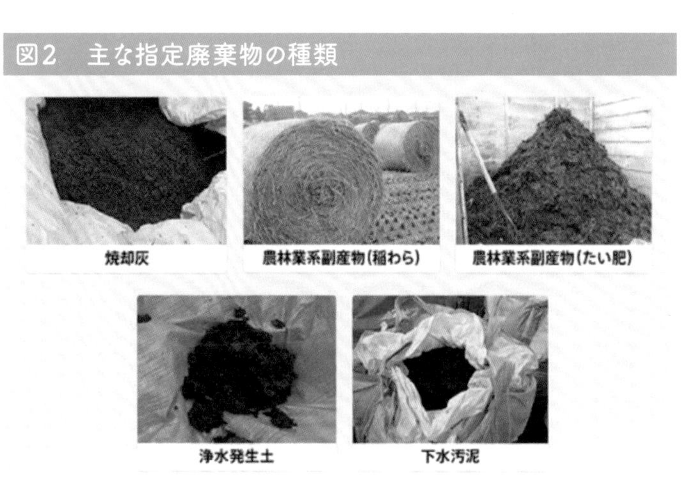

(6.8%)となっている。２番目に指定廃棄物が多い栃木県は、那須塩原市が3,921t(29%)、那須町が3,382t(25%)の2市町が半分以上を占めている(表2)。

栃木県の指定廃棄物の保管場所は、農家123ヶ所、民間事業所17ヶ所、公共施設15ヶ所となっている(図3)。指定廃棄物の最終処分場建設のめどが立っておらず、指定廃棄物を農家や民間事業所に長期間保管する異常な状態が続いている。農家123ヶ所の内115ヶ所は栃木県北の3市町にある。現在栃木県北の３市町は、保管を強いられている農家の負担軽減のため、指定廃棄物を仮置場に集約する検討を開始した。

図3　栃木県の指定廃棄物一時保管者状況(2017年3月時点)

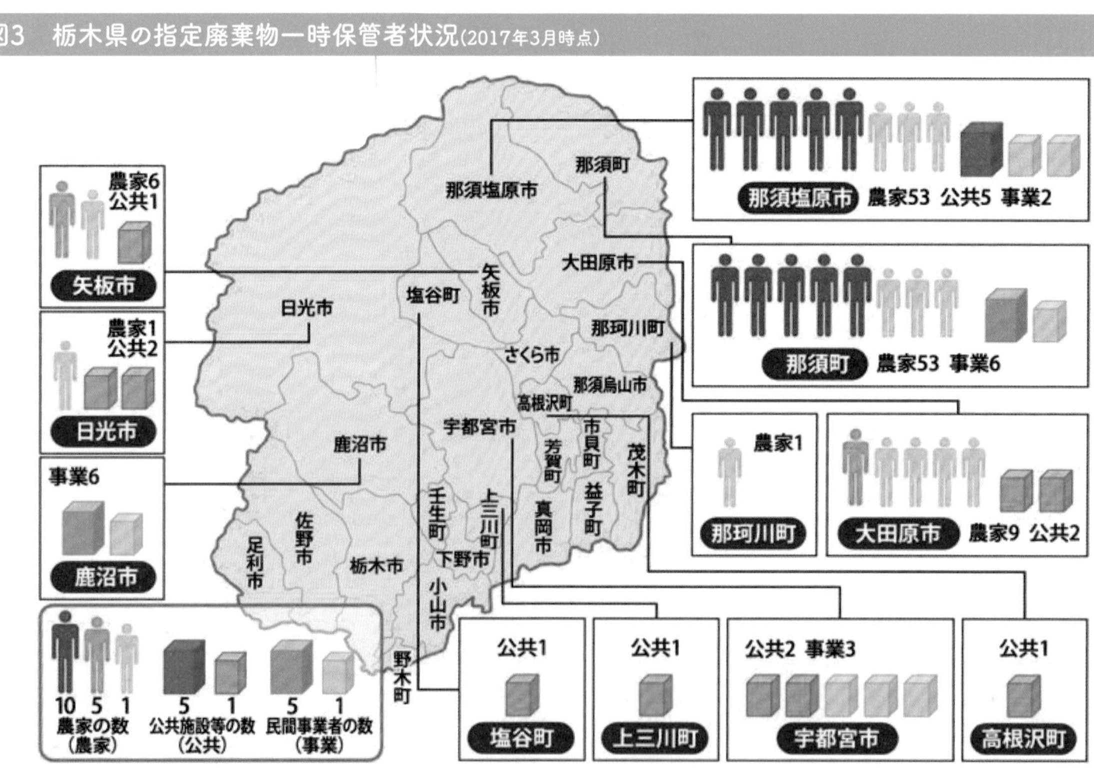

表2　指定廃棄物の数量(平成30年3月31日時点)

都道府県	焼却灰 焼却灰(一般)		焼却灰(産廃)		浄水発生土(上水)		浄水発生土(工水)		下水汚泥 ※焼却灰含む		農林業系副産物(稲わらなど)		その他		合計	
	件	数量(t)	件	数量(t)	件	数量(t)	件	数量(t)	件	数量(t)	件	数量(t)	件	数量(t)	件	数量(t)
岩手県	8	199.8	0	0	0	0	0	0	0	0	0	0	2	275.8	10	475.6
宮城県	0	0	0	0	9	1,014.2	0	0	0	0	4	2,274.4	19	71.8	31	3,360.4
福島県	509	138,535.4	203	3,954.0	36	2,445.2	8	435.1	107	10,748.6	71	5,492.5	169	19,096.4	1,103	180,707.2
茨城県	20	2,380.1	0	0	0	0	0	0	2	925.8	1	0.4	3	229.4	26	3,535.7
栃木県	24	2,447.4	0	0	14	727.5	0※ (1)	0(66.6)	8	2,200.0	27	8,137.0	6	21.3	79	13,533.1
群馬県	0	0	0	0	6	545.8	1	127.0	5	513.9	0	0	0	0	12	1,186.7
千葉県	46	2,719.4	2	0.6	0	0	0	0	1	542.0	0	0	15	449.0	64	3,710.9
東京都	1	980.7	1	1.0	0	0	0	0	0	0	0	0	0	0	2	981.7
神奈川県	0	0	0	0	0	0	0	0	0	0	0	0	3	2.9	3	2.9
新潟県	0	0	0	0	4	1,017.9	0	0	0	0	0	0	0	0	4	1,017.9
静岡県	0	0	0	0	0	0	0	0	0	0	0	0	1	8.6	1	8.6
合計	608	147,262.8	206	3,955.5	69	5,750.6	9	562.1	123	14,930.3	103	15,904.3	218	20,155.2	1,336	208,521.0

※栃木県の浄水発生土(工水)(1件、66.6t)は、上水と兼用の施設で発生した者であり、浄水発生土(上水)に含めた。

放置された「除染土壌」

環境省の報告によると、福島県以外の7県の「除染土壌」は2017年9月末時点で333,329㎥、「除染廃棄物」（剪定枝、落葉等）は142,862㎥ある。栃木県には、除染土壌が110,987㎥（33％）、除染廃棄物は70,574㎥（49％）ある。その内栃木県北3市町の合計で、除染土壌が94,336㎥（県内の85％）、除染廃棄物は69,828㎥（県内の99％）もあり、汚染が集中していることがわかる。栃木県北3市町における保管場所は、除染土壌が22,972ヶ所、除染廃棄物は8,698ヶ所にものぼっている。保管場所は、仮置場には集約されておらず「現場保管」となっており、民家や公共施設の敷地内で保管されている。現場保管されている除染土壌等は、一切管理されていないのが実情である。除染土壌等の保管場所数は、指定廃棄物と比べ200倍以上ある。更に、指定廃棄物は定期的に検査・計測・保守が行われているが、除染土壌等は一切管理されていない。除染土壌等の保管についてあまり知られていないが、栃木県北の住民にとっては大きな問題であり、一日も早く撤去してほしいと願っている。一部の自治体で、除染土壌等の仮置き場への集約の方針が示されたが、仮置場の確保という大きな課題がまだ残っている。

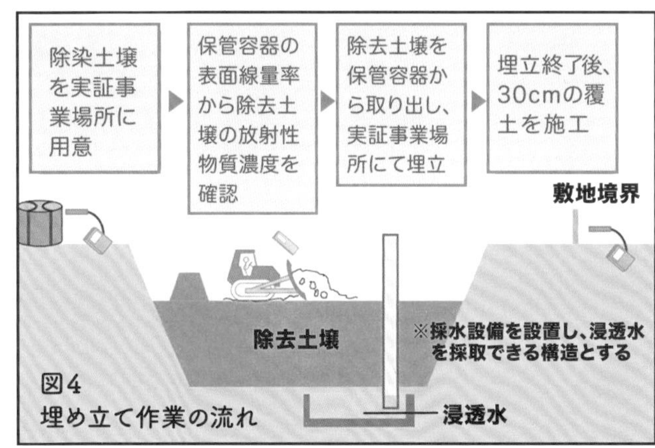

図4
埋め立て作業の流れ

最終処分場や仮置き場などの設置が住民の反対などにより進んでいないため、栃木県北は指定廃棄物や除染土壌などが農家や民家の敷地内に置かれている異常な状態が7年も続いている。福島と同じように放射能で汚染された栃木県北として、放射能対策を一歩ずつ進めていくことが、切実な思いである。

環境省の除染土処分方法の実証事業

2018年秋より、茨城県東海村と栃木県那須町で除染土壌処分方法の実証事業を開始した。環境省は、除染土壌を直接埋設して環境影響がないかを調査し、除染土壌の処分方法の基準化を図るものと説明している。事業の安全性について疑問の声もあるが、除染土壌の処分方法を早く定め、農家や民家の敷地内に置かれている除染土壌等の撤去を一日も早く進めてほしいという声もある。

那須町の事業を実施する広場周辺の未除染部は除染土壌に相当する高汚染土が震災以来地表に置かれたままになっているが、現在までのところ地下水汚染などの問題は起きていない（図5）。事業結果がどうなるか注視するとともに、環境省が作成する除染土の処分方法の指針に問題がないか、長期に渡って注視する必要がある。

図5 那須町伊王野山村広場の空間線量

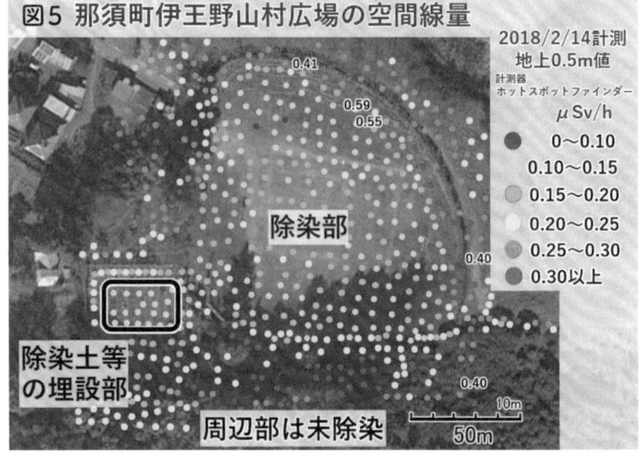

出典

表1：「那須希望の砦」による栃木県北の表土放射能汚染状況（2012年2月）調査結果
表2：環境省・放射性物質汚染廃棄物処理情報サイト、指定廃棄物について、指定廃棄物の数量（平成30年6月30日時点）
● http://shiteihaiki.env.go.jp/radiological_contaminatedwaste/designated_waste/
図1：「那須希望の砦」による放射能経年変化調査結果
図2：環境省・放射性物質汚染廃棄物処理情報サイト、指定廃棄物について、主な指定廃棄物の種類
● http://shiteihaiki.env.go.jp/radiological_contaminatedwaste/designated_waste/
図3：環境省・放射性物質汚染廃棄物処理情報サイト、栃木県における取り組みについてより、栃木県の指定廃棄物一時保管者状況（2017年3月時点）● http://shiteihaiki.env.go.jp/initiatives_other/tochigi/pdf/conference_tochigi_170710_05.pdf
図4：環境省・除染情報サイト、除去土壌の処分について「埋め立て作業の流れ」
● http://josen.env.go.jp/soil/demonstration_project_checklist.html
図5：「那須希望の砦」による那須町内広場の空間線量（2018/2/14）ホットスポットファインダー計測結果
『国土地理院　地理院タイル 全国最新写真（シームレス）』より作成

100 Bq/kgと8,000 Bq/kgの規制および管理の問題について

解析：みんなのデータサイト事務局

原子炉施設内で黄色いドラム缶によって厳重に管理されている放射性物質が100 Bq/kg以上であるのに対して、福島第一原発事故以降、8,000 Bq/kg以下なら自治体任せで汚染物質を一般廃棄物として処分していいこととなり、大きな混乱が拡がっています。今後、路盤材、コンクリートやアスファルトなど、再生利用後はどこに使われたか認識できない形で放射性物質が街中に溢れることも予想されます。なぜ、そのようなことになったのか、環境法や特措法を通して経緯を辿ります。

事故以降続く、恐ろしいダブルスタンダード

福島第一原発事故後、福島市内の堀河町終末処理場の脱水汚泥から放射性セシウムが446,000 Bq/kg（調査日：2011年5月4日）の高濃度で検出された。このことを受けて、当時の原子力災害対策本部は、2011年5月12日に「福島県内の下水処理副次産物の当面の取扱いに関する考え方」を、また、その後次々に明らかにされた福島県以外での汚染実態に対して、同年6月16日に「放射性物質が検出された上下水処理等副次産物の当面の取扱いに関する考え方」を通知した。すなわち、100,000 Bq/kgを超えるものは遮蔽保管、8,000Bq/kg以下のものは通常廃棄物扱い、その中間の濃度の物は適正保管（敷地境界から適正距離を保つ）とし、いずれにしても、処理・輸送・保管に伴い、周辺住民の受ける線量が1 mSv/年を超えないこと、処分施設の管理期間終了以後に周辺住民の受ける線量が10 μSv/年以下であることを通知した。

そして、2011年8月30日に放射性物質汚染対処特別措置法（2012年1月1日施行）が定められた（以下特措法と略記）。福島事故由来放射性物質による汚染状態が8,000 Bq/kgを超えて環境大臣の指定を受けた廃棄物を指定廃棄物と呼び、地震・津波等の対策地域内廃棄物とともに特別廃棄物として国が管理することとなった。一方、8,000 Bq/kg以下の廃棄物は市区町村または排出事業者の責任とされた（図1）。

福島事故が起きる前までは、放射性物質とは「原子炉等規制法に定められた100 Bq/kgを超えるもの」であり、それは厳重にドラム缶に封入してコンクリートなどで遮蔽保管しなければならなかったのである。現在でもこの基準は生きていて、福島事故由来でないものについては100 Bq/kg超なら厳重保管なのである。すなわち、恐ろしいダブルスタンダード状態がずっと続いているのである。

図1 指定廃棄物の処理方法

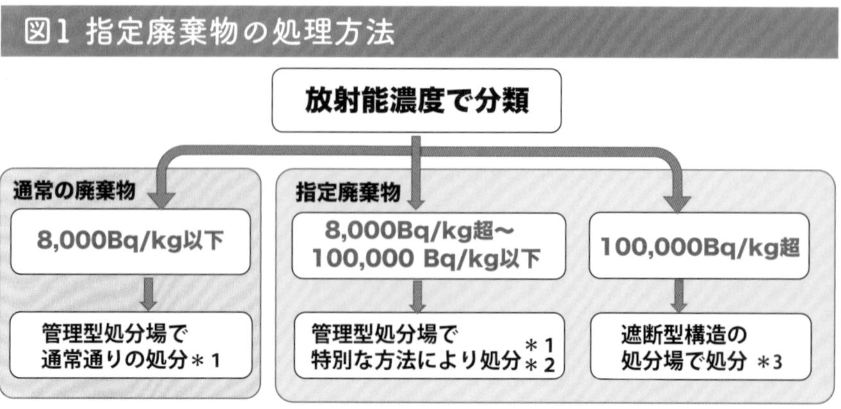

※1：放射性物質汚染対処特措法で安全確保のための基準（焼却灰のセメント固型化など）が決まっています。
※2：国が新たに長期管理施設を設置する場合はコンクリート構造の堅固な施設を設置します。
※3：公共の水域及び地下水と廃棄物が接触しない構造とします。また、福島県では中間貯蔵施設に保管されます。

放射性物質・汚染廃棄物を規制する法制の問題

前述したように、放射性物質の取り締まりについて法規制が場当たり的に決められた背景には、放射性物質に関して、元々「環境」に関する法律から除外して考えるとしてきたこれまでの法律規制の問題が横たわっている。関係する法を並べて見てみよう。

● 環境基本法第13条（平成5年法律第91号）

「放射性物質による大気の汚染、水質の汚濁及び土壌の汚染の防止のための措置については原子力基本法（昭和30年法律第186号）その他の関係法律で定めるところによる」

● 個別環境法における適用除外規定

<大気汚染防止法>（昭和 43 年法律第 97 号）
<水質汚濁防止法>（昭和45 年法律第 138 号）
<海洋汚染等及び海上災害の防止に関する法律>
（昭和 45 年法律第 136号）
<環境影響評価法>（平成9年法律第 81 号）

● 廃棄物の処理及び清掃に関する法律（「廃棄物処理法」）第2条第1項

「この法律において「廃棄物」とは、ごみ、粗大ごみ、燃え殻、汚泥、ふん尿、廃油、廃酸、廃アルカリ、動物の死体その他の汚物又は不要物であって、固形状又は液状のもの（放射性物質及びこれによって汚染された物を除く。）をいう」

● 原子炉等規制法におけるクリアランス制度（2005年5月参議院本会議可決）

原子力発電所の運転・解体に伴って発生する解体物（放射性廃棄物）の中には、放射能濃度が極めて低く、人の健康への影響が無視でき、「放射性物質として扱う必要がない物」が含まれている。これらを測定・評価し、放射能濃度基準値以下であることを確認したものを、一般資材として普通の廃棄物と同様に再利用、または処分することができる制度を「クリアランス制度」と呼ぶ。クリアランスレベルの目安線量は、0.01 mSv/年（10 μSv/年）となる放射能濃度と定められている。

廃棄物を再生利用した製品が、日常生活を営む場所などの一般社会で、様々な方法（例えばコンクリートを建築資材、金属をベンチなどに再生利用）で使われても安全な基準として、放射性セシウムについて 100 Bq/kg未満と定められている。

※核原料物質、核燃料物質及び原子炉の規制に関する法律第61条の2第4項に規定する精錬事業者等における工場等において用いた資材その他の物に含まれる放射性物質の放射能濃度についての確認等に関する規則第2条

これに対して、東日本大震災・東京電力福島第一原発事故をきっかけに、2つの「特措法」が公布・施行されたことで、放射性物質の規制について法制度的な混乱が広がった。

（1）災害廃棄物処理特措法（2011年8月9日成立、同月18日公布・施行）

東日本大震災により生じた災害廃棄物の処理に関する特別措置法　「管轄官庁：環境省」

【法の趣旨・目的】国が被害を受けた市町村に代わって災害廃棄物処理の特例と国が講ずべき措置を定める。6つの措置を明文化。

①仮置場及び最終処分場の確保のための広域的協力要請
②再生利用の促進等
③災害廃棄物処理契約に関する統一的指針の策定
④アスベストによる健康被害の防止等
⑤海に流出した災害廃棄物の処理指針の策定とその早期処理等
⑥津波廃棄物等による感染症・悪臭の発生の予防・防止等に必要な措置。

当初、「放射性物質に汚染されていない」災害廃棄物を想定してつくられた1つめの特措法は、「広域処理」をするにあたって、「放射性物質に汚染された」災害廃棄物処理方針を立てざるを得なくなり、焼却処分を中心とした処理処分方針が発表されることとなった。

◆（焼却して）8,000 Bq/kg以下（となる）の「主灰」「飛灰」⇒管理型処分場に埋立処分。

※可能な限り「主灰」（ゴミを燃やした後に残る燃えがら）と「飛灰」（ろ過式集じん器＝バグフィルターなどで捕集された細かいホコリ状の灰）の分別埋立。

◆（焼却して）8,000 Bq/kgを超える（となる）の「主灰」「飛灰」⇒管理型処分場に一時保管。

◆ 当面の間、受入側での災害廃棄物の焼却処理により生じる焼却灰の放射性セシウム濃度が8,000 Bq/kg以下となるよう配慮。

また、福島県内においてはこの処理方針を除外し、「可燃物」はバグフィルターおよび排ガス吸着能力を有している施設では焼却可能という方針を立て、8,000 Bq/kg以下の「主灰」は「一般廃棄物管理型処分場」すなわち各自治体の通常のごみ処理場における埋立処分が可能という通知を出した。後に他県でも同様の通知を出したことにより、高濃度の放射性廃棄物が回収されることなく各自治体で処分されることとなり、草津町のように埋立地（一般廃棄物最終処分場）の浸出水から原子炉の排水基準を超える放射性セシウムが検出される事件も起きている。

焼却処理すると放射性セシウムの値は焼却前の約200倍になるため(第3章参照)、この通知により各地の清掃工場には想定外の濃度の飛灰と主灰が残ることとなった。一例として2011年に実施された「東京都23区清掃工場の放射能濃度測定結果」をあげる（図2）。

一般的に「飛灰」は「主灰」よりも放射能濃度は高い。焼却炉の方式や運転方法によっても異なるが、その差は数倍〜数十倍である。図では土壌汚染の高かった東葛地区の値が高いことが見て取れる。

災害廃棄物処理特措法に遅れること17日、「放射性物質」という文言が入った特措法、放射性物質汚染対処特措法[下記(2)]がやっと成立、そして施行された。しかしながら、既に各地で、放射性物質で汚染した災害廃棄物の広域処理が始まった後であり遅きに失したと言わざるを得ない。

(2)放射性物質汚染対処特措法(2011年8月26日成立、同月30日公布、一部を除いて同日施行、2012年1月1日完全施行)

平成23年3月11日に発生した東北地方太平洋沖地震に伴う原子力発電所の事故により放出された放射性物質による環境の汚染への対処に関する特別措置法「管轄官庁：環境省」
【法の趣旨・目的】放射性物質による環境汚染への対処に関し、「国」、「地方公共団体」、「関係原子力事業者」等が講ずべき措置等について定めることにより、環境への汚染による人の健康または生活環境への影響を速やかに低減する。

ようやく手をつけた放射性物質にかかわる一部の法改正

2012年6月20日、特措法が完全施行となった半年後、ようやく「環境基本法第13条」(前述)が「原子力規制委員会の附則」の形で削除となった(6月27日公布)。「福島第一原発事故と類似の問題に対応することを念頭におき、環境法体系の下で放射性物質による環境の汚染の防止のための措置を行なうことができることを明確に位置づけるため」だった。

また2013年4月19日には、「大気汚染防止法および水質汚濁防止法(※前述)について、放射性物質に係る適用除外規定を削除し、環境大臣が放射性物質による大気汚染・水質汚濁の状況を常時監視することとする。」、「環境影響評価法(※前述)について、放射性物質に係る適用除外規定を削除し、放射性物質による大気汚染・水質汚濁・土壌汚染についても環境影響評価を行なうこととする。」と改められた(文献1)。しかし、環境基準は定められず、特に排出基準では原子炉等規制法による原発を含めた原子力施設の基準がごみ焼却施設や最終処分場排水などに適用されている。

環境省は監視するといいながら、監視体制も規制体制も出来ていない。従来の環境汚染物質では都道府県や政令都市、中核市が手厚い監視と規制の体制を組んできたが、それを無視して国が直接に監視と規制を行うことは不可能である。また、個別環境法の「土壌汚染対策法」「農用地の土壌の汚染防止に関する法律」「廃棄物の処理及び清掃に関する法律」(廃棄物処理法)など、土壌・廃棄物に関する法律からは除外規定が削除されないまま、クリアランスレベル(100 Bq/kg)を超える放射性物質の定義を、単なる通達で「8,000 Bq/kg以上」と読み替えるという手段を用いている。

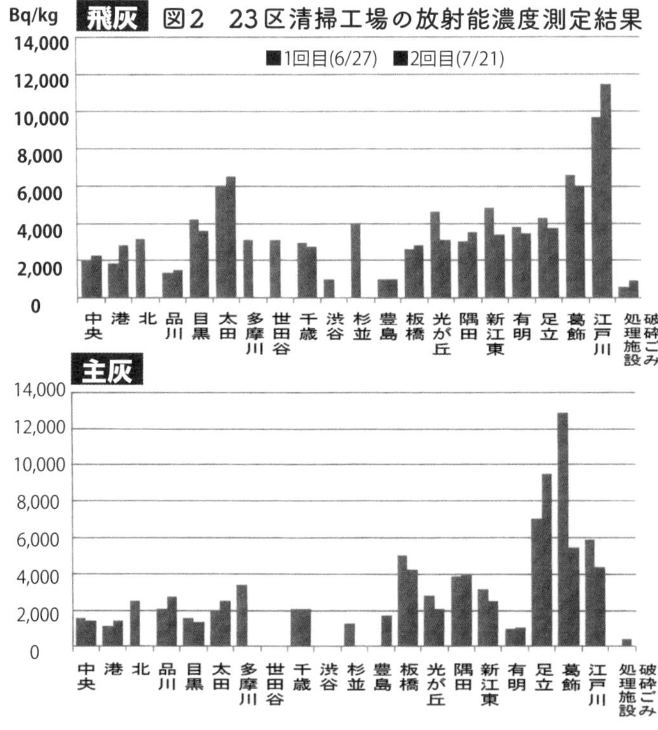

図2　23区清掃工場の放射能濃度測定結果

環境省の見解

最後に、100 Bq/kgと8,000 Bq/kgの二つの基準の違いについて、環境省廃棄物・リサイクル対策部が、見解を述べているので見ておこう(文献2)。

「『廃棄物に含まれる放射性セシウムについて、100 Bq/kgと8,000 Bq/kgの二つの基準の違いについて説明します。ひとことで言えば、100 Bq/kgは「廃棄物を安全に再利用できる基準」であり、8,000 Bq/kgは「廃棄物を安全に処理するための基準』です。」としている。基準が80倍になっても「安全に処理する」と言い分けるこの監督官庁に、私達は管理を委ねているのである。これ以上の放射性物質の拡散を防がねばならない。

出典
図1：環境省　放射性物質汚染廃棄物処理情報サイト　指定廃棄物について「指定廃棄物の処理方法」
● http://shiteihaiki.env.go.jp/radiological_contaminated_waste/designated_waste/
図2：千葉県弁護士会シンポジウム「放射性物質汚染廃棄物の処理処分問題を考える～放射能汚染から地域の環境と命を守るために～」
放射性物質動向をめぐる全国の動向　藤原寿和　Ⅲ焼却灰等の放射能濃度等測定の経緯と結果
文献1：千葉県弁護士会シンポジウム「放射性物質汚染廃棄物の処理処分問題を考える～放射能汚染から地域の環境と命を守るために～」
放射性物質汚染廃棄物をめぐる法制の問題　山口仁　7. 放射性物質に関する環境法制の見直し
文献2：環境省廃棄物・リサイクル対策部「100Bq/kg と 8,000Bq/kg の二つの基準の違いについて」
● https://www.env.go.jp/jishin/attach/waste_100-8000.pdf

深掘り！測定室eyes

ホットスポットファインダーによる空間線量率測定とその冊子化

解説：HSF市民測定所・深谷（埼玉県）

みんなのデータサイトに参加している全国の測定室は、それぞれが様々な測定・解析に取り組んでいます。HSF深谷では、ホットスポットファインダーというGPS連動型の空間線量計を用いて公園などを多数測定し、その結果を公開しています。HSFを持ちゆっくり歩きながら測定するので、1つの公園で1日～数日かかる地道な作業です。

HSF測定の様子

除染要請件数は30件！

2013年秋より、GPS連動型の空間線量計ホットスポットファインダー（HSF）による空間線量の測定を、埼玉県内の公園をメインに実施している。これまでに測定した公園（観光施設）は埼玉県63市町村306件、群馬県26件、栃木県4件、茨城県1件、合計337件におよび、その結果はインターネットで公開するとともに、地域別の小冊子「公園放射線マップ」全15冊にまとめ、無償配布している。

測定は、機器（HSF）を地上5 cm高に保ち徒歩で移動しながら、中規模の公園で1日、大規模公園で3～4日かけて実施している。統計調査ではないので、子どもの集まる場所や、人が利用する場所を丁寧に測定する。そして、空間線量率が高めの場所に関しては、周囲を細かく測定し、その市町村の除染基準、あるいは国の除染基準0.23 μSv/hを超えた場合は、公園管理事務所や市町村に除染を要請している。要請件数は、埼玉県24件、群馬県6件である。除染基準が0.23 μSv/h以下の自治体はほとんど除染に応じたが、基準が1 μSv/hの自治体だとそのまま放置された。

ホットスポットの大半は、舗装された広い駐車場の周囲で発見された。雨が集まり、土がたまっている場所である。斜面の下もホットスポットのできやすい場所である。埼玉県でも、雨水がたまりやすい場所ではホットスポットが生まれている。

2018年10月現在、福島原発事故で環境中に放出された放射性セシウムは物理的な減衰によって46%にまで低減した。そして、測定される空間線量率はHSF測定の経験から試算ではおおむね29%にまで減少している。そうした意味では、すでに空間線量率だけでは汚染状況を判断できない状況になりつつある。とはいえ、日本政府の除染基準は空間線量率だから、これを無視するわけにもいかない。現在は土壌測定と併行しながら、空間線量率の測定活動を行なっている。

図1 小冊子「公園放射線マップ」の表紙（No.10-15）

図2 【大宮第2公園ホットスポット】2016年5月20日
広い駐車場の周囲の植え込み。5年間にわたり、隅に溜まった土をかき上げて積んだとのこと。通報を受けて1m近く掘って除染したという。空間線量率は、1.089 μSv/hが0.142 μSv/hになった。

森の放射能汚染
薪や木灰による被ばくの危険性

●解説：未来につなげる・東海ネット 市民放射能測定センター（C-ラボ）（愛知県）

薪や炭などの森のエネルギーは、ストーブや調理やレクリエーションなどで広く用いられ、私達の生活に深く入り込み、日常的に使用されています。福島第一原発事故後は、薪などを燃やした灰の汚染が深刻な被ばくをもたらすため、細心の注意をする必要が生じています。食品ではないため、国の測定数は少なく、注意喚起もあまり行なわれていません。みんなのデータサイトでは、早くからこの問題に注目し、測定を行なって来ました。測定データに基づき、汚染の危険性について報告します。

森林内における放射性セシウムの分布

福島第一原発事故後、一旦環境中に放出された放射性セシウムは、私達の暮らしの中に深く入り込んでいる。林野庁による「平成28年度森林内の放射性物質の分布状況調査結果について」の中から、福島県の森林内のスギ育成林やコナラ天然生林について、

- 葉、枝、樹皮、辺材（樹幹の外周の色の淡い部分、水分の通り道）
- 心材（辺材より内側の色の濃い部分、水分を送る機能を失って樹幹を支える）
- 落葉層
- 土壌の深さに応じた４区分（0-5 cm、5-10 cm、10-15 cm、15-20 cm）

に応じて測定された2011年から2016年までの放射性セシウム濃度の年平均推移を、2か所の森林について抜粋し図1に示した。

川内村は汚染レベルが高く、スギ林については、2011年8月の調査で、葉339,000 Bq/kg、枝115,000Bq/kg、樹皮29,900 Bq/kg、辺材406 Bq/kg、心材159 Bq/kg、落葉層319,000 Bq/kgで、土壌は上層から20,900、600、200、100 Bq/kgであった。大玉村のコナラ林（落葉樹）は事故当時まだ葉がついていなかったため、落葉層への沈着が大きく、55,200 Bq/kgだった。

樹木の放射性セシウムは、事故直後は樹木の

図1　部位別放射性セシウム濃度の経年変化

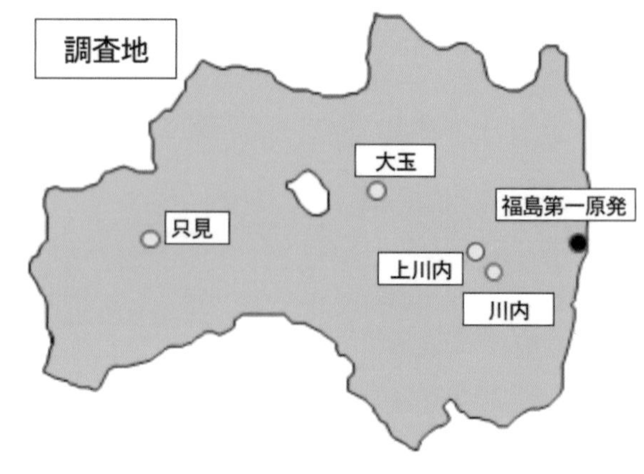

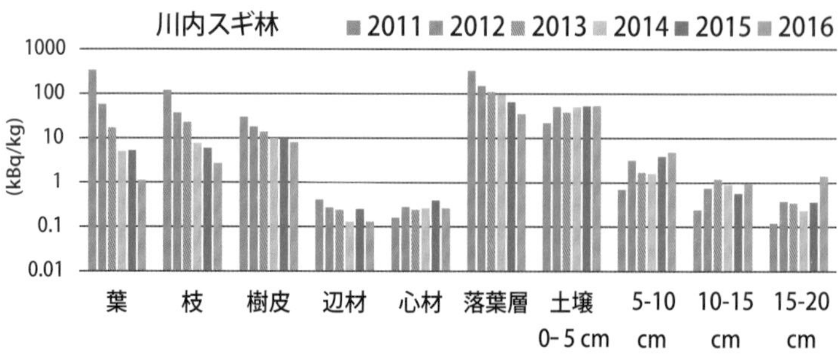

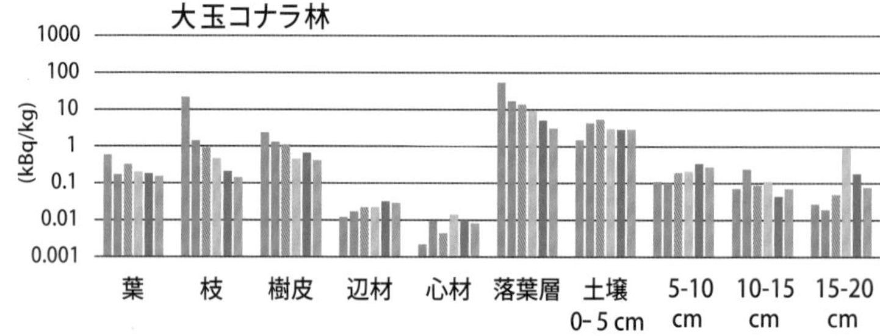

葉面や枝・樹皮及び落葉層への沈着が主であったが、時間の経過とともに転流（樹林体内部での物質の移動）や吸収によって樹木内部に移動した。

一方、土壌については0-5 cm層に留まり続けている。2年目の2012年に落葉層などからの移流によって一旦上昇し、その後は自然減衰（物理的半減期に従った減衰と、風雨などによる土壌の移動）に従っているように思われる。したがって、森林内における放射性セシウムの分布は、土壌の割合が増加して、2016年には全体の81〜91%となった。落葉層は全体の6〜18%、葉と枝は全体の0.4〜2%であり、森林全体としては放射性セシウム濃度について、自然減衰以外の大きな変動がない状況にあると考えられる。
この傾向が現在も山野草や野生獣肉の放射能汚染が続く要因であると推測されるが、森林から切り出された薪材の汚染も長く続くことが予想される。

薪を燃やした灰には、最大200倍に濃縮されたセシウムが！

薪を燃やしたときの灰の生成量は薪の重量に対して0.5%であり、すなわち薪を燃やすと薪の中に含まれる放射性セシウムは200倍濃縮される。このため特措法（3章参照）においては、一般廃棄物処分場に埋め立ててもよいとされた8,000 Bq/kg に対して、調理加熱用の薪の基準値は40 Bq/kgとされている。

みんなのデータサイトの環境試料サイトには、「灰」のデータ（測定期間：2012年1月30日〜2018年6月12日、22都道県にわたる合計384件）が含まれている。表1に、地域別放射性セシウム濃度の中央値の高い順に、最大値、最大値の測定日および、最大値を2018年8月1日現在へ換算した値を示した。換算値は、現在でも、汚染林から調達した薪や置き材を燃やすと、このレベルの放射性セシウム濃度が検出される可能性があることを示している。栃木県、福島県、宮城県では、8,000 Bq/kgを超える灰が生じる可能性が示唆された。

また、これら3県のほかに比較的データ数の多い埼玉県、長野県、群馬県について、灰の放射性セシウム濃度の経年推移を図2に示した。地域（県）毎の測定件数にばらつきはあるが、ほぼ横ばいもしくは漸減の濃度推移を示した。Cs-137：Cs-134が事故当初の2011年3月に1:1であったのに対して、2018年6月には1:0.1であり、放射性セシウム合算値としては事故後約7年で46%にまで物理的減衰をしている。にもかかわらず灰の中の放射性セシウム濃度の減少傾向が小さいのは、汚染した木材などの燃焼や焼却が増えていることを示しているように思われる。事故後利用を避けていた材やため込んでいた枝葉など、可燃物が処分または利用されているのであろうか。

表1：みんなのデータサイト　灰の地域別放射性セシウム濃度検出状況

都県名	件数	中央値 (Bq/kg)	最大値 (Bq/kg)	最大値の測定日	最大値を2018/8/1現在値に換算(Bq/kg)
栃木県	122	7,798	70,700	2016/1/15	59,639
茨城県	5	1,759	2,910	2014/4/11	2,045
群馬県	24	1,671	7,590	2014/1/21	5,215
福島県	10	951	49,400	2017/2/21	45,543
埼玉県	78	564	3,440	2013/3/29	2,108
静岡県	1	494	494	2013/3/6	321
神奈川県	8	444	1,084	2012/2/14	545
山形県	8	418	1,596	2015/8/8	1,311
岩手県	5	398	1,104	2013/2/28	928
千葉県	2	350	386	2013/1/26	235
宮城県	18	234	17,731	2013/5/10	11,353
山梨県	1	199	199	2014/3/30	138
東京都	4	183	327	2013/2/2	202
秋田県	2	120	165	2016/8/18	150
奈良県	2	113	130	2013/12/13	98
長野県	50	74	7,330	2017/2/3	6,712
新潟県	8	30	351	2014/6/5	233
岡山県	4	20	105	2018/2/2	97
富山県	5	12	1,910	2015/3/20	1,767
愛知県	1	N/D	—	—	—
岐阜県	1	N/D	—	—	—
北海道	1	N/D	—	—	—
国産	1	64	64	2014/5/27	58
海外	3	2,748	3,439	2014/12/1	3,142
不明	20	505	53,200	2014/12/20	40,352

N/D: 検出下限値未満

国が2005年に原子炉等規制法で定めたクリアランスレベルは100 Bq/kgである（3章参照）。核施設廃棄物中の放射性物質の裾切り値として、これ以下は人体に影響がないとする10 μSv/年が担保される濃度が100 Bq/kgであるとしている。17都県に限らず、調査された地域の約70%で100 Bq/kgを超えた灰が出ている。

図2　みんなのデータサイト：灰の放射性セシウム濃度の経年推移

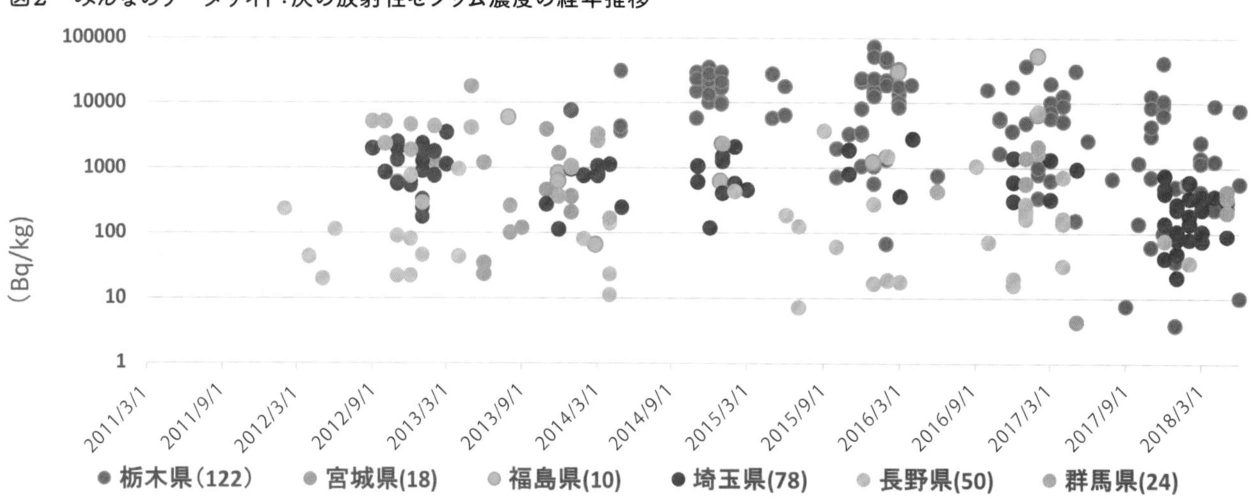

灰からの被ばく

灰からの被ばくに関して、環境省は「薪ストーブ等の使用に伴い発生する灰の被ばく評価について」を示しているので、薪ストーブに関する抜粋を表2に示した。薪ストーブや薪風呂使用時の被ばく実態を予測・仮定し、年間被ばく線量を算出するための基礎資料だ。煙突から排出される煤塵が入っていないなど欠陥ありありの計算プログラムであり、被ばく実態はすべて推測に基づくため、正確性に欠け且つ実態と離れることもあろうが、これを使用して一つの目安として計算を試みた。なお、表2は薪ストーブの使用を年間3,650時間としたが、その根拠を「年8か月間薪ストーブを使用すると仮定。そのうち、6か月間は就寝時を除く18時間、2か月間は6時間（朝2時間、夜4時間）使用する。18×365×6/12ヶ月+6×365×2/12ヶ月≒3,650 時間/年」とした。

表1に示した2018年8月1日現在換算の最大値で、59,639 Bq/kgの灰が出る薪ストーブを使用した場合の年間被ばく線量を計算してみる。

同日には、Cs-134/Cs-137の比は0.1となるため、表2から1Bq/kgの灰から受ける年間被ばく線量（mSv

表2：薪ストーブ等の使用に伴い発生する灰にかかる評価経路

No.	評価対象		線源	対象者	被ばく形態	備考
1	薪ストーブ	使用時	ストーブの受け皿にある灰	成人	外部	8ヶ月使用すると仮定
2				子ども	外部	
3		薪をくべる作業	ストーブの受け皿にある灰	成人	外部	
4				子ども	外部	
5		灰出し作業	ストーブの受け皿にある灰	成人	外部	
6					粉塵吸入	
7				子ども	外部	
8					粉塵吸入	
9					直接経口	
10		保管中の灰の周辺居住	保管中の灰	成人	外部	使用期間中、常に一斗缶半量が保管されていると仮定
11				子ども	外部	

対象者ごとの各評価経路結果の重量

対象経路No.	経路略称	灰中濃度あたりの年間被ばく線量（mSv/y per Bq/kg）		
		Cs-134	Cs-137	Cs(134+137)
1, 3, 5, 6, 10	薪ストーブ＋灰の保管（成人）	8.0×10^{-7}	3.4×10^{-7}	3.9×10^{-7}
2, 4, 7, 8, 9, 11	薪ストーブ＋灰の保管（子ども）	1.1×10^{-6}	4.6×10^{-7}	5.2×10^{-7}

（Cs-134/Cs-137比＝0.1）

/年)は、成人で3.9×10^{-7}、子どもで5.2×10^{-7}であるので、成人0.023 mSv/年(=$3.9\times10^{-7}\times59{,}639$)、子ども0.031 mSv/年(=$5.2\times10^{-7}\times59{,}639$)と見積もられる。食品からの被ばく線量が下がってきている今、侮れない被ばく線量である。100 Bq/kgの灰の場合の年間被ばく線量は、成人で0.000039 mSv/年、子どもで0.000052 mSv/年と計算された。

なお、特定のストーブや釜を使用せず、直接野外で燃やす焚き火などは、さらに吸入被ばくや皮膚への沈着被ばくが考えられるため、さらなる注意が必要である。また、図3に灰の種類別放射性セシウム濃度を示した。単なる木灰より草木灰の放射性セシウム濃度が高い傾向にあった。草木灰の次に「中央値」が高い傾向にあったのはペレット灰である。ペレット灰の測定件数は少ないが、この中には富山市内の市民測定室「はかるっちゃ」で測定されていたものが含まれ、次のようなコメントが付記されている。「岐阜県で生産されたペレット燃料による灰なのですが、ペレット燃料原材料に北欧材の木粉が含まれていたのではないかと推測されています。チェルノブイリ原発事故の放射能汚染が残っている北欧材が家具や床・柱材として輸入され、それらの加工の際に出る木粉が回収されてペレット燃料になったのではないかと考えています」。

今後も長く続く灰のセシウム汚染

薪ストーブや薪炊きの風呂には心癒されるものがある。しかし、それに着火する時には、薪やペレットの産地は何処か、製造が事故前か事故後か、たとえ事故前のものであっても屋内保存だったか屋外保存だったかなどいろいろな条件や状況についてチェックしてほしい。時々は焼却灰の放射能を測って安全を確認しておきたい。Cs-134があらかた減衰して消えてしまって、今後は半減期30年のCs-137の汚染が長く続くことを忘れてはいけない。

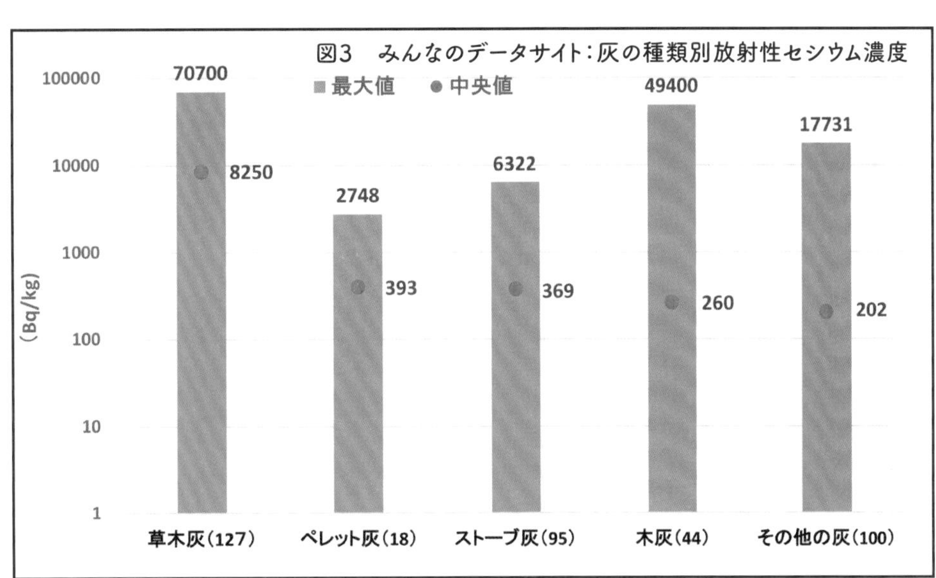

出典

図1:林野庁「平成28年度森林内の放射性物質の分布状況調査結果について」から作成、平均値、検出下限値未満は検出限界下限値を表示。
●http://www.rinya.maff.go.jp/j/kaihatu/jyosen/attach/pdf/H28_jittaihaaku_kekka-1.pdf
図2:みんなのデータサイト・環境試料データによる灰の放射性セシウム濃度の経年推移。
図3:みんなのデータサイト・環境試料データによる灰の種類別放射性セシウム濃度。
表1:みんなのデータサイト・環境試料データによる灰の地域別放射性セシウム濃度検出状況。
表2:日本原子力研究開発機構安全研究センター「薪ストーブ等の使用に伴い発生する灰の被ばく評価について」(2012年4月6日)。●http://www.env.go.jp/jishin/rmp/attach/no120119001_eval-app.pdf

チェルノブイリと福島　2つの事

福島原発事故による事故直後の放射能汚染の広がり（2011年3月）

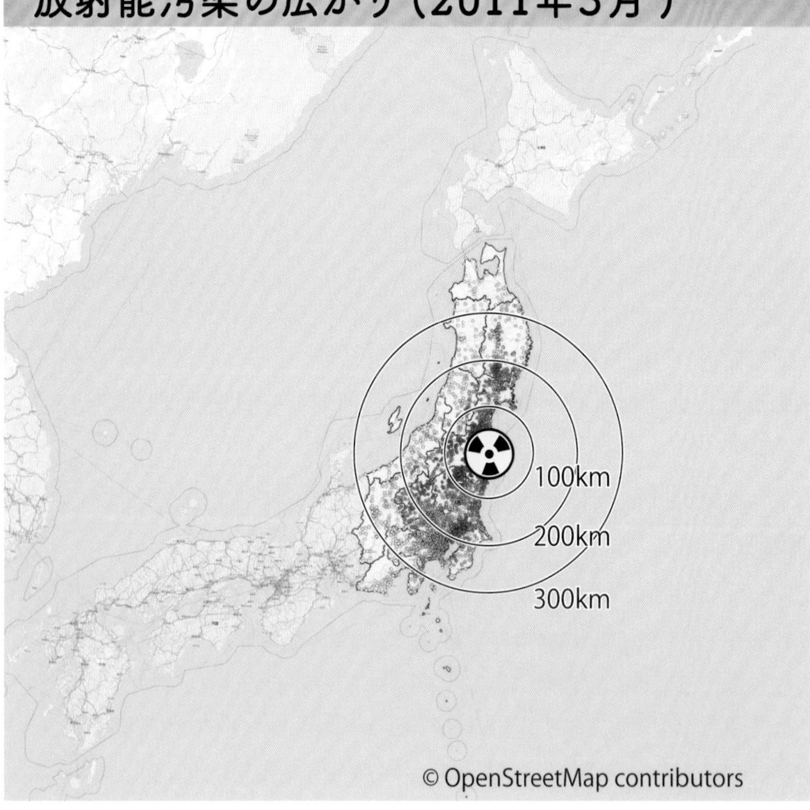

チェルノブイリ原発事故に

地図の表示法について

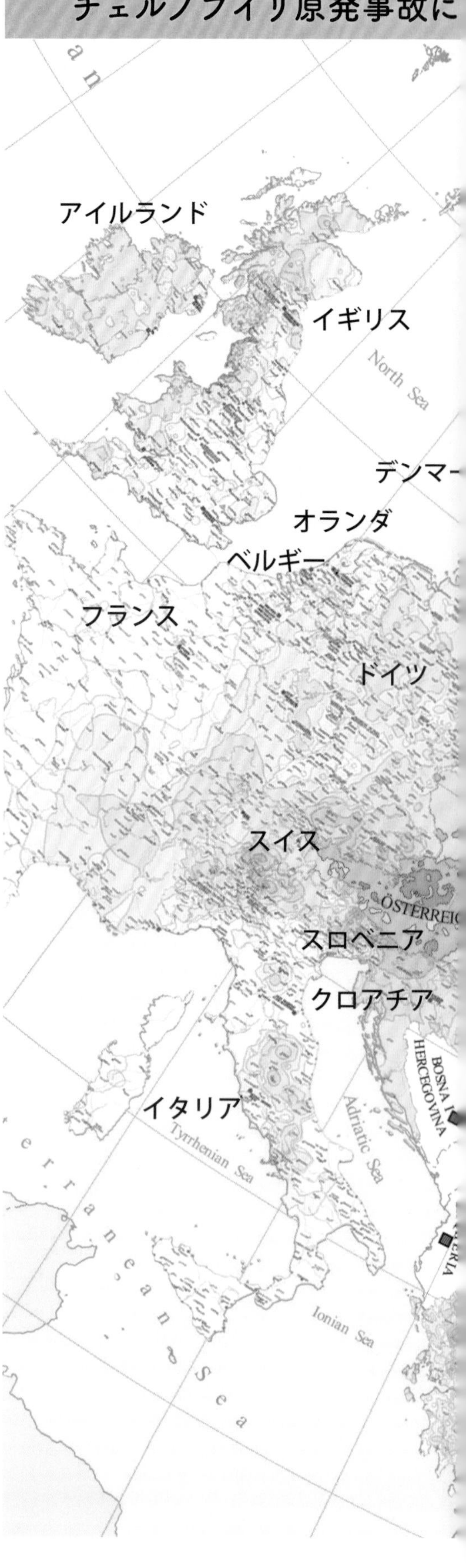

【日本】
Googleマップ最新版(2018年8月〜)の地球儀表示に準じてOpenStreetMap(メルカトル図法)を変形した。
【チェルノブイリ(ヨーロッパ)】
面積と方位が正確に表される「ランベルト正籍方位図法」が採用されている。ヨーロッパ図は、各国の汚染マップをもとにデータサイトがつなぎ合わせて作成したオリジナルのマップ。白抜き部分は、国としての汚染地図が公開されていない。

- 面積が比較できるよう100kmごとの同心円を表示。
- 表示の単位はkBq/㎡。
- 核種はセシウム137のみの数値を採用。
- 汚染の値は、それぞれ事故直後(チェルノブイリは1986年5月、日本は2011年3月)の値に減衰補正した数値で表示。
  ※測定数値は、過去の核実験由来で放出された放射能も含んだ数値。

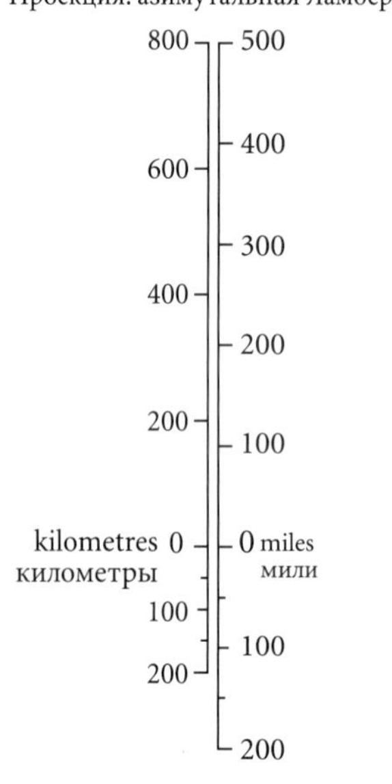

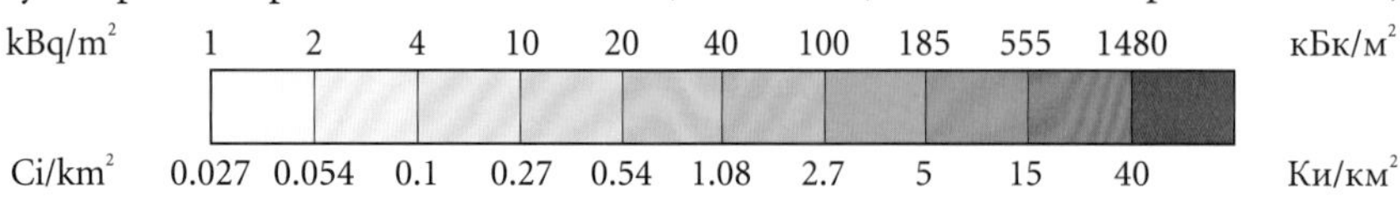

汚染の濃さ・広がりを比べる

■直後の放射能汚染の広がり（ヨーロッパ）(1986年5月）

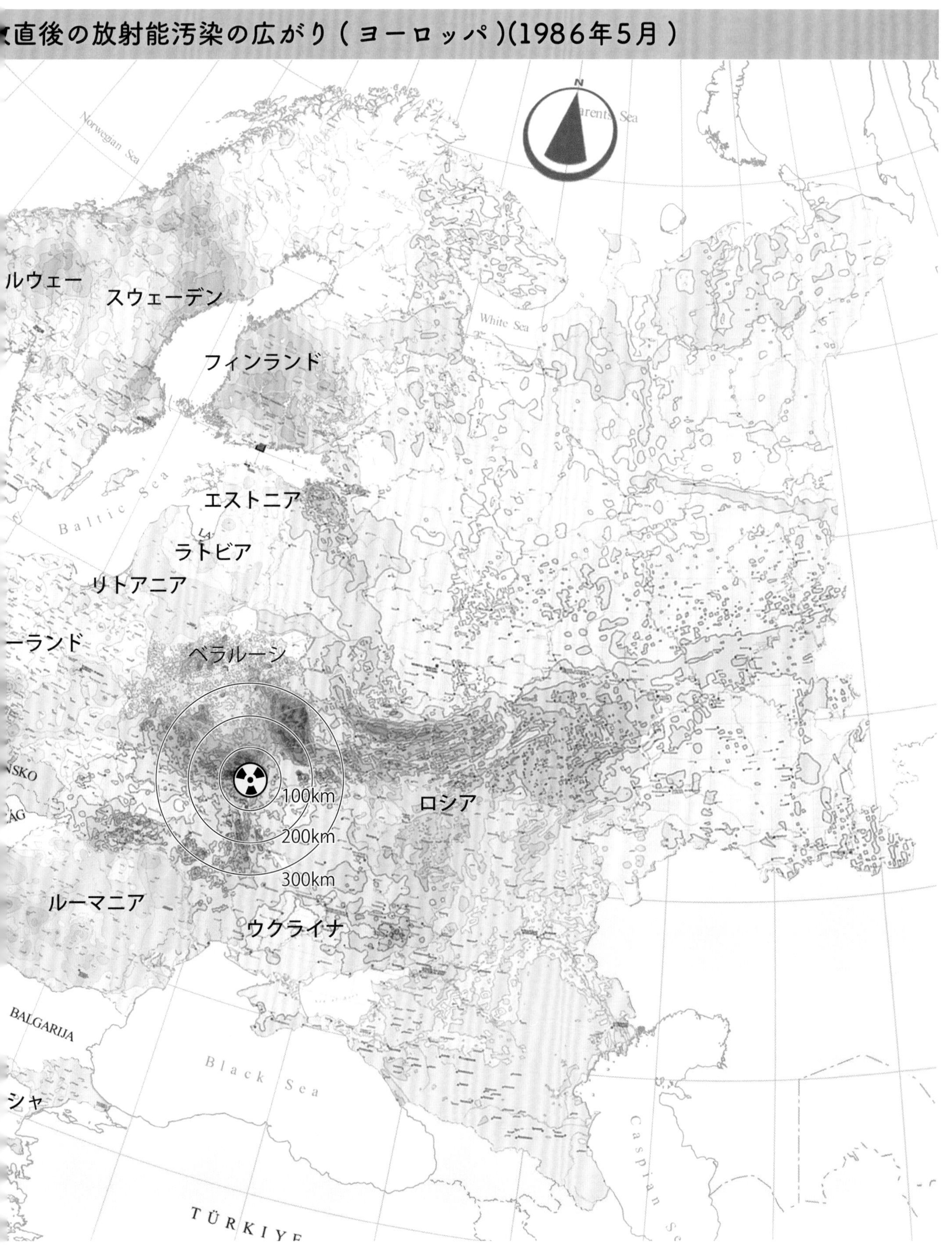

「チェルノブイリ原発事故」と「東京電力福島第一原発事故」を比較する

C－ラボ 未来につなげる・東海ネット 市民放射能測定センター

●解析：未来につなげる・東海ネット 市民放射能測定センター（C-ラボ）

福島原発事故を語る時、必ず引き合いに出されるのが、チェルノブイリ原発事故です。国際原子力事象評価尺度（International Nuclear and Radiological Event Scale）INESでは、この2つの事故が最大尺度の「レベル7」（＝放射性物質の重大な外部放出による深刻な事故）とされています。何がどう重大で、異なっていることは何なのかを解析します。前のページに掲載された、2つの事故の汚染度と広がりを比較したオリジナルマップを参照しながらお読みください。

「原子炉」で生成される放射性物質の種類

ウランやプルトニウムが、爆弾として使用されようが、原子炉の中で使用されようが、核分裂によってそこで新たに造られる放射性物質は、エネルギーの大きい「質量数が95前後と140前後の核種」が多いことに違いはない。よく話題になるヨウ素131（半減期8.04日）（以下I-131）やセシウム137（同30.2年）（以下Cs-137）やストロンチウム90（同28.9年）がそれである。

また、ガス状のものや揮発しやすく大気によって拡散・長距離輸送されやすい核種に着目すると、核分裂直後はI-139（同2.3秒）、I-138（同6.46秒）、I-137（同24.5秒）や、クリプトン92（同1.85秒）、クリプトン91（同8.57秒）、キセノン141（同1.73秒）（以下Xe-141）など半減期の短い核種の影響が大きい。数日後には、Xe-133（同5.25日）やI-131などの影響が大きくなる。半減期が8日となるI-131で、ようやく実測が可能となるが、Xe-133を捉えるのはなかなか難しく、推計で求められることが多い。年単位では半減期の長いCs-137が広範囲に長く環境中に残ることになり、被ばくへの関与も大きい。

なお揮発性でない放射性物質で、半減期の長いストロンチウム90や核燃料物質中に生成するプルトニウム239（同2万4千年）やプルトニウム240（同6,500年）は、事故炉周辺や放射性粉塵などの到達域に長く残留する。

福島原発事故由来の放射能とわかるのは、Cs-134（同2.0652年）が検出されるからである。半減期の短いCs-134はチェルノブイリ事故のものはほぼなくなり検出されないため、これが検出されれば福島原発事故由来と認定できる。

チェルノブイリ原発事故と福島原発事故

■格納容器のない黒鉛炉型原子炉で出力実験中に起こったチェルノブイリ事故

さて、旧ソ連ウクライナ共和国キエフ市から130 kmほど北にあるチェルノブイリ原発の4号機で起こった事故は1986年4月26日の出力調整実験中に発生した。格納容器を持たない黒鉛炉型の原子炉が爆発したためその影響は大きく、周囲に散乱した炉材の黒鉛などが燃え、10日間放射性希ガスや揮発性の放射性物質が環境中に放出された（図1は2013年8月のチェルノブイリ原発4号機周辺の様子で、新シェルター（右）は建設中。筆者撮影）。

図1　2013年8月のチェルノブイリ原発4号機周辺の様子

建設中の新シェルター（2013年8月）

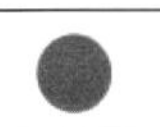

全電源喪失により原子炉の冷却に失敗し起きた福島原発事故

一方、福島第一原発の1～4号機で起こった事故は、2011年3月11日14時46分に発生した東日本大震災の地震と、その後の津波による全電源喪失によって冷却装置が作動不能となり、沸騰水型原子炉内の冷却ができなくなったことが原因であった。燃料プールで燃料棒を冷やして格納していた4号機のみが奇跡的に冷却プールの水を失わなかったことで難を逃れた以外、1～3号機はいずれも燃料棒が溶融（メルトダウン）して圧力容器から落下し、放射性物質が周辺の金属と溶け合った状態で格納容器下部に溜ってデブリとなっている。東電がこの事実を発表したのは事故から2ヶ月後で、2018年7月末現在も、高い放射線の影響で探査ロボットなどが軒並み壊れ、1号機はデブリの位置さえ視認されていない(図2)。

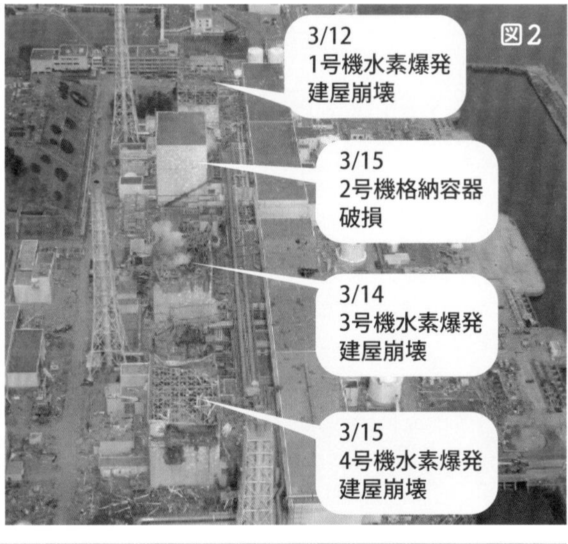

図3に原子力規制庁が公表した経時的な事象と、原発敷地内及び敷地境界の空間線量率の値を示した。1号機建屋では12日15時36分に水素爆発が起こった。3号機建屋も14日11時01分に水素爆発が起こった。2号機については、14日夕方に原子炉容器が破損して格納容器内の圧力が上昇、15日11時25分に圧力が急降下したことから、この間に格納容器が破損して、この事故最大の放射性物質の放出となった。2号機のみが建屋の破損を免れているが、事故事象では最大に影響が大きかったことを覚えておきたい。この時、敷地境界で最も高い空間線量率は、15日9時に原発正門付近のモニタリングカーが示した約12 mSv/時であった（※CTスキャン＝1回約10 mSv）。

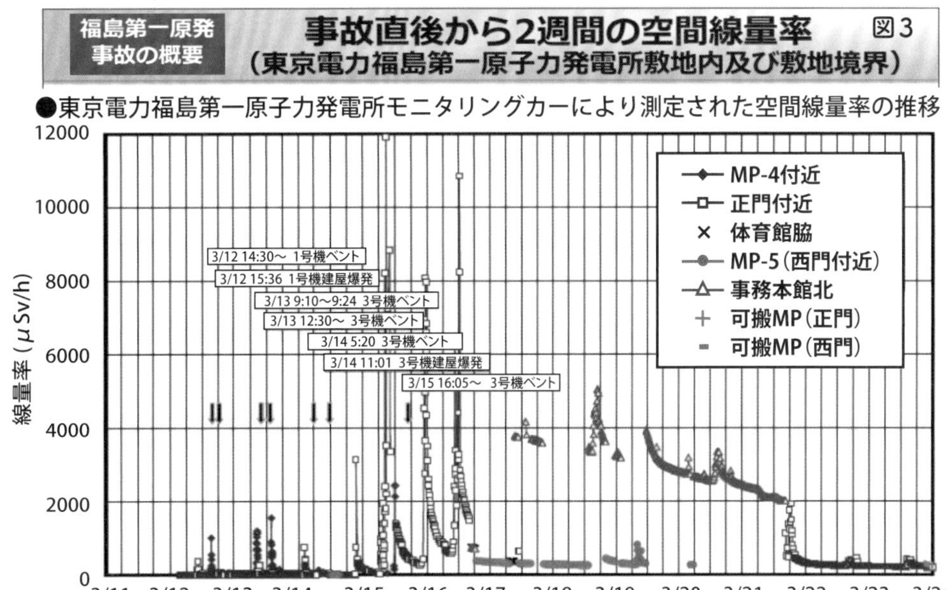

国際原子力機関に対する日本国政府の追加報告書 - 東京電力福島原子力発電所の事故について - 第２報
μSv/h: マイクロシーベルト / 時間　原子力規制庁

大気圏内核実験・チェルノブイリ・福島事故の放出量を比べる

放出量はほとんどが推定値で調査機関によって結果が異なる！

表1に国連科学委員会（UNSCEAR）報告にある大気圏内核実験、チェルノブイリ原発事故、福島第一原発事故による大気への放射性物質の放出量を示した。大気放出総量でいえば、それぞれ、680,000 PBq、11,000 PBq、7,500PBqであった(P:ペタと呼び、10の15乗)。従って、福島原発事故による放射性物質の大気放出量は、チェルノブイリ事故における放出量の0.7倍であった。

ところが、こうした事故による放射性物質の放出量の推定値は、国内外の公的機関の評価であっても一致しないことがある。環境省がまとめた両事故の推定放出量の比較を表2に示した。例えば「キセノン133」は、チェルノブイリ事故よりも福島事故の方が多く放出されており、UNSCEAR報告では福島事故がチェルノブイリ事故の1.1倍量、環境省報告では1.69倍量としている。大気に放出されやすい希ガスのXe-133は、事故当時の発電所の出力規模（福島第一原発：合計約200万kW、チェルノブイリ原発4号機：100

万kW)が大きく、炉心に溜まっていた希ガスの量が多かった福島第一原発で放出量が多くなったとしている。放射性核種によっては、明らかにチェルノブイリ事故よりも福島事故の方が甚大な汚染と被ばくをもたらしていたと言える。

沸点も融点も低い放射性セシウムは気体や粒子となって広く拡散

環境省の資料では、放射性セシウムの拡散について、セシウムは沸点が678 ℃のため、核燃料が溶融(融点は2,850 ℃)した状態では気体になり、気体状のセシウムが大気中に放出されると温度が下がり、融点の28 ℃以下になると粒子状になることが読み取れる。このため、大気中でセシウムの多くは微少な粒子状になり、風に乗って遠くまで拡散したとしている。

表1　国連科学委員会報告:大気中に放出された主な放射性物質

核種	半減期	(2008年報告) 大気圏内核実験放出	(2008年報告) チェルノブイリ原発事故	(2013年報告) 福島第一原発事故
希ガス				
クリプトン-85	10.8年		33	
キセノン-133	5.2日		6,500	7,300
揮発性ガス				
テルル-129m	33.6日		240	
テルル-132	3.2日		~1,150	29
ヨウ素-131	8.0日	675,000	~1,760	120
ヨウ素-132	2.3時間			29
ヨウ素-133	20.8時間		910	10
セシウム-134	2.06年		~47	9
セシウム-136	13.2日		36	2
セシウム-137	30.0年	948	~85	9
大気総放出量		680,000	11,000	7,500

※単位:PBq(ペタベクレル)=10の15乗ベクレル

表2　原子力災害 チェルノブイリと福島第一の放射性核種の推定放出量の比較

核種	半減期[a]	沸点(度)[b]	融点(度)[c]	環境への放出量 PBq*		福島第一/チェルノブイリ
				チェルノブイリ[d]	福島第一[e]	
キセノン(Xe) 133	5日	−108	−112	6500	11000	1.69
ヨウ素(I) 131	8日	184	114	～1760	160	0.09
セシウム(Cs) 134	2年	678	28	～47	18	0.38
セシウム(Cs) 137	30年	678	28	～85	15	0.18
ストロンチウム(Sr) 90	29年	1380	769	～10	0.14	0.01
プルトニウム(Pu) 238	88年	3235	640	1.5×10^{-2}	1.9×10^{-5}	0.0012
プルトニウム(Pu) 239	24100年	3235	640	1.3×10^{-2}	3.2×10^{-6}	0.00024
プルトニウム(Pu) 240	6540年	3235	640	1.8×10^{-2}	3.2×10^{-6}	0.00018

事故発生時に炉心に蓄積されていた放射性核種の環境へ放出された割合

核種	チェルノブイリ[f]	福島第一[g]
キセノン(Xe) 133	ほぼ100%	約60%
ヨウ素(I) 131	約50%	約2−8%
セシウム(Cs) 137	約30%	約1−3%

*PBqは$\times10^{15}$ Bq。【出典】a; ICRP Publication 72(1996年)、bとc(NpとCmを除く);理化学辞典第5版, d;UNSCEAR 2008 Report, Scientific Annexes C,D and E. e;原子力安全に関するIAEA閣僚会議に対する日本国政府の報告書(H23年6月), f;UNSCEAR 2000 Report, ANNEX J, g;UNSCEAR 2013 Report. ANNEX A

チェルノブイリ事故と福島事故、放射能汚染面積を比べる

前述の「チェルノブイリと福島 2つの事故の汚染の濃さ・広がりを比べる」で掲載したチェルノブイリマップは、ロシア・ウクライナ・ベラルーシなど各国政府が出している土壌汚染マップ「Rad Atlas」を元にしてつくられたヨーロッパの放射能汚染地図である(「放射性セシウム減衰推計100年マップ」記述参照)。今回、いくつかに分かれていた地図を、データサイトで苦労してつなぎ合わせて作成を試みたものである。

「RadAtlas」ではCs-137の値を土壌面積当たりのキロベクレル値で表示。※データサイトの表示方法(Bq/平方メートル)を参照できるよう並べた(図4)。高い方の3つの値は「チェルノブイリ法」の基準と関連付けられており、「チェルノブイリと福島の汚染区分、避難・移住の権利を比較する」ページにあるように、以下の区分となる。

- 185,000 Bq/m²(+1mSv/y):「移住権が発生するゾーン」
- 555,000 Bq/m²:「移住義務ゾーン」
- 1,480,000 Bq/m²:「強制移住ゾーン」

みんなのデータサイト (Bq/ m²)
2000 4000 10000 20000 40000 100000 185000 555000 1480000
2 4 10 20 40 100 185 555 1480
kBq/ m²
TOTAL AREA CONTAMINATION BY CESIUM-137

図4　上:みんなのデータサイトのスケール(ベクレル/m²)
下:RadAtlasのカラースケール(キロベクレル/m²)

以前は「キュリー」という単位を使っており、1キュリーをベクレルに直すと370億ベクレルにもなるため、現在ではベクレルが単位で使われるようになった。このため、37の倍数である185や555などの数字が区切りになっている。チェルノブイリ法ができたのは事故の5年後1991年のため、事故直後の数値ではチェルノブイリ法の適用はなされず、1991年以降のデータを見る必要があるが、5年間での減衰は10%程度である。

出典
図2:●http://photos.oregonlive.com/photo-essay/2011/03/fukushima_dai-ichi_aerials.html
図3:原子力規制庁　国際原子力機関に対する日本国政府の追加報告書-東京電力福島原子力発電所の事故について-第2報
●https://www.env.go.jp/chemi/rhm/h27kisoshiryo/attach/201606mat1-06-7.pdf
図5:文部科学省 原子力災害対策支援本部　モニタリング班「平成23年9月30日 文部科学省による、プルトニウム、ストロンチウムの核種分析の結果について」
●http://www.mext.go.jp/b_menu/shingi/chousa/gijyutu/017/shiryo/__icsFiles/afieldfile/2011/10/05/1311753_3.pdf
表1:国連科学委員会報告:大気中に放出された主な放射性物質、ー大気圏内核実験・チェルノブイリ原発事故・福島第一原発事故
表2:放射線による健康影響等に関する統一的な基礎資料(2017年度版) 第2章 放射線による被ばく　2.2 原子力災害　チェルノブイリと福島第一の放射性核種の推定放出量の比較 ● https://www.env.go.jp/chemi/rhm/h29kisoshiryo/h29kiso-02-02-05.html

日本の総面積の3.5％が「移住の権利」を受けられるゾーン以上に該当

Cs-137による汚染面積を、「ロシア・ウクライナ・ベラルーシの3国」と「日本」で比べてみよう。3国においては、チェルノブイリ法で「なんらかの保障が受けられる」37,000 Bq/㎡(600 Bq/kg)以上に汚染された面積の合計は146,300 ㎢であった。これは日本の総 面積370,000 ㎢の40％に相当した。

一方、福島については、日本原子力研究開発機構の資料では、2011年11月の時点で37,000 Bq/㎡以上の汚染面積は8,900 ㎢、8県にわたるとしている。

また、朝日新聞（2011年10月11日）には、航空機から計測した汚染地図が掲載され、同時期の1 mSv以上（移住権が発生するゾーン）の汚染は8県で、福島県8,000 ㎢、群馬県2,100 ㎢、栃木県1,700 ㎢、宮城県と茨城県は各440 ㎢、千葉県180 ㎢、東京都と埼玉県は各20 ㎢と報じ、この場合の総汚染面積は12,900 ㎢であった。したがって、福島事故による汚染面積は日本の総面積の3.5％にまで達し、チェルノブイリ事故による3国の汚染面積の0.09倍に相当した。

なお、データサイトの土壌プロジェクトでは、国が調査地域としている東日本17都県を対象としており、より広範囲に調査をした場合にごく薄い汚染がさらに西方まで拡散されている可能性は否定できない。

ちなみに避難者数については、IAEAによれば、チェルノブイリ事故では1986年に被災地から10 万人が避難を強いられ、1986年以降はベラルーシ、ロシア連邦、ウクイナを中心にさらに20万人以上が移住を余儀なくされたとあり、計30万人とされている。一方、福島事故に関しては、文部科学省によれば、事故直後の2011年3月15日の時点で、避難等指示区域内62,392名、自主的避難者数40,256名、避難者総数102,648名であった。なお、同年8月25日には、各々103,941名、47,786名、151,727名であり、自主避難者も含めて15万人と発表された。しかし、その後の各地域の市民による調査では、この数にカウントされていない多くの自主避難者が47都道府県すべてに存在していることがわかっており、隠れた避難者数は数知れないのが実情である（「深刻化する避難者の状況 命を助けるために」ページ参照）。

福島第一原発事故によるSr-90濃度

なお、よく尋ねられる福島原発事故によるSr-90についても述べておく。Sr-90については、福島原発事故による放出量が少なかったことと、Sr-90の放射線を計測するための前処理として化学分離操作が必要であるという測定の煩雑さもあって、測定情報が少ない。文科省が2011年9月12日に発表した「ストロンチウム89、90の分析結果（第2次分布状況調査）について」によると、多くの調査箇所でSr-90の沈着量はCs-137の沈着量の1/1,000程度としているが、相馬市などで1/100から1/10の地点も有り、留意すべきである。文科省が2011年10月に出したマップでは、福島県内でSr-89および90が広範囲で検出されたことがわかる（図5）。

2011年4月に2号機、5月に3号機から海に流出した汚染水中のSr-90は0.5 PBqと見積もられたが、当然ながら水産物への生物濃縮が懸念され、その後もストロンチウム測定は件数が減りつつも継続されている。実際、福島第一原発から20 km圏内の海域において2017年1月28日に採取したクロダイで、「Sr-90が30 Bq/kg生」（放射性セシウムは50 Bq/kg生）を検出したと、同年7月に東電が公表している。影響の大きいストロンチウムが、このような量で検出されたことは、重大である。

図5　ストロンチウム89、90の測定結果について　別紙2-2

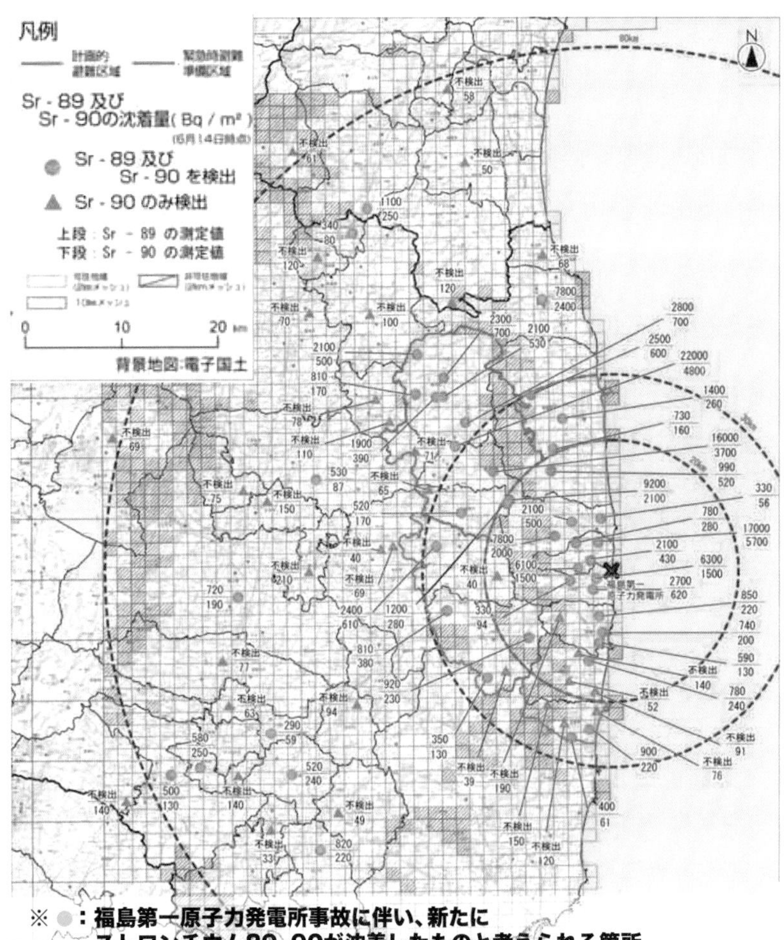

※●：福島第一原子力発電所事故に伴い、新たにストロンチウム89、90が沈着したものと考えられる箇所

チェルノブイリと福島の汚染区分、避難・移住の権利を比較する

●解説：みんなのデータサイト事務局

チェルノブイリや周辺諸国で当たり前のように行なわれている、ゾーンの境界での洗浄チェック。ゾーンの取材では地面にバッグを置くことも禁止され、出る際には靴底まで徹底的にクリーニングしている風景を見た方もいるでしょう。日本ではそのような光景を日常に見ることはありません。汚染を区分してゾーン外に持ち出さないように管理し、「移住」を基本とするチェルノブイリと、車で素早く移動することで汚染地区への出入りを許可し、「帰還」を促す日本。帰還する・しないを選択する権利も事実上存在しません。この大きな違いを汚染区分で解説します。

原発事故後の政府対応の違い～ロシア・ウクライナ・ベラルーシと日本の比較～

チェルノブイリ原発事故（1986年）

- 事故から5年後に「チェルノブイリ法制定」
- 国として土壌ベクレル測定を実施し、避難・補償・作付け制限等の判断基準に
- 長期にわたる補償・保養・健康診断等の制度を設計しフォロー

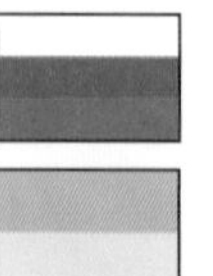

東京電力福島第一原発事故（2011年）

- 汚染地域全土にわたる土壌測定行わず
- 航空機モニタリング、空間線量測定が中心
- 国として福島県で「県民健康調査」（事故当時18歳以下のみ）を実施

チェルノブイリ法では年1 mSv超で移住の権利、5 mSv超なら強制移住

表1は、ロシア版チェルノブイリ法（1991年）の土壌汚染区分と、福島事故後の日本の汚染区分を比較したものである。チェルノブイリ法では、汚染区分は単位面積当たりの土壌中放射能（Ci/㎢）と実効線量（Sv/年）の両方から規定されている（Ci：キュリー）。

5 Ci/㎢以上かつ年間実効線量が1 mSv超なら、移住の権利があり、移住のための費用や移住先での生活が保障される。1 Ciは370億 Bqなので、ベクレル単位に直せば18.5万 Bq/㎡である。土壌の比重を1.3と仮定して、放射能が土壌表層0～5cmにとどまっていると仮定すれば、約2,800 Bq/kgに相当する。

15 Ci/㎢（＝55.5万 Bq/㎡、約8,500 Bq/kg）以上なら、年間実効線量は考慮せず、土壌汚染のみで基本的に移住が義務となるが、居住の権利も認められる。

40 Ci/㎢（＝148万 Bq/㎡、約23,000 Bq/kg）以上、あるいは、年間実効線量が5 mSv超であれば、強制移住となり居住はできない。

1 Ci/㎢（約600 Bq/kg）以上であれば、たとえ年間実効線量が1 mSv以下であっても、放射能に注意して居住する必要が説かれ、社会保障などの恩恵もある。

チェルノブイリ法は、旧ソ連がロシア、ウクライナ、ベラルーシの3国に分かれてしまった1991年にそれぞれの国でほぼ同じような内容で制定された。ロシア以外の2国は経済的に困難な状況が続いているために給付率が下がっていると言われているが、事故後40年以上を経ても、この法律は生きている。国家としての保養事業も継続されている。

日本では「年20mSv超」が避難の判断基準

これに対して日本の汚染区分では、土壌中の放射能は全く考慮されず、実効線量が年間20 mSvを超えれば「居住制限区域」とされ、50 mSv以上で「帰還困難区域」とされている。20 mSv以下となることが確実視された区域は「避難指示解除準備区域」とされ、20 mSvを下回った時点で区域指定が解除されて帰還が可能とされた。実際には、2017年3月をもって避難指示解除準備区域と居住制限区域が同時にほぼ解除されてしまい、賠償金の打ち切り予告がされ、帰還のための引っ越し費用などの支給によって、帰還に向けた圧力がかけられた。

なんという大きな違いだろうか。国民の生命の危険を顧みない冷酷無情な汚染区分だと言わなければならない。この国は、ソ連崩壊で大混乱し、経済も疲弊していたウクライナやベラルーシに数段劣る施策しか実行できなかったのである。

表1 チェルノブイリ法(ロシア連邦)のゾーン区分と日本の比較表 2018/9/30 ver

＊日本の避難基準は、「実効線量＝年間20ミリシーベルト」のみで、土壌放射能量の基準はありません。
データサイトで決めたスケールの色を、この表にあてはめ、マップと比較して見ることができるようにしました。
なお、この書籍の17都県のマップページは2011年表示となっており、Cs-134とCs-137の合算値で表示しています。

土壌放射能量 Ci/km² キュリー(面積) ※1	Bq/m² ベクレル(面積) ※1 ※2	Bq/kg ベクレル(重量) ※2	実効線量 mSv/年 ミリシーベルト	チェルノブイリ法		日本
			50 超	放射能汚染地域と認められるゾーン	立ち入り禁止ゾーン（原発30km圏＋放射線安全基準による1986－87年の避難区域）	帰還困難区域（年50mSv超で、事故後6年たっても20mSvを下回らない見込みの区域）
			20 超 日本の避難判断基準			居住制限区域（年20mSvを超える恐れがある区域）
			20 以下			避難指示解除準備区域（年20mSv以下となることが確実であると確認された地域）
40 以上	1,480,000 以上	約23,000 以上	または 5 超		強制移住ゾーン（帰還禁止。40キュリー/km²以上、または年5mSv超）	避難指示区域外（線量による地域区分なし） ※40,000Bq/m²以上は放射線管理区域。
15 以上	555,000 以上	約8,500 以上	実効線量は考慮せず土壌汚染のみで判断		基本的に移住義務だが、希望すれば居住の権利が認められるゾーン（15キュリー/km²以上、40キュリー/km²未満）	
5 以上	185,000 以上	約2,800 以上	かつ 1 超 チェルノブイリ法の移住判断基準	年1mSv超	移住権が発生するゾーン（5キュリー/km²以上、15キュリー/km²未満かつ年1mSv超で移住権付与）	
1 以上	37,000 以上	約600 以上	かつ 1 以下	なんらかの保障ゾーン	年1mSv以下であっても、特別に社会保障や恩恵がある居住ゾーン（1キュリー/km²以上、5キュリー/km²未満かつ年1mSv 以下）	

チェルノブイリ法は「移住」が基本、でも日本は「居住・帰還」が基本ネリね～！
ロシアでは「年1mSv」を越えると移住権が発生するのに日本は「年20mSv」・・・日本人は大丈夫？

※1：1キュリーは370億ベクレル。1平方キロメートルは、100万平方メートル。そこで、1キュリー/km²を平方メートルに換算すると、37,000ベクレル/m²。
※2：チェルノブイリ法、文科省共に、土壌採取深度は5cmが基準であり、みんなのデータサイトもその基準を採用した。
面積（m²）あたりのベクレル値を、重さ（kg）あたりのベクレル値に換算する時の計算手順は以下。
1：土壌の重さ（密度）にはばらつきがあり、面積あたりの値から重量あたりの値に正確に変換するには、本来、密度も考慮せねばならない。
2：この表では、土壌密度を1.3kg/リットル（1,300kg/立方メートル）として計算した値を採用した。計算式は以下。
重さあたりの汚染度(Bq/kg)＝面積当たりの汚染度(Bq/m²) ÷［★採取深度0.05m (5cm) × 土壌密度1,300kg/立方メートル］ ［★］を計算すると65。
ちなみに、密度を1kg/リットルとして計算した場合は、以下の数字になる。600⇒800、2,800⇒3,700、8,500⇒11,000、23,000⇒30,000
※：セシウム137の値を基準として記載。ロシア連邦「チェルノブイリ法」の規定をもとに作成。尚、日本の基準では核種指定はない。
※：この表はロシア連邦で定めている基準を元に作成した。ウクライナ、ベラルーシの各国も、それぞれ独自に区分の定義を法律で定めている。

深掘り！測定室eyes

年間被ばく限度20 mSvの非人道性

● 解析：未来につなげる・東海ネット 市民放射能測定センターC-ラボ（愛知県）

みんなのデータサイトに参加している全国の測定室は、それぞれが様々な測定・研究に取り組んでいます。ここでは、愛知県のC-ラボによる「年間被ばく限度20 mSv」の意味合いを世界基準、公衆衛生の見地から解説します。年20 mSvを下回るとされた地域が避難解除されていくという現在の日本の基準が果たしてどのようなものなのか、確かめてください。

低線量被ばくによる健康被害の世界標準は「予防原則」

図1は広島・長崎の被爆者を長期間観察して得られたデータから導かれた、国際放射線防護委員会ICRP 1990年勧告によるLNT（しきい値なし直線）モデルを示している。横軸は被ばく線量（mSv）で、縦軸は1万人当たりのがん死数である。これ以下なら安全というしきい値がないので直線は原点ゼロを通っている。

LNTモデルは、しきい値がないということと、100 mSv以下での直線性について、まだ議論の余地が残っているとされている。それにも関わらず、ICRPがLNTモデルを勧告の基本にしたということは、根拠となるデータが積み重なってきたことと、予防原則の立場をとったからだと思われる。ここで断っておくが、ICRPは核大国の援助を受け、国際原子力ロビーの一角を占める団体である。そのICRPが低線量被ばくによる健康被害について、LNTモデルをとっていることは注目に値する。また、ヨーロッパ放射線リスク委員会ECRRは、それでもリスク算定が甘いとして、ICRPを批判して10分の1の年間被ばく限度（0.1 mSv）を提案している。

日本では、100 mSv以下では健康被害がないかのごとき言説が、政府寄りの専門家から出ているが、10 mSvの被ばくが有意で健康被害をもたらすことを示唆した報告も少なくない。

図1　線量当たりのがん死リスク

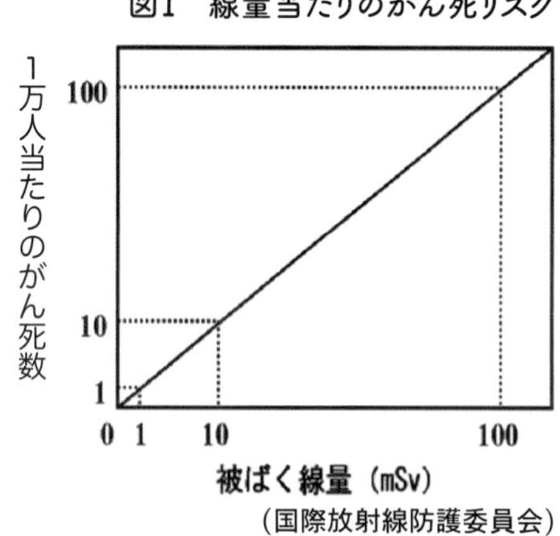

（国際放射線防護委員会）

科学的証明が不十分でも予防的対策を！

予防原則（Precautionary Principle）とは、1970年代に激化した環境汚染問題の対策の中で発展してきた考え方で、1992年のリオデジャネイロで開催された地球環境サミットのアジェンダ（原則）15※に盛り込まれるなど、多くの国際条約などで採用されている考え方である。一言でいうと、科学的に完全に証明されているわけではなくても、そのことが起きてしまった時に重大な被害が予想される場合には、科学的証明の不十分性を理由にして予防的対策を怠ってはならないというものである。

1 mSvの被ばくで毎年100万人中50人のがん死予備軍

改めて図1を見ると、100 mSvの被ばくによるリスクは1万人当たり100人のがん死である。リスクとは、本来は危険なことが起きる確率とそのダメージの大きさの掛け算（積）である。ダメージを致死的な発がんとして固定すれば、確率の大小でリスクが比較できる。ICRPは、この図から得られる結果をそのまま使うのでなく、DDREF（線量・線量率効果係数）を2として、1万人当たり50人のガン死とした。低線量被ばくを長期間続けた場合の健康被害は、広島・長崎の被爆者が1度で大量の被ばくをしているのと比べれば、同じ被ばく線量でも被害は半分程度であろうという判断を係数にしたのである。1990年勧告では、LNT仮説が初めて採用された1977年勧告と比べてリスクの大きさが4倍上方修正されている。

100 mSvで1万人当たり50人なら、福島事故以前に設定された公衆の被ばく限度である年間1mSvでは、1万人当たり0.5人ということになる。100万人当たりなら、50人である。100万人が毎年1 mSvずつ被ばくすれば、毎年50人のがん死予備軍（すぐに発病するわけではなく、潜伏期は長い）が積み重なっていくことになる。日本の全人口1億人に対しては、毎年5,000人となる。

20 mSvは発がん性化学物質の100～1,000倍も苛酷な基準

このリスクを他の発がん物質のリスクと比較してみる。1 mSvが100万人当たり50人のがん死リスクなら、20 mSvのがん死リスクは単純に掛け算して、100万人当たり1,000人だ。これに対して、発がん性化学物質の基準を決めるときは、全人口が曝露するような慢性毒については100万人当たり1～10人で設定される。つまり、事故以前の年間被ばく限度1 mSvさえ、発がん性化学物質の5~50倍のリスクを許容するものであり、20 mSvは100～1,000倍も苛酷な基準だということになる。

1 mSvは平常時における「最悪の場合の限度」

もう一つ大事なことがある。公衆の年間被ばく限度1 mSvは平常時における「最悪の場合の限度」であって、平常時の「目標値」は年間10 μSv（=0.01 mSv）だということだ（「管理を必要としない被ばく線量」）。また、原発を含めた原子力施設周辺住民に対する管理目標値は年間0.05 mSvである。

20 mSvの根拠となったのが、ICRP勧告Pub.109（2008年）「緊急時被曝状況における人々の防護のための委員会勧告の適用」だ。いま改めて勧告を見直してみると、被ばく防護計画の策定に当たっては当局者、対応者、公衆など広くステークホルダー（利害関係者）との協議が不可欠だと書かれている。さらに、「一般に、緊急時被ばく状況で用いられる参考レベルの水準は、長期間のベンチマークとしては容認できないであろう。通常このような被ばくレベルが社会的・政治的観点からは耐えうるものではないからである。」と書かれている。事故直後の混乱した時期ならやむを得なかった側面があるかもしれないが、事故後7年になんなんとする今日まで改正されないどころか、この線量を下回ったということを理由に居住制限区域や避難指示解除準備区域の指定が一斉に解除され、賠償金や住宅補助の打ち切りが予告され、帰還への圧力が強められるという不条理がまかり通ることは、ICRP勧告を無視した棄民政策であると断じたい。

※脚注：リオサミット第15原則
「深刻な、あるいは不可逆的な被害のおそれがある場合には、完全な科学的確実性の欠如が、環境悪化を防止するための費用対効果の大きい対策を延期する理由として使われてはならない。」

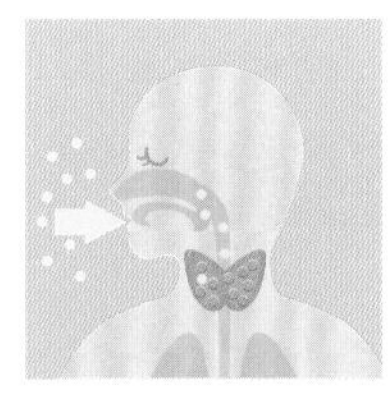

放射能汚染と甲状腺がん

● 3・11甲状腺がん子ども基金　代表理事　崎山比早子

原発事故において、放射性ヨウ素による初期被ばくが特に幼い子どもたちに「甲状腺がん」という深刻な病気を引き起こすことは、国際原子力機関（IAEA）も認定しています。増補版では「3.11甲状腺がん子ども基金」に、福島第一原発事故における放射能汚染と甲状腺がんの関係について、新たな原稿をお願いしました。その実態を見ていきましょう。

はじめに

東京電力福島第一原発事故で東北・関東甲信越地方が放射性ヨウ素により広く汚染された（図1）（放射性セシウムなど他核種汚染については他章参照）。放射性ヨウ素が小児に甲状腺がんを引き起こすことは1986年4月に旧ソ連のチェルノブイリ原発で起きた大惨事で一般にも知られるようになっていた。環境省はそのため事故当時18才以下であった福島県民についてのみ甲状腺検診を行なうことを決めて福島県に業務を委託した。福島県は検査の設計から記録、発表内容までほとんどすべての実務を、山下俊一氏が副学長を務める福島県立医科大学（以下、医大）に任せているのが実情である。

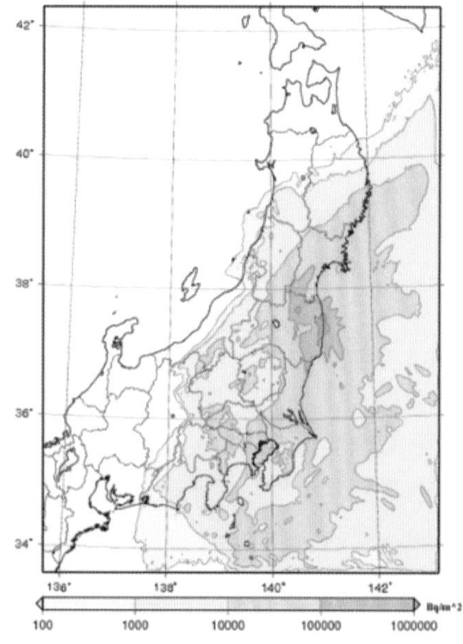

図1　原子力研究開発機構による放射性ヨウ素の拡散シミュレーション図（出典1）→

福島県における小児甲状腺がんの多発

検査は2011年10月から始まり、20才までは2年毎に、それ以後は5年毎に行なうとした。検査の流れは図2に示すように、超音波による一次検査でA1ないしA2判定（判定については図2脚注参照）の人は2年後の次回検査に、B，C判定の人は二次検査に進む。二次検査では血液検査と、より詳細な超音波検査を行ない、A1、A2相当と診断されると2年後に行なわれる次回検査に、細胞診が必要とされた場合は甲状腺組織を採取される。組織細胞検査によって悪性ないしその疑いと診断されると福島県に設置された専門家からなる県民健康調査検討委員会（以下、検討委員会）に報告される。

図2　甲状腺検査の流れ（出典2）

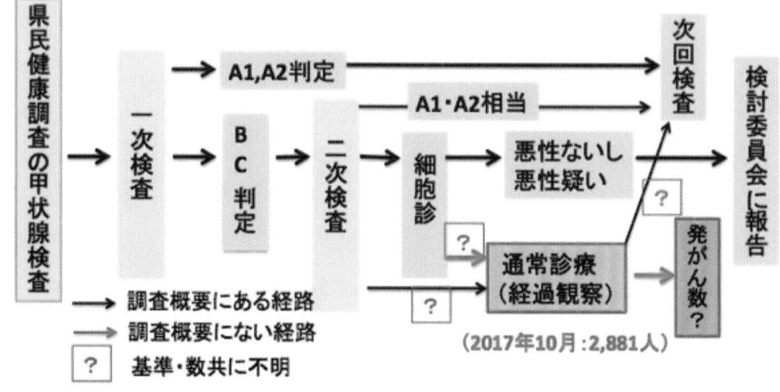

A1:結節、嚢胞なし　A2:5mm以下の結節又は20mm以下の嚢胞　B:5.1mm以上の結節又は20.1mm以上の嚢胞　C:ただちに二次検査を要する

	一巡目検査（2011～2014年4月）	二巡目検査（2014～2017年6月）	三巡目検査（2016～2017年6月）	四巡目検査（2018～2019年）	節目検査（2017年～）	計
悪性ないし悪性疑い	116	71 一巡目検査結果 A1:33、A2:32、B:5 一巡目検査未受診：1	30 二巡目検査結果 A1:6、A2:14、B:7 二巡目未受診：3	16 三巡目検査結果 A1:3、A2:10、B:3	4 四巡目検査結果 A2:1、未受診：3	237
男女比 事故時年令 （平均年令）	39：77 6～18 (14.9±2.6)	32:39 5～18 (12.6±3.2)	12:18 5～16 (9.8±2.8)	8:8 4～12 (8.3±2.5)	2:2 16～18 (17.0±0.8)	
受診者数 （受診率）	300,472 (81.7%)	270,540 (71.0%)	217,904 (64.7%)	136,942 (46.5%)	4,277 (9.6%)	
手術結果	102 乳頭がん：100 低分化がん：1 良性結節：1	52 乳頭がん：51 その他のがん：1	24 乳頭がん：24	8 乳頭がん：8	1 乳頭がん：1	187 がん確定:186

表1　福島における甲状腺がんの発症(2020年2月13日 第37回検討委員会発表まで)(出典3)

表1は2020年2月の検討委員会に報告された4巡目(途中)までの結果である。事故時18歳以下の検査対象者は1巡目では約37万人でその内約30万人が受診し、116人が悪性ないしその疑いと診断され、102人が手術を受けた。その内1人の良性結節を除き、101人ががんと診断された。通常では小児甲状腺がんの発症は年間100万人に1～2人といわれているのでこれは明らかな多発である。

2巡目では約27万人の受診者中71人が悪性ないしその疑いと診断された。しかもその中の33人は2年前にはA1判定であったので、甲状腺がんは2年間で少なくとも5.1mmは増大したことになる。医大で手術の大部分を担当している鈴木眞一氏によると2年前A1であった子どもに17 mm以上のがんが発見された例もあるという(出典4)。小児甲状腺がんの増殖速度は考えられていたよりも早いことがわかった。さらに3巡目の検査では、30人が悪性ないしその疑いとされており、ここでも2年前の検査でA1:6人、A2:14人となっている。4巡目でも16人のがんが発見されており、その内前回の検査はA1:3人、A2:10人であり、小児甲状腺がんは2年以内に検出可能であることが実証された。2017年からは20才以上に対する5年毎の節目検診が行なわれ、4例のがんが発見された。合計は237人(内1人良性結節)となる。しかしこれは後述するように実際の数を反映していない。さらに問題なのは回を追う毎に受診率が低下していることである。特に甲状腺がんの好発年齢となる20才以上の受診率は10%に満たない。

“放射線の影響とは考えにくい”の根拠は破綻

検討委員会は一巡目の結果を基に“中間取りまとめ”(出典4)を発表し、甲状腺がんの多発自体は認めたものの、“多発は放射線の影響とは考えにくい”とした。その根拠は①チェルノブイリに比較して被ばく線量が低い。②事故当時5才以下からの発見はない。③発症が4年以下と早すぎる。④地域差がないなどである。①については1,080人しか被ばく線量が測定されておらず、環境省の専門家会議でもその信頼性は乏しいとされた。②事故時5才の子どもの発症は既に知られていたうえ、後述するように事故時4才児も医大で手術を受けていた。③二巡目で発見された33人は少なくとも2年間で5.1mm増大した。④地域差は区分の仕方で変わり、差を示す論文も発表(出典5)。このように放射線の影響を否定する根拠は崩されている。

3・11甲状腺がん子ども基金の設立と、活動から見えた『発表されないがん症例』

甲状腺がんの患者とその家族は、がんに罹患したという身体的負担に加えて経済的、社会的な困難を抱えている。3・11甲状腺がん子ども基金（以下、基金）はこの状況を改善するよう政府に働きかけながらその間、民間で資金を集め甲状腺がんと診断された方々を支援しようと2016年7月に設立され、療養費給付事業を開始した。給付対象者は事故当時18才以下で、図1に示すヨウ素が飛んだ1都14県に居住していて、その後甲状腺がんに罹患した方に一律10万円を、再発手術、アイソトープ治療をした方にそれぞれ10万円を追加給付している。2019年3月迄の受給者は福島県内101人、県外52人、合計153人となった。

2017年3月、検討委員会で発表されていない事故当時4才児の家族から申請があったことが契機になって図2の「通常診療」というコースが存在し、このコースに入れられると甲状腺がんを発症しても検討委員会に報告されないことが明らかになった。子どもは医大で手術を受けていたが通常診療とされていたため報告されなかった。山下俊一氏をはじめ医大の関係者は、この例を知っていながら4才以下の発症はないと発表していた。2017年10月の時点でこのコースに入れられた患者数は2,881人であった。この不透明さに対して検討委員会の委員からも批判が出たため、医大は医大で手術を受けた患者のみ調査し、集計外の患者が12人いること、その内1名は良性結節であったことを発表した。この他に基金が把握していて検討委員会に報告されていない症例は17人にのぼる。これらを加えると悪性ないしその疑いは266人となり、手術によりがんと確定した方は214人、良性結節2人となる。しかし、基金は集計外患者のすべてを把握しているわけではないため、福島県における甲状腺がん罹患者数は依然として不明のままである。

悪性 ないし その疑い （数／10万人）	避難区域等 13市町村	中通り	浜通り	会津地方	計
1巡目	33.5	38.4	43	35.6	38.3
2巡目	49.2	25.5	19.6	15.5	26.2
2巡目 受診者調整後	53.1	27.7	21.5	14.4	28.4
2巡目 検査間隔による調整後	21.4	13.4	9.9	7.7	13.4

表2　福島における地域別甲状腺がん発症率（出典3）

さらに二巡目の検査では、汚染の程度に従って罹患率も避難区域、中通り、浜通り、会津地方の順に低下しており、地域差が明らかになった（表2）（出典3）。医大は一巡目では地域差がないと結論し、多発が放射線の影響とは考えにくい理由の一つにしたのであるが、二巡目で地域差が明らかになると、UNSCEARの2013年報告の推定線量に従って区分を変えてしまった。そして、解析を事故時年齢6–14才、15才以上に分けて行なった結果、前者では線量との有意な相関は見られなかった（図3）（出典6）が、15才以上については有意な負の相関があったとした。あるはずもない負の相関が見られたにもかかわらず、6–14才で罹患率が線量に比例して

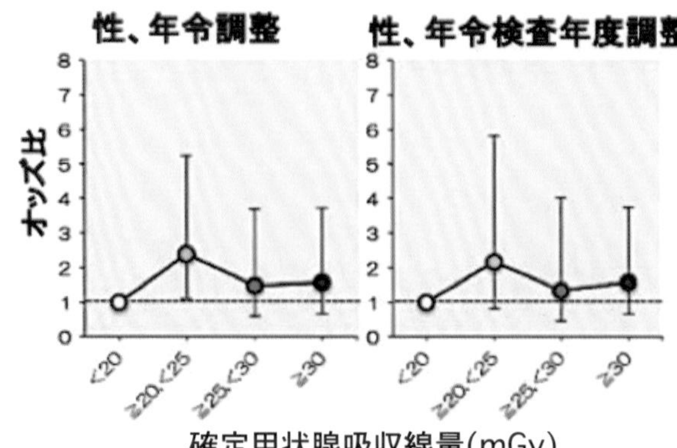

図3　6－14才の子どもの地域別甲状腺がん罹患率オッズ比

増加していないという理由で、放射線被ばくとの関連は認められないと結論したのである(出典3)。なぜ事故時5才以下を除外したのかの説明もない。また、臨床的に見られる甲状腺がんの男女比は1:6程度であるが、2巡目ではほぼ1:1となっており、男性の罹患率が高いことがチェルノブイリでみられた甲状腺がんと類似している。しかし、放射線との関連性を考える上で重要な問題については考慮されずに積み残しとされた。放射線との因果関係を解析するためには、正確な罹患者数を把握することが基本であるが、明らかにしようとしていない。そして政府も県も多発は放射線の影響ではなく過剰診断であるとの見解に固執しており、検診の縮小をはかっている。

過剰診断論と甲状腺検査縮小に対する患者、家族の声

検診の縮小は甲状腺がん罹患率の把握をさらに難しくする。その上、医大の鈴木眞一氏も、180例の手術例のうち、72%がリンパ節転移、47%が甲状腺外に浸潤していることなどから、過剰診断論を否定している(出典7)。

過剰診断・検査縮小を主張する検討委員会の委員は、予後の良いがんを早期に発見・手術することは患者に対する人権侵害であると主張する。しかし、手術を受けた患者やその家族に対するアンケート調査では、過剰診断論に対する怒りの声も聞かれ、検診を縮小するという方針に対しても賛成する人はいないばかりか、むしろ検査のさらなる拡充を求める声が32.7%、現状維持が53.7%もあった(出典8)。

チェルノブイリ事故後33年以上になるが、いずれの当事国においても甲状腺検査は国の責任において続けられている。事故を起こした国の責任としても検診は継続し、放射線の影響があるのかないのか結論を出すよう努力すべきである。患者や家族の多くもそれを望んでいる。

﨑山比早子/ 医学博士。元放射線医学総合研究所 主任研究員。元国会東京電力福島原子力発電所事故調査委員会委員。3・11甲状腺がん子ども基金 代表理事。長年にわたって、放射線が与える低線量被ばくの影響について研究。

【3・11甲状腺がん子ども基金】 https://www.311kikin.org/ お問い合わせ:info@311kikin.org

出典

1,「東日本におけるI-131の広域拡散と大気降下量」(原子力研究開発機構)
● https://nsec.jaea.go.jp/ers/environment/envs/fukushima/animation2-1.htm

2,「県民健康調査」(放射線医学県民健康管理センター) ●https://fukushima-mimamori.jp

3,「県民健康調査」(福島県) ●https://www.pref.fukushima.lg.jp/site/portal/list279-884.html

4,「県民健康調査における中間取りまとめ」 ●https://www.pref.fukushima.lg.jp/site/portal/kenkocyosa-kentoiinkai-chukantorimatome.html

5,「Thyroid cancer detection by ultrasound among residents ages 18 years and younger in Fukushima, Japan:2011 to 2014.」Tsuda t. et al. (「Epidemiology 27」316-322, 2016.)
●https://www.ncbi.nlm.nih.gov/pmc/articles/PMC4820668/

6,「県民健康調査『甲状腺検査【本格検査(検査二回目)】』結果概要確定版(福島県)
●https://www.pref.fukushima.lg.jp/uploaded/attachment/330652.pdf

7,「日本における小児・若年者の甲状腺がん診療」(鈴木眞一/第2回放射線医学管理センター国際シンポジウム) ●http://www.ourplanet-tv.org/?q=node/2467

8,「3・11甲状腺がん子ども基金」 ●http://311kikin.org

原子力防災について考える

●ぶんぶんフィルムズ 代表　鎌仲 ひとみ

世界でも、狭い国土にこれほどたくさんの原発が建っている国はありません。技術立国と言われていた日本で、原発4基が国際原子力事象評価尺度（INES）でレベル7という最悪の過酷事故を同時に起こしました。避難の方法・基準や、賠償基準、子どもに対する医療体制や保養など、「事故は起こらないもの」という前提から、日本政府の放射能汚染への対応策は惨憺たるものでした。今後も起こらないとは限らない原子力事故について、防災という観点から「ぶんぶんフィルムズ」の鎌仲ひとみさんに原稿を寄せて頂きました。

なぜ、原子力防災なのか ～新しい視点で～

2015年、長編ドキュメンタリー映画「小さき声のカノン」を完成させ、全国で上映会をしていただいた。「小さき声のカノン」がフォーカスしたのは原発事故のその後、どうやって子どもたちを被ばくから守るのか、ということだった。あの当時、情報が不足し、人々は被ばくのリスクを知らないままに無防備に被ばくしてしまった。映画では、放射線量が高くなり、土壌にも汚染が残る地域でどうやって放射線防護を市民が実践していくのか、という現場を描いた。

そして、目下取り組んでいるのが「原子力防災」をテーマにした映像だ。福島第一原発事故以降、放射線や被ばくについてオープンに語ることが難しい状況が生まれた。普通の人々の間で放射能汚染について安全である、危険であるという議論は元より、放射線防護に関する学びの機会自体が「福島差別」につながるという声のもと、醸成されなかったのである。

東日本大震災は原発事故を含んだ複合災害＝原発震災だった。日本中の海岸、17サイトに存在する原発を考えれば、今後も同じような複合災害が予想される。東日本大震災の後にも熊本地震、九州北部豪雨、大阪府北部地震、火山の噴火、北海道胆振東部地震が続いているにもかかわらず、巷に溢れる防災情報の中に原子力防災がいまだに一切入っていないのである。このことを憂慮し、次のテーマを「原発防災」と決めた。

あの時、本当は何が起きたのか、そしてそこから学ぶべき教訓は何か、ということが共有されなければ、あの災害を経験した人々の貴重な体験も無駄になってしまう、という危機感が私にはある。そして、何よりも「防災」という切り口は、安全対危険、推進対反対という二項対立を超えて、すべての人々に必要なものであるという新しい視点で、その必要性を提示することができる。

安定ヨウ素剤の事前配布を！

健康被害と被ばくの関係は立証がとても難しいが、チェルノブイリ原発事故では小児甲状腺がんが唯一、国際原子力機関（IAEA）で因果関係を認められている。チェルノブイリ原発事故から25年後に起きた福島原発事故ではその教訓が生かされて、子ども達に安定ヨウ素剤を飲用させるべきだったが、できなかった。つまり、チェルノブイリの教訓は生かされなかった。これからまた、原発事故が起きたら、果たして、チェルノブイリ、そして福島の教訓は生かされるのだろうか、と問うた時、残念ながらそれは難しいのが現状だ。

原子力規制庁によって新たに出された方針は、原発の5キロ圏内は安定ヨウ素剤を事前配布するが、30キロ圏内は備蓄することとなっている。しかし、チェルノブイリや福島の例を見ても放射性ヨウ素は数百キロも飛散している。5キロ圏外の人々が的確な時期（プルームが飛んでくる24時間前！）に安定ヨウ素剤を飲用しようと思ってもこれでは難しい状況だ。

そこで、自分たちで備えたいと考えた市民が安定ヨウ素剤の自主配布を始めた。千葉県松戸市、神奈川県鎌倉市、東京都八王子市、などだ。鎌倉市では備蓄している安定ヨウ素剤を事前に配布してくれるよう市民グループ「ぐるぅぷ未来」が議会に陳情し、採択されたにも関わらず具体的には何の動きもなかった。そこで2018年に自主配布会を開き約350家族、1,300人分の安定ヨウ素剤を配布した。また市が動こうとしないのは、あまりにも安定ヨウ素剤のことが知られていないからだという気づきから、「こどもの命をまもりたい」という安定ヨウ素剤についての解説本を作成し、これを無料で配布するとともに同封されたハガキで市に事前配布を促す要請をしてくれるよう市民に呼びかけている。この冊子はHPからダウンロードもできるようになっている。

自治体の取り組みとしては、兵庫県丹波篠山市が全国に先駆けて、原発から50キロ離れた地域で、安定ヨウ素剤を全戸に事前配布している。この取り組みは市が原子力災害対策検討委員会を設け、医師、専門家、市民、そして福島からの避難者も参加し、議論を重ねた結果実現した。丹波篠山市では、ハンドブック「原発災害にたくましく備えよう」を発行し、これもまた全戸に配布している。その最初のページに市の原子力防災の要点が三つ掲げられている。

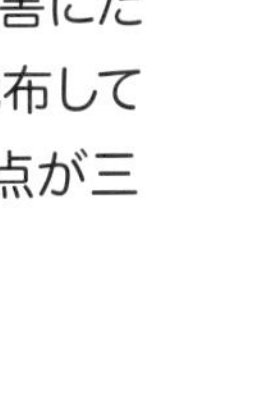

1. とっとと逃げる
2. 心のバリアをとる
3. 被害を少しでも減らす

3.11の体験を生かしたからこそできた非常に優れた原子力防災の指南書となっている。

「安定ヨウ素剤」の服用により、呼吸や食品などから体内に取り込まれた放射性ヨウ素が体内を循環したあとに甲状腺に溜まるのを防ぐことができる。

丹波篠山市が発行した防災ハンドブック
「原発災害にたくましく備えよう」

「原発事故を経験した社会で、原子力防災をどう実現していくのかを考えた時、行政任せだけでも、市民だけでも十分ではありません。協働してこそより良い防災ができるのではないか、と考えています。そして、もちろん、安定ヨウ素剤は万能ではありません。放射性ヨウ素による被ばくを予防する手段にしか過ぎません。最後は避難をどうするのか、が問われます。安定ヨウ素剤を飲む時、それは避難をする時でもあります」と丹波篠山市のハンドブックには書かれている。

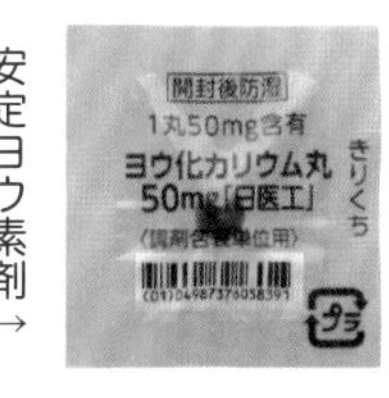

安定ヨウ素剤→

原子力防災に完璧はない。多少の被ばくはどうしても避けられない局面がある。それでも出来うる限り被ばくを避け、被ばく量を減らす努力を諦めないことが肝要なのだ。これが「減災」の考え方だ。だからこそ、そのためにも原子力防災の知識は不可欠なのだ。

鎌仲ひとみ監修「こどもの命をまもりたい-鎌倉編-」(発行：ぐるぅぷ未来)。冊子まるごとダウンロードURL→https://group-mirai.net/

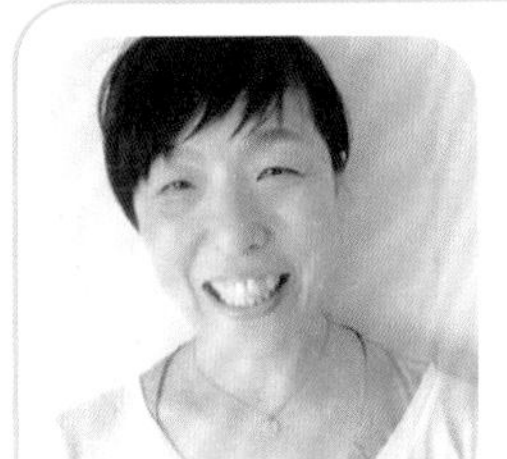

鎌仲ひとみ【映像作家】

早稲田大学卒業と同時にドキュメンタリー映画制作の現場へ。NHKで「エンデの遺言－根源からお金を問う」など番組を多数監督。2003年の「ヒバクシャー世界の終わりに」をはじめ、「六ヶ所村ラプソディー」「ミツバチの羽音と地球の回転」「内部被ばくを生き抜く」「小さき声のカノン」など、核問題をテーマにした映画を多数監督。毎月8日に、動画メルマガ「カマレポ」を配信。多摩美術大学非常勤講師。

ぶんぶんフィルムズ
http://canonbousai.strikingly.com/　お問い合わせ：movie@kamanaka.com

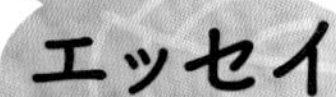

エッセイ

3人の福島の女性たちの「あのとき」と「今」

本書中でどうしても被災に遭われた方の「生の声」を紹介したく、状況の異なるお三方に原稿をお願いしました。原稿を何度かやりとりするうちに「たくさんの方が読んでくれるなら」と、それまで心深くに押し込めてきた深い思いを託されました。原発事故によってひとりひとりの人生がどれだけ狂わされたか、それをなんとか乗り越えつつようやく今があるか、勇気を出して話してくれたことを重く受け止め、このエッセイ集をまとめました。

福島で暮らし続けることを選択

● S.Mさん (46歳 女性)
● 夫、娘(震災当時幼稚園年長〜現在中学2年)の3人家族

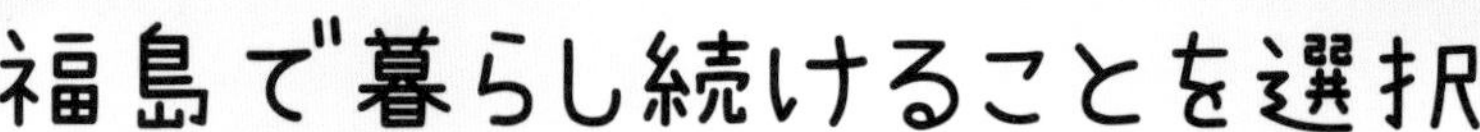

ただの犠牲者になりたくない！福島でできることを実践しながら暮らす

事故当時は福島市で自宅サロンをしながら子育てをしていました。
娘の幼稚園の卒園式、謝恩会を翌日に控え、その準備と仕事でバタバタしていた中、巨大地震と原発事故がおきました。
テレビでは『ただちに影響はありません』を繰り返し、何がどうなっているのかもわかりませんでした。目に見えず、においも無く、感じることができない放射能に対し、市民の間ではあやふやな情報や憶測が飛び交い、正確な被害状況がわからず、大きな困難が生じました。

同年秋に、福島に市民による放射能測定所がオープンする話しを聞きました。
ここで活動をしていれば、いろいろな情報を得ること、伝えることができる。我が子も含め、福島の子どもたちを守るためにベストな動きをしていきたいという想いで、スタッフとして参加することを決めました。

現時点では世界のどんなに詳しい専門家でさえも、長期にわたる低線量被ばくの影響を厳密には把握できていません。今後もし仮に何らかの身体への影響が表面化した時、それまでの測定データすら残っていないのでは、私たちはただの犠牲者になってしまいます。こんな事態を世界中の誰にも、二度と体験して欲しくありません。
未来に向けて子どもを守っていくために何が必要なのかを考えながら、福島が、そしてこの国が健全な暮らしを回復するまで見守っていくつもりです。

帰還困難区域から強制避難

●O.Aさん(44歳 女性)
●夫とふたり暮らし(14〜17年は会津若松と新潟で別居)
●大熊町で被災し、強制避難。大熊〜会津〜新潟へと避難。現在、避難者支援団体の世話人として活動中。

帰還困難区域ふるさとへの思い、これまでとこれから

1990年秋、福島第二原発運転再開を問う住民投票の応援から帰京した頃、「チェルノブイリ原発事故による放射能汚染地図」を手にしました。1986年チェルノブイリ事故後はじめて「市民によるチェルノブイリ事故調査団」がベラルーシの水文気象研究所で入手した資料に基づいて、作成したものでした。福島第二原発3号機も、他の原子炉もいつ何時事故になるかはわからない、自分の田舎のように近しくなった双葉郡が、また100 kmや200 km圏内のどこかも、いつ汚染地になってしまうかわからない、ということが目前にはっきり示されました。

数年後に農業のためIターンを考えた時、やはり双葉郡に移住しようと決めました。若くて徒手空拳ヨソモノで、女で、おまけに脱原発派というのは苦労もありましたが、ありのまま頑張る姿を見てもらうしかないと思い、言葉を覚え、地域の農業やアルバイト先の先輩達に学び、暮らしていきました。結婚後の2010年に自宅新築が始まり、原発は40年を超え次々に廃炉になる、毎月東電交渉に通ったりしながら、私はここでおばあさんになっていくのだなあと思ったものでした。

2011年3月11日すべてが暗転しました。安全神話が崩壊し、被害を拡大させない最善の策がとられるはず、と期待した時もあり、それが裏切られ続けた7年半でした。

私はその後、一度も帰還困難区域の自宅に立ち入りしていません。妊娠出産の希望と、身体が立ち入りしてその日に戻ってきても、心がふるさとをさまよったままになってしまうのではという危惧がありました。

1年目は起きている間じゅう3.11前の双葉郡と現在を心が行き来し、2年目ごろからは区域内のニュースや番組を見ると夢に現われ目覚めてからずっと反芻してしまうという感じ、3年目は心身不調の時に「もう大熊に帰って(死んで)しまいたい」という考えに襲われたりしました。

4年目から5年目に帰還困難区域内の国道と県道が自由通行とされました。「視察してきました！」と写真を見せられることも増えました。外部被曝、内部被曝、放射性物質の付着持ち出し、天災や山火事など心配しかないという考えと同時に、私も一度は立ち入りして来るべきかという迷いも起きます。

その時期に新潟に移動してから妊娠と流産もあり、区域外・区域内さまざまな方々との繋がりもでき、今居るところで避難者として支援者として微力を尽くしたいという思いを強めてきました。

大熊町の自宅については、私は立ち入らず、「家屋解体申込み」はできるだけ申し込まずに放射能の減衰を待ちたいです。しかし、木造家屋を何十年もは放置できない、いずれは解体申込みをしないといけないことを考えると、作業の方の被曝労働を招き十数トンの汚染廃棄物を移動させ一部は環境放出させてしまうという重荷を心に抱え続けることになります。

いわき市からの「自主避難」を継続中

- S.Nさん(44歳 女性)
- 夫(2年間の母子避難を経て現在は埼玉で同居)と娘2人(15歳と10歳)
- 福島県いわき市で被災し、埼玉県川越市で自主避難を継続中。

避難者の殻を打ち破って、活動で訴える

私はいわき市に生まれ育ち、結婚と同時に家を建て娘も2人生まれ、幸せな人生を送っていました。しかし、東電原発事故で人生が大きく狂わされました。

大量に放出された放射能から逃れるために3/15の夜中に凸凹の常磐道をひた走り東京まで避難しました。当初は夏休みまでの3カ月のつもりでしたが、収束の気配はなく不安なので、断腸の思いで築10年の家を売却し、夫も転職し、気づけば7年半も経ってしまいました。現在は大家さんのご厚意で自然に囲まれた環境で避難生活を継続しております。

福島から逃げてきたという罪悪感を抱えたままの見知らぬ土地での避難生活は孤独です。避難直後には交通事故にも遭ってしまい、廃車になりケガもして頼る人もなく病院通いをしていました。すぐにいわきに帰るつもりでしたので、保護者会でも訛りを隠し、コミュニティーが崩れないようにひっそりと暮らしていました。

しかしそんな状況から一変したのは、フリーライターの吉田千亜さんと出会い、一緒に「ここカフェ@川越」(被災者支援団体)を立ち上げ、活動し始めてからでした。被災した者同士が、つらい胸中を吐露し、怒りや悲しみを共感しあい、そして命があることに感謝し笑顔で帰ってもらう。参加者に「毎月の交流会が楽しみだし、心のリハビリに来てるみたい」と言ってもらえることに喜びを感じ始めてからでした。

さらに5年前からは、「ぽろろん」という自主避難に特化した団体も立ち上げ、避難ママと埼玉のママが協力して冊子を発行する活動もしています。一人でも多くの方に原発事故という人災によって犠牲になっている被害者がいることを知ってもらいたい、福島を忘れないでほしいという思いで作っています。

被災から7年半、日を追うごとに新たな問題が避難者を苦しめています。PTSDや震災トラウマ、震災離婚、貧困、教育問題、孤立、親の介護問題などです。これを「自己責任論」にされるのはあまりにも酷な話だと思います。国策である原発政策の犠牲者は、国策として救済するべきだと思います。

災害が頻発している昨今、しっかりとした災害時の人権を守る対策が急務だと思います。これ以上苦しむ方が増えないように原子力被災者の声を聞いていただきたいです。明日は我が身、1人ひとりが自分事と考えてくださるだけで何かが変わる気がしています。

3.11後に様々な出会いを通して、充実した生活が送れていることに感謝しながら、今後も被災者支援を軸に積極的に活動していきます。

子どもたちに恥じない未来を繋いでいきたい!!

3人の女性が傷つきながらも自立していく様子をお読み頂きましたが、多くの避難者の皆さんは、表に出ることも出来ず、明日の暮らしにも困っている方が大勢いらっしゃいます。中には自死する方もあり、切実な問題に日々向き合っている「避難の協同センター」事務局長の瀬戸さんの文章も併せてお読みください。

深刻化する避難者の状況
命を助けるために

避難の協同センター
COOPERATIONCENTERFOR3.11

●避難の協同センター　事務局長　瀬戸大作

「避難の協同センター」は東京電力福島第一原発事故により避難を余儀なくされた人たちの「健康に生きる権利」を共助の力で実現しつつ、国や自治体に対して、避難先での住宅保障や就労、教育等も含めた生活支援など総合的な支援の実現を求めていくため、2016年に設立されました。

2018年10月現在も避難区域外からの避難者の個別支援活動を継続していますが、相談件数は増え、なおかつ内容が深刻化している状況です。今月も週1回のペースで避難者と役所に同行しています。

国と福島県は12,539世帯・32,312人の「区域外避難者」に対し、2017年3月末で一切の賠償はなく唯一の補償であった「住宅無償提供」を打ち切りました。さらに福島県は、激変対策として支援してきた民間賃貸住宅避難者2,000世帯への「家賃補助」(月額最大2万円)の僅かな施策を2019年3月末で、すべて終了させる方針を強行しようとしています。住宅支援がなくなっていくにつれ、自立していく人もいる一方、高齢者、シングルマザー、病気を抱える人、障がい者など、生活困窮状態に陥り避難者が取り残される事例が多数発生しています。私が同行する避難者の大半が母子世帯や、担当の相談員やケースワーカーの言葉に傷つき、避難者が避難先で孤立しながら生活してきた事などの怒りをぶつけ泣き出してしまう重度ストレスを抱えた方々です。だから同行が必要となっているのです。社会が「避難者という存在をどう見ているか」、避難者への偏見にもとづく現場の冷たい対応に重ね、ネットでは特に差別的な発言が散見されます。そのような心ない仕打ちから避難者が重度ストレスを抱え、「働けない」という状況下で貧困に追い込まれる流れがつくられています。「子どもの生きる、発達する、育つ権利」の観点から、放射線被ばくから免れ健康を享受する権利を行使した避難者の皆さんに対して、尊敬はおろか紙切れ1枚で支援を打ち切り、居住の権利を奪うやり方は、官製ヘイトそのものです。これが「見えない避難者の現実」であり、現在進行中の話なのです。

世間の多くの人々は、原発事故や放射能汚染に無関心です。大学の講義に呼ばれて、若い大学生と対話をしますが、やはり関心はありません。私のパソコンには「みんなのデータサイト」の土壌測定データがダウンロードされています。ある学生に「どこから通っているの」と聞くと、千葉県松戸市から通っていると答えたので、現在の松戸市の汚染状況を一緒に見てみました。すると、福島原発事故の汚染は福島の県境でとまってはおらず、松戸が高汚染地区であることを知り驚いていました。このようにして、私はひとりひとりと「当事者性」を共有し、関心を呼び覚ますしかないと考えています。廻り道のようでありながら、これが近道だと私は考えます。

様々な困難を抱えながら生きる避難者の皆さんが「自己否定」に追い込まれないよう、家族を守ろうと勇気をもって避難を決断した人々なのだと言える社会にしていくために、できる事を今日も考えています。

瀬戸大作【避難の協同センター・事務局長】
原発事故後、パルシステム生協に勤務しながら、福島県会津若松市で仮設住宅におけるコミュニテイ支援活動などに取り組み、以降避難者の声に耳を傾け続け、2016年7月「避難の協同センター」設立、事務局長に就任。2018年7月から「反貧困ネットワーク」の事務局長にも就任。

避難者専用相談ダイヤル　住まいのこと、暮らしのこと、法律のこと、ご相談ください。
tel:070-3185-0311(月～金　10:00～17:00　出られないときは折り返します)
[E-mail] hinankyodo@gmail.com　[公式HP] http://hinan-kyodo.org/
[Facebookページ] https://www.facebook.com/hinankyodo/

全国の原発稼働状況・モニタリングポスト一覧

1963年10月26日（10月26日＝原子力の日）、「日本原子力研究所」（現：日本原子力研究開発機構）による JPDR 試験炉で、日本で初めて発電に成功（※）。以来、高速増殖炉も含めて実に60基（建設中除外）もの原発が日本全国に建設されました（既に廃炉解体されたものも含む）。

狭い国土の中にこれほど原発のある国は、世界中どこにもありません。モニタリングポストは原発設置県には多くありますが、他県では手薄で、事故時に情報が届かないことが予想されます。新型炉や MOX 燃料を使うなど、リスクの大きな原発がどこにどれだけあるかがわかるよう、一覧を作成しました。

※茨城県マップページに掲載あり。

47都道府県	固定型モニタリングポスト	可搬型モニタリングポスト	リアルタイム線量計	小計
北海道	31			31
青森県	26			26
岩手県	7			7
宮城県	10	30	35	75
秋田県	6			6
山形県	6	20		26
福島県	48	584	3,095	3,727
茨城県	70	30	1	101
栃木県	9	20		29
群馬県	5	20		25
埼玉県	6			6
千葉県	7			7
東京都	5			5
神奈川県	19			19
新潟県	19	10		29
富山県	7			7
石川県	30			30
福井県	29			29
山梨県	5			5
長野県	7			7
岐阜県	8			8
静岡県	34			34
愛知県	5			5
三重県	4			4
滋賀県	15			15
京都府	24			24
大阪府	21			21
兵庫県	6			6
奈良県	4			4
和歌山県	4			4
鳥取県	9			9
島根県	29			29
岡山県	8			8
広島県	5			5
山口県	6			6
徳島県	4			4
香川県	4			4
愛媛県	25			25
高知県	5			5
福岡県	9			9
佐賀県	12			12
長崎県	13	1		14
熊本県	6			6
大分県	5			5
宮崎県	4			4
鹿児島県	13			13
沖縄県	5			5
合計	639	715	3,131	4,485

2018年7月24日時点

47都道府県	事業者	施設名
北海道	北海道電力	泊発電所
青森県	電源開発	大間原子力発電所（ABWR）
	東北電力	東通原子力発電所
	東京電力	東通原子力発電所（ABWR）
宮城県	東北電力	女川原子力発電所
福島県	東京電力	福島第一原子力発電所
		福島第二原子力発電所
茨城県	日本原電	東海発電所
		東海第二発電所
	日本原子力研究開発機構	常陽（高速増殖炉（実験炉））
新潟県	東京電力	柏崎刈羽原子力発電所（6・7号A
石川県	北陸電力	志賀原子力発電所（2号ABWR）
福井県	関西電力	大飯発電所
		高浜発電所
		美浜発電所
	日本原電	敦賀発電所
	日本原子力研究開発機構	もんじゅ（高速増殖炉（原型炉）
		ふげん（新型転換炉）
静岡県	中部電力	浜岡原子力発電所（5号ABWR）
島根県	中国電力	島根原子力発電所（3号ABWR）
愛媛県	四国電力	伊方発電所
佐賀県	九州電力	玄海原子力発電所
鹿児島県		川内原子力発電所

●ABWR：改良型沸騰水型軽水炉。原子炉再循環ポ
圧力容器の中に設置し、ポンプ回りの配管をなくし
化、制御棒駆動源として、水圧駆動に電動駆動を加えて

●MOX燃料：ウランとプルトニウムを混合した燃料＝
OXide⇒MOX燃料。MOX燃料を、通常の原子力発電所
炉＝サーマルリアクター）で利用することを「プルサー
言う。これはプルトニウムとサーマルリアクターを組み
た造語。フルMOXとは、全炉心でMOX燃料を使える
指す。世界でも前例がない危険な原発である。

A 改良型沸騰水型軽水炉（ABWR）　M MOX 燃料　P プルトニ 劣化ウラ

玄海原子力発電所　九州電力　1 2 3 4 M

島根原子力発電所　Energia 中国電力　1 2 3 M A

川内原子力発電所　九州電力　1 2

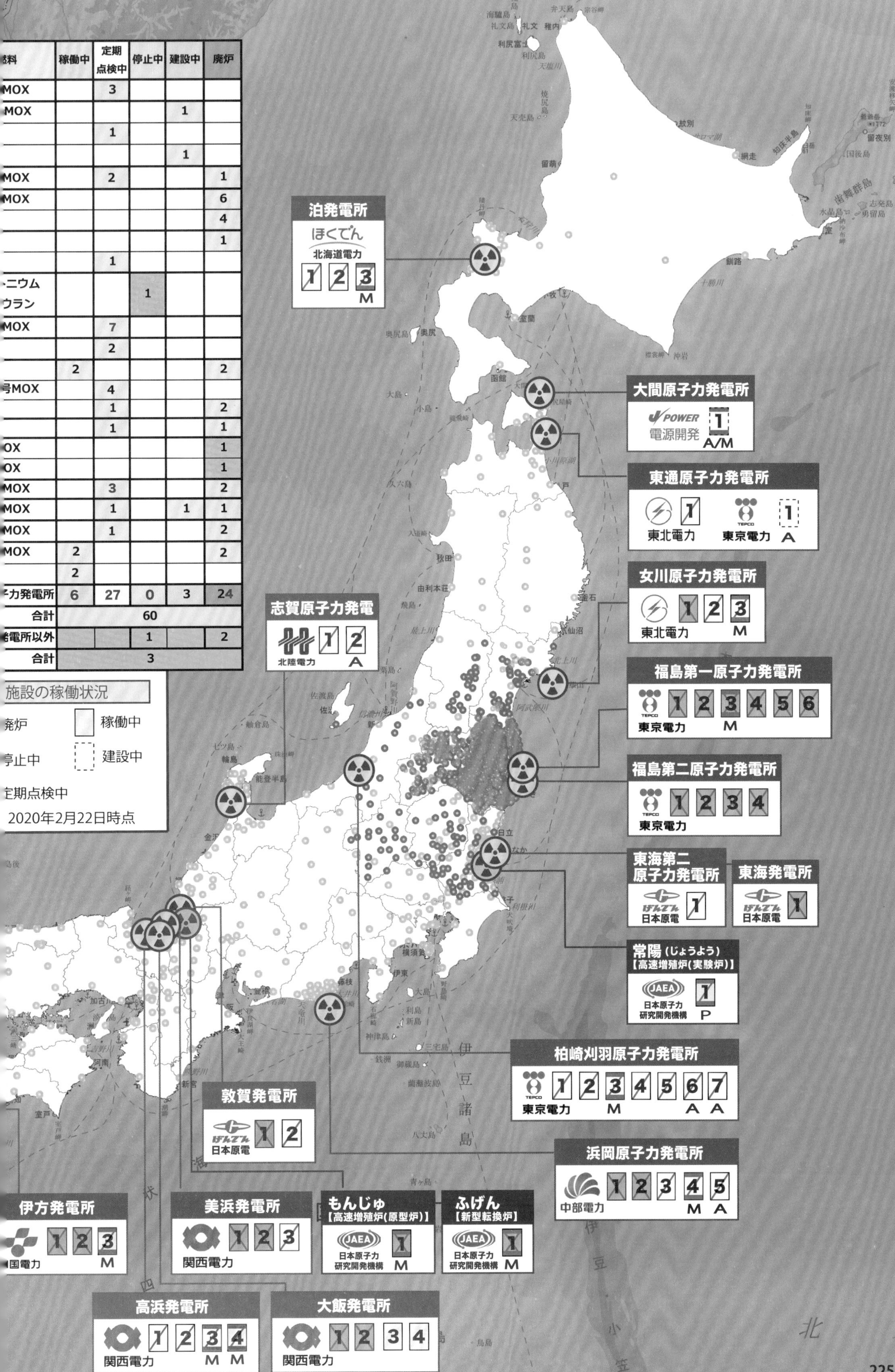

燃料	稼働中	定期点検中	停止中	建設中	廃炉
MOX		3			
MOX				1	
		1			
				1	
MOX		2			1
MOX					6
					4
					1
		1			
ニウム ウラン			1		
MOX		7			
		2			
	2				2
号MOX		4			
		1			2
		1			1
OX					1
OX					1
MOX		3			2
MOX		1		1	1
MOX		1			2
MOX	2				2
	2				
力発電所	6	27	0	3	24
合計	60				
電所以外			1		2
合計	3				

みんなのデータサイトとは

みんなのデータサイトは、現在全国31の市民放射能測定室が参加しているネットワーク型の団体です。2011年の東京電力福島第一原発事故後、汚染の実態を知りたいと測定活動を開始した各地の測定室が集っています。

それぞれが積み上げてきた放射能測定データをひとつのプラットフォームに集約し、より正確な情報をわかりやすく提供することを目的として、WEB上に「みんなのデータサイト」を2013年9月にオープンしました。2018年10月現在、16,000件超の食品測定データ、そして3,400件超の土壌測定データを公開しています。2018年には灰や腐葉土などの測定結果「環境試料」、ホットスポットの測定結果がわかる「環境濃縮ベクレル測定プロジェクト」、放射能の基礎知識をまとめた「学ぶ」コンテンツも公開。わかりやすい情報公開に努めています。

みんなのデータサイトに参加する測定室は、独自に開発した基準物質による精度検定を定期的に実施し、測定精度を確認しながら放射能測定をしています。運営は、参加している測定室のメンバーと事務局とで構成する運営委員会によって行なわれています。政治的、社会的、宗教的に独立した非営利の任意団体です。

みんなのデータサイトの機能

みんなのデータサイトには以下の4つの主要な取り組みがあります。

A. 参加測定室の放射能測定データを収集・公開する。
B. 参加測定室の測定技術、知見の向上を図る。
C. 収集されたデータにもとづいて、独自の調査研究、解析を行う。
D. 調査研究結果に基づいて、放射能汚染問題の解決、対策に向けて見解を発表する。

これらの取り組みを持続可能にするために、皆様からの測定依頼（検体持ち込み）がとても大切です。

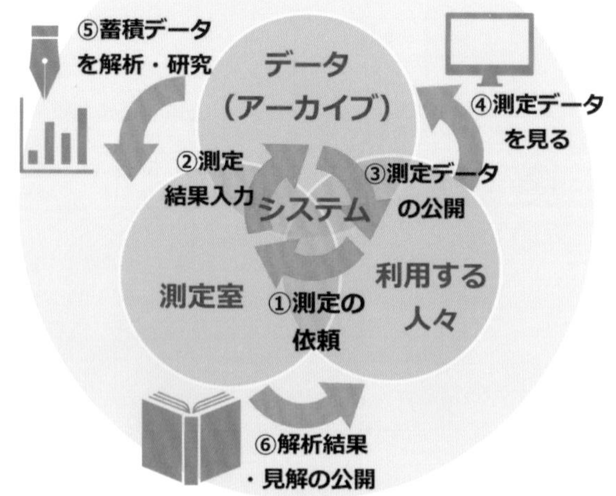

みんなのデータサイトの歩み

2011年、東京電力福島第一原発事故が起き、放射性物質が環境中に大量に放出されました。子どもの健康に不安を覚えた多くの市民が、原発事故後に立ち上がった各地の市民放射能測定室に食品の測定を依頼しました。2012年、これらの食品測定データを同じフォーマットで一元的に集約・公開することを目的に、市民測定室が集まって、みんなのデータサイトはスタートしました。

2014年1月「東日本土壌ベクレル測定プロジェクト」（以下、土壌プロジェクト）を構想し、同10月から、予算もほとんどない中、資金調達と採取活動の両輪でプロジェクトを進めていきました。

2017年12月「日隅一雄・情報流通促進賞」大賞に、みんなのデータサイトの活動が選ばれました。市民による情報の発信・流通に着実に取り組み、放射能の問題の可視化を続けている点を評価していただきました。

みんなのデータサイトの今後の活動

「みんなのデータサイト」は、東京電力福島第一原発事故による放射能汚染の実態を測定データによって可視化し、放射能汚染の記録を後世に遺します。また、このデータを必要とする方々に届くよう情報発信を続けます。子どもたちの未来を守るため測定活動を継続し、二度とこのような事故を起こさないよう社会に警鐘を鳴らしていきます。

「みんなのデータサイト」における 測定精度管理

「正確に測定できている」ことを確認する、独自の精度管理手法を開発

データを記録し公開するにあたり、「みんなのデータサイト」に参加しているすべての市民放射能測定室において測定器の「精度」が、揃って適切な水準以上であることを確保する必要があります。それを保証するのが「測定精度管理」です。

2012年の設立当初から各測定室が食品を「正しく測定」できているか確認するため、その方法として、福島県産のセシウム汚染した玄米で作製した基準玄米による精度管理手法を、C−ラボの大沼淳一を中心に開発しました。汚染玄米に非汚染玄米を混合して3 Bq/kg、10 Bq/kg、50 Bq/kg、100 Bq/kgの4種のサンプルを調整し、ゲルマニウム半導体核種分析装置で値付けしたものを標準キットとしました（図1）。参加測定室は毎年順次キットの測定を行ない、その結果は「En数検定」で評価します。En数が±1を超えると不合格で、その原因究明がなされます。

なお、加えて「東日本土壌ベクレル測定プロジェクト」を実施するにあたり、食品とは測定値の幅が異なる「土壌測定のための精度管理」方法も開発実施しました。「東日本土壌ベクレル測定プロジェクトとは」を参照してください。

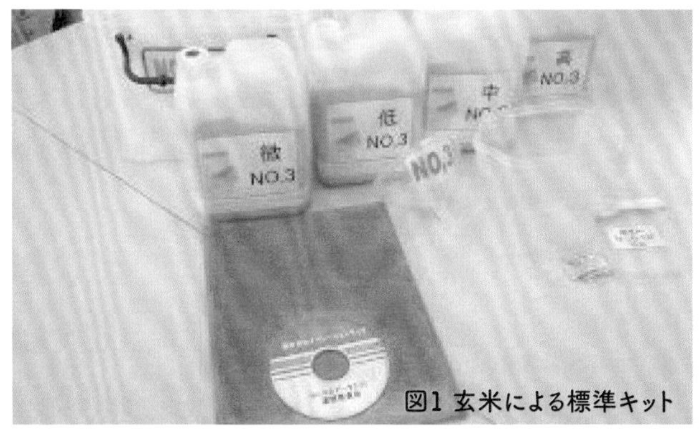

図1 玄米による標準キット

不合格の原因を探り、測定精度の改善につなげる

不合格の原因は多岐にわたります。ビルの1階を借りた測定室では、コンクリートに使われた骨材（砂や砂利）に含まれるウランやトリウムなどの天然放射性核種から放射されるガンマ線や、それらの娘核種であるラドンガスが、測定精度や定量限界の向上を妨害していることが判明し、換気や測定容器の洗浄などの強化で問題をクリアすることが出来ました。

また、同一メーカーの国産測定器で10 Bq/kg以下のサンプルがうまく測れないという事例が複数ありました。「仕様書で10 Bq/kgまでしか保証していない」というメーカーに対し、粘り強い交渉と議論を重ねた結果、解析ソフトの全面的改良をしてもらうことが出来、さらに低い値も検出することができるようになりました。

ネットワークによる測定技術の底上げ

福島事故後は、専門家でもない市民があわてて測定器を購入して始まった測定室も多く、初歩的なミスも少なくありませんでした。そういうミスを克服するために、データサイトでは精度管理以外にも技術研修会を毎年開催し、メーリングリストでの技術情報の交換も常時行なわれています。測定データ公開に際し、市民測定室として数値に責任を負えるよう、ネットワークとしての強みを最大限に生かし、技術向上に努めて来たことを知って頂ければ幸いです。

最後に、「みんなのデータサイト」誕生時からこの精度管理手法の開発にあたり、多大なるご協力をいただいた、高木仁三郎市民科学基金に感謝申し上げます。

お水に囲まれている機械が、食品や土を測る測定機「NaIシンチレーション型」。空間線量計をパンや魚に当てて「放射能が出た！」は間違いだから気をつけてね！もっと性能のいいゲルマニウム半導体式は1,000万円もして、すごく経費もかかるんだ。みんな応援してね！！

↑検出限界を下げ、測定時間を短縮するために、鉛や鉄板、水による追加遮蔽を行っている事例（追加鉛120kg、水42箱 約250kg）

【みんなのデータサイト 参加測定室一覧】 2020年2月現在

	団体名	所在地	HP	測定機種
1	さっぽろ市民放射能測定所 はかーる・さっぽろ	北海道札幌市豊平区西岡4条10丁目7-2	http://yaplog.jp/sapporosokutei/	AT1320A
2	かねがさき放射能市民測定室	岩手県胆沢郡金ヶ崎町西根中村3-17	なし	SPECTRA-3i(CSK-3i)
3	小さき花市民の放射能測定室(仙台)	宮城県仙台市太白区坪沼字原前15番地	http://www.chiisakihana.net/about/	SPECTRA-3i(CSK-3i)、FNF—401 ゲルマニウム半導体測定器 ORTEC社GEM20
4	みんなの放射線測定室「てとてと」	宮城県柴田郡大河原町字町 200番地	http:/sokuteimiyagi.blog.fc2.com	AT1320A、EMF211
5	角田市民放射能測定室	宮城県角田市小坂字石原55-2	http://sokuteikakuda.web.fc2.com/index.html	SPECTRA-3i(CSK-3i)
6	認定NPO法人ふくしま30年プロジェクト	福島県福島市飯坂町字一本松11-7	https://fukushima-30year-project.org/	PGT社製ゲルマニウム半導体検出器、 AT1320A
7	あがの市民放射線測定室「あがのラボ」	新潟県阿賀野市外城町1-53	http://aganolabo.blogspot.jp/	AT1320A
8	那須希望の砦	栃木県那須郡那須町高久丙336-5	http://nasutoride.jp/	AT1320A
9	益子放射線測定所	栃木県芳賀郡益子町益子3425-1	なし	AT1320A
10	高崎市民測定所クラシル	群馬県高崎市金古町2415-2	http://kurashiru.blog.fc2.com/	AT1320A
11	つくば市民放射能測定所	茨城県つくば市妻木1199-3	http://sokuteiibaraki.blog.fc2.com/	AT1320A
12	HSF市民測定所・深谷	埼玉県深谷市常盤町55-77	http://hsfnet.jimdo.com/	AT1320A
13	森の測定室 滑川	埼玉県比企郡滑川町山田2067-1	https://m.facebook.com/morisokutei/?locale2=ja_JP	AT1320A
14	みんなの測定所in秩父	埼玉県秩父市寺尾317	なし	AT1320A
15	NPO法人 放射線測定室アスナロ	東京都板橋区大谷口上町1-3 ひまわり会館	http://lab-asunaro.jp/	FNF-401
16	こどもみらい測定所	東京都国分寺市東元町2-20-10 memoli内	http://kodomira.com/	AT1320A
17	高木仁三郎記念 ちょうふ市民放射能測定室	東京都調布市布田2-2-6 みさと屋内	http://chofu-lab.org/	CAN-OSP-NAI
18	ちくりん舎(市民放射能監視センター)	東京都西多摩郡日の出町大久野7444	http://chikurin.org/	Itech社製 ゲルマニウム半導体検出器
19	町田放射能市民測定室 はかる～む	東京都町田市玉川学園7-12-26	http://riverfieldkh.com/	EMF211
20	東林間放射能測定室	神奈川県相模原市南区東林間5-12-7 自然食品チャンプール内	http://sokuteishitsu.blogspot.jp/	AT1320A
21	アイメジャー信州放射能ラボ	長野県松本市開智2-3-33	https://www.imeasure.jp	Ge半導体検出器 TG150B
22	JCF-Team めとば	長野県松本市浅間温泉2-12-12	http://jcf.ne.jp/metoba/wp/	CAN-OSP-NAI
23	とやま市民放射能測定室 はかるっチャ	富山県富山市神通町3-5-1	http://toyamasokutei.jimdo.com/	SPECTRA-3i(CSK-3i)
24	未来につなげる・東海ネット 市民放射能測定センター(C-ラボ)	愛知県名古屋市瑞穂区関取町146	http://tokainet.wordpress.com/hsc/	CAN-OSP-NAI
25	はかるなら(奈良・市民放射能測定所)	奈良県奈良市学園北2-1-6 セブンスターマンション103号	http://naracrms.wordpress.com	SPECTRA-3i(CSK-3i)
26	きょうと・くっすん らぼ	京都府京都市中京区壬生神明町(個人宅のため以下非公開)	なし	AT1320C
27	京都・市民放射能測定所	京都府京都市伏見区桃山羽柴長吉中町55ー1 コーポ桃山105号室	http://nukecheck.namaste.jp	AT1320A
28	南福崎土地株式会社測定室	大阪府大阪市中央区高麗橋4-5-14 西邦ビル3F 測定室	http://minamihukuzakitochi.blog.fc2.com/	テクノAP TG150B
29	阪神・市民放射能測定所	兵庫県西宮市戸田町5ー12 NPO法人・つむぎの家内	http://hanshinshs.blog.fc2.com/	SPECTRA-3i(CSK-3i)(外部MCAユニット)
30	おのみち一測定依頼所一	広島県尾道市西土堂町1-16	http://onomichi-labo.net/	SPECTRA-3i(CSK-3i)(外部MCAユニット)
31	Qベク(準備中)	福岡県福岡市東区水谷2-11-36	http://q-bq.com/	FNF-401

御礼
助成団体・寄付をくださった皆様へ

みんなのデータサイトは、2012年9月の設立以来、参加する測定室の会費、助成金、そして皆様からのカンパによって支えられてきました。
特に、東日本土壌ベクレル測定プロジェクトにおいては、測定費を無料とし、一般の方に土を採取してお送りいただくこととし、資金の支援を別途呼びかけるという両輪方式で行なってきました。これは、土の汚染度が高い地域の人々から測定料をいただいて測定をするのは忍びない、という測定室メンバーからの声により決められたものです。通常の呼びかけによるカンパでは間に合わず、2回にわたるクラウドファンディングのおかげで、汚染を不安に思う方々に測定費の負担を心配いただくことなく、たくさんのサンプルを広く17都県から届けていただくことができました。
また、この度はこの書籍の出版に際し、想定を大幅に超える多大なるご支援をいただきました。
ここにあらためて、これまでにご支援いただいた皆様に深く御礼申し上げます。

クラウドファンディングによる活動支援

「放射能測定調査6年間の集大成 ついに書籍化！先行予約開始」		
Motion Gallery	2018年9月28日終了	¥6,273,555
「子ども達と未来のために「東日本土壌ベクレル測定マップ」を完成し国内外に広めたい！」		
Moonshot	2017年1月11日終了	¥2,357,000
「子どもたちと未来のために、今、土壌をベクレル測定して、放射能マップをつくりたい！」		
Moonshot	2015年6月21日終了	¥2,118,000
合　計		¥10,748,555

助成金による活動支援

期間	助成団体	金額
2018年10月～2020年3月	LUSH JAPAN	¥2,000,000
2018年4月～2019年3月	立正佼成会一食平和基金	¥1,000,000
2018年4月～2019年3月	高木仁三郎市民科学基金	¥500,000
2017年4月～2018年3月	アクトビヨンドトラスト	¥1,000,000
2017年4月～2018年3月	高木仁三郎市民科学基金	¥600,000
2016年4月～2017年3月	アクトビヨンドトラスト	¥514,140
2016年4月～2017年3月	高木仁三郎市民科学基金	¥600,000
2016年4月～2017年3月	LUSH JAPAN	¥2,000,000
2015年4月～2016年3月	アクトビヨンドトラスト	¥1,000,000
2014年11月～2015年3月	アクトビヨンドトラスト	¥300,000
2013年4月～2014年10月	三井物産環境基金	¥8,789,000
合　計		¥18,303,140

みんなのデータサイトへのカンパおよび寄付金

第6期	（2018年10月～2019年9月）	¥427,855
第5期	（2017年10月～2018年9月）	¥725,495
第4期	（2016年10月～2017年9月）	¥1,979,026
第3期	（2015年10月～2016年9月）	¥808,744
第2期	（2014年11月～2015年9月）	¥2,709,043
第1期	（2013年10月～2014年10月）	¥176,400
合　計		¥6,826,563

用語集 この本に出てくることばや、知っておいて欲しい言葉をほんの一部、まとめました。

原子力発電関連

【原子力発電】
核分裂反応で生じる熱を使って作った蒸気を用いて発電すること。燃料には天然ウラン、濃縮ウランやプルトニウムが用いられる。中性子のエネルギー（または速度）の大きさにより、熱中性子炉、高速中性子炉に分類され、また中性子の減速や原子炉の冷却に用いられる物質により軽水炉（減速材、冷却材に通常の水を使う原子炉）、重水炉（減速材に水の分子の水素が重水素と置き換わった重水を使う原子炉）、黒鉛炉（減速材に黒鉛を使う原子炉）などに分類される。

【ウラン】
天然に産出するウランは核分裂しないウラン238が99.3%、核分裂するウラン235が0.7%で、その含有率を高めることをウラン濃縮と呼び、濃縮されたウランを濃縮ウランと呼ぶ。日本で用いられている一般的な原子炉（軽水炉）ではウラン235の含有率が3～5%になるまで濃縮されている。核分裂性ウランの含有率が高いと核兵器に転用可能なため、ウラン235の含有率が20%未満のものを低濃縮ウラン、30%以上のものを高濃縮ウランと呼ぶ。特にウラン235の含有率が90%以上のものは兵器級ウランとも呼ばれる。

避難用語関連

【SPEEDI】スピーディー（System for Prediction of Environmental Emergency Dose Information）
緊急時迅速放射能影響予測ネットワークシステム。原子力事故時に放射性物質の拡散をシミュレーションし、避難対策の策定・実施に役立つ情報をいち早く提供することを目的とするシステム。

機関名

【IAEA】アイ・エー・イー・エー（International Atomic Energy Agency）
国際原子力機関。1957年発足の国際機関。原子力の平和利用の推進と、軍事利用への転用防止を目的とする。

【ICRP】アイ・シー・アール・ピー（International Commission on Radiological Protection）
国際放射線防護委員会。1950年に国際X線ラジウム防護委員会を改組した民間の国際学術会議。電離放射線の被ばくによるがんやその他疾患の発生の低減、放射線照射による環境影響の提言を目的とする。

【日本原子力研究開発機構】（Japan Atomic Energy Agency: JAEA）
国立研究開発法人日本原子力研究開発機構。2005年に日本原子力研究所と核燃料サイクル開発機構が合併して発足。

【BWR沸騰水型軽水炉】(Boiling Water Reactor)
原子炉内の水を沸騰させて発生した蒸気で発電機を回す原子炉のこと。東日本の原発にこの型が多い。

【PWR加圧水型軽水炉】(Pressurized Water Reactor)
水に圧力をかけて沸騰を抑え、高温・高圧の水を熱交換器に送り、別の水を蒸気にして発電機を回す原子炉のこと。西日本の原発にこの型が多い。

【原子炉格納容器】
原子炉や冷却系、その他関連設備を格納する気密設備。放射能を閉じ込める「最後の砦」と呼ばれるが、沸騰水型軽水炉では、一時冷却系の多くが格納されていない。

【MOX燃料】モックスねんりょう（Mixed Oxide 燃料）
プルトニウム・ウラン混合酸化物燃料のこと。

【廃炉】
運転を終了した原子炉及び関連施設を廃止すること。国際原子力機関の分類では、放射能が減衰するまで施設の解体を待つ「密閉管理」、放射線量の高い原子炉建屋以外の施設を解体し、原子炉建屋は永久保管もしくは遅延解体する「遮へい管理」、全設備を解体し更地にする「解体撤去」の3つに分類される。

【PAZ】ピー・エー・ゼット（Precautionary Action Zone）
予防的防護措置を準備する区域。原子力施設から概ね半径5km圏内。放射性物質が放出される前の段階から予防的に避難等を行なうために設定される。

【UPZ】ユー・ピー・ゼット（Urgent Protective action planning Zone）
緊急防護措置を準備する区域。原子力施設からおおむね半径30km。予防的な防護措置を含め、段階的に屋内避難、避難、一時移転を行うために設定される。

【原子力規制委員会】（Nuclear Regulation Authority：NRA）
2012年、原子力利用の「推進」と「規制」を分離し、規制事務の一元化を図ること、独立して原子力規制に関する業務を担うため、環境省の外局として発足。事務局は原子力規制庁。

【原子力安全・保安院】（Nuclear and Industrial Safety Agency：NISA）
2001年、原子力の安全確保についてチェックすること、各原子力関連施設に対する安全規制と防災対策を行なうことを目的に、資源エネルギー庁に設置された。2012年、原子力規制委員会の発足に伴い廃止。

出典：「原発災害・避難年表ー図表と年表で知る福島原発震災からの道ー」原発災害・避難年表編集委員会編より一部抜粋・改変。

編集後記 editorial note

2011年の5月連休、寝袋と食料を積んで岩手に走り、腐ったさんまの片づけと6か所での放射能勉強会。これが翌年の全県土壌調査につながり、7年後のこの本の刊行となった。広島長崎でも、水俣病でも多くの被害者は泣き寝入りを強いられた。この本が少しでも泣き寝入りを減らす力になることを願う。

大沼淳一／C-ラボ・執筆および編集

私の作業が終わり、秋晴れの清々しい日にこの後記を書いています。快晴の空を見て、同じ晴れの日だった2010年11月3日開催のPerfume東京ドーム公演を思いだしました。事故後、幾度となくあの頃の「日常」とは違う「日常」を生きていることを意識してしまいますが、8年前を思い出した今日もそんな日でした。

阿部浩美／ふくしま30年・デザインおよび編集

放射線防護は放射線作業者のために検討されてきた経緯がある。福島事故後の一般住民への拡大適用に、政治の無能さ・理不尽さを感ずる。市民科学の成果であるこのマップ集を手元に、子ども達の未来に向けた暮らし方を語り合いましょう。

大沼章子／C-ラボ・執筆および編集

本書に記載された科学的検証が惨禍を忘却せしめようとする動きに少しでも対抗する力になることを切に願うばかりです。

村上直行／あがのラボ・執筆および編集

みんなのデータサイト マップ集 編集チーム

市民力で発行して1年、増補版を発行の運びとなった。故郷を奪われ人生を狂わされた人々の「原発事故を、放射能汚染をなかったことにさせない！」という思いに力をいただいた。今回編集して改めて、これは事故が起きる前に知っておくべき知識だったと思うし、環境中の放射能の影響が子孫の代まで長く続くという事実への怒りを禁じ得ない。

中村奈保子／データサイト事務局・執筆、企画および編集

各地で初めて出会った方々に車の運転・道案内・土壌の採取を、測定室の皆さん・気心知れた友人達に裏方で、たくさん助けて頂き心より感謝しています。ありがとうございました。データサイトのこれまでの活動の集大成として、本書をご活用頂ければ幸いです。

小山貴弓／データサイト事務局・執筆、企画および編集統括

「子どもが遊ぶ土を測りたい！」という思いの先で繋がった、みんなのデータサイト。本来は国がやるべきこの大調査を草の根の力でやり遂げ、貴重な記録を残して下さった全国測定室・市民の皆さまに無上の敬意と感謝を捧げます。今日も見えない不安と闘う、ひとりでも多くの方々に本書が届きますように。

荒木直子／デザイナー・デザインおよび編集

• 測定器ファミリー紹介 •

本文中にも登場する、放射能測定器をモチーフにした　データサイトオリジナルキャラクターです。
なお、執筆担当測定室のページに、所有する機種が必ずしも登場しません。
またキャラクターになっていない測定器もあります。

マリネリくん
測定時に検体をいれるマリネリ容器をモチーフにしたデータサイトのマスコットキャラクター

あろかあさん
ALOKA CAN-OSP-NAI

おーとうさん
応用光研 FNF-401

すぺじい
非電化工房 SPECTRA

いーえむくん
EMFジャパン EMF211

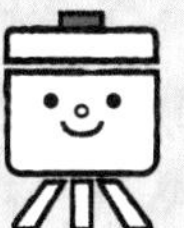

えーてぃー
ATOMTEX AT1320

英語版ダイジェストができました！

2018年11月に最初の「図説・17都県放射能測定マップ＋読み解き集」を発行して以来、特に2020年の東京オリンピックに向け、海外からの問い合わせが相次ぎました。政府が出している情報は正しいのか？それ以外の情報ソースはないのか？実際の土の汚染はどうなっているのか？

翻訳するのはとても無理と思っていましたが、心ある放射能にも詳しい語学力を持つ翻訳・エディット・デザインまでしていただけるチームが北米で結成され、この難題をクリアすることができました。

16ページの中に、日本で起きた原発事故の結果を可視化し、これだけは！という伝えるべき真実がぎゅっと詰まったダイジェスト版です。ぜひ海外にお住まいの方や日本に住む外国の方などに広めていただければ幸いです。

英語版ダイジェストは、現在日本国内のAmazonまたはみんなのデータサイト通販サイトBASE(https://minnanods.thebase.in/)で購入可能です。BASEはPayPalでのお支払いも可能です。大手書店でのお取り寄せも可能です。

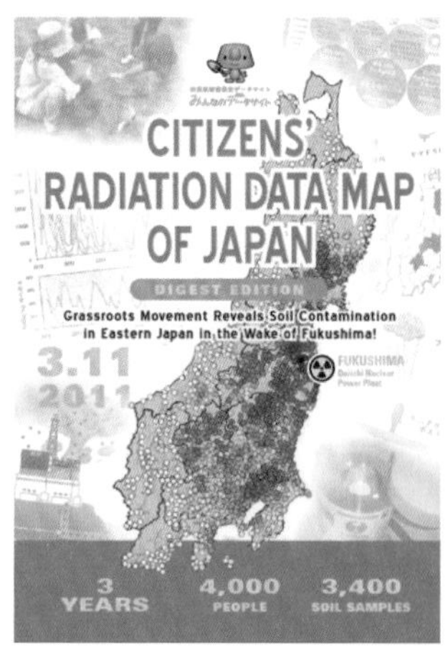

CITIZENS' RADIATION DATA MAP OF JAPAN
-DIGEST EDITION-

Grassroots Movement Reveals Soil Contamination in Eastern Japan in the Wake of Fukushima!
ISBN: 978-49910427-1-3　定価：本体500円＋税
発行所：みんなのデータサイト出版

みんなのデータサイトの活動は、皆様からの寄付に支えられ成り立っています。今後とも活動が継続できるよう、ご支援をお願い致します。

【寄付口座】

● ゆうちょからの場合
口座記号番号　00100-7-729477
口座名称　みんなのデータサイト運営委員会

● 他行からの場合
店名（店番）　〇一九（ゼロイチキュウ）店（019）
預金種目　当座　　口座番号　0729477
口座名称　みんなのデータサイト運営委員会

★訂正表・更新情報、読み解き講座開催情報はこちら
→https://minnanods.net/map-book/

図説・17都県放射能測定マップ＋読み解き集 増補版

2020年4月6日　第1刷発行
企画・編集　● みんなのデータサイト マップ集編集チーム
表紙・デザイン　● 荒木直子
発行人　● みんなのデータサイト
発行所　● みんなのデータサイト出版
〒960-0201　福島県福島市飯坂町字一本松11-7
認定特定非営利活動法人 ふくしま30年プロジェクト　気付
☎ 024-573-5697　https://minnanods.net/
印刷・製本　● 株式会社イニュニック

ISBN 978-4-9910427-2-0